AEM
ACERVO DE ESCRITORES
MINEIROS DA UFMG

FALE
FACULDADE
DE LETRAS

UFMG
UNIVERSIDADE FEDERAL
DE MINAS GERAIS

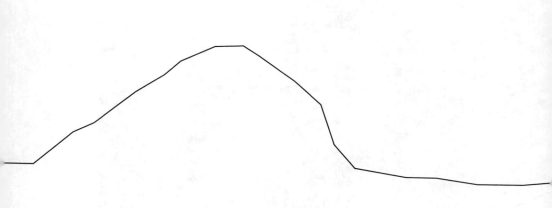

Conteúdo complementar
www.editorapeiropolis.com.br/henriqueta-lisboa

HENRIQUETA LISBOA

OBRA COMPLETA

PROSA

HENRIQUETA LISBOA
OBRA COMPLETA
PROSA

FORTUNA CRÍTICA
Affonso Romano de Sant'Anna, Ángel Crespo, Ângela Vaz Leão, Antônio Sérgio Bueno, Bartolomeu Campos de Queirós, Blanca Lobo Filho, Carlos Drummond de Andrade, Carmelo Virgillo, Constância Lima Duarte, Darcy Damasceno, Donaldo Schüler, Eneida Maria de Souza, Fábio Lucas, Ferreira Gullar, Gabriela Mistral, Ivan Junqueira, Lívia Paulini, Maria José de Queiroz, Maria Luiza Ramos, Nogueira Moutinho, Pe. Lauro Palú, Paschoal Rangel, Sérgio Buarque de Holanda

ORGANIZAÇÃO
REINALDO MARQUES
WANDER MELO MIRANDA

Editora
Peirópolis

São Paulo, 2020

HENRIQUETA LISBOA
OBRA COMPLETA
3 VOLUMES

POESIA (VOLUME 1)
Entre o ser e a poesia
Nota dos organizadores
Poesia
Índices

POESIA TRADUZIDA (VOLUME 2)
Henriqueta Lisboa e o ofício da tradução
Nota dos organizadores
Poesia traduzida
Breves notas biográficas sobre os poetas traduzidos
Índices

PROSA (VOLUME 3)
Nota dos organizadores
Prosa: Convívio poético, Vigília poética e Vivência poética
Conferência literária: Alphonsus de Guimaraens
Discursos
Esparsos
Entrevistas
Fortuna crítica
Comentários
Cronologia
Bibliografia
Índice onomástico

Copyright 2020 © Editora Peirópolis

Editores
Renata Farhat Borges
André de Oliveira Carvalho

Organizadores
Reinaldo Marques
Wander Melo Miranda

Projeto gráfico e diagramação
Silvia Amstalden

Revisão
Mineo Takatama

Dados Internacionais de Catalogação na Publicação (CIP) de acordo com ISBD

L769h   Lisboa, Henriqueta

Henriqueta Lisboa – Prosa: Obra completa volume 3 / Henriqueta Lisboa; organizado por Reinaldo Marques, Wander Melo Miranda; fotografia de Acervo de Escritores Mineiros (AEM). – São Paulo: Peirópolis, 2020.

744 p.: il.; 15cm x 22,5cm. – (Henriqueta Lisboa – Obra completa; v.3)

Inclui bibliografia e índice
ISBN: 978-65-86028-75-1

1. Literatura brasileira. 2. Prosa. I. Marques, Reinaldo. II. Miranda, Wander Melo. III. Acervo de Escritores Mineiros (AEM). IV. Título. V. Série.

CDD 869.985
2020-2650   CDU 869.0(81)

Elaborado por Vagner Rodolfo da Silva – CRB-8/9410

Índice para catálogo sistemático:
1. Literatura brasileira : Prosa 869.985
2. Literatura brasileira : Prosa 869.0(81)

Todos os direitos reservados para
Editora Peirópolis
Rua Girassol, 310f – São Paulo – SP
T. (55 11) 3816-0699
vendas@editorapeiropolis.com.br

SUMÁRIO DESTE VOLUME

NOTA DOS ORGANIZADORES   15

PROSA

CONVÍVIO POÉTICO (1955)   19

Primeira parte
Definição de poesia, 21
Essência da poesia, 23
Conceito de poesia, 26
Poesia e prosa, 29
Características da poesia, 32
Poesia, beleza, estética, 34
Poesia e lógica, 42
Poesia e didática, 44
Poesia e técnica, 46
Poesia e ritmo, 48
Condições da poesia, 51
Conteúdo e forma na poesia, 53
Poesia pura, 55
Poesia, imagem da realidade, 57
Infância e poesia, 59
Conceito de estilo, 62

Segunda parte
Sentimento da natureza, 68
Cruz e Sousa, 72
Fagundes Varela, 85
Álvares de Azevedo, 89
Camilo Pessanha, 92
Fernando Pessoa, 97
João Alphonsus, 99
Lembrança de Mário, 103
Carta sobre o *Sentimento do mundo*, 106
Cecília Meireles, 108
Alfonsina Storni, 110
Gabriela Mistral, 113
Jorge Guillén, 116

VIGÍLIA POÉTICA (1968)   123
Formação do poeta, 124
Expressão e comunicação, 129
Pensamento e poesia de Mário de Andrade, 134
Mário de Andrade poeta, 142
A poesia de *Grande sertão: veredas*, 146
O motivo infantil na obra de Guimarães Rosa, 155
A aventura poética de Murilo Mendes, 166
No centenário de Vicente de Carvalho, 175
Entre mineiros, 183
Um livro de Mário Matos, 188
À margem do *Manuscrito holandês*, 192
Reflexões sobre a história, 198
Romance com notícias folclóricas, 204
Aspectos do movimento modernista, 209
O poeta Camilo Pessanha, 225
A poesia de Ungaretti, 237
Alfonso Reyes, ensaísta e poeta, 246
Poesia de Israel, 252
Conceituação de poesia entre os franceses, 259

VIVÊNCIA POÉTICA (1979)   273
Poesia: minha profissão de fé, 274
Vicente Huidobro e o criacionismo, 286
Mário de Sá-Carneiro, 303
Guimarães Rosa e o conto, 323
O poeta Severiano de Rezende, 336
A obra poética de Alphonsus de Guimaraens, 347
Alphonsus e Severiano, 361
Evocação de Mário Casassanta, 371
Poesia de Abgar Renault, 381
Secreta música, 385
Da lágrima ao sarcasmo, 391
A palavra essencial de Jorge Guillén, 395

CONFERÊNCIA LITERÁRIA: ALPHONSUS DE
GUIMARAENS (1945)   401

DISCURSOS   445
Poesia, esta maravilhosa deidade
a que votei toda uma existência, 446
Academia Brasileira de Letras –
Prêmio Machado de Assis, 449

ESPARSOS   453
Literatura oral para a infância e a juventude, 454
Literatura oral e literatura infantil, 458
Antologia poética para a infância e a juventude, 466

ENTREVISTAS   469
A Angelo Oswaldo de Araújo Santos (1968), 471
A José Afrânio Moreira Duarte (1970), 474
A Ednalva Guimarães (1971), 477
A Edla van Steen (1984), 480
A Carmelo Virgillo (1985), 491

FORTUNA CRÍTICA 497

Affonso Romano de Sant'Anna, 498
Ángel Crespo, 501
Ângela Vaz Leão, 505
Antônio Sérgio Bueno, 519
Bartolomeu Campos de Queirós, 531
Blanca Lobo Filho, 532
Carlos Drummond de Andrade, 536
Carmelo Virgillo, 541
Constância Lima Duarte, 558
Darcy Damasceno, 563
Donaldo Schüler, 568
Eneida Maria de Souza, 571
Fábio Lucas, 583 e 588
Ferreira Gullar, 596
Gabriela Mistral, 598
Ivan Junqueira, 607
Lívia Paulini, 611
Maria José de Queiroz, 623
Maria Luiza Ramos, 632
Nogueira Moutinho, 636
Pe. Lauro Palú, 642
Paschoal Rangel, 643
Sérgio Buarque de Holanda, 651

COMENTÁRIOS 655

CRONOLOGIA 667

BIBLIOGRAFIA 691

ÍNDICE ONOMÁSTICO 728

NOTA DOS ORGANIZADORES

Além da atividade como poeta e tradutora de poesia, Henriqueta Lisboa atuou de forma significativa na crítica literária, atuação estimulada certamente pelo exercício do magistério superior na área de Letras, em Belo Horizonte. Sua prosa crítica se consolidou em quatro publicações, a saber: *Alphonsus de Guimaraens* (1945), *Convívio poético* (1955), *Vigília poética* (1968) e *Vivência poética* (1979). Esses livros tiveram cada um apenas uma edição, esgotada há bom tempo, tornando praticamente desconhecido o pensamento teórico-crítico de Henriqueta Lisboa. Foi com base nessas edições que se preparou a presente obra.

O texto sobre o poeta de Mariana constitui, na verdade, uma conferência literária proferida em 1937 no Rio de Janeiro, a convite do então ministro Gustavo Capanema, integrando ciclo de conferências sobre "Nossos Grandes Mortos", patrocinado pelo Ministério da Educação e Saúde. Embora a autora reconhecesse limitações do formato de conferência, o texto lido foi publicado, posteriormente, pela Editora Agir, em 1945. Dez anos depois, em 1955, ocorre a publicação de *Convívio poético* pela Imprensa Oficial do Estado de Minas Gerais. O volume reúne, na primeira parte, ensaios de cunho mais teórico, seguidos, na segunda, de textos de crítica literária dedicados especialmente a poetas que mais frequentava à época: Cruz e Sousa, Mário de Andrade, Cecília Meireles, Carlos Drummond de Andrade, Gabriela Mistral e Jorge Guillén. *Convívio poético* dá testemunho do desenvolvimento de um pensamento teórico-crítico mais sistemático por parte de Henriqueta, revelando seu empenho de atualização bibliográfica, teórica e crítica, como professora, desde 1945, de Literatura Hispano-Americana e

Literatura Brasileira na Faculdade de Filosofia, Ciências e Letras Santa Maria, hoje Pontifícia Universidade Católica de Minas Gerais, e de História da Literatura na Escola de Biblioteconomia de Minas Gerais, a partir de 1951.

Posteriormente, demonstrando seu aprofundamento do pensamento teórico-crítico, Henriqueta Lisboa publica mais duas obras. Em 1968, também pela Imprensa Oficial do Estado de Minas Gerais, o livro *Vigília poética*, seguido de *Vivência poética*, em 1979, pela Editora São Vicente. Apresentam ambos os volumes textos críticos voltados, sobretudo, para a poesia, mas já incluindo apreciação de obras em prosa, como os contos de Guimarães Rosa. Pode-se dizer que esses dois volumes, ao lado de *Convívio poético*, constituem um tríptico, conforme sugerem os títulos, que indicam o quanto Henriqueta procurava aliar ao seu fazer poético aguda consciência teórica e crítica. Em virtude do caráter articulado dessas três obras, optou-se por apresentá-las primeiro, contrariando-se o princípio cronológico, vindo depois o texto da conferência literária sobre Alphonsus de Guimaraens.

Por fim, compondo este volume dedicado à prosa de Henriqueta Lisboa, foram inseridos dois discursos proferidos pela poeta, um na Academia Mineira de Letras, onde foi a primeira mulher a ocupar uma cadeira, e outro na Academia Brasileira de Letras. Foram incorporadas também algumas entrevistas concedidas a veículos da imprensa, além de três textos esparsos. A par disso, os leitores encontrarão neste volume, além de cronologia mais detalhada e iconografia, uma significativa "Fortuna Crítica" da obra poética da autora, bem como "Bibliografia" de e sobre ela.

No tocante ao trabalho de revisão, procedeu-se também à atualização ortográfica, segundo o Acordo de 2009, e procurou-se adequar às normas da ABNT títulos de obras, partes de obras, veículos de informação etc. Foram feitas algumas intervenções no texto quando se tratava de flagrante equívoco de revisão. Diversamente do que ocorreu na poesia, em que foram respeitadas algumas preferências lexicais de Henriqueta Lisboa, no caso do emprego de "cousa" por "coisa", na sua prosa, porém, preferiu-se o uso de "coisa".

Com a publicação deste volume contendo a prosa crítica de Henriqueta Lisboa, leitores e pesquisadores dispõem agora de uma visão mais abrangente da produção intelectual de Henriqueta Lisboa, podendo construir um conhecimento mais efetivo e amplo da sua obra.

CONVÍVIO POÉTICO (1955)

PRIMEIRA PARTE

DEFINIÇÃO DE POESIA

Ao tentar definir a poesia devemos, antes de tudo, distinguir entre os dois elementos que lhe dizem respeito: o que se atém à virtualidade poética e o que se refere à condição estética. Reina bastante confusão nessa esfera. Não é fácil, aliás, separar a parte do todo, contemplar a esfinge de perfil quando o seu semblante, visto de frente, basta para encher-nos os olhos.

Lamentava Novalis que a poesia tivesse um nome especial e que os poetas constituíssem um grêmio à parte – "Acaso não sonha com algo todo ser humano a cada minuto?"

O erro fundamental do Romantismo, indefinidamente repetido, decorre da incapacidade de separar o anelo confuso de felicidade, tantas vezes identificado com o amor, da atividade artística produzida pela intuição.

Existe, em sentido essencial, a poesia comum ao gênero humano, aura de inspiração que o eleva acima de si próprio: participando virtualmente das atividades e atitudes compatíveis com a nobreza, ela preside a todos os mistérios do universo e é, como a vida mesma, indefinível.

A essa, precisamente, denominava Novalis "a flor azul", símbolo representativo da nostalgia do homem pelo inexistente, dos seus anseios de perfeição e sobrenatural.

"A flor azul", diz um personagem de Spielhagen, "é a flor que ainda não lograram ver olhos humanos e cujo perfume enche, sem embargo, o mundo inteiro. Nem todas as criaturas possuem o fino organismo necessário para receber esse perfume; porém o rouxinol está embriagado por ele, quando, à claridade da lua ou no crepúsculo da manhã, canta e se lamenta e soluça, como o estão os homens extravagantes que antes e agora clamavam e clamam ao céu sua dor, e ademais milhões de pessoas às quais nenhum Deus concedeu a faculdade de expressar o que sofrem..."

Existe a poesia peculiar aos poetas, decorrente, em parte, da primeira. (Com mais sutileza, vislumbraríamos ainda outra modalidade de poesia: aquela de que estão impregnadas todas as artes e que ilumina secretamente uma tela, por meio de elementos outros que o da palavra: a cor, a forma, o ritmo.)

Como definir a que pertence aos poetas – de tão agudo significado – sem que ela se confunda com as demais, sem que as palavras se prestem a uma dúbia interpretação?

É bem árduo delimitar fronteiras entre o impulso que move ao ato poético e a consumação desse ato, no qual se fundem as tendências originárias com as forças volitivas e construtivas. Como é também extremamente difícil deslindar da simples personalidade a personalidade artística.

Se, do ponto de vista inicial, a poesia (inspiração) traz um cunho de nobreza, deveria produzir sempre, como causa e princípio da realidade poética imediata, efeitos condizentes. Entretanto, as condições de vivência desviam, às vezes, o caminho espontâneo das coisas, como os diques e até mesmo elementos naturais desviam as águas de um rio. Assim, a poesia se ressente de inúmeras influências que a levam a mundos surpreendentes e – quem sabe? – a mundos que contradizem a sua origem. Pelo prisma visual da estética, isso não impede que ela se realize cristalinamente, proporcionando, desta forma, alguma compensação aos valores extraviados. Por isso, talvez, a poesia assume sempre, cingida pelas flores da terra, o ar delicado de anjo expulso.

Tratando-se da poesia imanente ao poema, cristalizada através da poética em forma de verso, capaz de "expressar imediatamente o espírito no espírito mesmo, com todas as concepções da imaginação e da arte", parece desconcertante defini-la, ao lado da prosa, como "um dos mecanismos da expressão verbal". De fato, admira que certa organização material da linguagem alcance o privilégio de traduzir o inefável, se não levarmos em conta os precedentes desse processo.

Com alguma ênfase, poderemos definir em outros termos a poesia artística: não será ela a coação do eterno dentro do efêmero?

ESSÊNCIA DA POESIA

Embora o poeta seja indicado – *et pour cause* – como perene sonhador, a poesia é testemunho de plenitude, não de carência. O que o poema revela é sempre menos do que conserva o poeta em sua potencialidade. Toda expressão artística redunda de superabundância de vida interior, o que explica a insatisfação do artista abandonando a obra, apenas realizada, por novas tentativas.

A marca da obra de arte parece mesmo ser esta: um como enunciar de incalculável riqueza oculta, céu prometido através de tormentosa atmosfera. O poeta que sonha e quer não se compraz senão com o que dá de si próprio. Ao oferecer-nos a água que transborda da fonte – essa a que os místicos denominam o centro da alma –, não lhe conhece toda a limpidez. Desde que os seus sentidos entram em jogo, é natural que a fonte se turve, para adquirir, numa terceira etapa, a necessária transparência. Daí, por certo, o ambiente de mistério que envolve a poesia. A comunicação do poeta, por mais pura que seja, nunca é absoluta. A síntese exigida na obra de arte, em benefício, aliás, de sua nitidez, apaga e elimina os processos analíticos que a precederam e fermentaram, indispensável levedura. Essa fase caótica da poesia é também afirmativa, porquanto indispensável ao seu desenvolvimento dentro da ordem criadora.

A metáfora, por exemplo, substituindo um valor por outro, possui certa energia de que se percebe a irradiação e o calor, e cuja sede permanece aquém da linguagem articulada. As ideias, ou intuições, que servem de base à imagem, assemelham-se a guerreiros vencidos que se infiltram no seio dos vencedores e fazem prevalecer seus tributos, numa como recuperação. Ou, ainda, às colunas líquidas indistintas que sustentam a água de superfície. Se a letra mata, o espírito vivifica. Isso porque a palavra não é somente comunicação mas, simultaneamente, instrumento de solucionar conflitos humanos, de aclarar, de depurar estados de alma. Para dar testemunho de si próprio ou do mundo em que se integra, o Poeta está pronto a represar, a restringir a torrente de seus sentimentos, a escolher, entre as vagas e confusas intuições, nascidas umas das outras ou umas após outras, a mais representativa, às vezes a mais estranha de todas, capaz, entretanto, de perpetuar as outras por meio de sugestão e insinuação.

A sombra sempre proporcionou efeitos de luz. Os intervalos e as pausas fazem parte integrante da música. Não participará também do silêncio, desse inefável silêncio a pairar entre um e outro verso, uma e outra sonoridade vocabular, em obscura correspondência à palpitação do ritmo, recuo de maré entre duas investidas de onda, a essência da poesia? Não estará no próprio mistério a essência da poesia?

Mas que mistério é esse, que se condiciona a circunstâncias de ambiente? Que silêncio é esse, que depende do êxito das palavras?... Angustiosas questões!

No íntimo, desconhece o poeta a sua mensagem, antes de conseguir explicar-se através da obra. Se a explicação for cabal, deixará de ser artística para ser científica. Se for insuficiente, morrerá da própria aridez. Em caso de prosaísmo, há violação do mistério, esse clima delicado. Em caso de hermetismo, sacrifica-se o mistério ao desconhecido, ao problemático, ao inexistente. O perfeito silêncio pertence à mística, a informação elucidativa compete à ciência. Nas auras do mistério reside a poesia, a equilibrar-se entre o obscuro e o revelado, a palavra e o silêncio. Fecundo silêncio significativo como a palavra mesma, limitando-a e prolongando-a na sua fluidez psicológica, aureolando-a, esfumando-lhe a densidade e o contorno, protegendo-a da claridade crua, repetindo-lhe o eco em tremores tênues.

Sim, o poeta apascenta o seu rebanho no meio de lírios. É através do jogo das imagens que ele chega a falar de coisas infinitas, assim como nos fala Deus através da beleza do universo.

A paisagem evoca solidão porque é de fato, apenas, uma parte do cosmos. O poema, no mais alto sentido espiritual, não é senão uma parte do todo, que é o centro da alma do poeta, por sua vez ligada à grande fonte da vida.

Dizer que o mistério da poesia permanece, nas pegadas do texto poético, não é negar a arte como técnica, mas reafirmá-la como tal. A palavra tem maravilhoso poder mágico através do poeta e não em si mesma. Vale como presságio, augúrio, fio que conduz aos mais espessos dédalos, na medida de sua decantação. Quanto mais depurada, mais profunda é a mensagem de que se faz veículo.

"Un poema, en su tejido último, es algo imprevisible, porque lo es la fluencia psíquica que lo determina", diz Carlos Bousoño, precisamente em *Teoría de la expresión poética*, livro admirável no qual oferece explicação do fenômeno lírico. E ainda: *"El poema en su desarrollo no suele transmitirnos algo fijo o inalterable, sino la fluencia de un rico y complejo contenido del alma. Misteriosamente, son las palabras mismas del poema las que originan esa fluencia: el primer sintagma lírico actúa como la piedra que, arrojada a un estanque, provoca un movimiento de ondas concéntricas"*.

A possibilidade de definir-se a poesia como comunicação de uma fluência, e não de um estado, acrescenta ao seu mistério fundamental outros estranhos véus de estremecimento contínuo.

CONCEITO DE POESIA

Como reconhecer a verdadeira poesia? É a pergunta que vem à baila quando surge uma nova escola, quando o poeta penetra uma clareira imprevista. Os índices fundamentais da poesia, nos momentos crepusculares, são mais tênues, menos acessíveis aos olhos do leigo. E é natural essa confusão, quando os próprios artistas se perturbam com a evolução dos sistemas históricos.

Sem o prévio estabelecimento, portanto, de um conceito básico em relação ao fenômeno poético, não se distingue a verdadeira da falsa poesia.

Um rápido exame de concepções de poesia, nos campos da história e da crítica literária, corresponde a uma visão colorida. Que variedade de tons não há de oferecer a observação desses conceitos em campos abertos! Predomina geralmente, em cada época, uma tendência filosófica em consonância com a arte. Mas não é coisa singular o desencontro, no tempo, de arte e sua inteligência.

Cada ser humano, diante do fenômeno artístico, reage com certa violência caracteristicamente individual. Encontramos então, no século XX, conceitos que imperavam no século XVIII, como surpreendemos, de há cem anos, concepções audaciosas para os nossos dias. Antes da resposta à pergunta inicial – como reconhecer a verdadeira poesia? – devemos, pois, examinar o comportamento do homem diante desse velho problema.

Em síntese, talvez possamos agrupar cinco ou seis atitudes, das mais radicais, por ele manifestadas. A primeira atitude é a do racionalista, quer dizer, aquele que busca na poesia um sentido lógico, elementos intelectivos que a expliquem às claras, sem percepção da sua natureza inefável, esquiva a toda análise.

A segunda atitude é a do hedonista, isto é, aquele que deseja encontrar na poesia um motivo de deleite para os sentidos ou para o espírito, sem preocupação de valor metafísico.

A terceira atitude é a do romântico, o que procura a poesia pelo que ela contém de sentimento, sem condicioná-la a outros delicados requisitos de sensibilidade e exatidão.

A quarta atitude é a do utilitarista que aspira para a poesia, com interesse imediato, uma finalidade que não a da própria essência poética, e imagina a arte social como se ela já não fosse social por si mesma.

A quinta atitude, em oposição à anterior, é a do abstracionista ou purista, aquele que deseja da poesia o exclusivamente estético, limitando, pela depuração excessiva de um ato vital, a condição humana do poeta.

Finalmente e raramente aparece uma sexta atitude, a que qualificaríamos de ideal, pelo fato de colher das atitudes mencionadas o que possuem de complementar, eximindo-as, ao mesmo passo, de seus elementos dissociativos. Essa postura, imparcial e completa, é peculiar ao que nasce marcado de intuição para a arte e sabe exercê-la a par de certo espírito crítico, passível de desenvolvimento.

Isolada do auxílio intelectual que traz a cultura e do auxílio moral que traz a honestidade de julgamento, a intuição, que é o primeiro passo para o reconhecimento do poema, não será, talvez, suficiente.

O poema não é apenas artefato, nem conjunto de sons articulados, não resulta exclusivamente da experiência do autor, ou do leitor, nem mesmo da experiência coletiva, mas é súmula e síntese dessas vivências e representações. Coisa sumamente complexa, supõe todo um sistema de normas, todo um organismo composto de vários estratos, apontados por Wellek e Warren: o fônico, o das unidades de sentido, o dos objetos representados, o das qualidades metafísicas. Requer, assim, por parte do leitor, apreensão em perspectiva múltipla, através de um conjunto de forças naturais simpatizantes e elementos clarividentes de defesa, intuição e tensão conjugadas. Exige despojamento de todo e qualquer preconceito. Exige um como estado de inocência iluminada, quase diria policiada, não passiva e pronta à aceitação, mas ativa, apta à participação, livre bastante para supervisionar a obra de vários ângulos a um tempo, e exata para apreciá-la de um jato na sua estrutura, na sua significação e no seu valor, quer dizer, na sua integridade. Exige amor esclarecido, não cego. Uma atitude aparentemente anárquica, porém de fato organizada (dividir para reinar...) conduz, dessa forma, à unidade, à harmonia de pontos de vista entre o autor e o leitor, à desejada posse do poema, a uma segunda vida, não só do poema, nossa também.

Tornam-se então transparentes as palavras de Pfeiffer: "Poderemos saber que uma obra é ou não poesia – e isto continua sendo a pedra de toque mais geral e, portanto, infalível – se sua forma poética for apenas invólucro, ou em si mesma a semente, se for mera cobertura ou já por si, conteúdo. Toda poesia falsa se atraiçoa porque sua forma verbal é apenas cobertura, em vez de ser o meio forçoso e intransferível de mostrar um conteúdo, uma interioridade".

Como outrora os discípulos de Emaús à procura de Cristo, o que busca por necessidade a poesia, já a reconheceu no seu coração.

POESIA E PROSA

Os poetas escrevem geralmente em verso. Esse fato rotineiro nos habituou à ideia de que a poesia se encontra no verso. A verdade é que ela se encontra igualmente na prosa.

A propósito: uma das mais intrincadas questões da teoria da literatura é a que se refere à distinção entre poesia e prosa. Linguagem poética e linguagem prosaica não tiveram ainda, nem terão, as suas órbitas delimitadas, tanto em virtude da dificuldade de depuração da poesia, como em vista da universalidade do instinto poético do homem, traído pela sua linguagem.

Se poucos poetas lograram atingir os cumes da poesia pura, qualquer criança, ao expressar-se, encontra de súbito a palavra capaz de traduzir o seu estado lírico.

"Evidentemente", escreve Karl Vossler, "a distinção entre poesia e prosa é de algum modo exterior, isto é, formal; e quem externamente busca essa diferença e, seguindo naturalmente a impressão de seu ouvido e de sua vista, qualifica de poesia as formas de falar com aparência simétrica e de prosa as de aparência assimétrica, evidentemente não anda muito desacertado."

Eis uma solução provisória, que está longe de satisfazer-nos. Não seria lícito buscar externamente a diferença entre poesia e prosa, quando são ambas a manifestação de coisas internas. Há diferenças essenciais entre o pensamento poético e o pensamento prosaico, e as características da obra poética opõem-se, muitas vezes, às características da obra não poética.

Já Aristóteles o denunciava, ao protestar contra o conceito estético que exigia tantos requisitos da forma literária, sem alusão à substância da mesma: "Nada há de comum entre Homero e Empédocles, senão o terem ambos escrito em verso. Conviria denominar a um, poeta; a outro, naturalista".

Interessa-nos, em princípio, a distinção proposta por Soares Amora no seu excelente tratado da Teoria da Literatura: "A linguagem poética é uma forma artificial de linguagem distinguindo-se, assim, da prosa, que é uma forma natural de linguagem". Aponta o mesmo escritor os dois elementos que constituem a linguagem artificial: o ritmo mecânico e a rima. De fato, esses elementos não condicionam, de modo algum, a prosa. Mas são de ordem exterior, apenas. Além disso, a escola modernista, destruidora do ritmo mecânico e da rima – claras e clássicas características da poesia –, desloca os dados do jogo. Presta com isso, aliás, um pequeno serviço gratuito à teoria da literatura.

Entregue o verso ao livre-arbítrio do artista, como se distinguirão, agora, as duas formas da linguagem?

Avançando cautelosamente na bruma, encontramos, em Amado Alonso, a anotação seguinte: *"Si en algo se manifiesta esta divergente naturaleza de poesía y prosa es en la sintaxis"*. Realmente, a sintaxe da poesia, singela, flui de períodos soltos, quando muito, coordenados; a prosa deriva de estrutura mais complexa, marcada de orações subordinadas. A construção gramatical lançaria, pois, à maneira de ponte sobre águas profundas, alguma elucidação ao tema. Principalmente se considerarmos o seu valor psicológico. Por sua vez, diz Johannes Pfeiffer: "Enquanto a prosa determina e afia as palavras para convertê-las em conceitos da maior energia e precisão possíveis, na poesia o essencial é viver as palavras em toda sua virginal plenitude de sentido e plasticidade; a intuição se eleva sobre a compreensão, a imagem sobre o conceito". Não há dúvida: este pensamento nos será útil. Mas há uma espécie de prosa em que também a intuição impera sobre toda lógica: a prosa de ficção, na qual transluz misteriosa estrela. Chegamos, assim, à verificação de que há, não apenas uma, porém duas espécies de prosa: a primeira simplesmente intuitiva e, pois, absolutamente criadora, a prosa artística; a outra, movida pelo raciocínio, mais lúcida, menos cálida, serva da ciência e da filosofia. A primeira identifica-se por completo com a poesia; a que se desenvolve através da lógica é absolutamente estranha à poesia.

Não se trata, escusa dizer, da natureza do conteúdo da obra, elemento de relevante importância que, no entanto, dispensa determinações. Mostra-nos o célebre exemplo das *Geórgicas*, de Virgílio, tantas vezes aparecido na polêmica Buarque de Holanda–Canabrava, como pode a fatura transfigurar o conteúdo.

A questão depende da atitude do escritor em face da obra: atitude lírica ou cerebral. Apenas.

O nosso rio de águas profundas, como todo rio, tem duas margens. Depois de tantas conjeturas para essa descoberta, doce é a perspectiva da outra margem...

CARACTERÍSTICAS DA POESIA

Como em toda arte liberal, a poesia acusa a harmonia de dois princípios aparentemente contraditórios: gravidade e gratuidade.

A mais austera concretização poética tem qualquer coisa de levípede. A mais ingênua expressão lírica preside certa dignidade hierática. Fale a poesia de um esplendor terrível ou de um contato de brisa, a razão de ser de sua seriedade está na mesma isenção de ânimo com que se sobreleva às contingências.

Um poema contaminado de paixão torna-se risível, se lhe falta a graça da levitação com que pudera generalizar-se. Um poema leviano, em que não pesa o lastro substancial da existência, enfada.

O exclusivo ardor pela ideia – por mais nobre que seja – lhe é importuno, tanto quanto a perfeita virtuosidade sem escopo. O que se exige, no caso da virtuosidade, não é um objetivo com destino, mas um objetivo em si mesmo, correspondência da arte com sua própria natureza. O que se dispensa, no caso de exaltação excessiva, são os resíduos que transferem o poema para setores polêmicos.

A escola clássica, atendendo de preferência à beleza formal da poesia, tomava-a principalmente como jogo.

A escola romântica, repudiando a aparência sensível em benefício do elemento característico, exagerou a sua gravidade.

Atitude equilibrada é a que se deduz do ideal de Goethe quando escreve: "Queremos volver ao pleno gozo do individual, sem deixar perder o significante nem o sublime. Este enigma pode ser resolvido só pela beleza – que dá vida e calor ao científico (sempre concebido como distintivo do característico) e suaviza o significativo e elevado".

Se considerarmos a arte desta maneira, como a junção de dois tipos de expressividade: "a caracterização por atributos essenciais e o simbolismo formal decorativo", verificaremos que uma parte contribui para a gravidade, ao revelar o traço marcante do indivíduo, e outra parte confabula com o jogo, mediante a graça das minúcias e transposição para o universal. Pelos fundamentos do real, a poesia torna-se ponderável; pelo idealismo contemplativo, exime-se de fins utilitários.

Com grande acuidade, Pfeiffer confere a esses dois atributos – gravidade e jogo – as mesmas raízes de outros dois elementos que constituem a poesia: verdade e beleza. "Em razão de sua verdade, a poesia é necessária; em razão de sua beleza, é beatificante." E, ainda mais explícito: "Não há arte sem este dualismo: aproximação à vida e afastamento da vida; entrega e distância; participação tensa e voo livre".

Parece-nos moralmente explicável essa conjugação de forças díspares em virtude da percepção desinteressada que tem o artista do mundo e, ao mesmo tempo, da sua simpatia por todos os aspectos do cosmos.

Também se explicaria, na ordem metafísica, pela aceitação da doutrina escolástica expendida por Maritain. Ao passo que enaltece o artista apontando-o como um "homem que vê mais profundamente que os outros e descobre no real irradiações espirituais que os outros aí não sabem discernir", Maritain demonstra as suas limitações; o artista nada mais é do que um continuador das "Forças Originais", pois utiliza os materiais da vida criados por Deus para descobrir a essência das coisas.

Ao estímulo dessa doutrina equipara-se, é bem de ver, uma lição de humildade. Criador apenas no plano do possível, o homem busca a poesia pelo mistério que a cerca; mas a poesia é o próprio mistério que ele acaba amando com todas as suas complacências. Assim, quando mergulha na realidade, sonha; quando sonha, tem consciência disso.

Assemelha-se então à criança que, ao aproximar-se de um lago, mira sua própria sombra ameaçando ir buscá-la, porém não o faz, sabendo que há um limite para o seu brinquedo.

Na impossibilidade de ferir o absoluto, o poeta assume uma atitude que, em última instância, denota *sense of humour*; antes que as asas se lhe quebrem no ímpeto, modera o voo e faz uma curva – tão graciosa quanto melancólica – de retorno à morada terrena.

POESIA, BELEZA, ESTÉTICA

Das mais delicadas é a questão da poesia com referência à beleza. Tantos seculares preconceitos e tão confusos conceitos cercam a arte e o belo, que mal se distingue, neste setor, o alvo de nossos pensamentos. Se organizarmos, por exemplo, uma lista em que figurem os mais belos poemas de língua portuguesa, teremos organizado, simultaneamente, a relação de seus melhores poemas? A resposta é afirmativa, se dermos à palavra belo, como substantivo, o sentido seguinte: "conjunto de qualidades despertadoras dum sentimento elevado e especial de prazer e admiração". É porém negativa, se dermos à palavra belo, como adjetivo, aplicação ao que tem forma perfeita e proporções harmônicas e é agradável ao ouvido. Que perplexidade, pois, classificar um poema como "Ode marítima" de Fernando Pessoa, o qual nos desperta a mais viva admiração pelo conjunto de qualidades, mas não possui proporções harmoniosas, nem forma perfeita, nem amena sonoridade! Pela mesma razão a grande poesia de Mário de Andrade está à espera de um grande crítico desbravador que lhe explique a estranheza: para dizer coisas totalmente inéditas, o poeta de "Meditação sobre o Tietê" teve de forjar, com toda a sua força interior, seus próprios e insólitos instrumentos de expressão.

Pergunto pois: haverá poesia sem beleza? Importa à poesia primordialmente a beleza? Que espécie de beleza? A da forma, que encanta os nossos sentidos, por meio de imagens e metáforas nos domínios da cor e do som? A da substância, que nos enobrece a alma pela evocação de sentimentos morais, ou que nos fascina o espírito pela fulguração da inteligência? Mas a beleza da forma não pode ser julgada separadamente, nem tampouco a da substância. A primeira, esvaziada da segunda, perde toda sua significação, transmudando-se num amontoado de termos, apenas audíveis. A segunda, tomada à parte, desaparece, uma vez que o belo artístico não prescinde de representação para os sentidos.

Um poema não será belo unicamente porque o assunto se inspira no bem, nem o será porque coordena as mais formosas palavras do dicionário; somente a conexão e a fusão entre os dois elementos que o compõem – espírito e matéria – realiza a beleza, às vezes com toda simplicidade, com vocabulário cotidiano e tema singelo, porém adequados um ao outro, direi melhor, trocados um pelo outro, na intensidade da emoção. Como nesses versos imortais de Alphonsus de Guimaraens:

> Ando colhendo flores tristes:
> Um goivo aqui, outro acolá...
> Moças, por que não me sorristes?
> Vossos sorrisos, flores tristes,
> Eu não sei quem os colherá.

Não se exime, facilmente, o poeta, da sedução de colher palavras amáveis pela musicalidade ou pela plasticidade; um rápido manuseio de antologia nos fornece exemplificação eloquente desse gosto: crepúsculo, névoa, donzela, donaire, paisagem, contemplação... Também se nota a preferência pelos temas de magnitude: Deus, felicidade, amor, renúncia, pureza, infinito...

Como reação a essa tendência que seguia a linha ideal e muitas vezes se perdia no vácuo, tentou o Modernismo a reforma do vocabulário poético, a fim de manifestar, com mais justeza, a sensibilidade nova, de certo modo contundida pelo real. "Beco" e "bigode" passaram a ser termos de eleição, frequentemente utilizados a mando de um novo preciosismo, porém em tese tão legítimos como quaisquer outros, ao agenciarem o enriquecimento do patrimônio poético. Insisto na questão: importa à poesia primordialmente a beleza? O que importa à poesia é sua mesma realização dentro dos cânones artísticos, isto é, independentemente de finalidades alheias a ela própria. No entanto, pela fração de ideal que lhe distingue a natureza, acha-se a poesia unida ao belo; pelo lastro de realidade que não pode dispensar, apenas aspira ao belo artísti-co, modalidade diferente do belo informe ou da ideia abstrata do belo. Nesse caso, pode-se afirmar que não há poesia sem beleza: a beleza da poesia é imanente à poesia mesma, à sua autenticidade, à beleza de que se nutre interiormente o poeta, àquela essência misteriosa que o impele para a obra de arte.

"Como o uno, o verdadeiro e o bem", diz Maritain, "o belo é o próprio ser considerado sob certo aspecto, é uma propriedade do ser; não é um acidente acrescentado ao ser, só acrescenta ao ser uma relação racional, é o ser tomado como deleitando, por sua pura intuição, uma natureza intelectual."

A beleza está vinculada ao critério estético subjetivo, assim como ao contato existencial que a torna humana e, pois, vulnerável.

O juízo estético, evidentemente, não é o mesmo para todos os seres e, dentro do mesmo ser, sofre a influência do tempera-mento, da constituição da sensibilidade, da formação do caráter, está condicionado à cultura e à civilização, varia de acordo com as circunstâncias e o tempo.

Assim, o que é belo para a adolescência, já não o será para a ma-dureza. A humanidade evolui, geralmente, da imitação da aparência sensível para a captação de uma verdade básica. A teoria metafísica da beleza clássica difere fundamentalmente da romântica: se aquela exigia o perfeito equilíbrio entre as diversas partes para a uniformi-dade do todo, essa surpreende o elemento característico essencial capaz de dar, por si mesmo, a impressão do todo. Se os poetas ro-mânticos não realizaram obra tão bela como os clássicos, todavia tiveram da beleza artística uma intuição mais profunda e original.

Um poema delicadíssimo de Rilke, em língua francesa, dá-nos a imagem dessa concepção em que o artista negaceia a natureza.

On arrange et on compose
les mots de tant de façons,
mais comment arriverait-on
à égaler une rose?

Si on supporte l'étrange
prétention de ce jeu,

c'est que, parfois, un ange
le dérange un peu.

Como resolver, em princípio, o desacordo entre a objetividade e a relatividade da beleza? Baudelaire, genial nos seus estudos estéticos, abre-nos uma clareira para a penetração desses dédalos: *"Le beau est fait d'un élément éternel, invariable, dont la quantité est excessivement difficile à déterminer, et d'un élément relatif, circonstanciel, qui sera, si l'on veut, tour à tour ou tout ensemble, l'époque, la mode, la morale, la passion".*

Sem rigor, talvez possamos equiparar a substância ao primeiro elemento, a forma ao segundo. A substância, no belo, radicando certas qualidades específicas inerentes à natureza do homem na sua universalidade, em virtude da origem comum e divina, tende para a perfeição, o imutável, o sagrado, enfim para o que mais se aproxima do belo eterno do cosmos, para o que inspira sensação equivalente à das grandes noites estreladas de inefável mistério. O homem primitivo se reconheceria no último de sua geração, ferido este, muito embora, de todas as contingências. A versatilidade humana se exerce, de preferência, nos domínios da forma, na medida em que a forma atinge o próprio conteúdo. São quase sempre de ordem externa, as modificações que o homem sofre no seu ser. Por isso mesmo nos emocionam, ainda hoje, a nós, moradores de arranha-céus, as descrições bucólicas de Virgílio. De modo que a forma se relaciona com o efêmero, o individual, o intransferível. Não há dúvida que os gregos foram admiráveis ao reconhecerem, como características do belo, a dignidade e a graça, ou por outra, a grandeza e a ordem, da estética aristotélica. Ajusta-se a essa teoria o pensamento de Baudelaire: a dignidade, ou grandeza, encontraria equivalência no elemento eterno com seu estatismo; a graça ou ordem corresponderia à passageira condição humana, no seu dinamismo renovador. Também podemos aproximar do elemento eterno a natureza como objeto ou espelho do artista; e do elemento circunstancial o subjetivo ou a imagem refletida.

Não há sentimento humano que a poesia não possa exprimir com dignidade, quando a esta se alia a liberdade de movimentos. Com a dignidade condizem a grandeza, a força, a serenidade, a contenção, a profundeza, a tristeza; e até mesmo a dor, o temor, a desconfiança, a desesperança, a angústia, desde que possam ser compensados pelas virtualidades complementares: a ordem, a graça, a fluência, a alegria, a ironia, a melancolia, a ternura, o amor. Ainda bem que em qualquer condição de vida, possa o poeta subsistir. Porque as experiências do século têm conduzido o homem ao paroxismo da angústia. O belo – tomando-se o termo na sua mais ampla acepção – parece haver desertado da terra. O belo artístico, entretanto, vai muito além da imitação e serve-se apenas do objeto exterior – ou causa inspiradora – como ponto de partida para as suas imprevisíveis viagens. Toda a natureza visível e invisível serve de impulso à criação. Porém o belo não é senão uma parcela dessa natureza. Este axioma tem mais importância do que parece. A arte não pode apenas fixar os momentos felizes numa solução feliz, mas deve necessariamente estender-se a todos os campos da vida humana, buscando, ao mesmo tempo, representar as mais árduas experiências de maneira adequada, precisa e eficaz.

Deveria acaso a poesia fugir ao contato existencial e refugiar-se na "torre de marfim"? Deve corresponder a uma beleza ideal imaginária, ou levar o frêmito da vida latente de que provém?

O poeta encontrará sua solução pessoal: unindo a severidade ao jogo, à tendência individual o desenvolvimento para o geral, a imitação da natureza à fantasia imaginativa, os caracteres essenciais à graça decorativa. A exemplo, este maravilhoso poema de Carlos Drummond de Andrade, "Canto esponjoso":

Bela
esta manhã sem carência de mito,
e mel sorvido sem blasfêmia.

Bela
esta manhã ou outra possível,
esta vida ou outra invenção,
sem, na sombra, fantasmas.

Umidade de areia adere ao pé.
Engulo o mar, que me engole.

Valvas, curvos pensamentos, matizes da luz
azul
    completa,
sobre formas constituídas.

Bela
a passagem do corpo, sua fusão
no corpo geral do mundo.

Vontade de cantar. Mas tão absoluta
que me calo, repleto.

Os versos – esta vida ou outra invenção – sem, na sombra, fantasmas – levam a marca deste nosso atormentado século: vale o momento de euforia pela sua mesma fugacidade, de que o poeta tem consciência lúcida.

Fadado a mutações pelo aspecto circunstancial que lhe imprime singularidade, o belo artístico só é autêntico se corresponde à verdade interior daquele que o cria. (Não em sentido estritamente biográfico, respeitada a cisão entre a pura personalidade e a personalidade artística.) E nenhum poeta se isenta dos estigmas de seu tempo. Diante da visão total do universo com sua decadência e seus esplendores, o poeta moderno tem sabido sofrer; e tem tentado imprimir à sua arte o sofrimento de todos os homens. Muitas vezes, no entanto, tem se esquecido de uma profunda lição sintetizada nestas palavras de T. S. Eliot: "Quanto mais perfeito é o artista, mais completamente se separarão nele o homem que sofre e o espírito que cria, e mais perfeita será a maneira pela qual o espírito absorve e transmuda as paixões que compõem seus materiais".

O descaminho de certos artistas modernos não é devido aos conceitos da nova estética ("uma expressão própria, segundo Croce, se é própria é também bela, porque a beleza não é outra coisa que a determinação da imagem e, portanto, da expressão"), mas à falta de amadurecimento desses mesmos conceitos revolucionários.

Lo más importante", diz um filósofo católico dos nossos dias, Juan Luis Segundo, *"sería borrar ese concepto del arte como reproducción de belleza que hasta ahora ha dominado tan injustamente en el dominio de la estética.*" E ainda: "*En razón de su esencia y de su origen el arte no aspira a la más mínima objetividad. Su destinación es producir una representación de la subjetividad afectada por una existencia que desborda*".

Achamo-nos no limiar de uma nova era, de uma nova concepção de vida em que predomina a ideia da força, da intensidade, da vibração nervosa do ser, do seu ensimesmamento psicológico, das grandes abstrações do espírito. Paralelamente, nos terrenos da estética, a ideia do belo cede passo à ideia do verdadeiro, do característico, do mais intenso, do essencialmente humano, até do subconsciente. Supérfluos foram sempre, aliás, os esforços do artista para tornar bela uma obra não vivificada por seu íntimo ser.

Atingimos, sem dúvida, a uma etapa de extraordinário progresso na concepção da coisa artística. Embora nem sempre tenhamos superado os obstáculos e as responsabilidades que acarretam a liberdade adquirida pelo artista para deslindar, em meandros escuros, toda a gama de sensações e intuições da humanidade.

De fato, conforme escreve Jules Monnerot, no seu ensaio sobre o suprarrealismo, "*derrière ce rideau se laisse pressentir, amorti par la distance métaphysique, le cri d'un être qui crie de tout son être*".

Há uma desproporção entre a gravidade da mensagem e a maneira de transmiti-la. O homem moderno, não apenas o poeta, acumula numa só ideia ou num único sentimento obcecado, toda a força de sua personalidade, tornando-se por isso mesmo unilateral. Não proporíamos, jamais, uma estética normativa que limitasse a liberdade criadora e cerceasse a espontaneidade dos processos evolutivos da arte. Porém desejaríamos que todo artista criasse a sua estética, na esfera da educação integral.

Longe de coroar-se de rosas para esconder a vacuidade e a desordem íntima, a arte de nossos dias desencadeia-se com os ventos e as vagas à procura de um princípio harmonizador. E é o que a salva: a coragem.

A doce-amarga experiência de Manuel Bandeira levou-o à perfeição de criar essa "Nova poética":

Vou lançar a teoria do poeta sórdido.

Poeta sórdido:

aquele em cuja poesia há a marca suja da vida.
Vai um sujeito,
Sai um sujeito de casa com a roupa de brim branco muito bem
engomada, e na primeira esquina passa um caminhão,
salpica-lhe o paletó ou a calça de uma nódoa de lama:
É a vida.

O poema deve ser como a nódoa no brim:
Fazer o leitor satisfeito de si dar o desespero.

No exercício ágil e violento a que se entregou para exprimir, através de estranhas formas, a móbil e compacta substância de sua alma, o poeta moderno atingiu a uma como inversão na ordem dos fatores: à forma como criação. E este foi o mais singular acontecimento dos últimos tempos. Eis o que descobriu Amado Alonso ao estudar a obra de Pablo Neruda: *"No ya la disposición placentera de los elementos, sino la fuerza disponedora; no ya la realización de imágenes y su recíproca coherencia, sino la fuerza imaginadora que exige la presencia de esas imágenes.Esa fuerza presente que conjura y da forma a los diversos elementos y que con ello se va dando forma a sí misma, es la índole unitaria de la emoción y su ímpetu expresivo".*

A exacerbação do individualismo, no homem moderno, levou-o a preterir o elemento eterno de que falava Baudelaire, em benefício do elemento circunstancial ou paixão, desafiando as iras de alguma divindade misteriosa, guardadora da chama sagrada. A crise que afeta a humanidade não é, isoladamente, uma crise de estese e, sim, uma crise total de alma (inteligência, memória e sensibilidade) na qual se comprometem todos os valores de vivência e se fere toda a escala psicofisiológica do ser. Opinam alguns que após essa experiência o poeta voltará a buscar, na arte, a impassibilidade dos deuses. Para tanto seria mister que os deuses permanecessem no seu pedestal, depois que o Verbo se fez Carne. No dia em que o homem tiver plenitude de vida interior capaz de integrá-lo no movimento universal, encontrará, simultaneamente, uma forma condigna para a sua arte.

POESIA E LÓGICA

A linguagem não é apenas um instrumento lógico mas igualmente psicológico. Tem, como se sabe, tríplice valor: gramatical, fonético e estilístico. Enquanto a gramática, pela sintaxe e pelo sentido, interessa de preferência à prosa, enquanto a fonética, pelo ritmo e pelo som, interessa tanto à prosa como a poesia, a estilística, pelo grau de intensidade emotiva, toca de modo especial à poesia.

Se a fonética não basta para explicar o mistério poético, a estilística, ramo recente de estudos, está apta a promover elucidações que buscaram, debalde, os antigos teorizadores da literatura. Não ignoravam, os mais finamente sensíveis, que da poesia não se devia exigir sentido lógico, o que irritava, à evidência, os postulados da razão. A estética científica abriu novos horizontes ao tema. Reconhece, por exemplo, Abel Salazar: "Sem dúvida, a obra de arte possui uma lógica própria, que desconhecemos; mas, se existe, essa lógica nada tem a ver com a lógica da razão. É uma lógica própria e específica da arte, como próprios e específicos são os seus processos de composição".

É uma lógica, digamos, orgânica, de que se percebem apenas os frutos, raiz que jaz em mundos subconscientes.

Com Benedetto Croce, ao romper do século, tornou-se possível a objetividade desses estudos estéticos, pela divisão, em dois campos, dos nossos meios de expressão, derivados de duas fontes de conhecimento. A arte, nascida da intuição, situa-se em polo oposto à ciência e à filosofia, provenientes da lógica. Portanto, é pela intuição que se valoriza a arte poética, reservando-se os estalões da lógica para a medida da linguagem científica e filosófica.

"Por que não consentir que o homem seja fonte, origem de enigmas, quando não existe objeto nem ser, nem instante que não seja impenetrável, quando nossas sensações não se explicam de modo algum, e quando tudo o que se vê é indecifrável, apenas nosso espírito se assenta e deixa de responder para perguntar?"... propõe Paul Valéry.

Os poetas adivinharam, desde sempre, o direito à palavra secreta, pronunciada através de magia encantatória.

Compreensivo, já dizia o velho Montaigne: "Em certa medida inferior, pode-se julgar a poesia por preceitos e por arte; mas a boa, a suprema, a divina, fica acima das regras da razão".

À medida que se torna mais densa e complexa a psicologia humana, mais profunda se vem fazendo a pesquisa poética fundada na experiência, de ordem cerradamente individual. Assim, cada vez mais se ofusca o entendimento em face da significação de um poema. Porém não é pelos caminhos do entendimento que se atinge esse alvo, senão por um mergulho da sensibilidade no mundo emocional a que induz o poema. As palavras, as mesmas imagens são apenas sinais, flâmulas ao longo da estrada para conduzir o viajor à fruição de maravilhas. Como poderia ser de outra forma, se o próprio poeta não traduziria em processo prosaico o teor de sua mensagem? A poesia não tem por função ditar axiomas mas existir: pelo que se concebe em milagre, pelos pressentimentos eternos, pelo infinitamente variável de cada ser. E seria inventada cada dia, pois a primeira necessidade espiritual do homem é a da expressão, antes mesmo da comunicação. Daí o caráter selvagem da poesia.

Teve razão Henri Bremond quando se propôs, inspirado no estudo da poesia pura, não sem escândalo para Calibã, esses dois objetivos: a ruína de uma poética racionalista e o esquema de uma poesia fundada nas analogias que pressentia entre o poeta e o místico.

Uma realidade misteriosa e unificante; uma expressão que excede as formas do discurso, irredutível ao conhecimento racional; uma música de que flui o mais íntimo de nossa alma; certa magia mística atingindo a oração... eis as características que Henri Bremond surpreendeu na poesia.

Mas convém lembrar: os artistas autênticos não desprezavam em absoluto a razão; trazem-na vinculada à totalidade do organismo criador, à maneira de espinha dorsal, dignidade elementar, enquanto o sangue corre livremente pelas veias. Sem o que, os melhores poemas se escreveriam no manicômio.

POESIA E DIDÁTICA

Adjetivos ao lado da palavra poesia são geralmente supérfluos. Limitam-se, quando muito, a um círculo de sistema, como, por exemplo, na expressão "poesia didática". Em rigor, poesia didática deixa de ser poesia pela razão de ser didática, ou melhor, por ter uma finalidade que não se enquadra no jogo poético. Nesse caso, de acordo com a classificação de Croce, passa para o domínio da literatura, onde os fados lhe são menos adversos.

É por engano que se empresta à poesia a função de ensinar. Arte de expressão ou representação, a poesia não possui caráter ancilar: tem dignidade própria. Poderá ensinar, porém acidentalmente, desde que o elemento lírico se sobreleve ao enunciado filosófico ou científico e a noção, a descrição e a narração a serem comunicadas se transfigurem ao calor da emotividade do poeta. Este tem uma função, acima de qualquer solicitação exterior, ditada pela própria consciência artístico-humana, função a que chamarei de inefável, destinada a interpretar através do poder intuitivo, pela sociedade e para ela, segredos a que a ciência e a filosofia não atingem. Sucede às vezes que, por necessidade profunda e acréscimo de vocação, tem o poeta algum vaticínio a comunicar, algum apostolado a exercer; se ele o realiza com pureza e verdade, sem compromisso da obra de arte, finalidade primeira, tanto melhor. Mas a arte é já por si mesma fenômeno social, por isso que deixará de existir se não participar da vida integral.

Ensinará, pois, como a vida, de modo implícito e possivelmente melhor do que a escola.

Em livro muito original, *Fenomenología de lo poético*, diz a respeito Arturo Rivas Sáinz: *"En la poesía no hay ceñida referencia a un hecho determinado y concreto, sino la referencia general a la idea que se esconde bajo la apariencia de la imagen y que,consiguientemente, la verdad poética es más amplia, más abierta, más alta que las verdades ordinarias"*.

A mais severa filosofia concebe a poesia como forma de conhecimento. Tanto as artes temporais como as espaciais trazem mensagens. A revelação desse conhecimento, dessas mensagens, faz-se de modo peculiar iniludível, em ato de metamorfose, variando apenas o material que distingue as diversas artes.

Solicitar à poesia uma exposição lógica de pensamentos é o mesmo que pedir à música os dados de uma operação aritmética, ou à pintura uma aula de anatomia. O que equivale, nos três casos, a uma inversão de valores. O pensamento serve à poesia mas esta não se subordina ao pensamento; a matemática serve à música mas esta não se limita à matemática; a anatomia serve à pintura porém esta não se reduz àquela.

Para maior perigo da arte verbal, o elemento com que se apresenta exteriormente, isto é, a palavra, possui um valor intelectual imediato, de uso cotidiano intenso e utilidade acentuadamente didática. A prova de fogo da poesia, sua condição mesma, reside, pois, na transfiguração do valor intelectual da palavra em valor estético.

É o triunfo da intuição sobre a razão, sempre amparada pelo velho espírito enciclopedista que não se lembra dessa verdade um tanto sutil: a inteligência é mais abrangente do que a razão. Raciocinamos em virtude da "fraqueza da luz intelectual em nós", diz Santo Tomás de Aquino.

Tocada pela sensibilidade, a inteligência muitas vezes acorda para a penetração de fenômenos que a razão teria negado a priori. A palavra enriquecida de significado emotivo tem mais capacidade de sugestão, inegavelmente, do que quando válida apenas como instrumento conceptual. E, mais eficiente do que comunicar noções, é alargar a um tempo todas as faculdades da alma.

Por exemplo: o Canto do Purgatório de Dante, canto iluminado de azul, *"dolce color de oriental zaffiro",* mais misterioso e todavia mais claro do que qualquer apologia da caridade, da amizade, da fraternidade humana, correspondendo a um irresistível chamado para uma concepção mais alta da existência, é mais impressionante, na sua força afetiva, do que todas as informações históricas contidas na *Divina comédia*.

Assim, podemos concluir que a poesia tem poder educativo, poder maior do que o instrutivo, exatamente quando se alheia de interesses didáticos.

POESIA E TÉCNICA

É através da técnica, definida como o conjunto de processos de uma arte, que se encarna e se realiza a obra poética, de que a intuição é a alma. Toda referência à originalidade e à profundidade da intuição estende-se, implícita, à forma, por sua vez condicionada pela técnica. Sem a forma, a intuição não se mostraria original nem profunda. Sem a técnica, a forma não prevaleceria.

São os três elos de uma cadeia harmoniosa mas árdua. Para chegar a produzir a sua obra em estado de êxtase, o poeta já atravessou a sua fase de aprendizado, já superou os obstáculos mais prementes à expressão. Cessar completamente a luta, não cessa. Enquanto houver criação, haverá procura de equilíbrio entre duas forças magnéticas, antagônicas, o elemento celestial e o telúrico.

Porém, é como diz Wolfgang Kayser: "Pode muito bem ser que a técnica adquirida por um poeta na altura do seu estudo se tenha infiltrado tanto no seu íntimo, que ele não precise já de mergulhar em novas reflexões quando depare com certas questões técnicas ao elaborar a sua obra".

A biografia dos escritores é rica de episódios relacionados com a técnica. Entre Goethe e Schiller há numerosas cartas sobre a necessidade ou não de certa estrofe. Quando assim age, o poeta enobrece, com o suor de seu rosto, a matéria de que se serve. Mas é mister não confundir a técnica com o seu sucedâneo, a mecanização. Aliás, é muito variável o conceito de técnica. Na Idade Média e no Renascimento preponderou uma técnica tradicional com minuciosas receitas para qualquer gênero literário. Era um critério fixo, admirável às vezes de precisão, que tornava o trabalho mais fácil para o aprendiz e o julgamento geral mais objetivo.

O gongorismo exacerbou essa prática, extremando-lhe as normas. A revolução romântica fez tábua rasa de todas as regras preestabelecidas. Com os parnasianos, muitas vezes, a técnica foi uma espécie de andaime de ouro para edifício nenhum. Com os modernos, frequentemente, ela é um trampolim de saltar, às avessas, para os mergulhos no subconsciente (quando a arte devia ser uma ascensão). Um mestre de poesia, Alfonso Reyes, declara em voz alta não acreditar em preceptivas. Entretanto, a consciência artística não soçobrou. A questão excita controvérsias, sempre mais vivas. Cada artista procura uma solução para o seu caso. Sim, a técnica é um problema de ordem pessoal, pelo menos na sua acepção mais ampla. Em última instância, diremos que cada obra de arte exige toda uma técnica para si mesma, pela sua essência. A técnica ideal não é aquela ancila exemplar que, depois de servir, desaparece sem deixar vestígios? Possuir uma técnica própria, ambição de todo artista, não seria, acaso, limitação?...

"A arte", diz Jacques Maritain, "tem um fim, certas regras, valores que não são os do homem, mas os da obra a produzir. Essa obra é tudo para a arte, só há para ela uma lei – as exigências e o bem da obra."

O pensamento de Mário de Andrade coincide com estas palavras. Eis o que ele escreveu no seu magistral estudo "O artista e o artesão": "Hoje, o objeto da arte não é mais a obra de arte, mas o artista. E não pode haver maior engano".

Contudo, a evolução histórica do conceito de técnica está em correspondência com a evolução do processo individual do artista, na qual Mário de Andrade distinguiu três etapas sucessivas: o artesanato, a virtuosidade e a solução pessoal. O artesanato seria equivalente ao momento clássico; a virtuosidade, ao momento gongórico; a solução pessoal, ao momento moderno (a partir do Romantismo).

Assim como cada pessoa chega, superando etapas, a uma técnica melhor, os modernos chegaram, por superação, a um mais alto conceito de técnica.

O que lhes falta é a "disciplina do ser".

POESIA E RITMO

Pelo seu caráter universal e dinamogênico, o ritmo participa do mistério poético. Preside aos passos do homem e à palpitação das estrelas a caminho do eterno. Assiste tanto aos atos primários da natureza humana, como aos altos misteres do espírito.

Algumas criaturas logram perceber, com mais intensidade, o secreto impulso que move os carros do dia e da noite, o vaivém das ondas do mar, o fluir do próprio sangue nas veias. Esse instinto rítmico, desejo de harmonia, de integração do mesmo ser na ordem do cosmos, predispõe à criação artística, principalmente em relação às artes que se desenvolvem no tempo: a poesia, a música.

No princípio era o verbo. Um dia as palavras ressoaram com mais ênfase: veio a música. Das descobertas musicais do ritmo, houve um retorno à linguagem, com a invenção dos famosos pés métricos. Porém na poesia, a questão do ritmo era outra: a linguagem tem vibração própria, além do valor intelectualmente significativo e não apenas sonoro da palavra.

Tentar a libertação da linguagem, já enriquecida de substância musical atávica, torná-la à fonte primitiva sem as algemas do mecanismo, arrancar às raízes da alma o ritmo vital, fundi-lo à sonoridade da mesma linguagem, eis uma fatalidade histórica. Por que *de la musique avant toute chose*" e não a poesia antes de tudo, quando se trata de poesia?

Depois que os modernos aboliram a metrificação convencional, a dramaticidade da questão do ritmo deslocou-se para setor mais delicado: o ritmo corresponde agora, com premência, à realidade interior, exige consciência rítmica inata e profunda, como que orgânica. As unidades flutuantes do verso recebem impulso das camadas subterrâneas do ser humano, sem o preestabelecimento de esquemas. O que não impede, é claro, que o artista se prevaleça de puros esquemas sonoros preexistentes à sua concepção, e possa beneficiar-se com isso.

Preparado para a sua arte, é natural que o verso lhe venha ritmado e se coloque na série dos outros versos sem escolhos.

O ritmo é virtualidade e conhecimento de limites, fonte da criação e sua coroa; em suma: organização.

Funcional, deve acompanhar a arte com liberdade de movimentos, só atendendo às exigências da expressão. Contudo, a liberdade verdadeira, só a possui quem no adestramento conquista agilidade. Daí se infere a necessidade que tem o poeta de aprimorar o conhecimento científico do ritmo, quer dizer, da capacidade sonora da linguagem.

Relegado a plano secundário em benefício do "ritmo expressivo", o "ritmo mecânico" (denominações consagradas por Soares Amora) sempre aperfeiçoa as aptidões acústicas, assim como torna possível a invenção de novos ritmos pela variação dos diversos elementos do verso nas suas articulações e pausas. Nesse sentido, interessa verificar a diferenciação de ritmos em esquemas sonoros idênticos, estudada por W. Kayser na sua obra *Fundamentos da interpretação e da análise literária*. São importantes as experiências em língua francesa, de Pius Servien, para o enriquecimento do ritmo, que ele busca explorar em bases científicas. V. Spinelli, com seu ensaio "A língua portuguesa nos seus aspectos melódico e rítmico", presta, sob o ponto de vista estético, relevante serviço à nossa língua, a respeito da qual faz esta curiosa observação: "O Português não é cantado como o Italiano, declamado como o Espanhol, dançado como o Francês: o Português é falado. Daí, e do cromatismo geral da língua, cheio de matizes delicados e sem violentos contrastes, o seu aspecto de modéstia, reserva, de belo pudor, acentuado pelo caráter especial das cláusulas"... Daí poderemos concluir, com menos modéstia, a vocação de nossa língua para a poesia, uma vez que ela deve ser falada.

A linguagem tem possibilidades rítmicas que ao artista compete trabalhar, não no sentido de vertê-la em formas estratificadas, mas no sentido de dotá-la de um estado de fluência perene, salvando-a tanto da solta languidez do amorfo, como da rigidez dos moldes. Todo ritmo deve ser continuidade harmoniosa, simultaneidade, alternância motivada de movimento e descanso; nunca balouço adormecedor para satisfação de expectativa acústica.

Não deve obedecer sistematicamente a intervalos regulares e já previstos, mas, de acordo com o caráter da intuição a ser representada, inventar o seu próprio jogo de pausas e relevos tônicos.

Enquanto o ritmo mantém a ordem do verso com segurança, a melodia se desenvolve com pureza, ou melhor, inocência, à semelhança de um véu acariciado pela brisa e preso, ao mesmo tempo, a dedos firmes.

Possui o teu ritmo e serás poeta. O futuro da poesia não depende apenas do aperfeiçoamento psicológico da essência poética, mas de sua expressividade integral, condicionada pelo ritmo.

Dividindo a linguagem em dois campos distintos, na sua obra *Science et poésie*, Pius Servien, o criador da nova estética da linguagem, encontrou no ritmo o argumento decisivo para essa distinção: a linguagem lírica (em prosa ou verso) é aquela que possui ritmo; a linguagem da ciência, a que o não possui. Assim, diz ele, *"le problème du rythme, cette trame secrète de la poésie, commande tout ce qui est d'ordre esthétique et même tout ce qui est vivant. Il ne peut être posé et résolu, que si nous ne l'abordons avec cette même ampleur, dans son unité naturelle"*.

CONDIÇÕES DA POESIA

Discute-se ultimamente, talvez mais do que nunca, sobre qual dos elementos prepondera na obra de arte: o conteúdo ou a forma. Não é demais enaltecer a substância no momento em que fazemos a redescoberta da palavra como instrumento inumerável nas mãos do poeta, depois que o Romantismo a relegou a segundo plano, interceptando a projeção de Góngora nas suas perspectivas exatas. No entanto, reivindicar o preço da palavra é aferir, conjuntamente, a pertinência do que só ela pode revelar: sofrimento contido, vida latente, inelutável e indefinida intuição, mensagem.

Enquanto, de um lado, quebram lanças, os vates, pela comunicação de ousadas e inéditas reservas psíquicas arrancadas à esfera do subconsciente, de outro lado, os que preferentemente se dizem artistas, levam ao requinte a lavratura do verbo como processo de encantamento. Das tramas da psicologia e da psicanálise assomam os novos românticos movidos por gnomos. Como se valesse por si própria, a palavra governa outros setores, de mal viajada superfície. Há os que se atiram ao fundo dos lagos por trazerem à tona o limo insustentável, e os que se contentam com a lucilação de estrelas na água.

Porém a poesia – fenômeno completo como a respiração – condiciona-se a duplo movimento. A palavra, penetrando o recesso da alma, recebe influxo da interioridade de modo a ter, pronunciada pelo poeta, significação original. Por sua vez a mensagem encontra na palavra a sua plenitude, a sua coroa. A poesia não decorre do conteúdo nem da forma isoladamente, como não decorre do corpo nem da alma isoladamente a nossa vida, o ar dos nossos pulmões. A poesia está na sensibilidade, nos sentidos, na lucidez, no sonho que precedeu à criação, no êxtase do instante criador, na conjunção de todas as potências e faculdades do ser, no ser humano integral afetado pela existência. E é da desagregação desses dois elementos que deriva o frequente desequilíbrio da arte dos nossos dias. A chave de ambos os problemas, aparentemente contraditórios, é uma síntese, pois que da impregnação da mensagem nunca se exime o acerto do vocábulo; e quando dizemos acerto, é de supor-se que a mensagem exista.

Já não bastavam as confusões de ordem filosófica sobre a finalidade ou não finalidade da arte, sobre a perenidade da estética aristotélica e a criação de estéticas não aristotélicas, de incalculáveis sugestões, como a de que nos fala aquele inteligentíssimo Álvaro de Campos/Fernando Pessoa. Já não bastavam os rudes embates do escritor por desvencilhar-se dos conceitos milenares da arte como cristalização de beleza em detrimento da expressão característica essencial. Com que dificuldade chegou ele à conclusão de que a arte está necessariamente relacionada com a existência e é, pois, o artista, um ser individual concreto e não apenas definido. Como tardou a compreender que, embora fundada em razões de sentimento, a poesia não é fenômeno de ordem sentimental.

De fato. Se o sentimento precede a obra de arte, esta o supera ao representá-lo. E só o faz com eficácia quando se torna independente de compromissos e injunções. A energia nuclear, para viver, abandona o átomo partido. Porque é rosa, simplesmente, a rosa esquece a raiz.

CONTEÚDO E FORMA NA POESIA

Conteúdo e forma, os dois elementos condicionadores da arte, cristalizam-se no mesmo ato criador, sem preponderância de um sobre outro.

Em arte, não se pode separar, se não teoricamente, o que há de exterior do que é essencial. Não se pode modificar o elemento intelectivo sem que a realidade sensível seja atingida, assim como não se pode mudar a forma sem tocar o conteúdo.

Acrescentar ou retirar um verso a um poema, substituir uma palavra por outra, equivale a uma operação interna. Cada palavra, cada lançamento de palavras, cada som, cada ritmo, cada imagem corresponde exatamente a uma realidade substancial.

O sinal da arte é essa absoluta fusão dos dois elementos, de modo a impossibilitar a discriminação dos mesmos.

Engana-se o escritor que dá mais apreço ao argumento, como o que se preocupa, de preferência, com a maneira de apresentá-lo.

Quando o assunto ultrapassa o jogo das palavras, ou quando esse prevalece sobre aquele, há desproporção no todo: não existe, portanto, obra de arte por falta de intuição, de experiência, de capacidade criadora.

Tais axiomas, deduzidos do famoso conceito magistral de Croce – arte é intuição –, inspiraram a Eduardo González Lanuza uma página feliz, em que se compara o fenômeno artístico a outro de ordem natural: *"La forma es la manifestación sensible del fondo, su modo de relación con lo que lo circunda. Entonces, se me podrá arguir, existe una supremacía del fondo sobre la forma. No mayor ni de otra naturaleza que la fatal relación entre el volumen y la superficie de un cuerpo; lo mismo podríamos decir que la superficie es una simple propiedad del volumen, que sostener que el volumen está aprisionado y contenido por la superficie".*

Mais audacioso, porém não menos esclarecedor, seria o confronto da obra de arte com o próprio ser humano, criado por Deus à sua imagem. Se a criatura é o conjunto de alma e corpo, uma criatura perfeita é aquela em que se harmonizam totalmente esses dois elementos constitutivos do ser. Assim, no equilíbrio entre a graça física e a plenitude espiritual se baseia a obra de arte. Alma e corpo são duas realidades, como igualmente conteúdo e forma, identificadas pela mesma seiva numa entidade, que só a morte (ou a destruição da obra) consegue cindir.

Desse modo, a técnica tem por alvo zelar para que os dois elementos interdependentes da obra se mantenham em equilíbrio.

A imagem poética, examinada à luz dessa concepção que os antigos teóricos não pressentiram, assume toda a sua importância. Pode-se até afirmar que a imagem, assim liberada de sua velha função decorativa, é a própria poesia. E, ainda, que há uma imagem em cada palavra, desde que esta seja dotada de secreta vibração. Quando assim acontece, a palavra perde o seu valor habitual e adquire nova significação, conquistando a pureza das coisas primitivas, ou melhor, reconquistando a que havia perdido no trato comum.

Quando digo, por exemplo – azul profundo – tenho a impressão de que há dois valores imagísticos nesses dois adjetivos, o primeiro translúcido, o segundo misterioso. Observando atentamente, noto que ambos se fundem numa só imagem, meio misteriosa, meio translúcida.

A imagem, destinada a transformar a impressão interior em expressão, deve ter vida palpitante na alma do artista, para chegar com vida à superfície daquele oceano.

Na verdadeira imagem poética, por um processo insubornável do subconsciente, cessa toda comparação, toda similitude, enquanto duas unidades se integram numa. Não basta uma afinidade intelectual de semelhança, nem uma coincidência sentimental, nem uma analogia de ordem sensual entre duas entidades para que a imagem, e particularmente a metáfora, tenha valor específico.

É mister que elas se dissolvam uma na outra e se transfundam com transcendência a ponto de desaparecerem ambas, dando lugar a uma nova entidade estranha, sem pecado de origem, imaculada, como convém ao ineditismo da concepção individual.

POESIA PURA

Ao discorrer sobre Poética, não se pode omitir a questão da "poesia pura". Mas é mister focalizar, primeiramente, o significado desta expressão. Pois a confusão que reina em torno ao problema estético relacionado com a poesia pura está na diversidade de interpretações desta expressão, bem mais do que na divergência de conceitos sobre a sua essência. Como nem todos o encaram pelo mesmo prisma, o alvo das discussões falseia, anulando qualquer resultado.

Além do *quid pro quo* inicial de quando veio à baila, consagrada pelos franceses, a expressão "poesia pura" se vai colorindo, com o tempo, de novos matizes. Escusa dizer que não é no sentido moral (cogitação de outra categoria) que artistas e críticos a empregam.

A mais lúcida explicação, a meu ver, pelo menos em relação à metafísica da poesia, é a que oferece Robert de Souza, reportando-se à teoria de Henri Bremond: "Puro não deve ser compreendido no sentido químico de água destilada, da qual foram eliminados os elementos vivos para alcançar a perfeita pureza da substância mineral; senão no sentido biológico de '*pursang*', quando o ser manifesta os caracteres mais distintivos, mais de acordo com suas origens, as virtudes mais completas e mais raras de sua natureza".

Nem o próprio Bremond seria tão claro. Mesmo porque a sua teoria, com raízes bem mergulhadas no platonismo, defende, paradoxalmente, os princípios estéticos de Poe, Baudelaire, Mallarmé e Valéry, em cujos versos prevalece a pureza química sobre a pureza biológica (mais nos dois últimos do que nos primeiros).

Sem embargo das divergências fundamentais, as ideias de Bremond coincidem de certo modo com as de Croce, mesmo no setor da expressão imediata ou sentimental, que o filósofo italiano separa, com veemência, da verdadeira expressão poética, e Bremond implicitamente afasta apoiando a poesia aristotélica de Poe e Baudelaire, entre outros.

Seja como for, libertada das formas elementares da paixão (que não são formas criadoras), do juízo afeito a discernir o real do irreal (impróprio à beatitude poética), da cópia servil das coisas, da lógica prosaica, da eloquência oratória, do anedótico, do didático, purificada, em suma, organicamente, a poesia atinge seu mais elevado estágio, um mundo de perspectivas extraordinárias, onde impera a intuição.

Mas nem por isso está isenta de perigos, pela proximidade dessa outra pureza feita de abstenção: rondam-na os perigos do hermetismo, da desumanização, do silêncio total.

Narciso inspira o desejo de superar todas as formas possíveis. Então o artista se faz enigmático. A arte passa a ser encantamento de excepcionais, o poeta recebe o título de "joalheiro dos príncipes". Não foi acaso dessa insatisfação pelo existente que surgiu a escola dadaísta, chegando André Breton a anunciar *"la fin de cette immense farce qui a nom l'art?..."*

À tendência para se transformar em culto religioso a atividade poética, preside a soberba de Lúcifer; como se no subconsciente habitassem as respostas a todas as perplexidades humanas, o artista nele se precipita, com desdouro para sua própria consciência. Daí resulta, é bem de ver, a sua desintegração.

Finalmente, na luta pelo inefável, o desprezo pelo elemento humano que poderia talvez contaminar a poesia, esse mesmo anelo de perfeição que resume a força do artista, pode vir a ser a causa de sua derrota, pelo silêncio em desespero.

E é por isso que escreve Daniel-Rops: *"Le poète est un être menacé"*. E ainda: *"L'art n'est pas pur; la poésie ne peut pas être pure; la tentation d'une poésie qui franchirait, d'un coup, les zones obscures du réel, du périssable, pour atteindre à l'éternité, a hanté maints cervaux. Dans toute grande poésie existe une tentation d'angélisme"*.

Nem o furor mágico do vidente nem as características angelicais levarão ao Tabor. Mas sim a sabedoria serena do homem a quem foi dado, com a vida, o dom de cantar. Como o grande Transfigurado, o Poeta reside entre sol e neve.

POESIA, IMAGEM DA REALIDADE

A poesia não é cópia, porém imagem da realidade. Imagem quer dizer "reprodução, no espírito, de uma sensação, na ausência da causa que a produziu". E não apenas "reflexo de um objeto no espelho". Limita-se o espelho a reproduzir com exatidão os contornos do objeto – de que só conhece o invólucro; não o modifica porque não lhe percebe a interioridade. Mas o homem, quando se defronta com uma realidade sensível, reage à sua maneira instintiva e dinâmica: apropria-se dela, apreende-a, deforma-a, no simples ato de contemplar. Cada ser humano encontra, num mesmo objeto, um interesse diferente, conforme seu temperamento e caráter. Oscila mais fortemente a valorização da coisa contemplada, quando se trata de um artista, em virtude de sua mais fina capacidade sensorial, de seu maior poder intuitivo. A intuição do artista empresta nova significação ao que vê, de modo que a obra de arte independe do modelo. A causa que produziu aquela sensação primeira já não interessa, quando o espírito criador atingiu sua finalidade. Todas as faculdades da alma entraram em jogo; a memória cooperou com a fantasia evocando outros motivos, a vontade impôs sua afetividade preferindo esse motivo aos outros, o entendimento retificou o conceito que fazia do objeto em abstração. As garras acariciadoras do artista plasmaram uma coisa inédita, cujo motivo, insignificante em si mesmo, adquire essência humana, sopro imaterial. Um foco de luz assoma da obra, cintila de um lado, projeta sombra de outro lado. Depois de haver inspirado a outros artistas antes desse, o motivo, irradiante, estigmatizado, renasceu agora para uma vida perene e para uma solidão vitoriosa – porque a experiência do artista não se repete.

Tanto melhor se o assunto da obra for imponderável: determinar uma forma em que se encarne o puro espírito é privilégio dos gênios. Assim, quanto mais determinada for a forma, em sentido inverso à inefabilidade do assunto, mais positiva se afirma a genialidade do poeta.

Repete-se, com esse, a aventura de Ulisses: de ouvido alerta à voz infinita, queda de membros deliberadamente algemados junto ao seu meio físico. A realidade é o seu posto de honra, com a condição de ser vivida superiormente, com idealismo.

Como qualquer tema, o sentimento fica à margem da imitação. Nem pode a poesia imitar o sentimento, porque não lhe percebe a forma. O sentimento, dizem os filósofos, tem forma em si, na sua esfera, porém não a tem diante da poesia, senão através da poesia. O sentimento, dantes caótico, participa da ordem, da harmonia, quando a arte lhe traz uma forma apropriada. A imagem presente ao espírito (a célebre imagem de Hegel) tornou-se plástica, perceptível ao artista, que é o primeiro a surpreender-se com a transformação. Fez-se igualmente acessível a outras criaturas porque, além de plasticidade que a torna, se não visível, pelo menos contemplável, ela possui o movimento incessante de que o ser humano a dotou, essa capacidade de ser recriada pelo leitor.

Quando Aristóteles disse que poesia é mimese, esclareceu que o objeto da imitação poética não se limita às coisas como elas são ou sucedem, mas como podem ser ou suceder e, ainda, que, em poesia, é superior o impossível crível ao possível incrível. A mimese é, pois, apenas, um ponto de apoio para a criação.

O artista, diz Alceu Amoroso Lima, "reproduz em si o progresso da natureza. Opera como aquela opera e analogicamente como Deus opera". Mais impressionante que a criação divina em si, é o efeito moral do exemplo criador. A razão de ser da criação das coisas naturais atinge o artista mais poderosamente do que as coisas naturais – que só poderiam servir num sentido estrito de realismo, consideradas como modelo, se lhes faltasse o cunho misterioso da origem.

Escreve a respeito Maritain: "A consideração teológica da ideia operativa faz ver claramente a que ponto é estranha à arte a imitação servil das aparências da natureza, visto que sua exigência mais profunda é que a obra manifeste não uma coisa já feita, senão o espírito mesmo de onde procede".

De fato, que impele o artista ao sacrifício da obra, senão a necessidade de projetar o seu próprio ser para além das contingências?

INFÂNCIA E POESIA

Fala-se em poesia infantil. Porém não há poesia com destinatário. Assim como não há céu especial para crianças, tempestades especiais, mares, florestas para cada classe de seres humanos, fogo, terra, água e ar diferentes para cada criatura, ciência diferente, Deus diferente.

Como todas as grandes coisas verdadeiras, a poesia é uma só. Uma só coisa – vasta, profunda, total. Que subsiste através de rótulos, desconhece divisões, emerge de departamentos e escolhas. Que não se atém à capacidade ou incapacidade de apreensão alheia, nem sequer a necessidades outras que não a sua própria necessidade de existir. O que há e nos confunde, às vezes, em relação às coisas únicas, como a poesia, são circunstâncias fora de toda essencialidade, serviços, distrações, perigos, obtusidades e prognósticos.

Para o artista, no ato criador, não há senão a correspondência a uma verdade interior – imperiosa. Se a poesia da infância fosse o trigo e viesse o joio de mistura, seria então o caso de dizer-se: "Deixai crescer a cizânia até à colheita!" Nesse momento é que intervém o educador, com seus cabedais psicológicos, para tomar o material que o interessa; nesse momento é que surge o moralista (muitas vezes o próprio poeta) para lançar às chamas o mau elemento; e chega o crítico para catalogar, distinguir, traçar limites: poesia maior ou menor, social ou individualista, interessada ou pura.

São composições e decomposições, através de jatos de luz, espelhos, balanças, termômetros e barômetros. Faina escrupulosa e indispensável da qual independe, porém, a poesia. Seria erro fundamental decidir-se o artista por um gênero do qual não participam suas entranhas.

Apesar da lucidez que o deve orientar, o artista não pode forjar o próprio temperamento; nem assumir compromissos pela sua poesia, a menos que o estado de iluminação já tenha atingido o ápice, e o ato de escrever seja apenas a consumação do já elaborado no cérebro e na carne. A poesia é como, na ordem do reino vegetal, a planta; não lhe é dado cantar a flor, porém, sim, florescer. E há coincidências miraculosas. Acontece que o poeta, em certa hora de sua vida, diante de uma felicidade inesperada, de uma deliciosa recordação, sente-se como criança; e também pode acontecer que, na reação contra alguma tremenda realidade, ele queira recuperar, pela força do pensamento reflexivo, a ingenuidade de outrora. Entrega-nos, então, o mais puro de sua alma, a poesia sem mácula, tenra como a própria infância, propícia aos pequeninos seres.

Pela educação de hoje, o poeta de amanhã poderá vir a ser o poeta das crianças: se o reino poético infantil for puro e livre, aumentam as probabilidades do aparecimento de uma poesia em que a dignidade e a graça se completem. A seiva que alimenta as raízes circulará nas frondes vindouras. Quase todos os teoristas da arte aproximam a poesia de um como estado de infância. De fato, que numerosos acordes na psicologia comparada do poeta e da criança! Reagem ambos contra o insolúvel por meio de metáforas. Em ambos, uma divinatória intuição compensa as deficiências do conhecimento. Chegam a perscrutar a ciência pela imaginação. Vivem pela imaginação.

Surge, a este passo, um problema de ordem pedagógica: deve-se, acaso, tolher a imaginação da criança? Porventura será a imaginação um obstáculo à felicidade, uma fonte de desequilíbrio? Encontro resposta autorizada em Chesterton, na sua autobiografia: "Costuma-se dizer que as imagens são ídolos e que os ídolos são bonecos. Contento-me com afirmar que nem sequer os bonecos são ídolos, senão imagens no verdadeiro sentido. A própria palavra imagem significa algo necessário para imaginação. Porém não por isso contrária à razão, não, nem sequer numa criança; pois que imaginação é quase o contrário de ilusão".

Busquemos um exemplo para provar esta afirmativa: quando o índio da Polinésia, proibido de nomear as coisas que pertencem ao chefe, vê fogo ou luz na casa real, exclama: "O raio arde nas nuvens do céu". O conhecimento da realidade é a substância mesma de sua metáfora. Não há ilusão, há troca de valores. Assim a imaginação, que tem como chave de ouro a metáfora, não representa uma fuga, mas uma libertação, com o seu poder de vencer tabus, ultrapassar horizontes, cristalizar o abstrato, circunscrever ao pequeno mundo dos sentidos a beleza universal, beber copos de liberdade.

É um jogo consciente e sério, em que o poeta se revela meio selvagem. Por seu turno, não são ingênuos os selvagens quando falam por símbolos. Nem tampouco as crianças, no cerimonial dos brinquedos. Contam que, em meio às festas de Natal, certa vez, disse uma criança a outra que Papai Noel eram os próprios pais... A que ouviu, delicada, nunca mais pôde esquecer o golpe moral intenso que no instante sofrera, não porque desconhecesse o segredo, mas porque este não deveria ser dito. Assim como a infância preserva lindamente a poesia, também a poesia pode preservar a infância através de todas as idades.

CONCEITO DE ESTILO

A palavra estilo – originária da Grécia tão singela na sua primitiva significação de ponteiro – envolve todas as complexidades da existência, desde a expressão enunciada ao correr da pena à penetração de um mistério. Ainda mais: envolve as áreas do tempo e do espaço circunscritas ao homem e a ele aderentes, mesmo nos trabalhos secretos do espírito.

Será o estilo a manifestação da personalidade? perguntaríamos. Para Karl Vossler, autoridade do assunto, o "estilo é um fenômeno da personalidade artística", tão somente. Fidelino de Figueiredo, grande mestre, parece ir mais longe. Pelo menos são estas as suas palavras ao estudar o estilo de Eça de Queiroz: "Um estilo é isto: uma visão simplificadora e deformadora do mundo e da vida. Um estilo literário é a expressão dum estilo de vida ou duma visão interpretativa. Só é superiormente artista o homem que chegou a delinear e a construir, adentro de sua imaginação, essa paisagem própria com formas, cores, símbolos, convergências de atos, direção num sentido único, que é o fundamento vital do seu estilo".

Ernest Hello, a quem se deve, possivelmente, a mais idealista das concepções do estilo, chegou a dizer: *"Le style de Christophe Colomb c'est le signe de la croix tracé dans le brouillard par la pointe de son épée"*, decretando para o homem uma lei do estilo assim resumida: *"Vivre dans la vérité, penser comme il vit, et parler comme il pense"*. Da sua teoria – tão bela – conclui-se que para ser artista o homem deveria ser primeiramente santo. Isto sucedeu por coincidência, no caso de São João da Cruz, de estilo maravilhosamente puro, devido à pureza de seu coração.

Essa última acepção do estilo, baseada na ideia de que o estilo é o homem, romântica por excelência, manteve longo tempo os estudos da obra literária fora de seu próprio setor: analisava a obra por meio da observação da vida do autor, pelo conhecimento de seus atos e ideias, pela discriminação de minudências biográficas que, de modo positivo, podem apenas servir à curiosidade.

Algumas vezes, sem dúvida, a teoria da personalidade terá contribuído psicologicamente para a elucidação de obras herméticas porém muitas outras vezes terá desviado uma interpretação mais exata pela insurgência de preconceitos no julgamento.

Assim é que recomenda expressamente Benedetto Croce com toda a sua experiência: *"È necessario tener gelosamente distinta la personalità poetica e la pratica, e le due diverse vite dell'uomo-poeta, ed escludere rigorosamente ogni deduzione dall'una all'altra, per evitare una sequela di errori di giudizio, che tutti nascono dalla confusione delle due personalità"*.

Andou bem o crítico Amado Alonso quando, ao estudar a poesia de Pablo Neruda, todo se concentrou na verificação do estilo: *"Angustia y desintegración, Intuición y sentimiento, Enajenamiento y ensimismación en la creación poética, El ritmo, La sintaxis, La forma, La índole de la fantasía de P. N."* são páginas exemplares de estudo direto do texto, que procedem à explicação do ser humano, sem que este interfira, com seu *modus vivendi*, no deslinde poético.

A análise científica dos fatos da língua iniciada por gramáticos e linguistas, a par dos estudos generalizados de estética, relegando a plano secundário as categorias formais do estilo, consagrou, desde o início do século, a importância das categorias do espírito, não no sentido de estimular a teoria da personalidade, mas de corrigi-la e completá-la.

Discordando embora quanto à definição do estilo, os mestres da atualidade chegaram à conclusão de que é a obra em separado que forma o verdadeiro objeto da ciência da literatura. Do estudo da obra em profundidade, observadas as fórmulas artísticas em si mesmas, com abstração de qualquer circunstância, deduziram que o estilo deriva de uma atitude do homem.

Herzog declara textualmente: "O termo estilo nos serve para designar a atitude que toma o escritor em face da matéria que a vida lhe oferece".

Wolfgang Kayser tem opinião idêntica: "O estilo é, visto de fora, a unidade e homogeneidade das formas e, visto de dentro, a unidade e individualidade da percepção, quer dizer, uma atitude".

A palavra atitude é decisiva para a explicação de enigmas que a psicanálise gostaria de registrar como complexos...

A escolha do gênero já representa por si mesma uma atitude, de significação capital.

Assim como não se escreve como se fala em colóquio (são dois regimes diferentes de consciência, segundo expressão de Alfonso Reyes), também não se escreve um poema como se escreve uma carta, ainda que esta seja de amor.

Essa predisposição de ordem psíquica, tanto pode referir-se a uma personalidade, como a um gênero, como igualmente a uma época e a uma raça. Só à vista do objeto individual se chega à conquista desse conceito de unidade que é o mesmo conceito de estilo: só o exame da obra em relação à pessoa e ao gênero, da obra pessoal em relação à época, da obra da época em relação ao país, oferece um conceito exato de estilo.

Tem grande influência, nos fins do século XIX, a noção do estilo relacionado com a época. A expressão estilo gótico, por exemplo, refere-se à era do predomínio das janelas em ogiva. Por analogia, estende-se ao homem a classificação em sentido místico: o homem gótico é o que apresenta certas características bárbaras, em harmonia com o conceito histórico. Schiller consagra essa teoria do homem fora da temporalidade ao sugerir aqueles dois célebres tipos humanos, o poeta ingênuo e o sentimental, com estilos diferenciados. Assim, a concepção de um estilo de época, ou racial, já está ligada – embora de modo abstrato – à noção de um estilo do homem.

Resumem-se as características do Classicismo e do Romantismo alemão – extensivas à literatura universal – em duas palavras: perfeição e infinito, numa síntese lucidíssima.

Esboça-se o conceito de unidade contido no conceito de estilo com a análise do elemento individual ou individualizado.

Já não se considera mais, a essa altura, a arte de alinhavar corretamente as palavras e escolher as melhores figuras de retórica em função mecânica. Ofusca-se a ideia de que o estilo é coisa formal. Caminha-se para a aquisição de um conceito de estilo como coisa orgânica. A simetria das exterioridades, propícia à dissimulação do pensamento, cede à força da substância anímica.

Ponto de vinculação entre conteúdo e forma, eis a verdadeira acepção do estilo, adquirida aos alvores do século XX.

Com o aparecimento, em 1915, do famoso livro de Wolfflin – *Conceitos fundamentais da história da arte* – inicia-se a investigação do estilo plástico sob auspícios científicos. Não se pode negar o valor pedagógico dessas pesquisas, logo aplicadas à literatura; nem obscurecer a evidência de suas dificuldades.

Estado social, cultura, influxo de escolas, determinações genéricas, tudo isso torna o estilo sistema de relatividades. Por isso é que Marouzeau aconselha o estudo preferencial das monografias de processo ao das monografias de autor, optando por um aspecto do estilo, por exemplo, imitação e influências, papel do concreto ou do abstrato, emprego da intensidade ou da atenuação em campo geral, dentro de uma literatura, ou de uma escola.

De acordo ainda com Marouzeau, deve-se tomar em cada caso um ponto de comparação real e apreciar as qualidades em relação às qualidades ou aos defeitos contrários, uma vez que todo valor é oposição.

Dámaso Alonso, que tem dedicado grande parte de sua vida a estudos estilísticos, achando que a seleção de métodos para tais pesquisas não pode obedecer a normas de um critério racional, escreve: *"Para cada estilo hay una indagación estilística única, siempre distinta, siempre nueva cuando se pasa de un estilo a otro"*. De modo que, apesar das vantagens oferecidas pela metodologia, só uma grande dupla intuição levará a cabo a aventura de um estudo estilístico: a intuição da leitura e a da escolha do método a ser empregado.

"La tâche de la stylistique", diz Charles Bally, *"consiste à rechercher quels sont les types expressifs qui, dans une période donnée, servent à rendre les mouvements de la pensée et du sentiment."*

Quanta complexidade funcional! Intimamente relacionada com a língua, com a personalidade, com o tempo, com a região, com a escola, com o gênero, com a estética, a estilística lembra um campo de batalha.

Que força misteriosa nos leva a reconhecer isso, a marca de um escritor naquilo que escreve? A maneira de modelar a língua, o poder de atingir o coração das coisas, a audácia de arrancar de si próprio as raízes, o orgulho ou o asco de pertencer ao seu tempo, a graça de sobrepor-se a uma escola e a um gênero, o milagre de unir conteúdo e forma numa síntese?

Em relação à língua, quais são os elementos imprescindíveis, as imposições das categorias gramaticais, as possibilidades de eleição? Com vistas à personalidade, que parte da pessoa mais contribui para a execução da obra: a intuição, a memória, a sensibilidade, a inteligência, a vontade?

Com referência à estética, poderão separar-se nitidamente os valores estilísticos dos valores artísticos, embora consideremos a estilística e a estética duas ciências diferentes?

Quantos e que difíceis problemas a serem solucionados!

SEGUNDA PARTE

SENTIMENTO DA NATUREZA

Não é o sentimento da natureza a principal característica da poesia brasileira, muito embora tenha sido a natureza, desde os primórdios da nossa literatura, tema dileto e, às vezes, o predileto de versejadores e poetas.

O formalismo impunha, nas eras coloniais, o gênero descritivo. A visão da terra deslumbrava os forasteiros. Postos em brio, os escritores nacionais acharam conveniente celebrá-la. Poucos lograram atingir, nessas celebrações, atmosfera realmente poética. M. Botelho de Oliveira será uma das exceções, apesar do estilo estático e amaneirado, apresentando, aqui e ali, uma pitoresca notação em que reponta a simpatia da natureza.

> O milho, que se planta sem fadigas,
>
> todo o ano nos dá fáceis espigas.

Imortalizou, principalmente, a Escola Mineira, o que de subjetivo ela contém no seu lirismo: o amor de Gonzaga, a melancolia de Cláudio, que são puras efusões humanas. Há menos autenticidade nos épicos. Basílio da Gama atingiu, contudo, na sua fina, perfeita linguagem, remansos que deixam transparecer o encantamento da natureza:

> Que alegre cena para os olhos! Podem
> daquela altura, por espaço imenso,
> ver as longas campinas retalhadas
> de trêmulos ribeiros, claras fontes

e lagos cristalinos, onde molha
as leves asas o lascivo vento.

O Romantismo, escola mais propícia à intuição, abriu as comportas da alma. Ainda assim, não são numerosos, entre os nossos inúmeros românticos, os poetas verdadeiramente enamorados da terra. A par de enlevos platônicos atestados pela exuberância, bem tropical, de circunlóquios e vacuidades, encontram-se em Gonçalves Dias e Fagundes Varela, este mais integrado na paixão do elemento agreste, sinais de profundo apego à natureza. Fagundes Varela é o exemplo do homem que se deixa absorver pela natureza, sem outro ideal:

Vamos, meu cavalo branco,
minha neblina veloz,
deixemos campos e prados,
sarças, brejos e valados,
ermos, vilas, povoados,
e – os homens, atrás de nós!

Fixou o Parnasianismo, com minudências fotográficas, brilhantemente, às vezes, os aspectos superficiais da terra: tons de ocaso, ondulação de montanhas. Esqueceu-se, como de seu feitio, de fazer vibrar a terra. Não previu o percuciente conceito estético, de Vicente Huidobro:

Por qué cantáis la rosa, ¡oh poetas!
Hacedla florecer en el poema.

Sem embargo, através de seu estilo apolíneo, muitas vezes álgido, tem Alberto de Oliveira algumas páginas em que se identifica enternecidamente com a natureza:

Amo este chão que piso, a árvore a que me encosto,
esta aragem sutil que vem roçar-me o rosto...

O sentimento do mundo, poderosamente encarnado em Carlos Drummond, e não o sentimento da natureza, distingue a poesia modernista, aprofundando a nota introspectiva que é, esta sim, a característica essencial da nossa poesia. É porém entre os modernistas que se encontra o melhor exemplo, na literatura nacional, de uma completa fusão entre o homem e a natureza: Mário de Andrade possui o sentimento da natureza no seu instinto, no seu dinamismo de potência criadora. É como se fosse ele próprio a natureza. Seus poemas, ainda quando nada descrevem das exterioridades do mundo brasileiro, transmitem, fertilizantes, a seiva da nossa terra, têm acres fermentos:

Noites pesadas de cheiros e calores amontoados...
foi o sol que por todo o sítio imenso do Brasil
andou marcando de moreno os brasileiros.

Para o poeta de hoje, a natureza existe, quase que exclusivamente, em função do eu. Não o interessa o que de decorativo pode haver na paisagem, porém o que coincide nessa paisagem com o humano.

A célebre correspondência dos elementos que atuam sobre os sentidos (*"les parfums, les couleurs et les sons se répondent"*) é mais um recurso de Narciso para a marcação, no cristal do cosmos, de sua própria efígie. Uma vez que os cinco sentidos integram o homem, a cada um deles deve corresponder, não apenas uma forma da natureza, mas toda a natureza. A orgulhosa complexidade do homem moderno torna complexa a natureza pelo domínio que sobre ela exerce, depois de haver devassado seus segredos e invadido seus terrenos. Não desapareceu com isso, em absoluto, o sentimento que ela inspira. As deformações que lhe impõe o artista são, entretanto, de tal ordem que talvez ela mesma se desconhecesse, caso pudesse mirar-se no espelho do homem.

O hermetismo da nova poesia, da arte nova em geral, não procede de um simples desejo de singularidade, mas da pressão de uma sensibilidade mais laboriosa, de um desígnio possivelmente heroico de auscultação, da vertigem que causa toda visão de profundidade. Não mais a antiga harmonia, através da qual o homem participava do todo, extasiando-se diante da natureza. Nem mais a linha melódica, doce e fluente ("Lembras-te, Iná, dessas noites...?") com que lhe acompanhava o ritmo. Agora prevalece o timbre, múltiplo e qualitativo, de árida memória, na composição dessa música que retrata, com fidelidade estranha, a natureza do homem em face do universo.

CRUZ E SOUSA

I – A dor superada

Encontra-se em *Últimos sonetos* de Cruz e Sousa a verdadeira via-
-crúcis do poeta e, ao mesmo tempo, a sua cabal expressão. Não
apenas o homem se engrandeceu através da dor, cristalizando cada
vez mais o ser moral que o integrava, como também o artista, abis-
mado no sofrimento, pôde tocar suas mesmas raízes, capacitando-
-se para mais nítidas revelações. A atmosfera em que vive, desde
sempre, e na qual nos introduz pela sugestão, é o sortilégio, o arroubo, o caos. A dos últimos tempos, mais profunda e sombria,
prolongando-se em círculos encantatórios à maneira de órgão pela
nave, tem o fascínio e a majestade de sagrados mistérios. O momento culminante de seu calvário (declarada a tuberculose) é o
momento de sua plenitude lírica, de sua força profética, de seu
orgulho criador. Do despojamento das vaidades do homem é que
surge o artista, amadurecido e completo. Se a cada soneto correspondem aqueles soluços que Gavita surpreende, às vezes, altas
horas da noite, corresponde também uma conquista.
Vasto e terrível foi o seu quinhão de dor: a fatalidade da raça, a cor
infamante, o nascimento humilde, a pobreza, a falta de colocação
condigna, a desestima da sociedade, a incompreensão do meio,
a trágica doença da esposa, a sua própria doença irremediável, a
insegurança do futuro dos filhos, além de todas as solicitações e
torturas do artista. De índole romântica, educado nos princípios
do Naturalismo, atraído, por isso mesmo, pela escola parnasiana,
seduzido pouco a pouco pelo Simbolismo, que angústias não su-
portou até o encontro de si próprio, quando se pôs a desbravar – e

com que escândalo! – caminho novo na poesia brasileira. Apesar de toda essa lenta agonia, Cruz e Sousa não foi um pessimista. Consideram-no pessimista, geralmente, os comentadores de sua obra. Não me parece que o seja, mormente em *Últimos sonetos*, o que é ainda mais admirável. Pessimista é aquele que descrê das forças do espírito, é o desertor do campo moral, é o que no coração tem gelo ou brasa, é o frio Machado de Assis com seu encolher de ombros, é o seco Raul Pompeia com suas invencíveis náuseas, é Augusto dos Anjos, limitado à jaula da matéria, é, em terreno mais próximo ao poeta, Rimbaud fugindo a si próprio, Baudelaire obcecado pelo lodo. Não Cruz e Sousa, a pugnar por mundos ideais com veemência de apóstolo, a levantar nos quatro horizontes as suas torres de vigia, a atribuir à dor uma purificadora missão, ao sonho um papel libertador, a encontrar na beleza os caminhos de Deus. Do vale do sofrimento se ergueu, em gigantesca ascensão, a sua ética. E é isto que imprime tanta grandeza e tanta dramaticidade à sua obra. Impressiona o contraste entre o conhecimento que tem da miséria humana e a resistência com que se sobreleva a todas as vicissitudes. Trai, é certo, nos seus primeiros livros, a influência do pessimismo filosófico germânico, particularmente de Schopenhauer, influência devida ao fato de ter tido como mestre o alemão Fritz Müller; porém nos *Últimos sonetos* – seu livro máximo – ele se mostra muito mais próximo do misticismo cristão do que da mística oriental. Roger Bastide, num dos quatro magistrais estudos que dedicou ao poeta, observa detidamente essa evolução, partida do orientalismo para o cristianismo. Contudo, foi menos a religião do que uma vaga e inata religiosidade, a causa de sua confiança numa lei compensadora a reger a harmonia do universo.

Aludindo apenas às suas imagens que fulgem dentro da noite – nos instantes mais poéticos – como adornos felizes, anotemos alguns de seus conceitos:

Oh! Basta crer indefinidamente
para ficar iluminado tudo
de uma luz imortal e transcendente.
("Imortal atitude")

A alma da Fé tem dessas florescências,
mesmo da Morte ressuscita e brilha!
("De alma em alma")

Vê como a Dor te transcendentaliza!
("Crê!")

O que é consolador e o que é supremo
toda alma encontra no caminho extremo,
quando atinge às estrelas da pureza.
("Acima de tudo")

É porém o soneto "Glória!", grito de alegria e de orgulho em que
explode o sentimento da paternidade, a melhor demonstração de
que ele não tinha da existência uma concepção derrotista:

Glória ao céu, glória à terra, glória ao mundo!
Todo o meu ser é roseiral fecundo
de grandes rosas de divino brilho.

Almas que floresceis Amor eterno!
Vinde gozar comigo este falerno,
esta emoção de ver nascer um filho!

Apesar de se ter declarado solitário em versos dolorosíssi-
mos, Cruz e Sousa encontrou solução salvadora para seu íntimo
conforto. Sentindo-se incompreendido, procurava compreender.
Tomava, em sentido transcendental, a iniciativa das aproximações. Abandonava-se à corrente da natureza – como quem viaja de
olhos fechados – adivinhando a correspondência do coração com
as vibrações do cosmos. Os sonetos "Ser dos seres", "Inefável!",
"Benditas cadeias!", "Cruzada nova" e "Asas abertas" são exemplos
dessa maravilhosa atitude que o impediu de ser solitário completo.
Além disso, ele próprio enaltece, em versos dos mais emocionantes
da lírica nacional, a doce companhia da esposa que o amava e a
quem enternecidamente amava. Teve, ainda, o que é mais raro,
a experiência da amizade perfeita, encarnada em Nestor Vítor,

homem culto e bom, alma aberta à admiração, empolgado pelo afeto de que necessitava o poeta como estímulo. "Espírito imortal" e "Pacto de almas" são ardentes enlevos do mais puro e espiritual amor – oásis para povoar um deserto.

No mesmo silêncio – árdua resposta dos deuses – encontrava o poeta numerosas mensagens:

> Ó silêncios! Ó cândidos desmaios,
> vácuos fecundos de celestes raios
> de sonhos, no mais límpido cortejo...
>
> Eu vos sinto os mistérios insondáveis,
> como de estranhos anjos inefáveis
> o glorioso esplendor de um grande beijo!

Em resumo: Cruz e Sousa tinha predisposição para a felicidade. E é o que mais nos comove na sua trágica poesia. Como em "Triunfo supremo",

> Ficou gemendo, mas ficou sonhando!

II – O culto da beleza

Embora tenha reagido em tempo contra o gosto do Parnasianismo, a que o haviam conduzido os princípios naturalistas nos quais se educara, Cruz e Sousa recebeu singular benefício dessas primeiras experiências. Conservou em toda a sua obra poética, juntamente com o senso do objetivo, o culto da beleza formal. Dentro da escola simbolista, frequentemente acoimada de obscura, manteve, através de bons fios condutores, contato com a realidade. Valorizou, ao mesmo tempo, o material de que se servia (um vocabulário rico e ajustado às circunstâncias) de modo a dar a cada verso, isoladamente, valor próprio.

Dos primeiros estágios culturais trouxe aquela curiosidade intelectual que havia de iluminá-lo, aquela consciente precisão de propósitos, aquela segurança na escolha ou na captação das imagens, aquele dinamismo que se traduz, não apenas na força da expressão verbal, mas ainda na sensível disposição para a luta, disposição essa confirmada pela vida do poeta, em depoimento de Virgílio Várzea, e condensada nos sonetos "Clamando..." e "Torre de ouro", entre outros.

Em plena transfiguração, quando se alcandora a regiões inefáveis, sabe manter-se em equilíbrio, entre os dois mundos que o reclamam. Não se perde em labirintos, não se atira no vácuo. Lógica não possui – elemento desnecessário e às vezes contrário à poesia; mas possui um roteiro por onde possa atingir a essência das coisas, por intermédio da intuição. Seus poemas mais estranhos – de cunho apocalíptico – são, ao mesmo tempo, selva e clareira.

Contribui, talvez, para isso, o seu apego às coisas terrenas, inspirado pela sensualidade de que era marcado, e se revela, tanto no conteúdo da obra, como na fascinação exercida sobre o poeta, dos elementos plásticos e musicais. A herança do sangue, mal saído do estado selvagem, fonte de sua vibratilidade, não lhe vedou, contudo, de modo algum, a escalada às esferas do espírito. Admira que um homem de cor e condição modesta, sem nenhum ambiente preparatório, seja exatamente o poeta da vida interior, de intensidade raras vezes igualada em país tropical. Não foi, evidentemente, um São João da Cruz, natureza angélica, fruto de requintada civilização cristã. O seu soneto "Carnal e místico" sintetiza bem a sua maneira de ser, vacilante entre dois impulsos. Ora partindo da matéria para o espírito, ora regressando tristemente da arrancada inicial para atender à solicitação dos sentidos, mostra-se, nesse desejo de harmonia que o leva a considerar todas as coisas sob duplo aspecto, profundamente humano. Principalmente por não encontrar satisfação na terra. "Sonho branco", "Primeira comunhão", "Música misteriosa..." e "Incensos" são páginas que atestam esse estado lírico de incerta procura. Exemplifica a sua delicada sensibilidade o lindo e límpido soneto "Aparição":

> Por uma estrada de astros e perfumes
> a Santa Virgem veio ter comigo:
> Doiravam-lhe o cabelo claros lumes
> Do sacrossanto resplendor antigo.

Dos olhos divinais no doce abrigo
não tinha laivos de Paixões e ciúmes:
domadora do Mal e do perigo
da montanha da Fé galgara os cumes.

Vestida na alva excelsa dos Profetas
falou na ideal resignação de Ascetas,
que a febre dos desejos aquebranta.

No entanto os olhos d'Ela vacilavam,
pelo mistério, pela dor flutuavam,
vagos e tristes, apesar de Santa!

Valorizando, como poucos artistas, a grande qualidade musical da língua portuguesa, na qual, segundo Fidelino de Figueiredo, "cada palavra é uma pirâmide de som com geratrizes de declive desigual", Cruz e Sousa arranca a esse teclado as mais suaves e ardentes sonoridades. Com o agrupamento de palavras de diferentes tonalidades, consegue a melodia ideal para o verso – a um tempo agradável e sugestiva, capaz de impressionar, não apenas o ouvido, como a vista. É eloquente, neste sentido, um verso formado de adjetivos: "Tísica e branca, esbelta, frígida e alta".

Exaurida a fascinação da alvura que a princípio o envolvera, o poeta vai se embrenhando, pouco a pouco, pela noite. Se, em *Últimos sonetos*, tem Cruz e Sousa o seu ponto mais alto, *Faróis* representa o seu momento barroco – tumultuoso e empolgante claro-escuro. Não só pela angústia, de substância numerosa e complexa, como pela volúpia com que se enredam, ora torneados em colunas, ora filigranados em telas, esses poemas acusam, como toda obra de estilo barroco, o movimento, a virtuosidade técnica propulsora do movimento. Foram escritos ao tempo em que enlouquecera a esposa do poeta; ele a tinha em casa sob cuidados amantíssimos. O ambiente devia ser torturante incentivo para a sua imaginação. Isso explica as desigualdades do livro, o inútil prolongamento de ideias na tensão emotiva. Em conjunto, é obra magnífica, de que ressalta a sua antiga e superada sedução pelo teatro, ao qual então votava desprezo, mas do qual lhe restava certa iniludível dramaticidade. "A flor do diabo", "Pandemonium", "Tédio", "Violões que choram", "Monja negra", "Ressurreição", "Canção negra", "A ironia dos vermes", "Os monges", "Luar de lágrimas", todos esses longos poemas de *Faróis* encerram graves problemas, dúvidas de ordem metafísica, desassossego enorme. Tudo, em *Faróis*, parece ondular e subir, as linhas se torcem em espirais, há nuvens e ramarias suspensas, asas de morcego e de anjo em todas as direções, como que à procura de ar, de luz. Impõe-se a obra pelo conjunto, como nossas velhas igrejas coloniais, embora cada pormenor guarde um símbolo, no ouro das volutas ou na curva dos nichos.

De sua inclinação pelo teatro, assim expandida exuberante mas secretamente, ele daria testemunho direto mais tarde, na sua hora de depuração, encarnando-se, por três vezes, em personagens de Shakespeare.

Assim é que Cruz e Sousa foi fiel, ainda que inconscientemente, a seus primeiros contatos espirituais.

III – O sentimento do orgulho

O sentimento do orgulho preside, com grande força lírica, a toda a obra de Cruz e Sousa. A simples enunciação de seus versos, de tonalidade excelsa, sugere ideia de imponência e majestade. O timbre, com ressonâncias de metal, cria ambiente propício de cúpulas. O movimento das imagens é quase sempre de ascensão, da terra para o céu, quando não de gravitação nas áreas sidéreas. Nada descreve ou narra, este poeta: idealiza. Raras vezes a natureza vegetal encontra abrigo em seus poemas. A flor de sua preferência é aristocrática: o lírio. Astral é o qualificativo dessa flor, num estribilho fatigante. A árvore de que se lembra é o esgalgo eucaliptus. Deslumbra-se com o reino mineral, querendo gravar as dores "nos bronzes e nos mármores eternos". Movem-no "opulências de pérolas e opalas". Das aves, não fala senão em

> tribos gloriosas, fúlgidas, altivas,
> de condores e de águias e albatrozes...

Estes são os espontâneos aspectos exteriores de sua poesia, estas as metáforas mais incisivas de sua festa de sensitivo.

Tratando-se de obra de arte realizada, o conteúdo está, evidentemente, em harmonia com a forma. Que ele fazia de si próprio elevado conceito, não há dúvida. Basta aplicar à sua pessoa o conceito que fazia do Poeta. Era a si mesmo que falava, em solilóquio, ao dirigir-se, usando o subterfúgio da segunda pessoa, ao Poeta. Assim como Baudelaire – Roger Bastide já apontou esta semelhança, que se pode atribuir, quer à afinidade espiritual, quer a uma possível influência do artista francês –, Cruz e Sousa concebe o Poeta como um ser inteiramente à parte entre os homens. Não tanto, porém, como ser amaldiçoado, como acima da comunidade. É ele o Assinalado, o Cavador do infinito, o Invulnerável, provavelmente, o Ser dos seres.

Assim constituído como centro do universo, o poeta considera-se, explícita ou implicitamente, o princípio de si próprio. A soberba, levada ao extremo, exigiria algo mais: que ele se considerasse, também, o fim de si próprio. Aí é que intervém, por milagre do sobrenatural ou da magnitude do indivíduo, o elemento verdadeiramente lírico dessa poesia: tendência para uma finalidade sempre mais alta, exigência de absoluto nos conhecimentos, concepção alargada de panteísmo. O que redime Cruz e Sousa dos extremos da soberba e do egocentrismo, como dos perigos da "arte pela arte", é a sua religiosidade constitucional, o seu temperamento místico, a sua psicologia de idealista. Se não chegou a perceber que só Deus pode ser o fim último do homem, derivou esse fim para as proximidades de Deus: o bem, a beleza, a harmonia cósmica, o aperfeiçoamento integral. É recordar suas páginas "Clamor supremo", "O grande momento", "Cruzada nova". Conheceu, provavelmente, como homem, os pecados que nascem do orgulho: a crença de poder fazer o que supera a força humana, a vanglória, o apego às vaidades, o desejo imoderado de estima, a ambição.

Mas, se nos tempos de verde mocidade, aguardara do mundo as honrarias que lhe foram negadas, com a experiência da vida elevou-se: o seu orgulho tomou formas mais belas, despiu-se daquelas "púrpuras romanas" que andara arrastando, para cingir-se a dignidades mais sólidas, de ordem moral. Se no primeiro livro, ele se consolara da ideia da morte com esta lembrança, algo irrisória:

Mas os teus Sonhos e Visões e Poemas
pelo alto ficarão de eras supremas
nos relevos do Sol eternizados!

no último livro pôde distinguir-se por uma nobre vocação interior do estoico ou já de cristão, como testemunha o soneto "Grandeza oculta":

Estes vão para as guerras inclementes,
os absurdos heróis sanguinolentos,
alvoroçados, tontos e sedentos
do clamor e dos ecos estridentes.

Aqueles para os frívolos e ardentes
prazeres de acres inebriamentos:
vinhos, mulheres, arrebatamentos
de luxúrias carnais, impenitentes.

Mas Tu, que na alma a imensidade fechas,
que abriste com teu Gênio fundas brechas
no mundo vil onde a maldade exulta,

Ó delicado espírito de Lendas!
fica nas tuas Graças estupendas,
no sentimento da grandeza oculta!

A evolução se fez em sentido vertical. A força que alimentava seu estro – sonho de ascensão – tocou-se de sublimidade. Já não há, nos seus últimos lances, excesso ou pompa de imagens; há maior significação em cada uma delas. Ressaltam, por fim, as qualidades restauradoras, as do reverso da medalha: a generosidade, o desejo de proteger os fracos, a dignidade, a renúncia ao efêmero, o desinteresse de "Assim seja!":

Morre com o teu Dever! Na alta confiança
de quem triunfou e sabe que descansa,
desdenhando de toda a Recompensa!

É agora, mais do que nunca, o poeta dos motivos eternos, das generalidades. Em "Fruto envelhecido", chega a dizer: "É preciso humildade...", sinal de que se conhece bem e sabe valorizar, como todo orgulhoso de boa estirpe, a mais doce e enternecedora virtude. Muitas vezes o feriu e desvaneceu essa virtude, transfundida na figura da esposa.

Escusa, pois, recorrer a seus dados biográficos para a comprovação do que a arte denuncia. Mas é fácil lembrar o que dele dizem seus contemporâneos e amigos, como por exemplo Nestor Vítor, ao encontrá-lo pela primeira vez: "Cruz e Sousa deu-me a impressão de um preto estrangeiro, moço, chegado recentemente de grandes viagens, bem-posto, com uma pontazinha de insolência..."

Ao assumir, mais tarde, no Rio, embora o achasse abominável para uma índole como a sua, o emprego de praticante da Estrada de Ferro Central, onde chegou a ser arquivista, dá prova de honradez rigorosa, pois de outro modo não poderia arcar com as responsabilidades de chefe de família.

Aquele menino tímido, cujos primeiros versos a província catarinense aplaudira para em seguida desdenhar, aquele jovem intelectual impedido, por questão de epiderme, de tomar posse do lugar de promotor de Laguna, para o qual fora nomeado, estava destinado a ser, à revelia do meio social, o insólito inovador das letras brasileiras.

Isso porque era, antes de tudo, um espírito verdadeiramente superior.

IV – A ideia da morte

A ideia da morte é fonte primacial na poesia de Cruz e Sousa. Na antífona com que abre o primeiro livro, depois de augurar para a sua musa todas as belas formas e essências, pensa inesperadamente na morte, fundo negro de painel:

Tudo! vivo e nervoso e quente e forte,
nos turbilhões quiméricos do Sonho,
passe, cantando, ante o perfil medonho
e o tropel cabalístico da Morte...

Em relação ao poema, não são, aliás, muito convincentes estas expressões, utilizadas talvez como recurso literário para efeito de contraste. Reaparece algumas vezes mais, em *Broquéis,* a ideia da morte, como tema primordial ou correlativo; em "Sonho branco", por analogia; em "Noiva da agonia", por motivo de confusão sentimental; em "Post-mortem" como processo de compensação e, em "Visão da morte", como bem claro pressentimento:

Do teu perfil os tímidos, incertos
traços indefinidos, vagos traços
deixam, da luz nos ouros e nos aços,
outra luz de que os céus ficam cobertos.

Deixam nos céus uma outra luz mortuária,
uma outra luz de lívidos martírios,
de agonias, de mágoa funerária...

Além desses momentos em que o assunto é focalizado de modo mais ou menos direto, perpassa latente pela obra, banhada de misticismo, a esteira da morte, na reminiscência de símbolos mortuários: viáticos, extremas-unções, sepulcros, mortalhas, lividez, círios.

Encontra-se o poeta no auge de sua vitalidade e sente-se atraído pelos aspectos exteriores da morte, mais do que compenetrado de sua verdade. É uma visão de periferia. A ideia, não especificada, acode-lhe ao espírito como bálsamo de estranha suavidade a acalmar aquele excessivo ardor de juventude. Após um longo dia de verão e sol rubro, doce ao viajor é descansar os olhos na contemplação da lua e das estrelas. É belo, à distância, o espetáculo da morte, na sugestão de intangibilidade, na impressão de repouso que proporciona. O poeta, que sofria a obsessão da luz branca e da cristalinidade, sente-se enamorado. Apenas percebe da esfinge os tênues véus, adora na figura longínqua a açucena, o orvalho que roreja as delicadas pétalas. Mas ela não tardará a romper o encanto e a apresentar-se em todo o seu poderio. Já em *Faróis*, logo de início, estranho chamado do além se faz ouvir:

> A música da Morte, a nebulosa,
> estranha, imensa música sombria,
> passa a tremer pela minh'alma e fria
> gela, fica a tremer, maravilhosa...

Mas anuncia, essa música, a foice prestes a arrasar os trigais. De súbito, acha-se o poeta em face da morte. Acompanham-na podridões e misérias. É este o seu séquito. Agora a conhece mirada no espelho de seus olhos.

Não há fugir. Nos muros da prisão desenha, com assomos vindicativos, os arabescos inspirados pelo asco e pelo pavor: "Caveira", "A ironia dos vermes", "Metempsicose", "Inexorável", "Luar de lágrimas", estupenda síntese da angústia dos que buscam, através de todas as gerações, o paradeiro dos mortos, para acabarem no eterno pranto.

Em *Faróis*, livro de expressão patética, estreita-se a visão da morte em círculos cada vez mais restritos, fundem-se as figuras externas com as introspectivas, a atmosfera respira sentimento. Cresce, apenas entrevisto nos primeiros tempos, o sarcasmo do artista – nova fisionomia a enriquecê-lo. Acerada e violenta é a sua mordacidade. Sem embargo, o elemento lírico participa do grotesco. Em verdade, o sarcasmo é espada de dois gumes, a represália acusa o ferimento. No impressionante poema "A ironia dos vermes", o poeta – novo Heine amargo – cria e destrói, de um só gesto, o alvo do seu carinho.

> Eu imagino que és uma princesa
> morta na flor da castidade branca...
> ....
> Mas dos faustos mortais a régia trompa,
> os grandes ouropéis, a real quermesse,
> ah! tudo, tudo proclamar parece
> que hás de afinal apodrecer com pompa.

Em *Últimos sonetos*, a morte é visão central, realidade puramente interior, plenitude trágica em concentração. E também por efeito de grandeza de espírito, sabedoria, conceito, síntese. O poeta vive a sua morte mesma, instalada no próprio peito, a roer-lhe os pulmões. A sua poesia adquire uma grandiosa simplicidade, uma secreta força. Voltado para os reinos do Espírito, ele sonha a imortalidade da alma, procura a chave do mistério de além-túmulo. E sofre. A paixão contida se transforma em beleza através dessas páginas: "Ironia de lágrimas", "Único remédio", "Consolo amargo", "Mealheiro de almas", "Velho", "A morte", "Renascimento" e "Perante a morte":

> Silêncio e prece no fatal segredo,
> perante o pasmo do sombrio medo
> da Morte e os seus aspectos reverentes...
>
> Silêncio para o desespero insano,
> o furor gigantesco e sobre-humano,
> a dor sinistra de ranger os dentes!

É a Arte, segundo excelente definição de Abel Salazar, "a mais sutil forma de utilização do mistério". Isso explica, suficientemente, a fascinação exercida sobre os poetas, através dos tempos, pela morte – o maior de todos os mistérios, fonte lírica perene. Três fases distintas experimentou Cruz e Sousa em relação à musa imóvel: a da ilusão, a da desilusão e a da superação. O que prova, creio, ter sido ele um poeta completo.

FAGUNDES VARELA

Pode-se avaliar a extensão da obra revolucionária do Romantismo pela extensão da pena que atingiu a seus adeptos, castigados na própria carne, mortos em plena juventude em razão dos desvarios de um idealismo ainda sem exato roteiro. Muitas vidas se consumiram aos primeiros desafogos românticos, antes que se consolidassem os direitos do artista, decorrência ou simples complemento dos direitos do homem; e antes que o homem tivesse noção precisa de suas novas responsabilidades.

Enquanto se definiam os cânones sociais da última hora, forjava-se um conceito literário que pudesse corresponder ao mito--liberdade. Mal considerada na sua essência filosófica, a liberdade tornou-se pretexto. O organismo social foi então atingido pela dissolução de seus mais ilustres elementos. A história dos grandes poetas românticos, salvando-se exceções escassas, não promove exemplos de perfeição de caráter e costumes. Amesquinhava-se a vontade em sentido inverso aos impulsos da imaginação e dos sentimentos. Inspiração era a palavra mágica. O outro lado da arte, a técnica, era relegado a plano inferior, quando não esquecido.

Entretanto, a autenticidade da poesia romântica, isto é, a sua correspondência com o que há de mais substancial no indivíduo, garante a sua perenidade, ainda que muitas vezes falha do esforço do artista, de sua cultura e bom gosto, elementos adjetivos, como diz Hernani Cidade.

Os românticos brasileiros, com a convivência dos trópicos, levaram a experiência da liberdade até onde surgem laivos de anarquia.

Inauguraram, esses bravos poetas, uma literatura cuja conquista seria reencetada, no sentido de criação autóctone, pelo movimento modernista que, finalmente, definiu a fisionomia nacional de nossas letras. E como sofreram! Cada um deles teve, porém, a sua razão de viver e morrer. Gonçalves Dias, o Mestre, foi suficientemente equilibrado. Álvares de Azevedo encontrou nas áreas da inteligência um derivativo para a sensibilidade, tomando a vida como espetáculo. Junqueira Freire fruiu, aristocraticamente, a sua vocação demoníaca, forte no desespero. Castro Alves superou seus transbordamentos com o postulado da questão social. Casimiro de Abreu salvou-se por uma doce leviandade. Fagundes Varela, porém, ficou mergulhado nas águas da irresolução, da dúvida, sem forças para ser mau e infeliz, sem coragem para o bem. Nenhum foi triste como Varela, sem escopo e sem lei.

Nenhum reuniu, talvez, como Varela, tantas faculdades de ordem espiritual propícias à poesia: sentimento profundo e excelso, imaginação visionária, religiosidade instintiva, dom de levitação, ternura pelos menores aspectos do universo, humildade diante do mistério da vida; todos esses matizes da alma brasileira que ele representa como também encarna os defeitos de índole nacional – de que desgraçadamente se fez expoente. A névoa que envolve a sua poesia não resulta de uma deficiência dos sentidos, mas dessa vocação para um mundo extraterreno a que não podia renunciar. Nisso reside a característica de sua poesia: suas paisagens se esbatem num sussurro melódico, despontam imagens da própria música de seus versos, não se sabe se é de origem humana ou divina a musa que o inspira:

Oh! filha das névoas! das veigas viçosas,
das verdes, cheirosas roseiras do céu,
acaso rolaste tão bela dormindo,
e dormes, sorrindo, das nuvens no véu?
....
E as auras passavam e as névoas tremiam
e os gênios corriam no espaço a cantar,
mas ela dormia tão pura e divina
qual pálida ondina nas águas do mar!

Caminhando sem direção moral, incapaz de assumir qualquer responsabilidade diante de seus semelhantes, manteve a alma em estado angélico. Há um mundo de contradições entre o que foi e o que teria sido – e esse mundo é a sua própria poesia sem violência, nem solução de continuidade. O satanismo byroniano a que se refere Ronald de Carvalho, em relação à poesia de Varela, não tem procedência senão em umas poucas expressões nada convincentes que empalidecem na visão do conjunto. O que de importante existe em Varela é a grande doçura melancólica a resolver com harmonia as mais desencontradas situações; a bondade ingênua exemplifica-da no reiterado apelo de regeneração à mulher amada e a si mesmo; a integração do humano dentro da natureza. Não há um processo de expressão nesse poeta: há uma voz na infância da civilização, um puro estado de alma:

> Basta uma noite de luar nos campos,
> o brando eflúvio dos vergéis do sul,
> dois olhos belos, como a crença belos,
> fitos do espaço no fulgente azul!

Embora não chegasse a produzir, em obra irregular como a que nos legou, senão uma visão de verdejantes ilhas a emergirem do oceano, pertence-lhe, com o "Cântico do calvário", o mais sublime instante do Romantismo brasileiro, talvez de toda a nossa poesia; pranto de homem sobre seu próprio cadáver e não apenas pranto de pai sobre o filho morto.

Além das influências de ordem geral, comuns aos escritores do tempo, encontraremos talvez uma explicação para a sua psique na viagem que fez, quando criança, pelo interior do Brasil. A sua depressão espiritual terá nascido ao mesmo passo que o sentimento da natureza.

O espetáculo terá sido demasiado forte para sensibilidade tão tenra, tão vibrátil. E, mais que a visão gigantesca das selvas e o con-tato com a vida rude dos sertões, a liberdade então usufruída o teria prematuramente habituado ao desgoverno de si mesmo. Incapaz de pensar seus problemas metafísicos e muito menos de resolvê-los, entregou-se ao devaneio e ao diletantismo. Apontava a cidade como causadora de seus deslizes, refugiava-se nas roças e nos campos à procura de solidão, poderíamos dizer, à procura de si mesmo. Logo após se queixava, o inquieto:

Porém minh'alma triste e sem um sonho
murmura olhando o prado, o rio, a espuma:
– Como isto é pobre, insípido, enfadonho!

Não foi grande, nem ardente, porém instável amoroso – o que não deixa de dar encanto peculiar a seus versos, de gradativas sugestões.

Espírito fundamentalmente religioso, mal conheceu o misticismo. Quando se manifesta cínico, em poemas narrativos de muita parolagem, perde o interesse. Como cidadão, chegou a dar, através de umas quadras simbólicas ("A um monumento"), opinião política bem definida acerca da subserviência condutora do despotismo:

Pobre turba! Néscia e fátua,
na sua soberania,
beija os pés à fria estátua
que há de esmagá-la algum dia!

Porém o nosso Varela, o que permanecerá na literatura brasileira, não é o dos pensamentos sensatos como esse: é o das sensações e sentimentos inefáveis; aquele que, como Coleridge, Amiel e outros grandes indecisos, cultivou "a alma diáfana" – através de um doce torpor.

ÁLVARES DE AZEVEDO

Entre os nossos românticos, ocupa Álvares de Azevedo um lugar de privilégio. Mas, como em geral acontece, tem mais renome pelas auras lendárias que o envolvem do que pela sua própria obra. Ainda não atingimos esse estágio cultural de genuíno interesse pelo fato literário em essência. E as curiosidades de superfície costumam promover a deturpação da ideia nas suas fontes.

É exatamente esse conceito de incompreensão a isolar o poeta, um dos mais constantes motivos da poesia de Álvares de Azevedo:

> O mundo tem razão, sisudo pensa,
> e a turba tem um cérebro sublime!
> De que vale um poeta – um pobre louco
> Que leva os dias a sonhar – insano
> amante de utopias e virtudes
> e, num tempo sem Deus, ainda crente?

Incompreensão que deriva, muitas vezes, da própria poesia: embora fundamentalmente social pelo fator humano, a poesia representa, por fatalidade de sua mesma natureza, como todo fenômeno artístico, um rompimento de laços, uma reação imprevista e única em face do universo. Principalmente quando se exerce em certos setores como o do *humour*, feição predominante na obra do nosso poeta ou, pelo menos, aquele que o distingue nitidamente dos outros românticos brasileiros.

Se o gênero lírico envolve uma irradiante simpatia, o gênero satírico – represália da inteligência contra o mundo – provoca certo mal-estar, mesmo através de sua mais alta e sutil expressão, o *humour*. Todavia, quanto mais puro for o *humour*, menos contundente se mostra, por uma compensação de melancolia e piedade. Superior ao sarcasmo e à ironia pela emoção que o humaniza, em verdade o *humour* exige sentimento e malícia em proporções equivalentes. Enquanto o sarcasmo fere e também a ironia, embora menos agressivamente, o *humour* atinge apenas o que possui a sensibilidade mais suscetível, inoculando-lhe, com o travo do fel, certa consolação metafísica.

Torna-se, por essa mesma dubiedade, que denuncia novos valores psicológicos, mais propício à arte do que o sarcasmo, quando não grosseiro inclinado ao moralismo, e do que a ironia, em que sempre interfere a lógica. Por advir de profunda e singular intuição, o *humour* é bem mais raro.

Não me parece que tenha razão Afrânio Peixoto, quando tachou de insincero o *humour* de Álvares de Azevedo, embora reconheça traços de vários poetas europeus na sua obra. O fenômeno foi apenas imaturo, quando exigiria uma longa experiência tanto vital como artística, precisamente por ser peculiar a culturas e civilizações mais antigas. Fruto arrancado à árvore ainda verde, ressente-se de excessiva acidez, sem deixar de ser, contudo, produto autêntico daquela natureza em que disputavam uma inteligência insubmissa e uma sensibilidade mortificada ao mais leve contato.

O que faltou a Álvares de Azevedo foi o completo ajustamento do substrato com o impulso de comunicação, o tato secreto dos artistas que viveram longamente, a graça de superar pelo espírito, que nele cintilava, a acerba predisposição para o asco.

O dom do *humour*, inato neste jovem, sem ambiente adequado, quase sem tradição nas literaturas de língua portuguesa, foi talvez o escolho de sua musa. Poucas vezes, na literatura nacional, tem sido tão forte o contraste entre a lucidez da inteligência e a sutileza emotiva, o pensamento lógico e a intuição virginal. Uma erudição impossível de ser assimilada tão cedo, junto a uma extrema inclinação para a ternura, não podiam coexistir sem choques para qualquer organismo. Com essa insídia, o destino venceu a fragilidade do homem e impediu o acabamento do artista. Poderosamente imaginativo, forçava a própria timidez; e a reação do tímido é desbordante, quando a ação do tempo ainda o não sofreu. Escondia os soluços em meio a gargalhadas de um impudor exacerbado e estranho. É a máscara moldada ao feitio dos poetas europeus de que recebeu influência, a máscara sob cuja forma bizarra palpita o verdadeiro sentido subterrâneo de sua poesia.

O *humour* de Álvares de Azevedo não chegou, de fato, a atingir esse clima de perfeita fusão entre a simpatia pelo universo e a repulsa pelo mundo. O que se deu – e isso transparece a cada passo – é o desajustamento entre as duas fontes opostas de inspiração, de modo que ora se destaca vivamente uma, ora outra, quando o ideal artístico exigia o completamento de uma pela outra. Coisa que um grande prosador – Machado de Assis – iria realizar imediatamente depois e, muito mais tarde, dois grandes poetas – Mário de Andrade e Carlos Drummond de Andrade.

Sem embargo, é legítimo o *humour* de Álvares de Azevedo, segundo as características indicadas por Bergson e também outras, mais sutis, denunciadas por Hoffding.

O poeta descreve o mal com minúcias, afetando aprová-lo, procurando convencer que assim é que deveria ser, quando a sua amargura transborda pela ausência do bem:

> Não há negá-lo – não há doce lira
> nem sangue de poeta ou alma virgem
> que valha o talismã que no oiro vibra!
> Nem músicas nem santas harmonias
> igualam o condão, esse eletrismo,
> a ardente vibração do som metálico...

Detém-se em relevar o traço marcante de um objeto com o fim evidente de mostrar-lhe a odiosidade, quando, no fundo, ressalta o seu desejo de beleza e harmonia. Embora afete desdém pelo que o mundo possui de insignificante, ridículo, pecaminoso e sofredor, ama assim mesmo as criaturas insignificantes, ridículas, pecadoras e sofredoras. Vê a existência do alto de seus sonhos de moço e examina-a por todos os seus aspectos com uma curiosidade mórbida. Deslumbra-o em certos momentos a concepção do sublime, enquanto não lhe vem a lembrança do sórdido.

Certas arestas demasiado fortes, em que se passa bruscamente do belo ao grotesco sem aquela desejável sabedoria de entretons e nuanças, são devidas à improvisação, à pressa com que escrevia, ansioso por libertar-se antes da morte.

CAMILO PESSANHA

Relevante, no quadro da moderna poesia portuguesa, é a figura de Camilo Pessanha, escritor que deixou apenas dois livros: um pequeno volume de versos, *Clepsidra*, publicado por d. Ana de Castro Osório em 1920 (com 2ª edição de 1945), e outro volume de poesia e prosa, intitulado *China*.

Lembrar que Fernando Pessoa se confessava discípulo de Camilo Pessanha, segundo o depoimento de João Gaspar Simões, é sugerir a importância do Mestre.

Classificado como simbolista, a sua poesia possui, sem compromissos, puras características, não apenas estruturais, como psicológicas, da escola. E, apesar de sua originalidade essencial, traz algumas notas em que reponta a influência de Verlaine, como nesse poema de delicada tessitura, sem, entretanto, nenhuma languidez:

Chorai arcadas
do violoncelo!
Convulsionadas,
pontes aladas
de pesadelo...

De que esvoaçam,
brancos, os arcos...
Por baixo passam,
se despedaçam,
no rio, os barcos.

Fundas, soluçam
caudais de choro.

Que ruínas (ouçam!)
se se debruçam,
que sorvedouro!...

Trêmulos astros...
Soidões lacustres...
– Lemes e mastros...
E os alabastros
dos balaústres!

Urnas quebradas!
Blocos de gelo...
– Chorai arcadas
despedaçadas,
do violoncelo.

Uma sensibilidade dolorida, porém sempre pronta a conter-se nos seus limites e nunca a extravasar-se na volúpia das confidências e das lamentações, confere a marca da personalidade de Camilo Pessanha.

Justamente por isso, por essa nobre atitude de vigilância em face das solicitações da fantasia, responsável, quase sempre, pela dose de morbidez que se inocula no Simbolismo, sua poesia torna-se mais intensa.

Integrado pelo sentimento da nostalgia, não isento de inquietude e tédio, às linhas tradicionais da lírica portuguesa, o autor de *Clepsidra* distingue-se principalmente por essa intensidade emotiva, alcançada através de uma expressão breve e exata. Poucas palavras, construção sucinta quanto aos períodos, imagens não copiosas nem variegadas, sempre em correspondência com o anímico, centros de interesse mais ou menos delimitados encerram o seu mundo, maior no sentido de profundidade que de extensão. Isso, aliás, não importa na obra de arte, sendo o motivo apenas um "meio" para a realização de um "fim" que se encontra na própria obra, de acordo com o conceito moderno de estética e, precisamente segundo T. S. Eliot, quando diz, no ensaio sobre Poe: "O motivo é importante como meio; o fim é o poema".

Em um dos momentos mais humanos de Pessanha, a página que se vai ler, nota-se a singularidade, não do sentimento, comum nas mesmas circunstâncias, mas da maneira de sentir e reagir contra esse sentimento:

Na cadeia os bandidos presos!
O seu ar de contemplativos!
Que é das feras de olhos acesos?!
Pobres dos seus olhos cativos.

Passeiam mudos entre as grades,
parecem peixes num aquário.
– Campo florido das Saudades
por que rebentas tumultuário?

Serenos... Serenos... Serenos...
Trouxe-os algemados a escolta
– Estranha taça de venenos
meu coração sempre em revolta.

Coração, quietinho... quietinho...
Por que te insurges e blasfemas?
Pschiu... Não batas... Devagarinho...
Olha os soldados, as algemas!

Não se trata de um poeta em disponibilidade, se bem que sua vida intelectual pareça dispersiva pelo fato de não haver escrito ele próprio mas ditado suas poesias a amigos, por instância dos mesmos. Trata-se, ao contrário, de um artista consciente de sua força expressional, que dela utiliza por necessidade interior, com segurança e sem pressa.

Nascido e criado em ambiente depressivo, tendo escrito: "Eu vi a luz em um país perdido", verso que só nos cabe aceitar, seja qual for a sua interpretação, sua alma não é, como ele diz – lânguida e inerente –. Parece, isto sim, penetrada de certo fatalismo de influência facilmente reconhecível quando se tem notícia de sua larga estada na Ásia. De qualquer modo, o artista valoriza-se na luta sustentada seja contra moinhos de vento, seja contra gigantes verdadeiros.

Do Oriente, onde se apurou e se adelgaçou sua emotividade, terá trazido o gosto de cultivar o sofrimento com elegância requintada, embora, na aparência, displicente. Esse mesmo gosto, algo exótico, reflete-se na escolha do vocabulário, nas fórmulas, nas próprias reticências – ilhas de silêncio em que a palavra, quando os ventos lhe carregam o pólen, vai germinar no escuro.

Assim, outra feição predominante de sua poesia é a "apreensão do sutil e do longínquo", de acordo com a observação de José Régio. Principalmente a apreensão do sutil, parece-me. O real imponderável tem uma ação de presença muito forte em seus versos. Mesmo quando ele se refere ao passado, como em "Castelo de Óbidos":

> Quando se erguerão as seteiras,
> outra vez, do castelo em ruína
> e haverá gritos e bandeiras
> na fria aragem matutina?

a saudade do poeta não é outra coisa senão o desejo de construir um presente melhor, não há desalento irremediável de cinzas, mas desenho ideal, ainda que sem esperança. O último verso da quadra é uma afirmativa feliz em relação ao presente, no qual residem, por um momento encantados à sua própria revelia, os sentidos do poeta.

Ele alcança com frequência, quase constantemente, uma atmosfera cristalina em que as coisas se assemelham à porcelana, pela delicadeza quebradiça: voo de pássaro, sopro de zéfiro, auras de captação difícil quando não impossível revelam e, ao mesmo tempo, velam uma arisca sensibilidade, como que ferida de antemão. No fundo, uma grande insatisfação pelo inexistente desvirtua suas mais graves experiências, contradiz seus conceitos. Não admira que o amor lhe pareça mesquinho em relação ao sonho espiritualíssimo:

> Se andava no jardim,
> que cheiro de jasmim!
> Tão branca do luar!

Eis tenho-a junto a mim.
Vencida, é minha, enfim,
após tanto a sonhar...

Por que entristeço assim?...
Não era ela, mas sim
(o que eu quis abraçar)

a hora do jardim...
o aroma de jasmim...
a onda do luar...

FERNANDO PESSOA

Extraordinária, por muitos títulos, é a poesia de Fernando Pessoa. Admira, em primeiro lugar, o fato de ser constituída mais de elemento intelectual que de elemento plástico. O que predomina, na personalidade de Fernando Pessoa, é a inteligência, e inteligência talvez incomparável na literatura portuguesa. Como conseguiu ele realizar poesia verdadeira – que tanto fere a sensibilidade – com esse jogo de conceitos a nu, quase sem subterfúgio de imagens? Como consegue ele sobrepor-se ao moderno conceito de poesia, que repele o conceituoso? É que o elemento intelectual da poesia de Fernando Pessoa vem contaminado, desde as suas mesmas raízes, por uma implacável dramaticidade; por isso carece de lógica a sua expressão. A lucidez deste poeta é como a lucidez do louco, urdidura brilhante pelos seus mesmos dislates; ofusca pelo poder de uma realidade que o senso comum mal percebe porém não ousa contrariar, realidade que a razão vislumbra apenas, fora e acima de seus âmbitos. Quando o poeta diz, por exemplo:

Tenho dó das estrelas
luzindo há tanto tempo,
há tanto tempo...
Tenho dó delas.

Não haverá um cansaço
das coisas,
de todas as coisas,
como das pernas ou de um braço?

Um cansaço de existir,
de ser,

só de ser,
o ser triste brilhar ou sorrir...

Não haverá, enfim,
para as coisas que são,
não a morte, mas sim
uma outra espécie de fim,
ou uma grande razão –
qualquer coisa assim
como um perdão?

quando ele exprime esses sentimentos pensados, até o âmago, suas palavras são diretas, mas não têm sentido lógico de superfície, nem sequer de normalidade, exatamente porque entre o sentido e o pensado falta coerência. Sua intuição, aí, como em toda a obra, transcende os limites da experiência possível, de qualquer raciocínio. O problema apresentado, de ordem evidentemente metafísica, foge ao natural, embora a ele se refira com uma ternura humana sutilíssima.

Seria árduo recolher, dos fios esparsos de seu pensamento, a tessitura de uma doutrina harmoniosa, que condicionasse a verdade interior deste homem atormentado de dúvidas a respeito das coisas existentes e por existirem.

Testemunho de sua perplexidade recôndita, pudor e espanto de ser, entre a mediocridade e a incompreensão, é o desdobramento – ou dilaceramento – de sua personalidade em quatro diferentes personalidades, em nome das quais ergueu esse monumento de prismas desnorteantes, dificilmente ajustáveis, porque todos geniais. Isso não diminui a sua grandeza, ao contrário: a sua obra é como a própria vida, incongruente e versátil dentro da maior gravidade, misteriosa em sua direção para o eterno. Não há talvez exemplo de poeta em que se possa sentir, de mais aguda forma, a dor de pensar. Fernando Pessoa domou a fera do sentimento (do sentimento lírico português!) e a ferocidade das sensações pela força de uma autocrítica em solidão absoluta.

Assim é que nos induz à descoberta de que não há dogmas para a arte, senão o de não haver dogmas para a arte, como ele próprio diria.

JOÃO ALPHONSUS

Há, na obra de João Alphonsus, um aspecto que me agrada evocar, de muita delicadeza. Falo do contido lirismo que reponta, aqui e ali, ao longo de seus contos e romances. Reponta, esboça-se, e, quando vai definir-se, desaparece. Foi uma clara pincelada na tela sombria, foi um rápido aviso aos navegantes, foi uma sugestão apenas.

É um elemento estranho e imponderável que muda, às vezes, de lugar, à releitura da página, que se revela melhor numa expressão que não havíamos notado à primeira vista e que dificilmente se concretizaria numa citação, pois age em nós subjetivamente, por um processo de ressonância. Esse elemento representa, frequentemente, uma solução humana, à hora em que parece esgotarem-se os recursos literários. É ele que dá caráter à obra de João Alphonsus, constituindo o traço de união do escritor com o homem, exatamente quando o homem completa e aperfeiçoa o artista.

O carregado, exaustivo pessimista que seria o criador de "Eis a noite", sem este aceno da graça! Se fizéssemos uma estatística dos suicídios, assassínios, das mortes, de toda a espécie de crimes e tragédias, de todas as atitudes negativas que povoam seus livros, ficaríamos perplexos: a esse número avassalador não corresponde a impressão que nos deixam, lidos sem preocupação de cômputo.

O elemento lírico não impede a consumação do mal, porém demove, de certo modo, a intenção, pela escassez de malícia. Ameniza a densidade atmosférica, equilibra os aspectos dramáticos, atenua a gravidade da culpa.

Se é que, a esta altura, estou avançando no terreno moral, devo dizer que esse elemento poderia tornar-se perigoso de certo ponto de vista. Mas não há negação de livre-arbítrio. O que há é que os personagens desse profundo observador da vida, em grande parte sonâmbulos, epilépticos larvados, candidatos à loucura, agem como que impelidos por uma força inelutável, num estado de semi-inconsciência. É o caso, tantas vezes repetido, em que a literatura presta serviços à ciência, como perscrutadora da alma. Os que não têm temperamento doentio estão mais ou menos doentes por acúmulo de amarguras, por fadiga, por desesperança. Alguns, frouxos de vontade, aceitam o que resolvem as circunstâncias, passivamente. Outros, sistemáticos, fanatizados por uma ideia fixa, concentram nessa ideia todas as energias: são os unilaterais, numerosos.

O autor, anticonformista por excelência, busca precisamente colecionar esses tipos grotescos, vítimas do destino, quem sabe se para dar-lhes alguma compensação indefinida. Pelo menos trabalha seus tipos com extremado carinho, procura solucionar-lhes o drama da melhor maneira dentro do possível cotidiano, burguês, bastante limitado e, paradoxalmente, poético.

Poesia sem nenhum alarde, nem nenhuma transcendência, envergonhada ternura de criador arrependido, incapaz de proteger eficientemente a sua criatura, sentindo com ela o desamparo de entorno.

Só em alguns prosadores russos e em Knut Hamsun tenho percebido o dom dessa original poesia quase terra a terra, misturada com o pão, porém de origem subjetiva, nitidamente espiritual.

A propósito, lembro uma passagem de "Imemorial apelo":

– Você já pensou alguma vez na morte, Mundico?

Levantando-se, meu companheiro limitou-se a sorrir quase com desprezo, como se achasse a pergunta perfeitamente imbecil. E aplicou as palmadas nas coxas, fez vibrar na garganta o canto de galo, de cabeça erguida para o céu.

Supondo que humorismo seja um misto de pendores contrários, distribuídos em balança: de um lado, o direito, ficam os atributos da simpatia, a indulgência, a piedade, a compaixão; manifestam-se pelo amável sorriso, a evasiva, a desculpa. Do lado esquerdo ficam os atributos da aversão, o despeito, o desprezo, a acidez; temos como consequência o riso escarninho, a ironia, a maledicência, a náusea. Coração e cérebro, em jogo. Complacência e clarividência, em dissonantes acordes.

João Alphonsus, que suponho humorista, encontrou a sua verdade, o seu equilíbrio, pendendo muito mais para o lado direito, assistido precisamente pelo elemento poético a que aludi e que é um suave milagre, transfiguração, em última análise, de sua bondade essencial.

O gosto com que buscava o convívio dos animais é testemunho da sua nostalgia de um mundo melhor. Entre "Galinha cega", delicada e rústica obra-prima, e essa outra obra-prima que é "Mansinho", adorável irmão do Platero de Jiménez, quantas páginas inspiradas pelos nossos irmãos menores, os irracionais! A tentação do padre Manuel Carlos, de atribuir alma a seu jumento, é símbolo da mansa poesia de João Alphonsus.

Talvez porque lhe gabássemos muito essa cordura, certa vez se propôs escrever um conto mau. "Estou escrevendo um conto mau, que vocês vão ver!" E veio "Sardanapalo", prodígio de arte e perversidade. Em "Sardanapalo", custei a encontrar o autor. Mas parece que ele está escondido no remorso do farmacêutico, no arrepio de horror que sente o farmacêutico ao ver um gato atravessar, à noite, a sua porta; está principalmente na minuciosa, nervosa necessidade de confessar-se, falando na primeira pessoa. Além disso, o único animal duramente castigado pelo nosso escritor é o gato, símbolo de maldade, depois de positivada essa maldade.

Participa também da sua galeria de excepcionais, fugindo a todas as reminiscências por uma deliciosa simplicidade, a figura dom-juanesca. "O guarda-freios" é um conto maravilhosamente tocado de poesia, que vale tanto pelo que deixa em mistério, como pelo que narra. São rápidos flagrantes provocados pelo movimento do trem que passa, com o guarda-freios que ri e que passa enquanto nas plataformas se sucedem e ficam as namoradas. Há um momento em que o guarda-freios, para surpreender a menina da plataforma, "atira o busto para fora rapidamente, com os pés fixos na escada, como se fosse voar... Movimento mesmo de voar, uma projeção do corpo no ar vazio..."

De outro conto, "O caracol", intensamente banhado de vida recôndita, recordo como lírica mensagem a cena em que Péricles deseja mandar plantar uns pés de flor junto ao túmulo do filho morto.

— Será uma trepadeira.

— Uma trepadeira?

— Sim. Os ramos se multiplicarão sobre a terra da sepultura. Depois, numa noite antes do fim do mundo, bem pode ser que os ramos subam... e até no céu!

Os amigos de João Alphonsus são também sonhadores, como ele. Algum dia os convidarei para irmos ao cemitério do Bonfim plantar uma trepadeira no túmulo desse menino poeta.

LEMBRANÇA DE MÁRIO

Quantas vezes me sentei a esta escrivaninha para deixar minhas impressões sobre Mário de Andrade. E quantas vezes me acovardei diante do papel em branco, tomada de emoção, inábil para reter um só dos mil pensamentos que a meu lado choviam. Propunha-me, indecisa, tratar apenas do poeta. Ou do ensaísta, separadamente. Falar da forma de inteligência que o distinguia, do ser humano que encarnou, do amigo, do irmão que foi para a quase totalidade dos intelectuais do tempo. Desejaria observá-lo, ora como fruto da terra brasileira, ora como expressão de poder cultural. O bárbaro, que nele habitava com uma força de Hércules, equivalia ao civilizado repleto de sutilezas que policiava suas atitudes. Mas se ele foi assim completo em todas as manifestações vitais, e revelou-se integralmente no homem como no cidadão, no poeta como no ensaísta, não será plenamente compreendido senão à luz de uma visão de conjunto. A ele genialmente livre, uma faceta poderia limitar; um ângulo, deformar. É certo que o mural em bloco valoriza e esclarece seus próprios pormenores. Em Mário de Andrade, o poeta se explica pela originalidade do homem, ou pela fatalidade da raça, tanto quanto pela consciência artística. O pensador está presente na obra lírica, seguindo passo a passo a evolução de uma sensibilidade cada dia acentuada. O ritmo assegura a extensão da ideia. Os mesmos descaminhos anunciam um sentido de verticalidade mística. Porque verdade e beleza foram as duas alavancas que o moveram, os polos entre os quais se dividiu, a Esfinge que esteve prestes a decifrar. Esfinge que apenas decifrada teria outros mistérios a mais, por ele próprio criados para dramatizar a vida.

Apesar da simplicidade que foi o seu grande amor e de que se fez exemplo vivo, Mário de Andrade continuará insolúvel enquanto não for estudado em todos os seus multiformes aspectos. O que possuía de singelo parece complexo pelo patético de suas confissões: o que possuía de estranho faz-se acessível pela infantilidade que era nele maravilhosa dádiva dos céus.

Algumas vezes julguei encontrar no poeta uma ilustração cabal de sua personalidade. De fato, sua poesia é uma clareira. Ainda não tivemos em nossas letras uma expressão mais genuína de brasilidade, uma espontaneidade tão vasta, uma abundância tão numerosa de tudo o que marca a feição de nossa gente, os acidentes de nossa terra. E não é apenas no conteúdo que se revela esse estigma de nacionalidade. Na própria forma de mão aberta, ao deus-dará, no ritmo desigual, como que indolente e incerto, no baralhado dos assuntos – superposição de planos, ofuscar de visões, alternância de vozes –, nessa técnica magistralmente desgovernada, anulada pela realidade artística, assoma o brasileiro do Brasil por acaso e, sem antítese, o brasileiro exato a quem a cultura não conseguiu domesticar e que guarda, por isso, toda a sua pujança primitiva. Nenhuma coação se infiltra no seu mundo poético. Ele o criou como se nenhum poeta houvesse preexistido.

Certa rusticidade ingênua de superfície (o elemento moderno) e uma profusão de raízes arraigadas ao solo (o romântico) fazem extremamente contraditória essa poesia, que aos poucos se foi tornando clássica – no sentido do equilíbrio entre essência e forma. Vale-se o poeta de símbolos que vai encontrando à sua passagem, curumins, baobás e aratacas, e que o ajudam a desbravar a substância poética, nesse emaranhado agreste, nessa fuga por selvas e rios, atabalhoadamente, como quem quer livrar-se da própria sombra: erudição, virtuosidade, sonho, até mesmo experiência da vida. Contraposições de ordem pessoal corroboram o seu estilo de grandes dissonâncias: o gosto de viver até à amargura – "a própria dor é uma felicidade", verso repetido – a desconcertante ironia à hora da lágrima, sarcasmo disfarçando enternecimento, blandícia valorizando rudeza, pranto de amor.

Na participação integral do universo encontrou sua sensibilidade um clima finalmente propício: e espraiou-se por todos os lados como um Deus bonachão. Não é mais, a essa altura, o nativo com suas peculiaridades e sim o ser humano integrado no cosmos, com o desejo de tudo compreender – para de tudo participar. Recorda, de quando em quando, como no "Rito do irmão pequeno", um vagaroso Noé, com um convite de salvação e paz, com o pressentimento de existência desconhecida, talvez a intuição do reino vegetal, seivoso e bom, ou o da bem-aventurança prometida ao simples. Transcende, então, a qualquer contingência, eterniza a circunstância, atinge o grandioso pela humildade; pelo cotidiano, o sublime.

Estas e outras considerações se sucediam no meu espírito, a respeito de Mário de Andrade, sem que eu me desse por satisfeita. Mas não é justo silenciar, quando se trata do Mestre. A contribuição de sua correspondência, no sentido de explicá-lo seria de inestimável alcance. A cada um de nós se dirigia de modo diverso, de acordo com a sensibilidade e os interesses do parceiro, múltiplo na sua extensa personalidade. Essas cartas, entretanto, devemos resguardá-las até 1995, em cumprimento de sua vontade mesma, não manifestada em termos expressos, o que discordaria de seu feitio generoso e confiante, porém claramente subentendida através do seu desejo de proteger as confidências dos amigos no decurso de cinquenta anos após sua morte. Entendo que esse respeito exige reciprocidade. As numerosas cartas que possuo, da ininterrupta correspondência que mantivemos durante os seis últimos anos de sua vida, revelarão a evolução, em ascendência, de seu ser moral, seus pensamentos talvez mais graves, sua religiosidade inata, suas largas intuições sobre os motivos eternos: a beleza, a verdade, Deus, sua adoração pela poesia viva. Desses assuntos tratava ao correr da pena, movido por efêmeras causas, em improvisos cuja perenidade está segura.

Algum dia virão a lume essas cartas, publicadas e estudadas – quem sabe? – pelo menino poeta das montanhas ou dos planaltos, quando estivermos, os que hoje contamos mais de trinta anos, mergulhados no além. Meu depoimento não é senão promessa, auspício. Mas sinto-me na obrigação de prestá-lo, ainda que apenas como auspício e promessa – para as gerações mais novas, para o futuro.

CARTA SOBRE O *SENTIMENTO DO MUNDO*

Não conheço, na poesia brasileira, livro mais grave do que esse. Nem mais sóbrio na plenitude artística. Nem mais triste na substância anímica. Do absoluto real, e só dele, se alimenta a sua poesia: grave, pois, pela força do elemento humano. Sóbrio pela concentração dessa força nos limites de uma arte impressiva, talhada a golpes firmes e fundos. E triste pela obstinação que o conduz a refletir unicamente o lado cruel da existência.

Talvez se explique o sentido de sua poesia à evidência de um choque entre cultura e civilização, se é exato que à primeira se condiciona o espírito e à segunda, a matéria.

Como Poeta da hora presente ("Mãos dadas"), o mais representativo desta hora, Você realiza, com a sua arte seca e breve, uma espécie de balança em que se equilibram, de um lado, as nostalgias secretas de um mundo perdido (apenas entrevisto e logo perdido: "Havia jardins, havia manhãs naquele tempo!!!") e do outro, a irretorquível necessidade de viver a vida cotidiana com todos os seus petrechos de emergência.

Essa maneira terrível de enfrentar a realidade e de rir-lhe na cara, tanto mais abruptamente quanto mais trágica ela é, esse *humour* cristalizado representa, de fato, o traço de união, não apenas entre os impulsos contraditórios de um mesmo ser diante de uma época que não é bem a sua, como também as angústias dessa época de inovações.

Digo as angústias de uma época e não de um povo, porque o nosso é ainda bastante moço para sofrer verdadeiramente os seus próprios embates ("Inocentes do Leblon"), a não ser em casos de lucidez e sensibilidade excepcionais como é o seu caso, tornando--se mais dura a questão pelo consequente isolamento.

Mas – e é o que mais importa – Você se encontrou a si mesmo: e porque tem consciência de si mesmo, realiza uma arte cuja honestidade se impõe exemplarmente.

Inimiga dessas vaguidades que tantas vezes superlotam vazios, essa arte penetra o íntimo das coisas, empenhada na revelação da verdade, à semelhança de um raio X, franca, direta, "sem mistificação".

E isso obriga a pensar: como evoluiu, como se humanizou o conceito de poesia nos nossos tempos!

Ridicularizando as coisas mais sérias ("Dentaduras duplas" é de um tremendo, imortal grotesco); abrandando-se raramente ("Menino chorando na noite" é de um lirismo envolvente); escavando o seu próprio túmulo ("Os ombros suportam o mundo", de estrutura monumental, é um largo soluçar nas trevas); a sua poesia sintetiza, constrói um mundo de que me orgulho, sim, como brasileira e sonhadora da beleza, mas que me penaliza pelo que contém de amargura em sua essência.

Falei há pouco em verdade e estou quase a perguntar-lhe se Você terá sido sempre bastante justo para com a vida...

Entretanto, alguma coisa de evangélico se desprende dessas páginas consoladoramente, alguma coisa que brilha e treme como uma lágrima de ternura: a sua atitude de generosa fraternidade humana ("O operário no mar", "A noite dissolve os homens").

Obrigada, Carlos Drummond de Andrade.

CECÍLIA MEIRELES

Em visão panorâmica, apresenta a obra de Cecília Meireles uma grande harmonia: unida através do tempo por uma concepção da vida de sabor mais ou menos ácido, por um sentimento místico da beleza e por um penetrante conhecimento dos valores artísticos, essa obra é, ao mesmo tempo, delicada e severa, diáfana e definida, no conteúdo e na forma, perfeitamente identificados. Poderíamos simbolizá-la na imagem de um alto rochedo inacessível aos vaga-lhões circundantes e coroado de nuvens.

O estado de êxtase que supõe solidão não exclui uma extrema resistência a qualquer elemento externo, interessado. Encontra-se no "Epigrama número 5", de *Viagem*, a mais fiel representação de toda essa poesia, cujo drama, grandioso mas secreto, por si mesmo se resolve:

Gosto de gota d'água que se equilibra
na folha rasa, tremendo ao vento.

Todo o universo, no oceano do ar, secreto vibra:
e ela resiste, no isolamento.

Seu cristal simples reprime a forma, no instante incerto:
pronto a cair, pronto a ficar – límpido e exato.

E a folha é um pequeno deserto
para a imensidade do ato.

Situa-se o sistema poético de Cecília entre o dos mais exigen-tes artistas. *"Ils ont essayé"*, diz Paul Valéry a respeito desses artis-tas, *"par une analyse de plus en plus fine et précise du désir et de la jouissance poétiques et de leurs ressorts, de construire une poésie qui jamais ne pût se réduire à l'expression d'une pensée, ni donc se tra-duire, sans périr, en d'autres termes."*

Cumprido esse irredutível programa, do segredo poético apenas se percebe a essência. Conservam-se na retaguarda o sentimento e a sensação. Apenas se denuncia a sensibilidade, em toda a sua pureza e transparência.

O que distingue, particularmente, a poesia de Cecília é a luminosa simplicidade com que ela se utiliza do mistério, em cuja atmosfera respira. Habituada ao mistério, fonte de riqueza artística, não assume atitudes estranhas quando a ele se refere. Mostra-se original porque é fundamentalmente original, sem preciosismo. Valoriza as palavras quotidianas, para que elas digam o indizível. Com um número restrito de palavras, realiza o milagre. Sem desdenhar da graça do verso, a que empresta um ritmo todo seu, é surpreendente de precisão. A sobriedade de atitudes, a dignidade dos silêncios repentinos, o desapego da matéria inerente a essa poesia, lembram, por afinidade, o ascetismo oriental. *Poema dos poemas* desvendou uma intensa vocação mística à semelhança dos sacerdotes budistas. A ternura impregnada de pudor que se nota neste livro tecido de símbolos foi-se concentrando cada vez mais. A experiência da vida tornou maior, em Cecília, aquele inato inconformismo. À própria rebeldia opôs, no entanto, uma serenidade lúcida. O horror à vulgaridade auxiliou-a nessa intrépida resistência a todas as solicitações do tempo. A sua resposta à vida, em desafio aos dias que correm, de míseros interesses, é a cidadela em que recolhe os seres sofredores, os pequeninos doentes, e aqueles mendigos estoicos de sua notável "Estirpe". É a sua mensagem lírica.

Longe de mostrar-se alheia à condição humana, como provam este e outros poemas de teor idêntico, Cecília costuma superar essa condição com nobreza e discrição, a que não deixam de associar-se leves tons de ironia.

Compensa desta maneira uma possível amargura ou, melhor, uma provável melancolia hereditária. Supera a ideia da morte que lhe frequenta o espírito com absoluto lirismo, tornando-a cada vez mais tênue, vestindo-a de imponderáveis véus.

Tudo se transforma, tudo perece, tudo é efêmero. Morre a própria beleza; mas esta, no momento em que vive, é plenitude: para o momento, já é bastante. Toda a nossa consolação, portanto, reside na beleza. São esses os motivos que fazem da poesia de Cecília um ato vital, a sua mesma razão de ser, a sua religião.

ALFONSINA STORNI

Denso de paixões humanas foi o drama de Alfonsina Storni, a musa argentina cuja obra, fulgurante e sombria, é um prenúncio de tempestade. O ar abafado do ambiente, os relâmpagos da ironia, as nuvens a toldarem o horizonte, as últimas, pequenas estrelas a empalidecerem no caos, o rumor de revolta a estremecer o arvoredo, todos os símbolos da insatisfação povoam essa poesia, de impressionante cunho patético.

Tendo publicado *El dulce daño*, em 1918, *Irremediablemente*, em 1919, *Languidez*, em 1920, *Ocre*, em 1925, e *Mundo de siete pozos*, em 1934, deu-nos, antes de morrer tragicamente, uma *Antología*, editada por Espasa-Calpe em Buenos Aires, na qual se incluem poemas de todos os seus livros anteriores e ainda vários inéditos.

Observados em conjunto, oferecem esses poemas um caso de desarticulação, de dissociação entre as faculdades de um mesmo ser. Paradoxo estranho é o dessa alma, cujos ideais se entrechocam e cujo erro fundamental foi querer fazer provisão de força nas fontes da própria fraqueza. Temperamento feminino – caprichoso e irrequieto – em contraste com uma inteligência lúcida, cuja acuidade e poder de crítica são notáveis, Alfonsina estava fadada a um destino de lutas.

Original por natureza, dificilmente se adaptaria à vida, que recebeu com sarcasmo pelo lado do espírito e com ternura pelo lado do coração. A época, de reivindicações e inseguranças, contribuiu para o seu tumulto interior. A artista surgiu como uma fatalidade dos tempos, do sexo e, possivelmente, da raça em elaboração, procurando harmonizar, através da arte, os mais desencontrados sentimentos. Caracteriza-se principalmente pelo *humour*, fenômeno revestido de lirismo através das arestas do despeito, umedecido de lágrimas em meio aos risos aparentemente frívolos.

Combativa em extremo, nunca de acordo com o mundo, nem consigo mesma, encontraria sempre, ainda que a vida lhe tivesse sido suave, motivos de inquietude e náusea. O magistério foi sua primeira atividade, talvez menos por vocação do que por necessidade. Traída nas suas melhores esperanças, bem cedo se exasperou. O orgulho foi para ela um amigo pérfido, excitando-lhe a consciência da primazia intelectual.

Sem embargo, tudo compreendeu seu coração, a que não faltam generosos sentimentos. Magoada, continua a amar as criaturas e a natureza. Ama e despreza com a mesma violenta sinceridade. Atitudes indignas são para ela o silêncio, o segredo. A nada teme, de nada se acovarda. Chega à inesperada perfeição de escrever um dos mais doces poemas das letras hispano-americanas: "Carta lírica a otra mujer", cúmulo de amorosa renúncia.

Não conhece repouso nos sentimentos nem nas sensações. Vibrante e colorido é o seu mundo como o espetáculo de uma cidade cosmopolita, com suas vozes desconexas de emigrantes, com a trepidação das máquinas a invadirem a paisagem colonial. Buenos Aires não poderia deixar de influir na formação de sua poetisa, tão esquiva a influxos literários. Transmitiu-se ao seu estro, num sentido de graciosa volubilidade e leveza de ritmos, o pitoresco circundante, o pitoresco que constitui uma das notas mais vivas da moderna poesia argentina. A técnica de que se serviu Alfonsina, sob aparência comum, é fortemente original. Estilo palpitante, nervoso, aberto em parêntesis, tecido em matizes, farto de pinceladas bruscas, acompanhando sempre as variações de sua sensibilidade. Nenhum requinte expressional a perseguia, nenhum preconceito de forma, ainda quando manejava o soneto, que sabia desarticular magistralmente. Servia-se ultimamente do verso livre, escorregadio e flexuoso como serpente sobre o branco da página. Interrogações a cada momento, interjeições, apartes imprevistos marcam esses versos de uma ardente mobilidade. Com que talento soube conciliar essa graça com os conceitos emitidos! Emitir conceitos sem prejuízo para a poesia é privilégio raro. Alfonsina Storni o possuiu.

Forte no sentido de encarar sem rebuços a realidade, transformou em motivos artísticos aquilo que a fazia sofrer, sem nenhum desejo de evasão e negação. Uma penetrante compreensão da beleza elevou-a acima de si mesma. Essa compreensão que se traduz, com tão profundo sentido humano e com tanta clarividência das destinações, no soneto "Los coros":

> El escenario estaba rebosante de seres
> de abigarrado aspecto que formaban el coro,
> pomposos bajo el casco de cartones al oro:
> altos, bajos, ventrudos, hombres, niños, mujeres.
>
> ¿Quiénes eran? Acaso en el seno de alguna
> fue muerto el ser pequeño en su tercera luna.
> Acaso allí anidaban el traidor, la hechicera,
> la mano que sustrae, la astuta, la ramera.
>
> Cantaron. ¡Oh, pureza! ¡Oh, sinfonía clara!
> Era como si el aire, en suspenso, llevara,
> diluidos en notas, corazones divinos.
>
> Entonces, comprendiendo, a mí misma me dije:
> – Para cumplir algunos de sus nobles destinos
> el arte, al fin, ignora la materia que elige.

GABRIELA MISTRAL

Três livros de poesia escreveu Gabriela Mistral: *Desolación*, publicado em 1923; *Tala*, em 1938; e *Ternura*, em 1946. Obra singularíssima, em que o coração se dilacera cantando e cuja amargura, longe de conduzir à languidez e ao desânimo, ressuma filtros de energia. Causa-nos, deste modo, a impressão de um holocausto voluntário, de grandiosa simplicidade.

Penetrado do real e sugerindo, todavia, uma atmosfera de êxtase, o misticismo da autora contamina toda a obra, aquece-a, dramatiza-a, como fogo na selva. As árvores queimam-se e, ao mesmo tempo, iluminam. O próprio incêndio impõe nova concepção de vida. Como Fênix, a alma renasce das cinzas para uma existência mais alta. Levantam-se das ruínas os marcos da eternidade. Restabelecem-se os verdadeiros valores. A serenidade é finalmente conquistada.

A pujança da natureza americana, o processo atávico da literatura espanhola, a Bíblia, a vida, criadora de tragédias e, principalmente, a intuição, são as fontes da poesia de Gabriela.

Encontra-se, talvez, em Santa Teresa, em amplo sentido, o seu paradigma. Para ambas, a realidade é um estímulo: quanto mais rude, mais rica de consequências. Contudo, a expressão literária de Gabriela é mais intensa, quer no primeiro livro, em que predominam as auras românticas, quer nos posteriores, em que imperam as notas clássicas na harmonia da construção, de clara fluidez.

Obra de irrecusável modernidade, absolutamente nova pela substância, tem o gosto de antigas raízes lavadas pela água da chuva.

Poder de síntese, firmeza de pensamento, emoção sublimada, todas as forças do espírito convergem para dar a essa obra, não apenas significação artística, mas também significação moral. Isto em virtude de causas congênitas, não de preconceitos; por fidelidade a si mesma, não a agentes externos.

Gabriela Mistral nos recorda uma figura de lenda, a figura impressionante de Hatto, o eremita de Selma Lagerlöf. Porque conhecia a maldade do mundo, Hatto se refugiara no deserto com o fim de atrair, pelas penitências, a cólera de Deus sobre o pecado dos homens. Seco e alto como uma velha árvore, levantava os braços em oração, clamando pela destruição da terra. Mas um dia – ó milagre! – passarinhos tentaram aninhar-se em sua mão. É possível – pensou ele – que Deus Padre carregue o globo na mão direita como um grande ninho de pássaros e tenha acabado por amar aqueles que aí moram. E assim regressou ao convívio humano. Gabriela, que no fundo trazia uma trágica vocação, desde que sentiu a fragilidade da criatura, principalmente da criança, escreveu coisas amantíssimas: "La oración de la maestra", "Poemas de las madres", "Canciones de cuna". A ternura revelou-lhe o sentido construtivo de sua mesma poesia, alimentada de forças adversas. Deu-lhe o instinto materno uma fecunda mansidão, de suavidade comparável à do orvalho.

Nesse último livro, em gracioso consórcio, juntam-se vivas notas do folclore ameríndio aos fios da lírica tradicional de Espanha.

Notou Mariano Latorre, num achado feliz, dois símbolos, representativos entre os mais, na poesia de Gabriela: a pedra e a fruta. Com efeito, poesia de peso e densidade, tem as mesmas características de resistência e duração da pedra. O que a abranda e amolda a um sabor mais atraente é o abandono com que se acolhe à sombra da árvore da vida, colhendo da árvore da vida, não a fruta mais doce, mas a que lhe tocou – amarga. De uma vaga intuição dos reinos da natureza – mineral e vegetal – provém, talvez, a profundidade de alicerce dessa poesia, a cálida essência que dela se escoa, assim feita de mistério abaixo do solo e abundância de vida natural. A artista não pede ajuda às nuvens nem ao vento; marca sua arte dos próprios passos, modela-a como elemento plástico, aproxima-a da escultura e da pintura, imprime-lhe o ritmo de danças rituais religiosas e primitivas, de melodia escassa. Através de imagens concretas, por vezes impiedosamente cruas, com a mesma elevação de vistas com que o escultor transforma a argila na estátua de um santo, ela atinge as delicadezas do espírito. Entre o poeta e seu Deus, nesse jogo de imagens, há uma intimidade de família, uma tertúlia de horta e pomar.

A poesia de Gabriela sustenta, pois, as duas qualidades exigidas por Schiller para a obra de arte: energia e ternura.

Em virtude de seu próprio caráter, tecido de estranha mistura de impenetrabilidade (a pedra) e generosidade (a fruta), ela se adapta a qualquer ambiente, guardando-se tal como sempre foi. Está à vontade em qualquer país, ouve e fala outras línguas, compreensiva sempre, sem cuidar se a compreendem. Da mesma natureza chilena, indômita no abrupto da cordilheira e amorosa na fecundidade dos vales, lhe veio esse temperamento, com uma sedimentação de fatalidade histórica.

Sua poesia representa o Chile na América ou, melhor, representa a América no mundo, a América Latina, resistente e acolhedora, como a pedra e a fruta.

JORGE GUILLÉN

Oferece Jorge Guillén, poeta espanhol contemporâneo, autor de *Cántico*, exemplo feliz das possibilidades da poesia em lucidez. É flagrante o domínio que exerce sobre a sua própria inspiração. A primeira condição para realizar poesia, ele a possui, evidentemente: a qualidade específica de poeta, com seu mundo de intuições, aliás, singularíssimas. Possui, além disso, uma capacidade crítica das mais raras a orientar sua obra, desde o conjunto arquitetônico aos detalhes breves, dentro de uma ordem que seria demasiadamente perfeita, não fora autenticamente artística. Se a sua estrutura de intelectual em vigília o leva a recolher da emoção apenas a flor, seu mesmo ser essencial mantém, nos terrenos da ética, as raízes dessa flor. Sua obra resulta, assim, do perigoso consórcio da inteligência aliada ao senso moral, o que lhe confere particular originalidade dentro dos quadros da poesia moderna. Se, por um lado, pertence à estirpe suprarrealista, autor de versos como estes:

> La realidad me inventa
> Soy su leyenda. Salve!,

se usa imagens que emprestem *"a l'abstrait le masque du concret"*, valorizando de modo absoluto a metáfora, por outro lado está longe da noturnidade e da rebeldia que caracterizam a escola. Organizado e organizador por índole, funda sua poesia no ritmo, um ritmo cerrado e insubstituível, consagrando-se ao mesmo tempo à devoção da luz, do esplendor meridiano. Enquanto uns, como Pablo Neruda, tendem para a "lei do desequilíbrio dinâmico", Jorge Guillén se atém à "lei do equilíbrio estático". Filiada à tradição hispânica pela substância, essa poesia surpreende pela riqueza psicológica só encontrada nos modernos (através, necessariamente, das inovações formais). Porém, ao contrário de tombar às "portas do trágico" (expressão de Jules Monnerot), o autor de *Cántico* permanece em atitude hierática, bem cumprindo sua missão de elevar o profano à altura do sagrado, sem qualquer desafio aos deuses, na segurança de que *"todo es prodigio por añadidura"*.

Sua poesia não testemunha carência, nostalgia, nem sequer inquietude, mas, sim, alegria de viver, fidelidade ao instante que passa considerado superiormente como dádiva, participação da realidade cotidiana, humilde porém verdadeira, plenitude, vocação de ser, de estar:

Eres. Ventura en potencia
Más aún: estás.

Essa alegria interior centraliza e ilumina todos os poemas de Jorge Guillén. Alguns são inteiramente gratuitos no delicioso sabor, na delicadeza de porcelana; por exemplo "Clara noticia":

Todos lo crean: las hojas
en el árbol y en el seto,
esas moradas y rojas
florecillas – tan concreto
lo más puro – sobre hierba,
la penumbra que reserva
sol ya azul en su retiro.
Mayo, su verdad, su bien
regalan amor. – ¿A quién?
– Universo hacia suspiro.

Outros, como "La vida real", "A vista de hombre", "Más vida", "Cara a cara", atestam sua conceituação da existência, sua resistência ao extrínseco, seu itinerário. O decisivo, porém, é que ele não separa, jamais, o "instante poético" do "estado poético": vive a sua poesia permanentemente e não apenas no ato criador, quando ela se cristaliza em versos. (Poesia, aliás, de pouca fluidez e muita cristalização.)

Não será esta a chave do segredo: a harmonia de seu ser integral? Não se explicará deste modo a faculdade, que lhe pertence, de conservar unida uma obra poética dentro de um só livro, escrito ao longo de tantos anos? Em verdade, "Al aire de tu vuelo", "Las horas situadas", "El pájaro en la mano", "Aquí mismo" e "Pleno ser", poemas escritos de 1928 a 1950, formam um livro compacto e único. Segundo todas as probabilidades, o homem e o poeta coexistem e se identificam nos recessos dessa poesia, sem conflitos de personalidade. Ou, talvez, subterrâneos, os conflitos se resolvem em função moral por eficiência de elementos atávicos, não chegando a atingir o artista:

> [...] Mi mal no estorba,
> soy quien era:
> Yo nada más.

O fato é que ressuma de *Cántico* um clima de abrangente otimismo totalizador, sem nenhuma superficialidade, nem pressuposto.

Essa poesia não se amolda, à maneira de trecho de paisagens, em recortes de janela, porém constitui todo um ambiente. Decorrência de sua vida interior, todas as coisas, para Jorge Guillén, têm profunda significação. Para ele, não há distância, não há vácuo entre o objeto e o símbolo. É como se o poeta possuísse poder oculto de atração para com as coisas, como se as coisas se reconhecessem nele.

> ¡Cuerpo en el viento y con cuerpo la gloria!
> ¡Soy
> Del viento, soy a través de la tarde más viento,
> Soy más que yo!

Dotado de saudável sensualidade, as imagens de que se utiliza para expressar emoções têm colorido e mobilidade deslumbrantes, à maneira de certos reflexos de sol no metal (o bronze) a arderem ainda mesmo do lado da sombra. Lembrou-me o bronze pelo aspecto de solenidade com que ele transporta planos físicos para esferas espirituais. Leia-se "Salvación de la primavera", poema grave e denso na palpitação do ritual amoroso, solidamente construído a exemplo do lar em que acaso crepitam olorosas madeiras com

un calor de misterio
resguardado en tesoro.

Seu sentimento padece, antes de incorporado à tessitura do poema, rigorosa purificação. Nenhum elemento fatal – de lógica ou de paixão – contamina sua sensibilidade, não desdenhosa, mas consciente, no desejo de exprimir, em síntese, a verdade, a sua verdade, sempre bela em virtude de sua mesma saúde mental. *"Todo me obliga a ser centro del equilibrio."*

Não me parece, pois, como a Vitorino Nemésio, que a essa poesia falte um grito. A menos que o anjo desejado de Rilke estivesse a postos para recolhê-lo.

BIBLIOGRAFIA

ALONSO, Amado. *Poesía y estilo de Pablo Neruda*. Buenos Aires: Sudamericana, 1951.

ALONSO, Dámaso. *La poesía española* – Ensayo de métodos y limites estilísticos. Madrid: Gredos, 1950.

AMORA, Antonio Soares. *Teoria da literatura*. São Paulo: Clássico Científica, 1944.

ANDRADE, Mário de. *O baile das quatro artes*. São Paulo: Martins, [s. d.].

ARISTÓTELES. *Poética*. Buenos Aires: Emecé, 1947.

BASTIDE, Roger. *A poesia afro-brasileira*. São Paulo: Martins, 1943.

BAUDELAIRE, Charles. *Oeuvres complètes*. Paris: B. de la Pléiade, 1951.

BERGSON, Henri. *Le rire*. Paris: Presses Universitaires de France, 1947.

BOUSOÑO, Carlos. *Teoría de la expresión poética*. Madrid: Gredos, 1952.

BRANDES, Georg. *Las grandes corrientes de la literatura en el siglo XIX*. Buenos Aires: Americalee, 1946.

BREMOND, Henri. *Prière et poésie*. Paris: Grasset, 1926.

CIDADE, Hernani. *O conceito de poesia como expressão de cultura*. São Paulo: Saraiva, 1946.

CROCE, Benedetto. *Estetica come scienza dell'espressione e linguistica generale*. Bari: Laterza, 1950.

—————. *La poesia*. Bari: Laterza, 1946.

DANIEL-ROPS. *Présence et poésie*. Paris: Plon, 1938.

ELIOT, T. S. *Selected essays*. London: Faber and Faber, 1932.

FIGUEIREDO, Fidelino de. *Últimas aventuras*. Rio de Janeiro: A Noite, 1941.

HEGEL, Georg Wilhelm Friedrich. *Poética*. Buenos Aires: Espasa-Calpe, 1948.

HELLO, Ernest. *L'homme, la vie, la science, l'art*. Paris: Perrin, 1928.

KAYSER, Wolfgang. *Fundamentos da interpretação e da análise literária*. Coimbra: Arménio Amado, 1948. 2 v.

LIMA, Alceu Amoroso. *Estética literária*. Rio de Janeiro: Americ=Edit., 1945.

MARITAIN, Jacques. *Frontières de la poésie*. Paris: L. Rouart et Fils, 1935.

MARITAIN, Jacques et Raïssa. *Situation de la poésie*. Paris: Desclée de Brouwer, 1938.

MAROUZEAU, Jules. *Précis de stylistique française*. Paris: Masson & Cie., 1946.

MONNEROT, Jules. *La poésie moderne et le sacré*. Paris: Gallimard, 1949.

MURRY, John Middleton. *The problem of style*. London: Oxford University Press, 1922.

PFEIFFER, Johannes. *La poesía*. México: Fondo de Cultura Económica, 1951.

REYES, Alfonso. *La experiencia literaria*. Buenos Aires: Losada, 1942.

RILKE, Rainer Maria. *Lettres à un jeune poète*. Paris: Grasset, 1949.

RIVAS SÁINZ, Arturo. *Fenomenología de lo poético*. México: Tezontle, 1950.

SALAZAR, Abel. *O que é a arte*. São Paulo: Saraiva, 1940.

SCHILLER, Johann Christoph Friedrich. *Poesía ingenua y poesía sentimental*. Buenos Aires: Coni, 1941.

SEGUNDO, Juan Luis, S. J. *Existencialismo, filosofía y poesía*. Buenos Aires: Espasa-Calpe, 1948.

SERVIEN, Pius. *Science et poésie*. Paris: Flammarion, 1947.

SPINELLI, Vincenzo. *A língua portuguesa nos seus aspectos melódico e rítmico*. Lisboa: E. Quadrante, 1946.

TOUR DU PIN, Patrice de la. *La vie recluse en poésie*. Paris: Plon, 1938.

VALÉRY, Paul. *Variété* I-III. Paris: N. R. F., 1936.

VILELA, Pe. Orlando. *Realidade e símbolo*. Santos Dumont, MG: Editora A. C. de Santos Dumont, 1947.

VOSSLER, Karl. *Filosofía del lenguaje*. Buenos Aires: Losada, 1943.

VIGÍLIA POÉTICA (1968)

FORMAÇÃO DO POETA

Como se forma o poeta? O assunto é complexo. Tentei esquematizá-lo organizando uma série de preliminares que talvez possa explicar tal processo em sentido progressivo.

Há uma ordem natural, porém não implacável, para o seguimento das coordenadas: elas funcionam gradativa ou simultaneamente. Desta maneira:

1 – O poeta nasce com uma especial intuição. Trata-se de um axioma irreversível, consagrado tanto pela sabedoria popular como pelos mais célebres filósofos, desde Platão. Essa faculdade de pressentir, prever e captar, não apenas a realidade imediata mas ainda a realidade que escapa ao mundo tangível, situa-se nas vizinhanças da profecia, embora não se possa denominá-la "revelação divina", pelo menos com espírito de humildade. Parece possuir algo de sobrenatural, por eximir-se de qualquer explicação lógica. É como a graça na teoria cristã, dom místico a baixar sobre uma natureza predisposta, necessariamente formada de determinado conjunto de fenômenos orgânicos. Acarreta, pois, uma carga de originalidade, não isenta de inquietude, ao temperamento.

2 – O poeta alimenta-se de sensibilidade. À percepção do mistério ou da sensação exterior que provoca a inspiração primeira, segue-se uma ressonância de ordem íntima. Todo ser humano possui experiência dessa espécie de impacto emotivo ao ensejo de surpresa ou descoberta, seja ou não agradável. Porém o poeta possui o privilégio (ou infortúnio) de aprofundar, intensificar e prolongar essa mesma experiência como coisa viva, de cuja pressão não escapará a não ser que a transforme em objeto artístico. Vindo em seu auxílio a lei da compensação (ou autodefesa), ele estará livre e apto para novas aventuras. A sensibilidade, quando provocada, pode prestar-se a exercício, ou não, pode entregar-se a uma inerte e mórbida complacência, obstinar-se numa recusa distorciva, ou reagir sabiamente, através de uma aceitação ativa. Instrumento de cordas: emudece, desafina, ou repercute harmoniosamente.

3 – O poeta caminha pela imaginação. A faculdade construtiva supõe algo que os sentidos hajam apreendido por sugestão de experiências anteriores, ou misteriosamente vislumbrado. A imagem derivada dos sentidos, nascida da memória por incitação de conhecimento anterior, quer dizer, a imagem externa, objetiva, se une à pura imagem espiritual, fluxo do subconsciente, fator metafísico; e ambas perfazem e complementam o mundo da imaginação. A primeira, ligada a elemento sensitivo, pode pervagar entre as nuvens, ao sabor da atmosfera, a incalculáveis distâncias, sem que deixe de reencontrar, no devido momento, suas raízes na terra. A segunda, etérea, sem dimensões plausíveis, resolve-se musicalmente no tempo, efeito ou causa de irradiadora tangência, entre o visível e o inefável. Encontra-se além da metáfora: na essência mesma da poesia. Assim, no poema, a imagem significa vibração interior; inversamente, tal vibração provém da imagem.

4 – O poeta domina o sentimento. É óbvio que o sentimento precede, com grande potencial afetivo, a esse domínio. Assim como Jacó lutou com o Anjo, na evocação bíblica, luta o poeta com seu próprio coração, não para sufocá-lo, mas para contê-lo dentro das leis da harmonia, evitar-lhe desgaste de emoções, em sentido de economia e valorização do patrimônio humano que ele encerra. A cigarra de La Fontaine, a cigarra de sempre, poderia ter sido mais precavida, não para acumular riquezas materiais, mas para conservar, tornando-o mais sutil, seu próprio canto. Suponhamos que o sentimento seja uma espécie de magma: ígnea massa fluida de origem profunda. Antes que se torne sólido, e para que se faça válido artisticamente, o clima frio lhe será propício. Em outras palavras: impõe-se a serenidade, para que o informe ou desordenado se revista de aparência expressiva. A paixão, força propulsora, é demasiadamente dispersiva para sustentar qualquer estrutura.

5 – O poeta aperfeiçoa-se com o artesanato. Tomemos o termo na acepção de experiência, ponto de partida para a técnica. Não existe, conforme ensina o filósofo Dilthey, "uma técnica poética universalmente válida". Existe, sim, um modo de criar individual,

passível de constante mutação, e ordinariamente ascendente. Incumbe ao poeta descobrir e retificar métodos condizentes com sua maneira de ser, seus materiais e suas intenções, sem todavia se fixar em normas rígidas que o atrofiariam. A linguagem verbal é instrumento de pesquisa, elucidação e escolha. As palavras são pedras que o artesão arranca ao seio da montanha ou colhe no leito dos rios para lapidá-las com delicadeza ou a golpes bárbaros, de acordo com seu feitio e de conformidade com as circunstâncias. A técnica, portanto, é o mecanismo regulador da forma.

6 – O poeta joga com a inteligência. Ousaria dizer – sorrateiramente. Sim, em matéria de arte, a inteligência é aproveitável na medida em que se abstém de uma participação imediata, mantendo-se na qualidade de colaboradora, pronta a marginalizar-se em benefício das manifestações instintivas. A palavra presume, por si mesma, certo valor intelectual a diferenciar a poesia das outras artes, o que já oferece perigo, porque abre mais comportas à mensagem. Se esta não pode deixar de existir, também não deve prevalecer sobre a fatura. Assim, ao máximo de expressão se associa, para equilíbrio da obra, um mínimo de comunicação; elemento impuro, talvez, mas complementar, indispensável, sem o qual se chegaria à desumanização da arte. Sem pretensões de iluminar todo o ambiente, a inteligência – lâmpada de cabeceira – é chamada a mostrar um ângulo de incidência, ressaltar determinado contorno, surpreender uma sombra mais espessa. Mesmo quando se movimenta em vários sentidos, e é bom que exerça funções críticas, promovendo, preservando ou dispensando analogias, correlacionando dessemelhanças, não impõe soluções radicais nem lógicas. Repete Marta ao lado de Maria, com a mesma diligência e a mesma discrição.

7 – O poeta enriquece com a cultura. Ainda que seja para rebelar-se contra ela, o que acontece em fases de transição, o artista não dispensa a cultura, no que ela possui de universal conhecimento, tradição e experiência. Quanto mais vasta e profunda for essa cultura (não se trata de erudição mas de uma sábia compreensão e compenetração das coisas do tempo e do

espaço) tanto mais fortes serão as possibilidades do escritor. A originalidade, com o que acarreta de insólito, é fator substancial para a arte, sem dúvida. Mas a cultura, através dos laços que unem o homem ao seu meio vital, numa reiteração de outros laços mais antigos, é penhor de pertinência, solidez e perenidade. Romper as amarras terrenas e sociais é sonho de Ícaro. O substrato da experiência do homem no decurso dos séculos precedentes infiltra-se no espírito primário de modo confuso e caótico, é verdade, e excita-lhe a fantasia; porém assume clara significação e determina uma escala de valores na mente avisada, a esta proporcionando perspectiva e dimensões não apenas desconhecidas do tempo anterior, como ajustadas à sua época. Realmente, de acordo com o que diz T. S. Eliot, "o sentido histórico implica a percepção, não apenas do que desapareceu no passado, mas do que permanece no presente".

8 – O poeta atinge a maturidade através de uma peculiar concepção de vida, que às vezes se antecipa ao andamento do tempo. Essa concepção, que resulta de uma particular visão do universo, representa o acervo das preocupações metafísicas, filosóficas, humanas. É a pedra de toque da obra, o indefinível elemento que se denomina estilo, a diferenciação do caráter artístico. Quando o homem se encontra frente a frente com o real, sem o desvanecimento dos primeiros enganos, reage refletindo não outra mas a visão que lhe é própria e intransferível. Tal reação, que é por excelência deformadora, corresponde à edificação de uma nova ordem de coisas, capaz de justificar o depoimento e o testemunho vivencial. Para que o artista alcance essa etapa de cristalização, em que a personalidade individual se articula com a personalidade artística, é mister aquela "disciplina de todo o ser" preconizada por Mário de Andrade. Vivendo a sua própria filosofia, o poeta caminha para libertar a sua poesia de qualquer constrangimento, até mesmo o de normas estéticas.

São esses, creio, os principais estágios da formação do poeta. Embora sensibilidade, imaginação, sentimento e inteligência sejam dons espontâneos e gratuitos, nem por isso deixam de ser passíveis de influências diretrizes. Porém o mais importante, a intuição, é de ordem ingênua, pertence puramente à natureza: núcleo, pólen criador, elemento selvagem sem o qual a arte não se renovaria de indivíduo para indivíduo. Impõe-se, contudo, para que ele subsista, a cooperação dos outros elementos. Lembre-se a antiga parábola: as sementes não medram ao longo das estradas, nem entre urzes ou pedregulhos, mas na boa terra. E "dão fruto pela paciência".

Assim é de supor-se que, na formação do poeta, possuidor da graça intuitiva, se equilibram sensibilidade, imaginação e sentimento aos influxos de artesanato, inteligência, cultura e personalidade.

A imperativos do primeiro fator, os outros se interpenetram e se confundem, mais ou menos atraídos para o ponto central, espécie de magneto. Conservam, todavia, certos aspectos funcionais predominantes, a saber: a imaginação compreende a representação construtiva; o sentimento corresponde à participação humana; a técnica envolve a consciência profissional; a inteligência move-se no terreno da autocrítica; a cultura testemunha o bom senso; quanto à personalidade, denominador comum, equivale ao conjunto desses fenômenos e dessas experiências, em coroamento final.

BIBLIOGRAFIA

ANDRADE, Mário de. *O baile das quatro artes*. São Paulo: Martins, [s. d.].

CROCE, Benedetto. *La poesia*. Bari: Laterza, 1946.

DÍAZ-PLAJA, Guillermo. Poesía y realidad. *Revista de Occidente*. Madrid, 1952.

DILTHEY, Wilhelm. *Poética*. Buenos Aires: Losada, 1945.

ELIOT, T. S. Tradition and the individual talent. In: ——. *Selected prose*. London: Penguin, 1955.

LIMA, Alceu Amoroso. *Estética literária*. Rio de Janeiro: Americ= Edit., 1945.

PLATÃO. *Oeuvres complètes*. Paris: Les Belles Lettres, 1949. t. V.

EXPRESSÃO E COMUNICAÇÃO

Acusa o ser humano, desde os primórdios de sua existência, dupla vocação: a de se conhecer introspectivamente e a de travar relações com o mundo exterior: a natureza em geral, os semelhantes em particular. Daí nasceu, marcada de forças emocionais e intelectuais, carregada de instintos defensivos, agressivos ou cordiais, a linguagem. Não apenas no sentido restrito da palavra. Ou porque esta não lhe bastasse, ou porque fosse mais lento, por mais espiritual, o processo evolutivo da língua, o homem se pôs a construir sistemas de sinalização capazes de revelar seu íntimo e atingir as cercanias.

Pouco a pouco multiplicou e aperfeiçoou os instrumentos que tinha ao alcance. Fez do som, movimento, linha, cor e forma, novos meios de sedimentação e irradiação. Através da música, dança, desenho, pintura e escultura, mas principalmente através do verbo, abria caminho para os sentidos e para a alma, buscava recursos para iludir a solidão, procurava compreender e interpretar a vida em redor; em suma, queria viver.

A infinita superioridade do homem na escala animal é, em primeira instância, a fala com sentido próprio, não a palavra em si que pode ser apossada por certas aves, por simples impostura.

Surgida de dois impulsos naturais não exclusivos e até por vezes reciprocamente complementares, porém diversos em sua essência, apresenta a linguagem verbal dois consideráveis aspectos: expressão e comunicação.

A diferença fundamental de tais fenômenos é que o primeiro irrompe intuitivamente e o segundo decorre do pensamento lógico. De um lado as ressonâncias do impulso; de outro, a pertinência do raciocínio.

No âmbito da literatura, assume capital importância a diferenciação desses elementos. Fora dela, a expressão pode ser configurada numa exclamação de alegria ou de dor, equivalente a um súbito enrubescer ou empalidecer. A comunicação se exemplificaria num aviso de calendário: hoje é dia 9. Há sempre algumas nuanças a serem observadas: quem faz uma confidência com fervor, buscando desabafar ou impressionar a imaginação do interlocutor, está nas áreas da expressão e, pois, nas proximidades do poético. Quem transmite friamente um recado sem qualquer ênfase, conserva-se dentro da comunicação, cujo veículo normal é a prosa.

É óbvio: não há verdadeira poesia, nem literatura, senão na medida em que a expressão contenha algo de especificamente artístico, ou seja, algo emanado, com êxito, de uma decisão de se construir determinada forma, equivalente à emoção estética.

Certos motivos, que ainda hoje inspiram os poetas, palpitaram desde sempre no coração dos homens, levando-os à expressão espontânea. Quando contemplamos uma flor rorejada de orvalho em meio ao vergel, nossa voz interior nos impele a dizer em surdina alguma palavra, por exemplo: obrigada, a algum deus, à própria natureza, às mãos que cuidaram da planta. Essa palavra, início de frase ou verso, processa-se na intimidade da alma com movimento peculiar, ou seja, prenúncio rítmico. As palavras seguintes estarão ligadas à primeira pela sequência da vibração motora, ou melodia em desenvolvimento. Se houver participação estética no ato de quem assim procura traduzir sua impressão ou percepção através de imagem visual, auditiva ou psicológica, esta imagem será tanto mais válida artisticamente, quanto mais intensa, profunda e original for a capacidade inventiva de seu autor.

O fato de ser a linguagem um hábito, agente de todas as horas, constitui drama para os que desejam dar-lhe destino diferente, emprestar-lhe transcendência, propor-lhe novos ritos. Os que a querem destituída de conteúdo sensível, sábios e filósofos, também lutam em sentido contrário para estabilizá-la, para não se deixarem seduzir pelo canto da sereia, que algumas vezes, aliás, tem sido ponto de partida para descobertas especulativas e científicas.

O poeta, entretanto, enfrenta problema tanto mais crucial quanto mais puro for seu conceito de arte. Entre a clarividência da conceituação a que se chega neste século de estudos estilísticos e o jorro propulsor a que não se pode furtar, é bem penosa a distância.

Explica Sartre: *"Les poètes sont des hommes qui refusent d'utiliser le langage. [...] En fait, le poète c'est retiré d'un seul coup du langage-instrument; il a choisi une fois pour toutes l'attitude poétique qui considère les mots comme des choses et non comme des signes. Car l'ambiguïté du signe implique qu'on puisse à son gré le traverser comme une vitre et poursuivre à travers lui la chose signifiée ou tourner son regard vers sa réalité et le considerer comme objet. L'homme qui parle est au-delà des mots, près de l'objet; le poète est en deçà. Pour le premier, ils sont domestiques; pour le second, ils restent à l'état sauvage. Pour celui-là, ce sont des conventions utiles, des outils qui s'usent peu à peu et qu'on jette quand ils ne peuvent plus servir; pour le second, ce sont des choses naturelles qui croissent naturellement sur la terre comme l'herbe et les arbres".*

Neste caso, o ideal para o poeta seria limitar a obra de arte à mais pura expressão, sem conceder apreço à comunicação. Em última instância, desde que condignamente representada em correspondência a exigências íntimas, a forma deveria ser apenas expressiva. Todavia o artista, pela tendência social de todo ser humano, imediatamente e talvez até de antemão, se propõe torná-la comunicativa. O espírito da arte não é obrigatoriamente socializante, porém o do homem sim. Por mais solitário, o artista deseja estender a outrem suas próprias experiências, assim como as tem captado do exterior, muito embora se isole eventualmente nos rochedos do hermetismo, talvez por excesso de personalidade.

Assim, os dois fenômenos que originariamente se distinguem e que podem ser conservados à parte, tendem a reunir-se e até mesmo a fundir-se, não apenas por serem sutis suas delimitações em terreno abstrato, como por efeito de circunstâncias extrínsecas.

A propósito, citemos Meumann: "A expressão da obra artística e a expressão da atividade artística em geral são neste ponto distintas a princípio de toda comunicação direta em linguagem da vida cotidiana, livre de toda regra artística". Sem embargo, e de plena razão, ele mesmo afirmara: "O motivo de expressão da criação artística é ao mesmo tempo comunicação das vivências interiores aos demais homens".

Chegamos à conclusão de que o artista, além de procurar compreender-se, procura fazer-se compreendido. E como isto não é fácil, varia ao infinito – *hélas!* – de suas limitações, todos os meios disponíveis, mesclando gêneros que dantes se distinguiam, inventando processos por analogia, invadindo searas alheias, buscando, por exemplo, orquestrar e visualizar plasticamente a linguagem verbal em memoráveis lutas proteicas, por certo legítimas. Salva-se o idealismo da intenção mesmo quando, em travessias oblíquas, se sacrifique por vezes o espírito da língua, a propriedade da linguagem, sua vocação para fluir no tempo.

Pois bem: ainda que se queira renunciar a preconceitos, força é convir que a linguagem verbal se apresenta através de duas espécies – poesia e prosa – resultantes da dupla instância da humanidade: expressão e comunicação. Embora não se discriminem fisicamente, como a princípio se acreditava, tais elementos divergem nas características internas.

Sobre o assunto, diz o professor Lourenço de Oliveira: "Quanto ao engano dos estilistas, está na velha tradição escolar que divide a fala, formalmente, em 'prosa' e 'poesia', guiada a diferença apenas pelo ritmo frástico, ritmo que 'era' sinal entre prosa e verso, não entre prosa e poesia". E continua: "Dos dois enganos se dará imagem, numa explanação que há de servir ao filósofo e há de servir ao estilista, quando se apresentar diferença entre *fala humana* e *fala transumana*: a fala humana como fala espontânea social subjetiva homínica. A fala transumana, como fala metódica técnica: uma, expressão do homem. A outra, simbolização da coisa".

A poesia, com os requisitos de arte, acidente, síntese, é capaz de criar uma linguagem à parte, em que a palavra assume valor inédito à força de vivência psicológica; move-se na esfera da imaginação; é fator singular, individualista, refletindo emoção sensível; constitui-se por meio de estrutura rítmica intensiva e global (a que os russos de vanguarda denominam "violência organizada"); revela atitude gratuita, faz prevalecer o contexto sobre o texto, possui sentido alógico, obscuro ou inefável. Quanto ao poema – que instrui a poesia – é peça inteiriça, corrente circular ininterrupta de que nenhum elo se solta sem perda do estado lírico.

Na interdependência dialética entre língua e literatura, é a poesia que exerce pressão sobre a língua, reformando-a, enriquecendo-a, surpreendendo-lhe as virtualidades, conforme o gênio de quem consegue dominá-la. E há mesmo que ser gênio para tanto!

Proporíamos a colocação, no setor poético, das seguintes espécies ou ramificações provindas da expressão: poema em verso; poema sem metro; ficção lírica; ficção épica; ficção dramática.

No tocante à segunda forma de linguagem, a prosa, alvitraríamos, em princípio, uma divisão interna com três unidades diversas: a prosa literária; a filosófica e científica; a prosa corrente, falada.

Interessa-nos focalizar no momento a prosa literária, que é também arte, se bem que menos pura em virtude de sua aplicabilidade. Possuindo linguagem mista em que a lógica se faz sentir ao lado da intuição, utiliza-se da linguagem com mais reserva e respeito aos cânones, pelo desejo de claridade e rigor na exposição dos motivos; usa da análise mais do que da síntese; mantém uma linha contínua de pensamento, denota atitude interessada. Seu texto, objetivo e significativo nas diferentes partes ou períodos – que são desmembráveis – corresponde a um projeto preliminar, prestando-se, pois, a esquemas e súmulas, sem sacrifício essencial.

Na prosa, a língua exerce coação sobre o indivíduo, de modo mais conservador do que revolucionário. É de supor que se encontram nesta área as seguintes espécies literárias: a ficção naturalista, a historiografia, o ensaio, a crítica, a sátira e a obra jornalística. Há ocasiões, é claro, em que qualquer dessas espécies, uma página histórica, por exemplo, transcende dos limites da explanação pragmática para o setor da pura criação imaginativa. Neste caso será poesia excepcionalmente, sem que o enquadramento previsto se ressinta.

Essa laboriosa divisão tenta apenas lastrear princípios abstratos, podendo ser reformulada à medida que o assunto se for elucidando, através da lição dos mestres e de nossas modestas experiências.

Porém não há dúvida: a poesia arranca das raízes mais profundas da língua, é sua mesma fonte perene e sua força restauradora, pois exprime o que há em nós de humano – o antigo e o novo.

BIBLIOGRAFIA

ELIA, Sílvio. *Orientações da linguística moderna*. Rio de Janeiro: Livraria Acadêmica, 1955.

MEUMANN, Ernest. *Sistema de estética*. Buenos Aires: Espasa-Calpe Argentina, [s. d.].

OLIVEIRA, José Lourenço de. A fala e a língua. *Kriterion,* Belo Horizonte, 1958.

SARTRE, Jean-Paul. Qu'est-ce que la littérature. In: ——. *L'art poétique*. Paris: Seghers, 1956.

PENSAMENTO E POESIA DE MÁRIO DE ANDRADE

É Mário de Andrade, todos o reconhecem, a mais importante figura do movimento modernista brasileiro. Pelo que contém de revolucionário a sua obra literária, pela densidade de suas ideias e sentimentos revolucionários, pela força irradiante e profícua de sua ação no sentido de renovar o panorama cultural do Brasil. Isto, se apenas considerarmos, historicamente, um dos aspectos de sua complexa personalidade.

Sua atuação durante vinte e tantos anos no cenário das letras, ainda mais do que sua agitação em torno de 1922, foi pioneira, desbravadora, construtiva. Interessou-se ele a fundo por todos os problemas literários e artísticos, espalhou ideias, empregou imaginação, sensibilidade e vigor físico em benefício da inteligência nacional, preparou gerações mais novas para os embates do espírito, propôs soluções artísticas particulares para cada um daqueles que o procuravam e, ainda, nos últimos anos de sua bela existência, teve remorsos de não se haver dedicado ao "amilhoramento político-social do homem".

Por outro lado, é sua obra artística a que melhor representa pelo conjunto, em verticalidade e extensão, as marcas fundamentais do movimento modernista, a que mais se adestrou na conquista do "direito à pesquisa estética", a que mais contribuiu para a "atualização da inteligência brasileira", a que demonstrou sem restrições e sem tréguas uma "consciência criadora nacional".

À luz desses princípios por ele próprio declarados no célebre documento humano que é a sua conferência de 1942 sobre o movimento modernista, procuremos apreciar-lhe a obra.

Mário de Andrade foi, por definição, um poeta, um artista, um criador. Mas era, também, um homem de escrupulosa honestidade, de boa formação tradicional. Assim, os problemas artísticos da criação em si mesma, por exigência moral interior, levaram-no a estudos acurados de estética, à procura de soluções para a expressão autêntica, à experiência da música, ao convívio das artes plásticas, como dos outros meios de expressão. De dois modos dominou a questão do direito à pesquisa estética: através de sua obra lírica e através dos ensaios de ordem crítica.

Se atentarmos para a sua obra, poesia ou prosa, verificaremos que ele se utilizou dos mais variados processos técnicos a serviço da expressividade: infração às normas gramaticais, alterações da construção habitual da sintaxe, concordâncias psicológicas e não normativas, elipses, pleonasmos, e eliminação de desajustes entre as formas estratificadas e a alma da língua no Brasil. Isso possibilitou ao nosso escritor uma aventura espiritual de incalculável transcendência.

"Não se trata", dizia ele, "de inventar uma fala de origem brasileira e inconfundivelmente original, não. Se trata apenas de uma libertação das leis portugas, as quais, sendo leis legítimas em Portugal, se tornaram preconceitos eruditos no Brasil por não corresponderem a nenhuma realidade e a nenhuma constância da entidade brasileira."

O que surpreende e às vezes contunde ao primeiro contato de sua obra poética é o vocabulário: termos de gíria, neologismos; palavras estrangeiras abrasileiradas, principalmente italianas; indianismos; africanismos; nomenclatura de fauna e flora meio desconhecidas. Eis alguns exemplos de brasileirismos de ordem geral: mumbavas, ou seja, no dicionário, parasitas; tabatinga, areia branca; guanumbis, beija-flores; curumim, menino; piá, índio ou caboclo menino. Além desses, alguns regionalismos: taperá, andorinha em São Paulo; gupiara, espécie de cascalho em Minas; guasca, tira de couro ou o próprio rio-grandense, no Rio Grande do Sul; caçaremas, formiga preta na Bahia; taperebás, cajá no Amazonas; e assim por diante. Essa terminologia singular com que dá ênfase a assuntos típico-nacionais, abordando-os exteriormente para realçar-lhes o significado, dificulta a comunicabilidade imediata. O poeta empenhou-se em ser brasileiro, aceitou e escolheu temas em que a alma brasileira se compraz, mergulhou no gosto indígena. Entretanto, em virtude de uma fundamental aristocracia de espírito, essa poesia de sentido coletivo assume caráter peculiar, a princípio com muitos tiques. Amadurecida, faz-se mais individual e, paradoxalmente, torna-se mais participante, mais apta a recolher e transmitir emoções generalizadas.

Nesse momento, o poeta comunga com o ser humano, cada qual perdido em sua solidão, cada qual, como ele, debruçado sobre o seu Tietê, nas noites serenamente meditativas.

Alheio a preconceitos de métrica, utilizou-se dos mais variados ritmos, desde os esquemas dependentes da associação de duas ou três medidas comuns, até longos versículos arbitrários. Experimentou melodias simples e cadências novas, combinações de sons simultâneos ou harmônicos – acorde harpejado – superposição de frases melódicas ou polifonia poética, segundo sua própria discriminação. A exemplo, um verso melódico: "aqueles olhos matinais sem nuvens". Um verso harmônico: "Adeus! Vou-me embora! Não sei pra onde vou!". Um verso polifônico: "Tarde incomensurável, tarde vasta".

Um de seus últimos livros – *Lira paulistana* – inspirado em Martín Codax, jogral de Vigo, apresenta em maioria versos metrificados e rimados, acompanhando o processo paralelístico galego-português, isto sem perda de vitalidade, em razão do forte sabor do estilo e da influência correlativa do nosso folclore. Em verdade, o espírito novo reanima fórmulas antigas.

O ritmo, em sua poesia, é fator preponderante. Raramente se encontra exemplo de maior fidelidade rítmica ao assunto, de maior justeza e adequação do movimento ondulatório do verso ao seu significado.

Peça de gracioso bamboleio é "Melodia Moura", de ar malandro e sentimental:

> Quando as casas baixarem de preço,
> Laura Moura, prenda minha,
> uma delas será sua, sem favor.

Também o ritmo se foi depurando com o tempo até assumir a majestosa gravidade fatigada dos últimos poemas, como se os mesmos sentissem o peso das experiências vividas. Assim, no maravilhoso "Rito do irmão pequeno":

Deixa pousar sobre nós dois, irmão pequeno,
a sonolência desses enormes passados.

A linguagem coloquial que adota e constitui a principal característica da poesia do século XX decorre do seu desejo de autenticidade, testemunha uma quase tangível presença humana. Repudiando de vez as atitudes românticas, os voos do condor, a sedução das sonoridades, o escritor todavia encontra, quando o envolve certa aura de sublimidade, o tom grandioso sem deixar de ser sincero: "É noite. E tudo é noite. E o meu coração devastado / é um rumor de germes insalubres pela noite insone e humana".

Dentro de saudável normalidade e gosto extraordinário pela vida, teve altas preocupações de espírito, sem contudo perder-se em devaneios inócuos. Não por qualquer deficiência, mas um pouco por humildade de esteta a reconhecer a penúria da palavra diante do sobrenatural, e muito por fidelidade aos postulados de homem pertencente ao seu tempo, preferiu os motivos da existência diária no que ela tem de dramático, dramatizando o acessório e o circunstancial. "Sei que é impossível ao homem", disse Mário, "nem ele deve abandonar os valores eternos, amor, amizade, Deus, a natureza. Quero exatamente dizer que, numa idade humana como a que vivemos, cuidar desses valores apenas e se refugiar neles em livros de ficção e mesmo de técnica é um abstencionismo desonesto e desonroso como qualquer outro." Suas intenções e seus propósitos provinham de nobreza moral. Além do que, a um exame de sua obra, nota-se aqui e ali uma procura *sui generis* das essências do bem e da verdade. "A meditação sobre o Tietê", a exigir um estudo em profundidade, o confirma. O impressionante poema "A adivinha" contém versos de severa acepção em timbre bárbaro, talvez para dissimular o desespero do ignoto.

Que significa até a palavra "Deus"?
... alguma coisa mais desejada...
Mais bem puxada, mais bem dançada,

além do mundo e do pensamento...
Catira leve e jongo lento,
pra que não basta noite de dança...
Êxtase de interminável festança,
que a insuficiência do amor não abre
 na flor humana duma palavra...

Considerando a arte como coisa social, Mário de Andrade valorizou extremamente a forma, aliás, sem nenhuma incoerência. A conceituação filosófica não o impediria de atender à magnitude do problema da forma – na qual se contém a mensagem. De fato, sua crítica foi de ordem particularmente estética. No ensaio intitulado "O artista e o artesão" está presente o pensamento que o norteou: "Em arte, o que existe de principal é a obra de arte". "Está claro", acrescenta, "que o ser a obra de arte a finalidade mesma da arte, não exclui os caracteres e exigências humanas, individuais e sociais, do artefazer. Pois a arte continua essencialmente humana, se não pela finalidade, pelo menos pela sua maneira de operar." Nessa mesma página adverte: "Faz-se imprescindível que adquiramos uma perfeita consciência, direi mais, um perfeito comportamento artístico diante da vida, uma atitude estética disciplinada, apaixonadamente insubversível, livre mas legítima, severa apesar de insubmissa, disciplina de todo o ser, para que alcancemos realmente a arte". Daí se depreende que na dignidade moral se forjou a personalidade de Mário. Esta foi sua força e seu dilema: o indivíduo esteta e o homem social a coexistirem dentro de um ser dramático à procura de unificação e pacificação interior. Como artista, espontâneo entre os mais, receava sistematizar as diretrizes filosóficas que o orientavam. Seu pensamento central parece ter sido o da necessidade da reeducação do homem para preparação do artista. "Não é a poesia", disse ele, "não é a música, não são as artes que têm tendências nem ideias; quem tem tendências e ideias é o homem." Por isso toda a sua obra foi de combate, inspirada em sentimentos verdadeiros e impulsos idealistas a que sabia imprimir tom sarcástico de extrema agilidade mental.

A incompreensão dos primeiros tempos levou-o a acirrar sua capacidade satírica. Seu senso de humor é de excelente categoria. Segundo Dupréel, o humor é a "síntese do acolhimento e da exclusão". Há um quê de fraternidade agressiva em quase toda a obra de Mário, marcada, nos melhores momentos, de um "carinho molengo, sensual e pegajoso, um carinho gostoso semitriste, e a ironia de sopetão", para usar expressões suas.

O riso no terreno estético é perigoso exercício, o que explica a deficiência dos versos adolescentes, nos quais se excede seu espírito jocoso. Já em plena mocidade o escritor atinge o ponto em que o humor tem eficácia artística, pelo equilíbrio de sentimentos opostos. *"La fonction la plus profonde du rire esthétique"*, diz Charles Lalo, *"c'est de faire jouer la dissonance de l'ordre avec le désordre, en mettant le désordre dans la conscience et en refoulant l'ordre au fond de l'inconscient."* Assim, o efeito dessa inversão de categorias é contrário ao do processo da beleza, cuja aparência é a ordem, a ocultar no inconsciente a desordem. Reside nesse fenômeno, creio, a resistência da poesia de Mário a explicações em tom menor. Só depois de aceitá-lo em bloco, por intuição, poderá o leitor apreciá-lo detidamente.

Em seu empenho de deformação, o poeta exibe as palavras como para ofuscar o valor intrínseco do poema. Tal empenho corresponde, talvez, a íntimo jogo da própria sensibilidade feita de contrastes. Assim, quando o sentimento o leva a um instante de abandono, logo interfere uma reação intelectual, ou defesa ética, tomada de consciência, desejo de outra coisa, angústia, falta de confiança nos recursos da palavra, impaciência, orgulho, rebeldia, baixar de cabeça, retirada pronta: gestos diversificados que se aproximam uns dos outros à maneira das cores do arco-íris, ou da mesma luz solar. Lembram, ainda, dissonâncias ou intervalos que não trazem repouso (como nas áreas de Harmonia), na expectativa de uma resolução de consonância, no caso, a essência poética. Essas flagrantes contradições, sucessivas ou simultâneas, em que se amesquinham certos elementos em benefício de outros, testemunham dinamismo e exuberância; além do mais, revelam uma técnica de força expressiva, não coordenada *a priori* intelectualmente, a permitir visão global da estrutura. Elucidativo neste sentido, como notação psicológica, é o poema dos trezentos:

Eu sou trezentos, sou trezentos-e-cinquenta,
mas um dia afinal eu toparei comigo...
Tenhamos paciência, andorinhas curtas,
só o esquecimento é que condensa,
e então minha alma servirá de abrigo.

Com referência à técnica mencionada, será fácil encontrar exemplos ao longo de *Poesias completas*: figura entre os mais vivos o "Noturno de Belo Horizonte", em que as linhas da meditação e das lembranças eruditas a cada instante intervêm cruzando o plano geral feito de sensação, sentimento e sensibilidade. Não podendo ser ingênuo, nem mesmo puramente sentimental (segundo a discriminação de Schiller), cabe aos modernos e coube ao nosso poeta fazer a autocrítica do próprio lirismo, ou seja, analogicamente, assumir a atitude do "polícia entre rosas", o que não deixa de ser pitoresco...

A alma lírica de Mário de Andrade espreitava sempre, daqui e dali, colhendo espigas no campo de Booz, à espera dos melhores momentos. Um deles se cristalizou nos "Poemas da amiga", dentro de ambiente ternamente brasileiro, com o "abril" de sua dileção, "sabor familiar", "corações tranquilos":

Estamos no interior duma asa
que fechou.

Tanto pela fatura como pelo assunto, coincide muito a sua obra com a de Portinari. São estreitas as afinidades que os unem dentro do realismo estético. Do pintor dizia o poeta: "Não é pela intenção de fazer nacionalismo que ele se aplicou aos seus temas favoritos, o café, o morro, brinquedos infantis, o São João, a jangada. Tais assuntos nascem apenas de uma constância imperiosa de sua personalidade; e ele os deforma, os sintetiza principalmente, sem a menor preocupação documental". Também o poeta carrega um substrato nacional, uma potencialidade brasílica; a cor da terra, o vermelho barrento, o verde escuro das matas cerradas simbolizam seu mundo imaginário, em sintonia com o mundo externo.

Através de ensaios magistrais, fundados no conhecimento da realidade brasileira, o escritor contribuiu fortemente para que se atualizasse a inteligência crítica de nossa terra. Sem qualquer desapreço pela realidade universal que sabia considerar devidamente como homem e como erudito, esteve sempre debruçado sobre o mapa do Brasil, viajou pelo Brasil em várias direções buscando as raízes da nacionalidade em estudos étnicos e etnográficos, procurando o convívio dos simples, bebendo nas fontes.

Trouxe-lhe o folclore grande experiência psicológica do povo, a enriquecer-lhe o patrimônio cultural, a iluminar-lhe o espírito, a instigar-lhe a consciência criadora que o fazia pugnar, não por soluções regionalistas, porém sim pela unicidade e harmonização da nossa gente. Mas seu ideal ia mais longe; e assim ficou resumido: "Só sendo brasileiro, isto é, adquirindo uma personalidade racial e patriótica (sentido físico) brasileira, é que nos universalizaremos, pois que assim concorreremos com um contingente novo, novo *assemblage* de caracteres psíquicos para o enriquecimento do universal humano".

BIBLIOGRAFIA

ANDRADE, Mário de. *Obras completas*. São Paulo: Martins, [s. d.].
20 v.
LALO, Charles. *Esthétique du rire*. Paris: Flammarion, 1949.

MÁRIO DE ANDRADE POETA

Entre as numerosas facetas do grande e multímodo escritor que foi Mário de Andrade, a que se relaciona com a poesia será, possivelmente, a mais densa, a mais complexa, a mais estranha e, por isso mesmo, a que tem sido menos focalizada e compreendida.

É óbvio: não me arvoro em autoridade para criticar e interpretar essa poesia que, entretanto, me parece tão importante quanto insólita. Mas é ao Poeta, antes de tudo, que me incumbe e desejo homenagear esta noite em que se rememora, com a mais profunda saudade mineira, o seu desaparecimento há vinte anos passados.

Foi através da poesia, creio, que se fixou a mais corajosa e pungente marca de sua personalidade artística. É na poesia, creio ainda, que se encontra a síntese das intuições que o ser humano carrega, como implacável fatalidade e benção sobrenatural.

Evocar a memória de alguém é procurar, principalmente, o que deixou de vivo esse alguém, o que dá testemunho de sua mesma vitalidade, apesar da morte. A morte se torna assim uma espécie de porta de cristal, translúcido miradouro de paisagens não impassíveis mas renováveis. Então nos colocamos diante de sua poesia como se ela fosse – e é – qualquer coisa de atual e de perene, mesmo no que possui de imperfeito e de efêmero, pois ao imperfeito e efêmero se condiciona a verdade humana.

A atitude de Mário de Andrade diante da arte foi uma atitude agitada pelas circunstâncias, nunca premida pela aspiração da própria estátua.

A arte para ele era um "exercício do ser", uma atividade vital como ir e vir (e como ia e vinha nas áreas do espírito, esse Ulisses!). Acontece que tal exercício era presidido por uma consciência terrivelmente lúcida. O forte impulso e a exigência personalíssima de artesanato nele coexistentes redundariam em debate interior. Bastaria tal dualismo para criar ambiente propício à dramaticidade – algumas vezes resolvida em sarcasmo – que é uma das características de sua poesia.

Outras contradições mais árduas acabaram por defini-lo como poeta de cunho dramático, tumultuado de interferências dialéticas, diálogos incoordenados, superposição de sentidos e direções.

São escassas as páginas de caráter depuradamente lírico, a exemplo de "Poemas da amiga" (p. 291), "Rito do irmão pequeno" (p. 365), "Quarenta anos" (p. 350), "Canção" (p. 360), algumas da *Lira paulistana* (p. 383).

À sua índole mansueta, à sua afetiva sensibilidade se opunham as duras realidades do século. Mas a sua reação era impávida. Em uma das cartas que me dirigiu, datada de 1940, dizia textualmente: "Nunca estivemos tão escravos do *exatismo* como agora. Mas há os imponderáveis sempre, os pequeninos espíritos do ar, mesclados e disfarçados nas ventanias. E tudo é um caos. E tudo é uma insapiência milagrosa, em que só uma pitonisa declama os seus vereditos: a adivinhação. Na lei, na regra, no cálculo, na matemática do mundo atual o imponderável se mistura".

E continuava ele: "Não canto o perigo, não, nem a guerra, nem o heroísmo. Eu sinto é que no gênero de sofrimento novo a que o exatismo nos conduziu, há uma substância de poesia – o incongruente desta verdadeira inconsciência com que somos excessivamente conscientes de nós mesmos e dos manejos da vida".

Não há dúvida: o elemento intelectual que era nele de uma extraordinária clarividência, ao deslocar com deformações e inovações os dados do jogo lírico, promovia descobrimentos poéticos de valor.

Também o elemento moral, decorrência de sua formação católica, se associava, com as noções de culpa e responsabilidade do homem nos destinos do mundo, às experiências do artista. Como no poema "Pela noite de barulhos espaçados..." (p. 289) se torna explícito:

> [...] Há um arrependimento vasto em mim.
> Eu digo que os séculos todos
> se atrasaram propositalmente no caminho,
> me esperaram, e puxo-os agora como boi fatal.

Outra razão conflitiva foi a luta em que se empenhou a extremos contra as convenções literárias. Sacrificou por vezes em suas criações a beleza, a elegância, a harmonia, a cadência, as exterioridades encantatórias capazes de comover de imediato. Sacrificou, revolucionariamente, seus próprios sentimentos a favor de uma nova poesia

– a que hoje prevalece – livre de preconceitos estéticos, autônoma e autêntica, de conceituação mais sutil e também mais perigosa.

Só mesmo a "Adivinha" (p. 280) poderia responder e equacionar as dúvidas do poeta em confabulação com a Musa:

> Eh, cordas do violão, por que não viram homem outra vez?
> ....
> E a tristeza iluminada, vasta, instrumental,
> ácida inquietação, maravilhando, turtuveando,
> recai sobre a adivinha.

Além do mais, seu inato individualismo esteve sempre em choque (ou aliança?) com a sua combatividade de ordem volitiva, seu propósito de participação social. Ele buscava abranger, recolhendo da periferia para o centro, o todo brasileiro para incorporá-lo à sua expressão, no que era sincero por ser bem brasileiro intimamente.

Mas seria ele "poeta maior" (no sentido de intérprete da coletividade) por instinto ou convicção? Eis uma pergunta arriscada. Nas incursões e excursões pelo social, o seu individualismo reponta agressivo.

Mário de Andrade, a exemplo de Fernando Pessoa, com quem tem mais de uma afinidade, não evoluía – viajava, como de si mesmo dizia o poeta português. Novo Ulisses arrecadador de experiências, colecionador de problemas, desbravador de roteiros, numa constante "exasperação da Verdade".

O aperfeiçoamento de sua personalidade não se deu por evolução mas por acréscimo, enriquecimento, entrosamento de pesquisas em campos diversos, valorização das mínimas coisas.

"Dor" (p. 348), "Louvação da tarde" (p. 249), "Louvação matinal" (p. 269), "Aspiração" (p. 267), este assinalado por um verso bem significativo: "E me sinto maior, igualando-me aos homens iguais", são poemas de alta relevância para o conhecimento de sua psicologia e de sua arte, embora nem sempre, como se sabe, arte e psicologia se correspondam.

Verificamos, em resumo, que o seu temperamento de fundo contraditório, impelido pelas contingências de tempo e espaço, derivou para uma expressão de essência dramática inteiramente moderna.

De fato, o que distingue a poesia moderna, em sentido universal, é o fenômeno dramático que se acha na base de seu próprio processo e que, portanto, se antecipa a qualquer fixação técnica ou de estrutura. Não é questão de gênero mas de espécie, resolvendo-se o problema estilístico, quase sempre, pela linguagem coloquial, como no caso em apreço.

Muitos navios comandou o poeta, que partia e regressava. Porém um dia ancorou na enseada, definitiva e magistralmente: encontrou a sua hora máxima, a sua coroa de plenitude, tecida de metáforas, pensamentos e emoções divagantes aqui e ali, em páginas anteriores, ao escrever "A meditação sobre o Tietê" (p. 421). Este magnífico poema que constitui o seu testamento poético, terminado a 12 de fevereiro de 1945, poucos dias antes de sua morte repentina, me havia sido anunciado em carta de 20 de janeiro do mesmo ano: "É um poema muito mais calmo [em relação a outros que denominava bárbaros], um reconhecimento dolorido da minha incapacidade pra me ultrapassar e fazer alguma coisa de proveitoso à humanidade".

Debruçado sobre as águas do seu rio simbólico à força de realidade, legou-nos nesses versos a súmula de seu próprio ser, de seus ideais e renúncias, numa exteriorização de solidez ponderada e de reverberante sonoridade:

Já nada me amarga mais a recusa da vitória
do indivíduo, e de me sentir feliz em mim.
Eu mesmo desisti dessa felicidade deslumbrante,
e fui por tuas águas levado
a me reconciliar com a dor humana pertinaz,
e a me purificar no barro dos sofrimentos dos homens.

BIBLIOGRAFIA

ANDRADE, Mário de. *Poesias completas*. São Paulo: Martins, 1955.

A POESIA DE *GRANDE SERTÃO: VEREDAS*

Tendem para a poesia, segundo creio, todos os gêneros literários. E só se realiza com plenitude qualquer gênero, épico, lírico ou dramático, se alcança em recesso a poesia.

Nenhuma obra ilustraria com mais brilho tal conceito do que *Grande sertão: veredas*, de João Guimarães Rosa.

Esse livro que se coloca entre os melhores da literatura brasileira é bem mais do que um simples romance. A alma que dele se desprende, em bloco e em prismas, fragrância de madeira sob golpes de machado, recendência de tenras folhas, leva-nos a classificá-lo como obra poética três vezes: épica, lírica e dramaticamente.

Epopeia na objetividade de seu motivo central (o sertão), na irradiação do motivo central para mais vastos horizontes ("O sertão é do tamanho do mundo"), na altissonância com que fala o narrador, acima do plano comum, inspirado à maneira de antigo rapsodo, sem nenhuma interferência em seu monólogo.

Obra lírica pela transposição da objetividade primeira para a completa subjetividade que domina o tema ("sertão é onde o pensamento da gente se forma mais forte do que o poder do lugar"), pela essência de teor humano ("sertão: é dentro da gente"), fluir de fontes saudosas da origem, participação da vida da natureza como complemento e não moldura do humano, reviver de experiências e recrudescer de emoções pelo mesmo herói transformado em rapsodo, contemplação da própria vida íntima dentro do tempo e do espaço.

Epopeia do homem interior, eis a originalidade da obra – que também é drama, pela representação ao vivo, em atos flagrantes e claras encenações, dos perenes conflitos da humanidade, pela vivência de tensões simultâneas através da voz numerosa do narrador, pela encarnação por figurantes bem caracterizados (Joca Ramiro, Zé Bebelo, Hermógenes, alguns outros), nos aspectos do bem, da astúcia e do mal, forças desencadeadas no palco da natureza, essa dinâmica natureza que também vibra como se fosse um ser humano em mais espessa rusticidade ("o sertão de repente se estremece, debaixo da gente").

Cidadela construída à beira do caos, *Grande sertão: veredas* é obra de tema regional, com marcantes cunhos do meio típico, da natureza específica, da psicologia do sertanejo, com suas intraduzíveis expressões. Escapará, possivelmente, ao estrangeiro, a compreensão total da obra, árdua até para brasileiros menos simpáticos a violências estilísticas. Todavia, essa mesma singularidade, transpondo os limites do círculo, atinge universal significação, eleva-se a planos transcendentes: o que é local tem amplitude social, o que se passa no tempo incorpora-se ao processo histórico da nação, os seres que se nos apresentam são profundamente humanos – pelo menos um deles: Riobaldo Tatarana, Urutu Branco. Figura imortal, amanhece ingênuo, amadurece repleto de experiências, passando, "mano velho", por todos os sofrimentos e êxtases. Nada lhe é estranho quando recorda suas aventuras: tocou a realidade com as próprias mãos, modelou-a muitas vezes a seu feitio. E ao evocar a vida que se foi, não se precipita para o fim, mas detém-se enternecidamente a cada instante, prolongando em minúcias a narrativa, como quem fala para si mesmo.

Nas antigas epopeias narra alguém uma história para exaltação de um herói ou de um povo. O mundo moderno, introspectivamente amadurecido, exige mergulhos mais graves da arte: daí a associação, ao velho gênero, dos elementos lírico e dramático. O eu enfrentado pela consciência é o clima da obra, urdidos movimento e ação da mesma essência anímica do herói. O pensamento do narrador depende de suas emoções; sua alma é o que sofreu a carne. E, entretanto, indefinivelmente, há alguma coisa mais nessa criatura.

Em *Re-discovery of America* diz Waldo Frank a respeito do homem das selvas: "Sua superioridade só se demonstra nos detalhes: seu conhecimento conceptual do mundo que o rodeia não é senão a exteriorização do seu sentido pessoal". Assim é quanto ao homem espécie. Porém Riobaldo, ser de transição da barbárie para a civilização, parece possuir um sexto sentido, uma aura individual que acaba por dar-lhe personalidade e que, além de fazê-lo astuto, torna-o de certo modo sábio. Caráter de exceção, conservando e aprimorando os estigmas do meio, inteligência aberta a curiosidade e indagações de causas e efeitos, homem talhado para chefe, desde os primeiros passos até a altura do maior poderio, o herói evolui sem nada desprezar do que se passa dentro e em torno de si. ("O mais importante e bonito, do mundo, é isto: que as pessoas não estão sempre iguais, ainda não foram terminadas – mas que elas vão sempre mudando.")

Homem sem pressa: compreensivo e compassivo; pertinente na longa tenacidade. Por isso é que o motivo melódico do solilóquio, à feição do barroco beethoveniano, volta sempre enriquecido de novos matizes psicológicos, para retocar-lhe o retrato, sem jamais completá-lo. A contextura da obra é musical: desenvolve-se no tempo, que já não é o tempo da ação mas o da subsequente nostalgia, o que não impede que a ação funcione dedutivamente no espaço, revestida, aliás, de densa plasticidade, iluminada de coloridos de sol e terra e verde.

Sob certo aspecto nota-se uma estreita vinculação entre o sertanejo e o herói de Virgílio. Tal como Eneias, o guerreiro piedoso, chamado à liça pelos deuses mas de natureza pacífica, Riobaldo, jagunço por fatalidade dos fados, é, na sua substância, homem que aceita o destino e que se chega a modificá-lo é para melhor cumpri-lo. Se foram inúteis suas tentativas de fuga, como as delongas de Eneias, é porque também ele pressentia missão a desempenhar. ("A gente tem de sair do sertão! Mas só se sai do sertão é tomando conta dele a dentro...") A originalidade que distingue Virgílio dos velhos moldes reside, antes de tudo, na evolução espiritual de Eneias, observada por André Bellessort; a superioridade de Riobaldo sobre a maioria dos personagens do romance brasileiro está na sua evolução em sentido humano, bafejado por isso mesmo pela poesia.

A introspecção do sertanejo, a analisar exaustivamente seus sentimentos e reações diante de cada sucesso, a emitir conceitos sobre cada coisa, é a de um Proust caipira, menos sutil e malicioso, mais saudável e forte. Básica, evidentemente, é a diferença entre o representante de um mundo que se desagrega e outro que surge de entre os dedos sangrentos da aurora.

Desde o encontro com o Menino, a passear de canoa, quando o medo e a vergonha de ter medo o assaltam, até a espantosa noite em que se propõe a pactuar com o espírito das trevas, o sertanejo evolui, a expensas do mal, para o ato desabusado que o fará chefe. Quando ele pergunta no ponto culminante do livro, do alto de sua segurança: "Quem é que é o Chefe?" – desafiando os companheiros armados em redor, sacrificando sem pestanejar a vida de dois companheiros, ele já era de fato o chefe, porque se fora preparando paulatinamente para isso. Nessa preparação do personagem, a perícia técnica do autor mostra-se inexcedível de ruminação e paciência para o efeito fulminante do espetáculo.

Riobaldo é um homem ("Homem? É coisa que treme"). Atento a minúcias ("pica-pau voa é duvidando do ar"; "o dia vindo depois da noite – esse é o motivo dos passarinhos..."), observa o mundo natural para com ele aprender lições de equilíbrio e de beleza. Preferirá por certo a existência humilde ("Casinha que eu fiz, pequena – ô gente – para o sereno remolhar"). Mas preocupa-se com os altos problemas do espírito ("Onde é que está a verdadeira lâmpada de Deus, a lisa e real verdade?"). Talvez para atingir essa verdade pela força, a única arma de que dispõe, está pronto a tudo, até mesmo para o mal. E por isso apela para o sobrenatural, tenta o pacto com o demônio, novo Fausto, Fausto das brenhas incultas mas de condição idêntica frente a frente aos mistérios cósmicos. Constitui esse passo um dos mais importantes do livro. Embora procure reiteradamente negar a existência do Oculto, motivo de infindáveis cogitações de ordem metafísica, dir-se-ia que Riobaldo pretende convencer a si próprio de que não manteve relações diabólicas. Tudo é confusão no seu espírito. Diz e desdiz cem vezes a mesma coisa, tomado de angústia nesse dilema que bem conhece: "Natureza da gente não cabe em nenhuma certeza". Quer fazer prevalecer a ideia de que a origem do mal está na própria criatura, nos "avessos do homem". "O demo então era eu mesmo?" Daí a nossa dúvida quanto à consumação do pacto. Nem talvez possa o autor esclarecer a questão, arrebatada de seu governo pela prepo-

PROSA * VIGÍLIA POÉTICA

tência do protagonista, solto e livre nos esconsos do sertão interior. Todavia, de acordo com o Ritual Romano, um dos primeiros sinais para se reconhecer a possessão diabólica é mostrar forças superiores à condição natural. A travessia do Liso do Sussuarão não será testemunho desse estranho poder? Admitida a hipótese do fenômeno, é de supor-se, por extensão, que a morte de Diadorim foi uma espécie de exorcismo para liberação do possesso.

No âmago de sua consciência religiosa, como a grei a que pertence, o sertanejo clama pela existência de Deus: "Como não ter Deus?!". E ao cabo das aventuras dirá: "Hoje em dia acho que Deus é alegria e coragem – que Ele é bondade adiante, quero dizer". Na sua complexidade, Riobaldo seria incompleto sem a feição moral que o norteia. O fato é que possui uma ética – o mesmo jagunço! – e, como D. Quixote, é idealista: "Chefe não era para arrecadar vantagens mas para emendar o defeituoso". De outra feita: "Sofri os pavores disso: da mão da gente ser capaz de ato sem o pensamento ter tempo". Em virtude dessa ética faz-se de extrema beleza sua amizade por Diadorim. É certo que num fundo de brumas essa amizade representava o pecado. Mas Diadorim que acusa, para melhor caracterização da épica, o elemento tradicional maravilhoso, é, a meu ver, personagem nitidamente simbólico. A inverossimilhança da situação, a espiritualidade do amor em resguardo no seio da natureza bruta, o mistério só revelado após sua morte, fazem de Diadorim (mulher travestida) a mesma poesia. Razão de ser da existência de Riobaldo, de suas prodigiosas aventuras, Diadorim paira no livro, à maneira de coisa levitante, friável, evanescente. Valem mais do que palavras minhas em favor da tese, insinuações do texto: "Diadorim era a minha neblina". "Um Diadorim assim meio singular, por fantasma, apartado completo do viver comum, desmisturado de todos, de todas as outras pessoas – como quando a chuva entre-onde-os-campos." "Mas Diadorim, conforme diante de mim estava parado, reluzia no rosto, com uma beleza ainda maior, fora de todo comum. Os olhos – vislumbre meu – que cresciam sem beira, dum verde dos outros verdes, como o de nenhum pasto. E tudo meio se sombreava, mas só de boa doçura. Sobre o que juro ao senhor: Diadorim, nas asas do instante, na pessoa dele vi foi a imagem tão formosa da minha Nossa Senhora da Abadia! A santa... Reforço o dizer: que era belezas e amor, com inteiro respeito, e mais o realce de alguma coisa que o entender da gente por si não alcança." "Diadorim [...] e se sumiu, por lá, por aí, consoante a esquisitice dele, de sempre às vezes desaparecer e tornar a aparecer, sem menos." "Reinaldo, Diadorim, me dizendo que este era real o nome dele – foi como dissesse notícia do que em terras longes se passava."

A que só depois de morta foi mulher, levou de vez toda a força inspiradora do homem, seu desejo de ação e sua bravura, seus mais cálidos interesses. "Aqui a estória se acabou. Aqui, a estória acaba-da. Aqui a estória acaba", repete amarguradamente o herói quando morre Diadorim. Mas Diadorim ("Bela é a lua, lualã, que torna a se sair das nuvens, mais redondada recortada") continua a pairar em sonho e saudade na memória do narrador, não de frente mas de perfil, como em vida, diluída no orvalho dos campos, presente e ausente, real e ideal, sombra e luz, doce e forte, nunca em dubie-dade, pisando harmoniosamente, fugindo logo por entre as moitas para curar um ferimento, enigmática e singela, temida e amada ("Oi, Diadorim belo feroz"), amor de instinto divinatório e conflito, imperfeito de perfeição inviolável.

Essa história de amor, que poderia parecer tão somente uma fantasia para amenizar o romance da jagunçagem, tem na essência dos acontecimentos suas raízes. Vingar a morte de Joca Ramiro é o desejo vivo de Diadorim; e para satisfazê-lo Riobaldo não mede sa-crifícios. Não será Diadorim a alma da terra em exaspero diante do holocausto do que melhor possui o sertanejo? Carnal ou simbólica, acende as paixões e os ideais de seu companheiro. Daí a flama do enredo e o entrelaçamento constante entre as cenas idílicas e as ru-des batalhas em que ambos combatem par a par como um ser único.

A delicados encantamentos causados pela contemplação da pai-sagem, seguem-se quadros de máximo vigor. Assim, o julgamento de Zé Bebelo reveste-se, na tosca singeleza do ambiente, superando todo o grotesco circunstancial por um fino sentido de *humour*, gran-diosidade sem limite. Tribunal armado em pleno sertão surpreende, através da verve e das intuições do autor, a mais séria revelação da psicologia do sertanejo, as linhas mestras de sua conduta.

Para realizar obra de tal fôlego, nada relegou Guimarães Rosa a segundo plano. A estrutura da obra é magnífica de coincidência entre conteúdo e forma – como se tudo fosse manancial e os impulsos interiores brotassem no momento e falassem as próprias vozes da terra. O vate, o narrador, é um homem na sua inteireza, emocionado, perturbado, a perder muitas vezes o fio da história. Quando o perde é para ganhar mais ênfase, divagar, associar elementos intelectivos e volitivos, fundar analogias, dominar-se, impor-se.

Tenho a impressão de que a obra, gratuita de expressiva beleza em liberdade, contém no seu âmago, implicitamente, sem que se macule a fatura estética, uma grave mensagem de solidariedade fraterna.

A admiração causada, no início do século, pelo estilo de Euclides da Cunha, obumbrou, durante algum tempo, a significação integral de seu livro. Oxalá que a revolução estilística operada por Guimarães Rosa não obscureça, aos olhos de seus leitores, o impacto moral de que se ressente. Sem a mínima intenção reivindicatória, ao contrário, num perfeito à vontade dentro de uma concepção de arte amadurecida e exata, no que supera Euclides, a obra se expõe a ser apreciada unilateralmente. Força é reconhecer, entretanto, que à base de sua sensibilidade de brasileiro, mineiro, homem nascido à margem do ribeirão da Onça, filho de família de fazendeiros de gado, se encontra o sentimento amargo de conhecer em extensão e profundidade o desperdício de incalculáveis energias latentes. Será este seu segredo, sua fonte lírica, a atmosfera criadora de *Grande sertão: veredas*. A intensidade das percepções derivadas da organização sensível do poeta é força comunicante que nos leva a contemplar sua mesma visão do universo. Do monumento ressaltam detalhes de impressionante relevo: os retratos de Joca Ramiro, Zé Bebelo e Hermógenes entre outros – óleos de composição perfeita a pinceladas grossas. Uma cena menor, a do jogo de bilhar, desenha-se na pureza da luz de Van Gogh.

Percebem-se em toda linha conhecimentos de zoologia e de botânica à raiz do seu entusiasmo pela fauna e a flora da terra. Em seus passeios de descobrimento, Guimarães Rosa arrebanhou considerável material folclórico, a que possivelmente terá acrescentado algo de sua lavra ou terá simplesmente estilizado. Adágios, provérbios, sentenças, quadras e uma deliciosa pequena canção aí estão a desafiar classificação de especialistas: "Para trás, não há paz". "A colheita é comum, mas o capinar é sozinho"; "couro ruim é que chama ferrão de ponta"; "quem mói no asp'ro, não fantaseia"; "me alembro, meu é"; "mente pouco, quem a verdade toda diz"; "para um trabalho que se quer, sempre a ferramenta se tem".)

> Remanso de rio largo,
> Viola da solidão;
> Quando vou p'ra dar batalha,
> Convido meu coração...

> Macambira das estrelas
> xique-xique resolveu:
> – Quixabeira, bem me queira,
> quem te ama, Bem, sou eu...

Quanto à linguagem, de extraordinário sabor picante, revolucionário seguro com base de conhecimentos linguísticos, Guimarães Rosa realiza a mais cabal e bem cumprida aventura de que se tem notícia entre nós. Se Alencar foi o precursor, quase em sonhos, dessa aventura, se Mário de Andrade abriu clareiras na floresta, Guimarães Rosa plantou uma árvore nova, espécie formada de muitos baobás e aratacas, caraíbas e buritis. Mostram-se as garras de Mário de Andrade em *Grande sertão: veredas*: na maneira engraçada e terna de certas expressões, no senso do *humour*, no uso da preposição reticente, na frase em suspenso, no adjetivo substantivado. Por exemplo: "Aquilo dava um sutil enorme". "No vagarosamente." "Eu devia de estar com uns quatorze anos, se." "Rio Urucuia [...] Ouvindo uma violinha tocar, o senhor se lembra dele. Uma musiquinha até que não podia ser mais dançada – só o debulhadinho de purezas, de virar-virar."

Timbre e ritmo da frase sempre em consonância com a voz interior, abundância de aliterações e de rimas, constante inversão da ordem sintática, emprego de metáforas, baseadas na correspondência de impressões arbitrárias (e não associações de ideias), reafirmam tecnicamente a qualidade poética da obra, servida por assombroso vocabulário em que se misturam com intimidade latinismos, arcaísmos, indianismos, palavras eruditas e populares.

A energia nuclear da obra impele, por campos afora, a jorros e borbotões, imagens imprevistas e mesmo desabridas com que se deforma o real, sempre para sua maior validez estética. Para exprimir a sensação causada pela morte de Joca Ramiro: "Aquilo era como fosse um touro preto, sozinho surdo nos ermos da Guararavacã, urrando no meio da tempestade".

A respeito do problema da língua que tantas discussões tem suscitado, valho-me da autoridade de Cavalcanti Proença, que a estudou de modo notável e responde à pergunta sobre se Rosa terá criado uma língua ou um dialeto: "O que ocorreu foi ampla utilização de virtualidades de nossa língua, tendo a analogia, principalmente, fornecido os recursos de que ele se serviu para construir uma fala capaz de refletir a enorme carga afetiva do seu discurso. Daí, embora reconhecendo que, pela abundante contribuição individual, essa fala encontra dificuldade para se incorporar à língua, não cabe falar em criação, mas em esforço consciente no sentido de uma evolução da língua literária".

Belo na sua rusticidade e até mesmo na sua selvageria, o motivo agreste do sertão aí está na candura das coisas primárias, gritante e sussurrante, extasiante e sofrente, sacudido de ventos e eventos, rasgado de água e de sangue. Coragem e renúncia, jogo e superstição, lucidez e inconsciência, abandono à fatalidade e reação contra as forças telúricas, fraternidade e discórdia, eis o que move a ação de *Grande sertão: veredas* – livro de que se orgulha – completo – o Brasil e muito principalmente Minas Gerais.

BIBLIOGRAFIA

GUIMARÃES ROSA, João. *Grande sertão: veredas*. Rio de Janeiro: José Olympio, 1956.

CAVALCANTI PROENÇA, Ivan. Alguns aspectos formais de *Grande sertão: veredas. Revista do Livro*, Rio de Janeiro, 1957.

O MOTIVO INFANTIL NA OBRA DE GUIMARÃES ROSA

E por que terei escolhido o motivo infantil para tecer considerações em torno da obra de Guimarães Rosa? Há temas mais assoberbantes e mais absorventes nesta *"selva selvaggia"*: a essência metafísica, a mística repartida entre Deus e o demônio, a consciência do bem e do mal, a dicotomia medo–coragem, o amor em multiformes aspectos, o deslumbramento da natureza – fauna e flora –, a integração do regional no universal, isto sem falar nas inovações da linguagem, no emprego das metáforas, no domínio estilístico.

Parece-me, todavia, que na realização dessa obra monumental e complexa, a infância assume, quer na qualidade de tema, quer como presença ou vivência, importância liminar e até fundamental.

À base da criação artística existe sempre um acervo de emoções cujo índice é o próprio temperamento do indivíduo. Como se sabe, essas emoções se revelam por meio de imagens, elementos verbais, exterioridades rítmicas, incidências que resultam de uma determinada visão do mundo.

Assim, esta visão do mundo, que, na alma do artista, é de ordem subjetiva, torna-se objetiva a partir de sua obra, como se fosse um espelho. Pois bem: a visão do mundo de Guimarães Rosa, traída a cada passo pelo impetuoso dinamismo que preside a forma poética, revela a presença constante e pertinaz da infância. O menino de "Campo geral" reponta com surpreendente vitalidade em tudo quanto escreve o nosso autor.

Há uma aura de tresloucada candura ao longo de suas páginas as mais realistas. A alegria inexplicável das coisas amanhecentes, a descoberta da natureza, o despontar do pensamento através de palavras anteriores à lógica, a trepidação dos diálogos, o fluxo e refluxo dos monólogos, o jogo das metáforas, a própria filosofia matreira dos primitivos, personagens de sua dileção, os quais devem o que pensam ao que veem, tocam e degustam, as fontes ocultas no magma em potencial, o bárbaro e o primevo, tudo isso remonta à infância do autor, tudo isso demonstra a sua faculdade de prolongar a infância.

Sua intuição amorosa, seu gosto pela vida e pela renovação da vida através da arte tomada como atividade lúcida, fazem com que ele se assemelhe às crianças e aos primitivos, seres que se agitam e se movimentam sem motivação exata e sem interesse consciente.

O escritor parece divertir-se e, todavia, comover-se com seus mitos, tanto quanto o menino com seus brinquedos e o primitivo com suas superstições, ao considerá-los objetos reais dentro do reino em que vivem, o sobrenatural. Tal como eles, com alegria e unção, o poeta ultrapassa os limites da realidade em seus raptos criadores.

O "eu profundo" de Rosa, o eu confuso, inexplicável e original de que fala Bergson, e não apenas o eu superficial, claro, impessoal, formado pela experiência, é de natureza infantil, instintiva, emotiva, manifestando-se, por isso mesmo, o seu gênio, com radiante espontaneidade.

Essa tese não invalida a afirmação, aparentemente paradoxal, de que o escritor agencia como poeta uma vasta e fecunda erudição. Mas é que esta erudição precede a obra; com ela se preparou para as lides literárias, assim como o atleta prepara os músculos antes de penetrar na arena: eis o que lhe faculta a eclosão dos estados anímicos.

A tese não impede tampouco a afirmação de que o espírito desse poeta é de ordem metafísica. Porque o instinto metafísico, o mais agudamente inteligente dos instintos humanos, manifesta-se desde tenros anos.

A irrequieta curiosidade do menino leva-o a desmontar e a desmembrar brinquedos para saber como são por dentro. Na ânsia de conhecer o princípio e o fim das coisas, a criança analisa, decompõe e finalmente recompõe as partes de um todo em síntese, muitas vezes artísticas. Este é o caso em apreço.

A estranheza diante do universo, como se cada dia fosse um primeiro dia, perfaz e complementa a personalidade de Rosa, pressionando magicamente a sua obra, insuflando-lhe aquela força de ímã a que se refere Platão, a *"amabilis insania"* de Horácio, a "loucura passageira" segundo Schiller. Rosa é um criador delirante, suponho, exatamente porque possui o sentimento da infância. O que nem sempre acontece com grandes criadores, por exemplo, com o nosso admirável e grave Machado de Assis; ou, ainda, com Graciliano Ramos, que nos deixou um livro intitulado *Infância*, magistral em todo sentido mas tocado daquela severidade enxuta de adulto que é seu traço característico.

O escritor brasileiro com quem Rosa se harmoniza, também a esse aspecto, é Mário de Andrade. A alegria de viver e de criar, a faculdade de expandir-se no jorro abundante das palavras, o dinamismo estilístico levado às raias da ingenuidade, certas expressões de mato verde, são peculiares aos dois.

O autor de "Miguilim" se assemelha, de certo modo, a Chesterton, o homem que fazia questão de chegar até à velhice sem se aborrecer. E por isso cultivava com extremado carinho, voluntariamente e até mesmo grotescamente, o dom de prolongar a infância, inventando personagens extravagantes como aquele Smith que promovia piqueniques no telhado, para escândalo da turma dos sorumbáticos. Como se vê, porém, o escritor inglês possui métodos diferentes, mais agressivos; busca o prolongamento da infância por determinação e convicção de que, para entrar no reino do céu, o homem precisa recuperar a simplicidade perdida. Ele age como cristão, inspira-se na ética, deseja propagá-la. Rosa identifica--se quase inconscientemente com o mundo que o inspira e no qual mergulha por completo, por ser este o seu próprio mundo, o da iniciação, o do perpétuo nascimento das coisas.

Diz-se que "o ato instintivo é uma espécie de concatenação regular que não é interrompida, e os movimentos sucedem os movimentos, evocados uns pelos outros". Pois bem: podemos afirmar que o estilo de Rosa é um ato instintivo. O que não impede – escusa repetir – sua capacidade seletiva. Em estudo sobre *Grande sertão: veredas* escreveu, com a habitual clarividência, Casais Monteiro: "Primitivo e elaborado – estes dois conceitos não são de modo algum antitéticos. A sua fala é emanação de sua natureza em luta com um instrumento inadequado precisamente pelos seus elementos lógicos".

Em verdade, o que surge à tona de seus livros é um borbulhar de formas buscadas em fontes aurorais, coisas prematuras, antecipadas ao uso, à base da noção do eu físico do escritor, vale dizer, de sua cenestesia.

Como ser instintivo, ele é, evidentemente, emotivo. Não caminha a marcha natural do espírito, não vai do sincretismo para a análise e desta para a síntese: vai e volta como sem rumo, à feição de rio a traçar curvas e oblíquas, levado por energia recôndita, obscura porém eficaz e sempre mais caudaloso no seu evoluir.

"A emoção tende a perpetuar-se: quanto mais se foge, mais medo se tem." É o que diz uma corrente existencialista. Nesse caso se explica a emotividade crescente e ascendente de Guimarães Rosa, à medida que se acumulam as suas expressões. Escritor apaixonadamente levado pela palavra ao contexto, vive a aventura de uma linguagem paroxística, a desenovelar-se em redemoinho. Não é em vão que uma palavra – nonada – e outra palavra – travessia – assinalam o começo e o desenlace de seu grande romance.

Entretanto é de notar-se: "o complexo psíquico adquirido sobre as percepções que se acham na consciência" a que se refere Dilthey, ao fazer a distinção entre a loucura e o gênio, aqui funciona com lucidez. O poeta encontra na palavra o princípio e o fim das revelações. Turbulentas e abundantes, suas palavras acusam uma riqueza psicológica digna de maior estudo. Dificilmente lograríamos separar, para análise, os valores do verbo e os de seu significado. A invenção de Rosa é o esquema total, dentro do seu poder de transferir e aproveitar experiências e sentimentos de ordem afetiva, de emaranhar fatos e sensações, de recordar eventos longínquos ou sabiamente colocados à distância.

"Na própria precisão com que outras passagens lembradas se oferecem, de entre impressões confusas, talvez se agite a maligna astúcia da porção escura de nós mesmos, que tenta incompreensivelmente enganar-nos, ou, pelo menos, retardar que perscrutemos qualquer verdade." Aí está um desabafo pensante em meio à nebulosidade constelada de "Nenhum, nenhuma", página em que se reproduz uma das mais fugidias reminiscências do Menino.

Gostaria mesmo o nosso escritor de recordar com maior nitidez tudo quanto enriqueceu sua infância, ou essa queixa representa apenas um recurso de evasão e despistamento para enredar a narrativa? Também Chesterton se impressionava com os processos da memória. Eis o que diz ele na *Autobiografia*: "Em verdade, as coisas que recordamos são as que olvidamos. Isto é, quando nos visita a memória repentina e aguda, perfurando a proteção do olvido, aparece, durante alguns instantes, exatamente como era. Se pensarmos nisso amiúde, suas partes essenciais permanecem verdadeiras porém se transformam, cada vez mais, em nossa própria recordação da coisa, em lugar de transformar-se na coisa em si". Ainda mais: "Podemos fazer a prova do estado de espírito infantil, pensando não só no que ele continha mas também no que poderia haver contido".

Numa de suas crônicas, alude Mário de Andrade a preocupação idêntica: "As memórias são fragílimas, degradantes e sintéticas, pra que possam nos dar a realidade que passou tão complexa e intraduzível. Na verdade o que a gente faz é povoar a memória de assombrações exageradas. Estes sonhos de acordado, poderosamente revestidos de palavras, se projetam da memória para os sentidos, e dos sentidos para o exterior, mentindo cada vez mais".

Esta é a grande margem para a imaginação criadora. De alguns vagos elementos pode renascer algo mais forte do que aquilo que desapareceu; pode surgir a maravilha, palavra tão cara ao autor de *Corpo de baile* que foi por ele transformada em "vilhamara", num alvitre pueril.

O conto-poema "Nenhum, nenhuma", construído de forma revolucionária, tramado de névoa com uma ou outra lucilação, termina de modo convenientemente realista, em corte insípido, como se fosse o término da própria infância subitamente arrancada ao seu reino: "Nunca mais soube nada do Moço, nem quem era, vindo junto comigo. Reparei em meu pai, que tinha bigodes". Depois do que vem o choro de raiva, os gritos de revolta do Menino, porque os outros já não sabiam de nada... Tanto é verdade que cada ser humano é uma ilha. Foi talvez esta uma primeira experiência da solidão, do sentimento da solidão.

Tratamento diverso mereceu o romancinho "Campo geral", que ultimamente passou a ter o título de "Miguilim". Nessa biografia da infância, em sentido genérico, em que há uma boa dose de transferência, quer dizer, de evocações colhidas aqui e acolá para efeito de conjunto e tessitura da fábula, os traços autobiográficos são nítidos.

Se observarmos o comportamento de Miguilim em diferentes ensejos, seus sentimentos psíquicos, intuições e reações, experiências afetivas, reflexões mentais, problemas morais, deslumbramento diante da natureza, apreensiva sensibilidade, fascinação pelas sete cores, desejo de compreender e ser compreendido, pudor no sofrimento, faculdade de contenção, fantasias despautadas, chegamos à conclusão tranquila de que se trata de um menino poeta.

Com oito anos, já gostava de inventar "estórias da cabeça dele mesmo"; sonhava "fazer estórias, tudo com um viver limpo, novo, de consolo". Era delicado: "a alma dele temia gritos"; tinha "nojo das pessoas grandes" que matavam tatu por judiação. Começava a sentir "uma saudade de não sei que que é". Pressentia "a diferença toda das coisas da vida". Era tímido, "não tinha vontade de crescer". E logo orgulhoso: "ser menino – a gente não valia para querer mandar coisa nenhuma". Bastante orgulhoso, de acordo com a opinião paterna: "menino que despreza os outros e se dá muitos penachos". Feixe de nervos, supersticiosamente marcava data para morrer. Magoava-se com facilidade: "por que era que um bicho ou uma pessoa não pagavam sempre amor-com-amor, de amizade de outro?" Com agudo senso moral observava em momento de dura provação: "A coisa mais difícil que tinha era a gente poder saber fazer tudo certo, para os outros não ralharem, não quererem castigar".

Tal pensamento se torna obsessivo; passa a perguntar sucessivamente aos que o rodeiam, em primeiro lugar ao irmãozinho predileto: "Dito, como é que a gente sabe certo como não deve de fazer alguma coisa, mesmo os outros não estando vendo?" À empregada: "Rosa, quando é que a gente sabe que uma coisa que vai não fazer é malfeito?" Ao empregado: "Vaqueiro Jé, malfeito como é, que a gente se sabe?".

Nenhuma resposta o ajudaria no difícil transe de resolver se entregava ou não o bilhete cuja gravidade não podia aquilatar mas já vislumbrava. Nenhuma resposta o ajudaria senão a da própria consciência de sensitivo, por isso mesmo precoce.

A emocionante obra-prima que é todo o romancinho atinge nesta passagem uma grandeza estranha, tanto mais delicada quanto mais densa. Insone dentro da noite, a de muitos medos, o menino sofre sem poder dizer a ninguém a causa de seu sofrimento por uma questão de honra. É a luta entre o dever e a amizade, o gosto de ser dócil e o desgosto de praticar o proibido, entre o bem e o mal, forças todavia ainda obscuras para o seu débil conhecimento da vida. Ensaia várias hipóteses de evasiva e fuga de si mesmo. Na hora decisiva, chora. Mas cumpre o que era para ele uma imposição moral.

Neste dramático transe de que eventualmente o menino poderia sair vencido ou vitorioso, se faz patente uma linha de caráter, dotado de escrúpulos. Ganha a partida, "Miguilim chorava um resto e ria, seguindo seu caminhinho [...] andava aligeirado, desesfogueado, não carecia mais de pensar!".

Vem depois a fatalidade, a hora irreversível da tragédia, a morte do irmãozinho admirado e querido. Entrega-se aos soluços convulsivos, às "lágrimas quentes, maiores do que os olhos". Mas não deixa de ser um espectador: observa o gesto materno afagando o pequenino morto: "O carinho da mão de Mãe segurando aquele pezinho do Dito era a coisa mais forte neste mundo". Daí, "todos os dias que depois vieram, eram tempo de doer".

Ao drama de ordem pessoal e à tragédia inelutável, segue-se o conflito com a força maior, representada pelo domínio paterno contra o qual se insurge o menino, ferido nos brios. A represália do pai é tremenda. Mas o menino que tinha mesmo "coisa de fogo", e estava "nas tempestades", não fica atrás na réplica. Pisa, quebra, arrebenta e arrasa ele próprio os seus últimos brinquedos em devastação total. Crescia de repente, era homem. (Como no conto "Nenhum, nenhuma", o fim da infância, ou seu primeiro desengano, é assinalado com raivosa violência.)

Aos poucos, Miguilim vai adquirindo seus pequenos conceitos conformistas – a que nem os poetas escapam: "Alegre era a gente viver devagarinho, miudinho, não se importando demais com coisa nenhuma".

Chega afinal a experiência da separação. Vai-se deixar levar para longe da família, do Mutum, "lugar bonito entre morro e morro, com muita pedreira e muito mato, distante de qualquer parte". Miguilim é todo sentimento e ternura. Timidamente pede os óculos do doutor para ver melhor, o míope. "E Miguilim olhou para todos, com tanta força. Saiu lá fora. Olhou os matos escuros de cima do morro, aqui a casa, a cerca do feijão-bravo e são-caetano; o céu, o curral, o quintal; os olhos redondos e os vidros altos da manhã. Olhou, mais longe, o gado pastando perto do brejo, florido de são-josés, como um algodão. O verde dos buritis, na primeira vereda. O Mutum era bonito! Agora ele sabia."

Aí estão os principais acontecimentos dessa obra de gênero indefinível em que persiste e sobrevive a infância pela intensidade com que se projetam os estados de alma do autor, pela animação de suas imagens, sutileza de sugestões, justeza de expressão.

Assim, por fenômeno de empatia, conduzidos a um mundo interior que já nos pertence, temos a sensação da infância dentro de uma absoluta verdade lírica.

Artista minucioso, Rosa apresenta esse ambiente em linguagem dútil, tenra, pitoresca e gentil, de que ressaltam os diminutivos. Além do nome de herói, Miguilim, à feição de outras tantas rimas para acarinhá-lo, há uma porção considerável de meiguices: "pertim, pelourim, sozim, papelim, espim, logarim, menorzim, ioioim, durim, xadrezim, direitim, barulhim, demonim, bruxolim, barbim, passarim, beijim".

Esse processo estilístico de nivelamento com o estágio infantil não se repete no conto mágico de *Primeiras estórias*; "Campo geral" é vivência no passado; "Nenhum, nenhuma" é revivescência no presente. O primeiro é a plenitude de um capítulo da vida humana; o segundo, a restauração de um antigo estado lírico.

Marcel Proust saiu à procura do tempo perdido por influência de determinado aroma que voltou a perceber. É nos sentidos, notadamente no olfato, que se concentra Guimarães Rosa para lembrar-se: "O mais vivaz, persistente, e que fixa na evocação da gente o restante, é o da mesa, da escrivaninha, vermelha, da gaveta, sua madeira, matéria rica de qualidade: o cheiro, do qual *nunca mais houve*". É o adulto que fala, sem dúvida, para que o mistério permaneça, e apenas tremulem as franjas, sem desvendarem o que está do outro lado. Não importa o que o Menino viu ou deixou de ver, mas o que ele pressentiu, imaginou, idealizou e aureolou, pelo condão de sua própria sensibilidade.

Aqui se comprova, talvez ainda mais fortemente, a marca da infância na personalidade do autor. *"... houve o que há..."*. Sente-se confuso: "Infância é coisa, coisa?". Senão um artista plástico, vale dizer, sabendo dispor da palavra como elemento dimensional, procura transformar o abstrato em concreto, *"as coisas mais ajudando"*, nesse processo de "retrocedimento na tenebrosidade". *"Tenho de me recuperar, desdeslembrar-me, excogitar – que sei? – das camadas angustiosas do olvido."* Porém as coisas concretas, apenas tocadas, se desvanecem, vão-se tornando outra vez abstratas. E o adulto reconhece: *"Então, o fato se dissolve. As lembranças são outras distâncias. Eram coisas que paravam já à beira de um grande sono".*

Voltemos por um momento a Chesterton: "Há dois meios de estar em casa, disse, "um, permanecendo nela; outro partindo para a distância a fim de contemplá-la, voltar a ela".

A primeira visão é realista; a segunda, idealista ou, melhor, super-realista. Porque as coisas do coração estão acima e não fora da realidade.

Classificam-se as duas páginas de Rosa nessa dupla situação: "Campo geral" dentro da órbita objetiva, "Nenhum, nenhuma" em esfera subjetiva. Divergem na substância e na estrutura. Uma trata de episódios encadeados que se relacionam entre si, esquematicamente; outra fica suspensa no ar entre suposições, reticências e devaneios, é mais fluência que forma. A exemplo, um trecho do conto de *Primeiras estórias*: "Tudo não demorou calado, tão fundamente, não existindo, enquanto viviam as pessoas capazes, quem sabe, de esclarecer onde estava e por onde andou o Menino, naqueles remotos, já peremptos anos? Só agora é que assoma, muito lento, o difícil clarão reminiscente, ao termo talvez de longuíssima viagem, vindo ferir-lhe a consciência. Só não chegam até nós, de outro modo, as estrelas".

Em contraparte, o ambiente em que se move Miguilim é todo de clara perceptibilidade, elementar rusticidade, campo aberto, povoado de vida, criaturas primárias, paixões insofridas, bichos de mistura com gente a atenderem por nome próprio: Catita, Soprado,

Floresto, Pingo-de-Ouro. O mundo da natureza visível, audível e palpável, direta e simples, com brenhas, pastos e águas. O mundo extrovertido e divertido de Seo Aristeu:

"Amarro fitas no raio,
formo as estrelas em par,
faço o inferno fechar porta,
dou cachaça ao sabiá..."

O outro reino, em que se esconde, ou se procura o Menino, é requintado, interiorista, respira mistério, levita na intemporalidade, mora ou pervaga numa estranha mansão em que os personagens, o Moço, a Moça, anonimamente simbolizam sonho, renúncia, amor sublimado. Trata-se, é bem de ver, da recorrência de uma primeira contemplação inefável, de categoria intimista.

Desenvolve-se esse poema, por sua vez, em dois planos simultâneos: o da narrativa em tênues pinceladas tom de cinza, e o do reflexivo em nítidas marcações que, ao contrário do que se podia supor, apagam ainda mais o que o tempo já desgastou.

Sim, os comentários marginais que, em outro clima ou separadamente do enredo, teriam incumbência explícita, e efeito lógico, agem e funcionam como expectativa, ansiedade, insistência, angústia, desânimo: técnica admirável, de perfeita eficiência para traduzir certo estado psíquico a que chamamos nostalgia, aliado a um longo estado metafísico sem nome, além do tempo, o êxtase – quem sabe?

Encontram-se ao longo da obra de Rosa outros muitos momentos em que reaparece o Menino ou surgem novos meninos e meninas. Porém nas páginas a que me refiro, as de maior autenticidade e profundidade, se resume o essencial. Reunidos o cândido Miguilim e o Menino saudoso, surpreende-se, em síntese, toda uma extraordinária sensibilidade poética.

BIBLIOGRAFIA

GUIMARÃES ROSA, João. *Corpo de baile*. 2. ed. Rio de Janeiro: José Olympio, 1960.

————. *Primeiras estórias*. Rio de Janeiro: José Olympio, 1962.

ANDRADE, Mário de. *Os filhos da Candinha*. 2. ed. São Paulo: Martins, 1963.

BERGSON, Henri. *L'évolution créatrice*. Paris: Alcan, 1912.

CASAIS MONTEIRO, Adolfo. *O romance*. Rio de Janeiro: José Olympio, 1964.

CHESTERTON, G. K. *Autobiografia*. Lisboa: Moraes, 1960.

FERRAZ, João de Souza. *Psicologia humana*. São Paulo: Saraiva, 1954.

MANTOVANI, Fryda Schultz de. *El mundo poético infantil*. Buenos Aires: El Ateneo, 1944.

SARTRE, Jean-Paul. *L'imagination*. Paris: Presses Universitaires de France, 1936.

A AVENTURA POÉTICA DE MURILO MENDES

Não se pode precisar a data da inauguração da poesia moderna. Já no século XVII, Góngora realiza, com a metáfora alógica, baseada na associação de sensações e ideias, com a acentuação arbitrária do metro de modo a valorizar o ritmo, e com certa graça irônica que tornou mais levitante o poema, inovações de capital importância que só mais tarde foram devidamente reconhecidas. Terá sido Góngora o primeiro poeta moderno?... Mas foi Edgar Poe quem surpreendeu, incorporando-o à poesia, um elemento decisivamente renovador, o da lucidez irradiante, ou melhor, o do conhecimento de fenômenos mentais através dos sentidos, preconizando esse conhecimento por determinação da vontade e não apenas se utilizando de associações ocasionais. A inteligência passaria a funcionar dentro da atividade artística, não somente com critério autocrítico, mas à maneira de bússola a indicar desconhecidos caminhos. Por sua vez, Baudelaire, entusiasta da inovação, levou-a mais longe. *"Le sentier est tout tracé, à rebours"*, disse ele, fazendo do paradoxo a própria substância de sua arte. Além disso, frisando a tendência essencialmente demoníaca da arte moderna, preferiu conteúdo inusitado: *"Pourquoi la tristesse n'aurait-elle pas sa beauté? Et l'horreur aussi? Et tout? Et n'importe quoi?"*. O poeta estaria mais apto para o seu ofício ao provocar as reações da natureza, com atitudes singulares que lhe proporcionassem não apenas maior acuidade, mas interpenetração dos sentidos. Do consciente pelo avesso para o subconsciente, era um passo. A contribuição de Verlaine, logo após, tornou-se valiosa pelo sortilégio das sugestões e pela flexibilidade musical reticente da forma. Auditivo que era, deslocou e desconjuntou o verso no sentido de prolongá-lo no tempo, exigência, talvez, de sua mórbida sensibilidade. Ressalte-se, ainda, que foi Verlaine o redescobridor de Góngora. À mesma época, dois poetas diferentes apresentam inovações de relevo: Rimbaud, pela magia da voz, do agrupamento de palavras impulsivas, da mais imprevista audácia espiritual, arranca do âmago do ser imagens cuja significação não desvenda, embora comunique, seu mistério poético. Novo Prometeu, não acorrentado mas deliberadamente exposto à rapina das aves, Rimbaud desafia interpretações. Por outro lado, Mallarmé, tido por muitos como o verdadeiro reformador da poesia, realiza um maravilhoso trabalho de depuração da palavra, de superação do conceito, de valorização do símbolo como fator estético do poema. De ordem aristocrática, seu processo nem sempre foi devidamente assimilado, vindo a causar, mais tarde, abstenções insolúveis. Dizia ele: *"L'armature intellectuelle du poème se dissimule et tient – a lieu – dans l'espace qui isole les strophes et parmi le blanc du papier: significatif silence qu'il n'est pas moins beau de composer, que les vers".*

Uma poesia desta forma individualista, com maiores possibilidades artísticas e meios mais reduzidos de comunicação, seria necessariamente hermética. A essa altura, a poesia moderna, já com várias características, parece, até certo ponto, bifurcar-se. De um lado, a corrente de Mallarmé à procura da quintessência poética pela representação do mundo contemplado e refletido dentro do ser, de outro lado, a corrente de Rimbaud a buscar, à força de experiência vital desabrida, o segredo das coisas inomináveis.

De todas essas fontes, com seus contrastes, unidas às experiências de Tzara e Apollinaire, surgiu o *"surréalisme"* que abrange ou atinge, pela complexidade e heterogeneidade, vários movimentos literários contemporâneos.

O *"surréalisme"*, termo que preferimos traduzir por suprarrealismo, define-se, conforme Cirlot, como revolta contra as instituições estabelecidas e, de modo especial, contra os métodos lógicos, de se apreender o real. Poder-se-ia argumentar que, em todas as épocas, o poeta manifestou sua repulsa às injunções sociais e testemunhou, através da fórmula mais ou menos original, sua índole intuitiva. Nunca porém se haviam sistematizado tais conceitos que André Breton expôs e defendeu com percuciência em seus manifestos, emprestando às ideias revolucionárias da escola, caráter filosófico. *"L'écriture surréaliste prétend être prélèvement arbitraire opéré sur un flux psychologique continu, une sorte de prise de sang de l'âme"*, diz Monnerot. Assim, teria atitude anárquica, diante dos valores tradicionais da linguagem.

O gesto anárquico tinha uma explicação de ordem psicológica, sintetizada numa frase de Nerval, um dos precursores do movimento: "Uma ideia terrível me ocorreu: o homem é duplo". Na impossibilidade, pois, de encontrar uma síntese de suas duas personalidades, ou feições, ele tenta, simultaneamente, uma afirmação e uma negação. Norma perigosa para a vida, aventura de largo interesse para a arte. Era natural que Breton conceituasse como a imagem mais forte aquela que apresenta maior grau de arbitrariedade. Sumamente contraditório nas suas tendências, o movimento tocava as raias de um novo misticismo, concretizado no emprego da magia, no automatismo verbal, na identificação dos sonhos, no abandono às forças subjacentes, assim como renegava, de modo geral, toda religião. Mas, em verdade, os extremos se encontram. Essa inquietude de espécie transcendente, esse estado de carência manifestado pela rebeldia, tem semelhança com a ardente espiritualidade dos poetas metafísicos ingleses, como já observou a crítica. Tanto quanto os poetas metafísicos ressuscitados, a partir do século XX, e recentemente estudados com segurança por J.-Pierre Attal, os suprarrealistas anseiam por descobrir a verdade que se oculta sob a aparência do mundo perceptível. Longe estão ambas as correntes de cantar as paixões e os anelos dos homens: propõem-se explorar as incógnitas do universo e captar os segredos e as relações funcionais do espírito humano. O abandono da musicalidade no sentido da melodia e até mesmo do ritmo é igualmente comum às duas escolas, que adotam linguagem coloquial, algumas vezes plebeia, inclinada a asperezas.

No âmbito da literatura brasileira, a aventura poética de Murilo Mendes é a que mais afinidades possui com as duas correntes cujas características acima se delineiam. Ou melhor: essas afinidades se encontram nos pontos de contato das duas correntes: na vocação metafísica, na índole sarcástica, nas objeções à vida, na gravidade espiritual resolvida como que *"à la légère"*, na repulsa aos tons sentimentais, na arbitrariedade das metáforas, na despreocupação formal, na ausência de melodia verbal, na vivacidade da dicção oposta ao estilo literário, no gosto pela antítese. A técnica de Murilo Mendes aproxima-se do processo suprarrealista no momento em que o automatismo verbal psíquico cede à interferência da volição. A atitude do poeta, neste sentido, corresponde ao conceito que da atividade automática apresenta Cirlot: *"La actividad automática, lejos de constituir un sistema cerrado en si, es más bien una posibilidad del pensamiento, durante la cual no acaban de desaparecer los factores concientes que le imprimen una dirección y un sentido"*. A diferença essencial, pois, entre Murilo Mendes e o suprarrealismo é que o poeta brasileiro encarna o próprio conflito entre os impulsos do subconsciente e a reação contra os mesmos, a luta entre os elementos gratuitos e o livre-arbítrio. Deste modo, a contextura de sua arte é feita de claro-escuro, impregnações de delírio e lucidez, com o aparecimento fugaz porém marcante de imagens oníricas a estimularem as outras imagens. O sentimento de pertencer a uma aristocracia sabendo-se homem comum; o orgulho intelectual de quem se deixar encantar pela humildade cristã; o desejo de abandonar-se ao fascínio demoníaco sem que lhe falte a graça divina; a paixão do abstrato a ser expresso de maneira concreta; tudo isso seria intensamente dramático se o poeta não resolvesse seus problemas no plano da pura sensibilidade.

> Nesta praia de antigos lamentos
> Ô Ô
> Lamento-me sem deuses nem coro:
> De ser homem e aderir à pedra.

Testemunham seus poemas, em conjunto, um sentido coerente, apesar das naturais contradições de sua musa, atraída pelos quatro ventos, inclinada à heresia e à blasfêmia, porém teimosamente firme no ideal de atingir o porto da unidade, dentro da fé cristã. Na sutileza e transcendência do texto, essa poesia revela uma busca de causas e fins, uma procura do essencial no tempo e no espaço, uma tessitura dialética de pressentimentos e ideias para ulterior cristalização. Trata-se de um poeta metafísico, na exata acepção do termo. Não de um místico, mas de um ser preocupado com o "conhecimento do real na sua interioridade" – (definição de Bergson para a metafísica). Observe-se o poema "O explorador":

À procura de um elemento
De sinos brancos, de peixes
Só para contemplar, do diamante
Do Santo Graal, da morte
Épica pela altivez, das ossadas
De nuvens, do castelo de camélias.
Da túnica da ressurreição,
Assim, sem ontem nem amanhã:
Até que, bêbedo de essência,
Eu role com o tempo maduro
Nos degraus da eternidade.

A igreja católica preparou-lhe plataforma filosófica na qual ele se instalou à vontade, passeando de um para outro lado, de modo às vezes insolente, porém sempre confiante. Com a inteligência do verdadeiro tratamento poético, ele sobrevoa as áreas do existente e do inexistente, une os extremos, entre os quais realiza todo um inventário de noções intuitivas. Confunde o natural e o sobrenatural com uma facilidade que chega a ser virtuosística, tão grande é o seu desejo de simplificar o que este mundo tem de complexo. Não admira que arco-íris e nuvem sejam imagens de sua predileção, pois simbolizam o traço de união entre o céu e a terra. Em virtude desse privilégio de aproximar coisas opostas, fazer suceder o descontínuo, desconhecer o espaço, anular o tempo (ontem sou, hoje serei, amanhã fui), podemos denominá-lo um poeta insólito. A técnica dos contrários, em Murilo Mendes, vai da antítese comum àquela que envolve o absurdo.

O que é, por natureza, categoria especial de conhecimento, faz-se, pela insistência e mesmo pela obsessão, decisivo rasgo estilístico: atitude antitética diante da vida, possivelmente derivada de conflito interior. Conflito exige solução; a atitude antitética é a procura dessa solução; e a poesia, o resultado dessa procura.

Partindo da aproximação habitual de termos opostos (amor e ódio, fogo e água, eterno e efêmero, passado e futuro, verbo e ação, vida e morte), essa fecunda maneira criadora (que inclui o paradoxo) atinge originalidade máxima na inversão de ideias preconcebidas, verdades aparentes, imagens consagradas, no embate de imagens com ideias (e vice-versa), e na redução de sujeito a objeto.

Alguns exemplos:

O maior milagre é o desaparecimento da Virgem

A presença real do demônio é meu pão de vida cotidiano

A mariposa atrai a lâmpada

Eu sou a própria esfinge que me devora

O trevo de quatro folhas achou-te

A mulher que despe a rua

Se me amasses eu me transformaria no que sou

Nasci para não nascer.

Por motivo, talvez, do estado de privação de sacralidade no ambiente moderno, o autor de *A poesia em pânico* recorre – antiteticamente – a um processo de "profanização do sagrado" (Ecclesia, Igreja Mulher), paralelo ao processo de "divinização do profano" de São João da Cruz, estudado por Dámaso Alonso.

A enumeração caótica (Spitzer), um de seus recursos técnicos mais constantes, denotando repulsa ao caos, documenta sua capacidade de extrair do negativo o positivo. Páginas como "Solidariedade", "O filho do século", "Vocação do poeta", "Eternidade do homem", "O amor e o cosmo", "O amante invisível", "Choques", "Coisas", e o lindo poema "Lá longe", são indícios de que o poeta recolhe os elementos que estão separados para fundi--los, num desejo de compreensão, abrangência, organização, harmonia, pacificação, ordem, unidade. Embora o subconsciente lhe proporcione, no jorro da enumeração, as substâncias mais díspares, estas se reconciliam e se identificam no todo, por um sentido superior. Essa enumeração não se assemelha à de Jorge de Lima, que faz o arrolamento das coisas em virtude de sua visão cósmica do universo à maneira mística; tem direção mais propriamente ontológica, assim como revela poder analítico.

"O poema essencialista", por exemplo, através do simultâneo e do heterogêneo, de evocações imagísticas e ideias abstratas, centraliza algo de transcendente significação:

A madrugada de amor do primeiro homem
O retrato de minha mãe com um ano de idade
O filme descritivo do meu nascimento
A tarde da morte da última mulher
O desabamento das montanhas, o estancar dos rios
O descerrar das cortinas da eternidade
O encontro com Eva penteando os cabelos
O aperto de mão aos meus ascendentes
O fim da ideia de propriedade, carne, tempo
E a permanência no absoluto e no imutável.

Um paralelo entre Jorge de Lima e Murilo Mendes, assunto que daria longo ensaio, resultaria na impressão de que o primeiro é homem assinalado pelo Antigo Testamento e o segundo, pelo Novo. A visão de que se ressente o primeiro é impressionante, pessimista, fatalizada. A do segundo, embora problemática, revela uma esperança, uma promessa. Não é em vão que ao invocar as velhas figuras bíblicas, Murilo Mendes as ressuscita: "novíssimo Job, novíssimo Jacob". Nota peculiar de sua fraseologia é o uso constante do superlativo: novíssimo Jacob, ideia fortíssima, terribilíssimos dedos, espírito seraníssimo, obscuríssimos quartos, arquitetura simplíssima, alma pobríssima, dedos fraquíssimos, friíssima noite, cão branquíssimo. Isto vem confirmar a qualidade de sua poesia: menos densa no aspecto plástico, pictórico ou escultórico, à exceção de alguns poemas de forte visibilidade, como "Armilavda" e "Cavalos", suas dimensões desenvolvem-se etereamente na enunciação de fórmulas mágicas; não decorativa nem fantasista, despe-se de alegorias, coloca-se na linha branca da imaginação, para melhor vislumbrar o sentido espiritual das coisas. Não revela um "estado", mas uma "fluência" (terminologia de Bousoño). Daí o curso de imagens de categoria mental, como círculo, arco. E a preferência pelas que recordam essa categoria: diadema; e pelas que não têm contorno definido: véus, cortinas, estandartes. Pois, embora criador de símbolos (as filhas do relâmpago, entre muitos), o artista não pode prescindir de formas terrenas. Se Jorge de Lima parte do núcleo para os arredores, do finito para o infinito, plasmando suas criações num amálgama de formas em espiral, como ramificações de árvores a escalar o azul, Murilo Mendes vem da periferia para o centro, do abstrato para o concreto, à procura de integração, debruça-se sobre a limpidez das águas que descem da montanha para o regaço da terra. Assim dizendo:

Fato augusto, prodigioso,
eu consegui me encarnar.

E, ainda, em "Ideias rosas":

Minhas ideias abstratas,
de tanto as tocar, tornaram-se concretas:

O uso de dois substantivos apostos, como Ideias Rosas, Poesia Liberdade, Igreja Mulher, Homem Gaveta, Homens Enigmas, Deuses Estandartes, Mulher Delícia, Vida Amargura, Borboletas Fadas, Poema Abraço, Mundo Enigma, Leito Navio, Pássaros Oboés, é processo de individualização concreta, sem perda do significado mental. Metáfora como "pensamento descalço", partindo do domínio ideal para uma base na matéria, oferece elucidação sugestiva, a trair, pela transparência, a espiritualidade da origem.

Creio que se pode aplicar a Murilo Mendes o que disse Eliot a respeito de Donne: *"A thought to Donne was an experience; it modified his sensibility"*. Desta afinidade, que é fundamental para a personalidade artística, decorrem outras coincidências entre os dois poetas, como a atração por certos motivos, principalmente os de tempo e espaço e, ainda, o modo de considerá-los. Igual pressão do pensamento sobre a sensibilidade, fenômeno algo escasso na poesia de língua portuguesa, nota-se no grande Fernando Pessoa.

O tempo passeia a música e restaura-se.

Eis um verso feliz do escritor brasileiro, no qual um duplo conceito, de tempo e música, transfere-se com delicadeza para a sensibilidade, que presume na música (o efêmero) o elemento restaurador do tempo (o perene); pois, se o tempo se restaura a si próprio, a música restaura a quem a escuta.

Mitos que se humanizam, mulheres-mitos, cortes transversais a mudarem o destino de seres e coisas, danças em torno da arca do sofrimento, frase tumultuada por termos plebeus para a revelação do hierático, e termos sagrados para a expressão do contingente, essas características de sua obra impõem ao mundo, e com veemência, uma nova realidade, estranhamente lírica. Pois para este, como para todo verdadeiro poeta, *"l'existence est ailleurs"*.

BIBLIOGRAFIA

MENDES, Murilo. *Poesias*. Rio de Janeiro: José Olympio, 1959.

ATTAL, Jean-Pierre. La poésie métaphysique. *Critique*, Paris, sept. 1959.

BOUSOÑO, Carlos. *Teoría de la expresión poética*. Madrid: Gredos, 1952.

CIRLOT, Juan Eduardo. Introducción al surrealismo. *Revista de Occidente*, Madrid, 1953.

ELIOT, T. S. The metaphysical poets. In: ——. *Select prose*. London: Penguin, 1955.

MONNEROT, Jules. *La poésie moderne et le sacré*. Paris: Gallimard, 1945.

NERVAL, Gérard de. *Le rêve et la vie*. Paris: Hachette, 1947.

RENÉVILLE, Roland de. *Rimbaud le voyant*. Paris: La Colombe, 1947.

SPITZER, Leo. *La enumeración caótica en la poesía moderna*. Buenos Aires: Instituto de Filología, 1945.

NO CENTENÁRIO DE VICENTE DE CARVALHO

Adolescente, publicava Vicente de Carvalho seu primeiro livro de versos: *Ardentias*, palavra que simboliza um dos principais motivos de sua lírica, o sentimento da natureza. O volume inicial, exíguo, fora escrito de 1883 a 1885. Pouco depois surgia *Relicário*, com poemas de 1885 a 1888, o rótulo a indicar outra razão de ser de sua poesia, o delicado e quase arisco subjetivismo. O autor reuniu esses volumes num só, *Versos da mocidade*, abandonando alguns poemas e polindo os outros para apresentá-los ao público depois do êxito de *Rosa, rosa de amor* e de *Poemas e canções*, saídos a lume respectivamente em 1902 e 1908.

Para quem viveu vida longa, de 1866 a 1924, a produção poética é escassa, o que se explica talvez pelo rigor de seus conceitos literários, talvez pelas lutas de sua existência. Mantinha família numerosa e exercia funções de magistrado. Prestou relevantes serviços à causa pública. Foi fazendeiro por algum tempo. Gostava de pescar e de caçar, possível pretexto para contato mais íntimo com a natureza que o atraía fortemente. E houve também um lapso ou parêntesis em sua produtividade poética, de 1894 ao início do novo século, ao ensejo de sua devoção ao Positivismo. Impressionado com o altíssimo conceito que tinha da poesia Auguste Comte, eximiu-se Vicente de Carvalho de escrever por algum tempo. A outro temperamento as palavras do Mestre, que considerava a poesia a mais nobre manifestação do espírito humano, teriam causado estímulo; a ele, suscetível sensibilidade, provocaram uma crise depressiva, felizmente passageira. Depois dessa fase em que esteve, conforme declaração textual, "voltado para a admiração intransigente e exclusivista dos 'Grandes Poetas'" e em que "aferrolhara a sete chaves a sua lira", recaiu o autor no jornalismo e nos versos, dois vícios de que se julgara definitivamente corrigido.

O silêncio fora sem dúvida benéfico. O poeta adquirira com a contemplação, a meditação e a maturidade, as características que o distinguem e lhe dão lugar de realce na esfera da poesia brasileira.

Duas linhas diretrizes em paralelo ressaltam de sua obra poética: o apego à natureza apontado por Euclides da Cunha, que o exaltou como "grande poeta naturalista", e uma sutil sensibilidade lírica, não muito comum em terras tropicais. Em face da natureza se utilizava da cor local; dentro em si próprio, conservava certa feição tradicionalista europeia. Sem situações conflitivas de relevo, tal dicotomia se resolve em notas irônicas, mais cariciosas do que ácidas. São agradáveis dissonâncias de espírito musical.

Com o mesmo lavor, todavia buscando a expressão singela e adequada à circunstância, escrevia um soneto de amor e uma ode ao mar. O amor e o mar eram seus focos de inspiração, às vezes tão próximos um do outro que se diriam fundidos.

Apesar da objetividade de suas imagens, do colorido das metáforas, da sonoridade dos metros, o poema de Vicente de Carvalho nunca é puramente descritivo ou realista. A rigor, não será um poeta parnasiano. Talvez não seja ainda um simbolista, embora uma aura de irrealidade proteja e envolva muitos de seus estados emocionais e suas paisagens. Ares de longitude perpassam entre suas confidências, ditas, entretanto, com naturalidade, justeza, harmonia e concisão. Ele nunca se manifesta problemático e estranho. Não celebrou mitos gregos nem mundos exóticos. Apresenta-se como um ser humano, coerente consigo mesmo, convicto de suas ideias, idealista rotineiro, moralmente nobre e, pelo menos no terreno artístico, pacientemente tranquilo, sem rasgos libertários. A ausência não total de certo frêmito recôndito, de certa inquietude propícia à criação moderna, se compensa nesta poesia por uma fatura flexível e dúctil, em que as palavras ressoam sugestivamente.

Resguardando-se dos volteios parnasianos que se impunham à época e distanciando-se do Romantismo de que soube usufruir indicações, como a magia dos contrastes, o idealismo amoroso e o gosto pelo panorama natural, Vicente de Carvalho encontrou sua expressão própria no meio-termo, na condição do homem comum, dotado de virtudes familiares e cívicas, nas excelências da vida normal, na fidelidade a seus princípios. Sem qualquer crença religiosa, nem esperança de sobrevivência da alma, conforme atesta essa impressionante página materialista que é "Sonho póstumo", não trai preocupações de ordem metafísica nem se arrisca a desafiar os demônios da dúvida. Realiza-se, como poeta, dentro de uma área deliberadamente delimitada, com equilíbrio e pertinência.

É passível de influências literárias, de acordo com a crítica de Fausto Cunha, e outros ensaístas, não se pode negar: há o caso das sugestões provindas de Gonçalves Dias, o caso de "A última confidência", derivado de uma das "Doze canções" de Maeterlinck, reminiscências de Guerra Junqueiro, mas sua obra, em conjunto, é reconhecível por um estilo característico, em que há correspondência entre o conteúdo e a forma, através da pureza e exatidão do vocabulário, do gracioso acabamento da estrutura linguística.

Era lúcida, na maturidade, sua concepção de poesia, assim exposta: "No verso, as ideias e a expressão fundem-se, e não há meio de as separar. Não creio que haja poetas da forma e poetas de outra espécie". "Em todos os tempos e de todos os poetas os versos que ficaram são aqueles que têm a eternidade da perfeição", continua ele, "porque evocam, em frase perfeita, flagrantemente representativa e modelarmente concisa, algum aspecto dessa maravilhosa, dessa variadíssima, dessa inesgotável paisagem que é a alma humana." Resumia mais tarde tal juízo numa síntese: "Na obra de arte, que é um luxo, a perfeição da forma é uma necessidade".

Testemunhou na prática a teoria. É poeta gratuito, jamais colocando a poesia em plano secundário, mesmo ao abordar assuntos de interesse social como em "Fugindo ao cativeiro", de lances dramáticos moderados pela discrição, parte de sua personalidade. É de notar-se a beleza do fundo paisagístico desse poema:

Negra, imensa, disforme,
enegrecendo a noute, a desdobrar-se pelas
amplidões do horizonte, a cordilheira dorme.

Como um sonho febril no seu sono ofegante,
na sombra em confusão do mato farfalhante,
tumultuando, o chão corre às soltas, sem rumo.

A imagem, além de nitidamente visual, é auditiva na variedade do ritmo e, ainda, repleta de vida em virtude dessa espécie de animismo que a percorre. Com o mesmo processo de emprestar alma às coisas, obteve o poeta um êxito fascinante em "Palavras ao mar". Nas 15 estrofes de 8 e algumas vezes 10 versos, todos brancos, quase todos decassílabos à exceção do primeiro verso de cada estrofe, que conta 6 sílabas, a pequena obra-prima reveste-se de uma ardente vitalidade a que preside um tom sonhador. Tomando o mar como espelho de si próprio, o poeta não lhe concede apenas uma alma, porém se unifica, se identifica e se reconhece na alma do mar. Há uma perfeita aliança entre o homem e a natureza de que ele possui o segredo:

Mar, belo mar selvagem!
O olhar que te olha só te vê rolando
a esmeralda das ondas, debruada
da leve fímbria de irisada espuma...
Eu adivinho mais: eu sinto... ou sonho
um coração chagado de desejos
latejando, batendo, restrugindo
pelos fundos abismos do teu peito.

Em verdade, o tema já havia sido tratado de maneira idêntica por Gonçalves Dias, no seu hino "Ao mar", repleto de beleza e de mistério, com uma aura de sobrenatural pressentimento. A semelhança entre ambas as composições, contudo, é mais aparente do que essencial, sendo profundamente religiosa e até mística a do poeta maranhense, a quem o paulista certamente admirava e com quem desejava, talvez, competir.

O fato do parentesco entre "Cair das folhas" – conhecido com o título de "A flor e a fonte" – e "Não me deixes!" é ainda mais curioso como indício dessa atração. Parece a Manuel Bandeira que Vicente de Carvalho fez uma espécie de réplica aos versos de

Gonçalves Dias. Os personagens de ambas as canções são idênticos; o ambiente e a circunstância, similares; fala uma voz apenas em queixoso solilóquio; o enredo flui em doce melodia, mais dramático no poeta romântico, mais lírico em Vicente de Carvalho. Limita-se o primeiro a insinuar, em sua metáfora, a paixão amorosa que se entrega sem reservas: não aspira, o que ama, senão a participar por completo da vida do objeto amado. A última estrofe de "A flor e a fonte" propõe um conceito fatalista ou determinista: por mais que ofereça resistência, o elemento frágil acaba sendo vencido pelo forte. Ainda uma vez, há uma lição de religiosidade na página mais antiga, a aceitar o livre-arbítrio; de ceticismo na composição mais nova. A sugestão do tema, entretanto, parece ter vindo de longe: de certa canção francesa de Victor Hugo, datada de 1834 e pertencente à coleção *Les chants du crépuscule*, cujos personagens são uma flor e uma falena e em que a voz solitária (a da flor) revela o anelo de união duradoura e perfeita:

> *La pauvre fleur disait au papillon céleste:*
> *— Ne fuis pas!*
> *Vois comme nos destins sont différents. Jé reste, tu t'en vas!*

Assim, em situações semelhantes, cada um dos poetas reage com emoção peculiar e imagina solução diversa. Este é um capítulo interessante na história das literaturas: casos de influência, reminiscência, coincidência, afinidade, aproximação voluntária, revisão, resposta.

De modo geral, a poesia de Vicente de Carvalho proporciona sensação de claridade. Não é que ele fale mais em aurora do que em neblina. Uma estatística de termos de velatura e de luminosidade talvez resultasse a favor do elemento crepuscular. É possível que essa impressão nos tenha vindo inicialmente da leitura de "Sonho póstumo", hino de adoração à luz, em contraste com a ideia opressiva da morte. O que então prevalece é a vitória da luz. Mergulhando mais fundo, percebemos que o critério pessimista do poeta em relação à vida — critério sensível e frequentemente exposto em pensamentos lineares — decorre de processos mentais ou, ainda, de passageiros desfalecimentos anímicos, jamais de melancolia congênita. Ele possuía, por natureza, o dom da alegria interior. Desta forma, sua sensibilidade, sentimento e imaginação cristalizam-se através de uma linguagem clara, talvez demasiadamente clara, dentro de uma lógica tranquila e direta, cujos períodos fluem sem o tropeço das inversões gramaticais e cujo vocabulário é simples, sem qualquer afetação, apesar de ter índole aristocrática.

Decorre daí – é de supor-se – a razão de sua popularidade, maior que a de outros poetas mais originais ou mais densos. Seu canto é realmente explícito. A exemplo, citemos um de seus famosos sonetos:

> Só a leve esperança, em toda a vida,
> disfarça a pena de viver, mais nada;
> Nem é mais a existência, resumida,
> que uma grande esperança malograda.

Já no primeiro quarteto se transmite o pensamento nuclear. O espírito se dispõe, não pelo pensamento em si, mas pelo contágio do canto, a seguir adiante, coerente, em suave expectativa:

> O eterno sonho da alma desterrada,
> sonho que a traz ansiosa e embevecida,
> é uma hora feliz, sempre adiada
> e que não chega nunca em toda a vida.

Só então, quando se torna óbvia a mensagem, aparece a metáfora; e em termos de visibilidade para reforço da ideia:

> Essa felicidade que supomos,
> árvore milagrosa que sonhamos
> toda arreada de dourados pomos,
>
> existe, sim: mas nós não a alcançamos
> porque está sempre apenas onde a pomos
> e nunca a pomos onde nós estamos.

A estrutura lógico-sintática deste soneto seria de teor prosaico e, no entanto, cria em torno uma predisposição ao estado lírico, alerta os sentidos e desperta emoção, atingindo por uma espécie de magia não apenas o intelecto mas a alma. Sabemos que a palavra, além de ser unidade de sentido, possui valores conotativos desde a sonoridade silábica e dos acordes do grupo vocálico até a orquestração do período. Aqui, se confirma o enunciado. Pois as frases objetivas do poeta lograram criar por via musical uma atmosfera específica para agrado dos sentidos, espécie de embalo que levou a imaginação a abrir voo. Esse processo de encantamento por modulação vocal, capaz de conduzir a estágios de sonho, tem sido (não é o momento de criticá-lo) parte integrante do sortilégio poético. Há artes, em verdade, que se comunicam pela tangente. E o nosso poeta tinha apurada intuição auditiva. Isto se verifica, por exemplo, na composição "De manhã – III". Após uma descrição que equivale a fundo de tela, ele imprime levitação balouçante aos dois últimos versos alexandrinos, principalmente ao penúltimo, com acentuação na 4ª e na 8ª, para dar a sensação correspondente à notícia, graça lírica do poema:

> ao leve sopro de uma aragem preguiçosa,
> o balanço de um galho embalando uma rosa...

Quando se trata de uma cantiga, lembre-se a I das "Cantigas praianas" (a partir da 3ª edição de *Sonetos e canções*), em que o desenho verbal é aéreo nas duas estrofes iniciais, enquanto está em jogo a natureza; já na 3ª, quando se individualiza a fala, a voz se torna sombria, estremece, eleva-se por um momento e logo baixa de tom, ao sabor da confidência:

> Duvidas que haja clamor no mundo
> mais vão, mais triste que esse clamor?
> Ouve que vozes de moribundo
>   sobem do fundo
>   do meu amor.

Ao compor uma elegia, "Pequenino morto" – em que pese à dispensável encenação –, ele escolheu o mais dolente verso de nossa língua, o hendecassílabo-trocaico (assim denominado por Péricles

Eugênio da Silva Ramos), com acentuação nas sílabas ímpares, arrastado e monótono, terminando cada estrofe, para inculcar desalento, com um verso de 5, repetição fastidiosa mas eficaz, de certas palavras do 4º verso. Desta forma:

Vais ficar sozinho no caixão fechado...
Não será bastante para que te guarde?
Para que essa terra que jazia ao lado
pouco a pouco rola, vai desmoronando?
Pequenino, acorda! – Pequenino!... É tarde!...
Sobre ti cai todo esse montão que ao lado
        vai desmoronando...

O ritmo e a melodia não são, propriamente, a essência do poema. Porém contribuem, definindo o timbre de voz do poeta, para que esta essência transpareça nas entrelinhas e se irradie para novos planos. A principal característica de Vicente de Carvalho talvez seja mesmo a sua segurança melódica e rítmica. Com um timbre de voz não agudo nem grave, a articular e movimentar as palavras, animando-as de sopro vital, conseguiu fazê-las cumprirem sua finalidade expressiva e seu destino comunicativo.

BIBLIOGRAFIA

CARVALHO, Vicente de. *Poemas e canções*. 2. ed. Porto: Chardron, 1909.
————. *Versos da mocidade*. Porto: Chardron, 1912.
————. *Poesia*. Rio de Janeiro: Agir, 1965. (Nossos clássicos)
HUGO, Victor. *Les feuilles d'automne – Les chants du crépuscule*. Paris: Nelson Éditeurs, [s. d.].

ENTRE MINEIROS

Não se deve tomar a literatura mineira como bloco de caracteres definidos. Pode-se, entretanto, falar tranquilamente em literatura mineira como complexo histórico, não propriamente em sentido evolutivo ou formativo, porque o fenômeno arte-literatura transcende, segundo creio, à evolução e à formação pelo seu mesmo fundamento que é a originalidade; em sentido histórico, sim, de informações ajustáveis, agrupamento de eventos similares, descoberta de causas e efeitos, denúncia de influências recíprocas, interpretações e critérios semelhantes. Em tal sentido, aqui entre nós, o assunto pode ser abordado com certo orgulho, pois em verdade, desde os primórdios da literatura brasileira, Minas tem contribuído largamente para seu maior brilho e, particularmente, para sua mais profunda significação. E, é óbvio, à hora em que a ciência coopera de modo tão valioso para a cultura humanística, emprestando-lhe novas luzes, já se torna um imperativo estudar o tema através da sociologia e da psicologia.

A mineiridade é um fato, ninguém o desconhece. O difícil seria focalizá-la com determinadas cores e enquadrá-la em moldura, pois a mineiridade, como a própria vida, é muitas vezes contraditória, quando não desconexa, o que revela, sem dúvida, sua rica substância anímica.

Reforçou-me essa convicção a leitura de *João Alphonsus*: tempo e modo, ensaio de Fernando Correia Dias, professor universitário de sociologia e de filosofia, em nossas faculdades.

Baseada em conhecimentos de natureza científica e em diretrizes de ordem filosófica, essa obra foge à classificação de estudo especializado para inscrever-se em esfera mais ampla, de essência literária, estilística e humana, o que me causou, e vai por certo causar ao nosso ambiente intelectual, a mais grata surpresa. A iniciativa de tal trabalho representa, pelo menos entre nós, uma inovação na crítica.

Por uma dessas raras coincidências, dois espíritos irmãos se encontram – e nem sequer em plataformas espaciais – fora de toda perspectiva: um ficcionista desaparecido em 1944 e um ensaísta jovem entraram em sintonização dentro da índole mineira que os distingue. O êxito do encontro deriva, não expressa, mas especialmente dessa afinidade.

Ao apontar os índices de provocação da terra, do meio exterior e das circunstâncias que induziram às reações de João Alphonsus, dentro de sua maneira de ser, como homem e como escritor, Correia Dias demonstra, ao mesmo passo, sua própria mineiridade. Cada qual representa uma época e um modo de ser diferente: o ficcionista através de uma fortíssima intuição que o levou a marcar vários de seus personagens de seu próprio ferrete mineiro, em momento de transição na estrutura montanhesa, o ensaísta através de singular capacidade conceptiva, iluminado por estudos gerais e dirigidos por sistemas modernos, numa fase de vida mais positiva e mais densa para nosso estado e nossa grei.

Assim, este livro não vem apenas acrescer o volume de nossas bibliotecas, a exemplo de tantas publicações ociosas: é um livro necessário, indeformável, que se destina a repercutir além das montanhas.

Possui perspectivas amplas, conquistadas minúcia a minúcia; seu ponto de partida e de chegada é um movimento de simpatia sem concessões burguesas, orientado sempre pela consciência da responsabilidade; os aspectos eruditos e as observações espontâneas seguem linhas paralelas que mutuamente se dignificam. Fruto de exaustivas pesquisas, especulações e meditações, é trabalho perfeitamente amadurecido, nada traindo de improviso, pressa ou gratuidade.

Depois da análise que faz do panorama do ficcionista, da geração e do meio, da expressão brasileira, da crença e do sentimento, da época e das ideias, do crescimento de Belo Horizonte, Correia Dias chega a uma conclusão serena, em cuja síntese se encontra a coroa de mineiridade a que me reportei de início. Não é categórico nem se mostra obstinado; excede-se tão só na modéstia. Seu ensaio não é apenas subsídio para a elaboração de um julgamento como supõe o autor: constitui julgamento implícito, pois testemunha interesse ascendente pelos valores em causa, respeito sempre maior pela personalidade abordada. Não será um julgamento final, porque o mistério da criação poética é indelimitável e sempre haverá novos critérios e surgirão outros conceitos inspirados de prismas diferentes.

Sem dizer a última palavra que, aliás, ninguém poderá dizer ainda, ou talvez nunca, tanto é difícil ao homem reconhecer a absoluta verdade em matéria de arte, o ensaísta desbasta uma área cerrada, abre um caminho a que certamente acorrerão clientes e adeptos na tentativa de darem a João Alphonsus o lugar que lhe compete por justiça.

Concordo estritamente com a tese do autor: "Nas contradições que ela carrega [a obra em apreço] se encontra, por certo, muito de sua riqueza".

Tal contradição, que também se acusava na pessoa de João Alphonsus e pude observar através de ameno convívio, não o tornava de trato difícil mas delicado, sendo ele extremamente sensível. Uma simples palavra poderia feri-lo. Por isso parecia esquivo e escassamente sociável, preferindo os pequenos círculos da família e as amizades da província, onde e quando se expandia contando casos de viagens que fazia pelo interior, falando de letras, voltando sempre à tecla da poesia do pai.

Apesar da contradição que o tornava não um ser versátil mas psicologicamente variável, entre indulgente e ressentido, mais indulgente do que ressentido diante dos impactos do mundo, era João Alphonsus criatura de grande naturalidade nas atitudes. Paciente, não hostilizava a ninguém, ainda quando magoado. Falando-me, certa vez, da incompreensão de um companheiro, teve expressão reveladora: "Ô sujeito sem poesia!". Falta merecedora de desprezo, para o seu nobre coração. Eis o maior conflito de sua existência: a poesia a ser resguardada; e ao revés a realidade, desde a primeira fase de sua adolescência a demovê-lo, a reformar e deformar seu reino interior, acentuando-lhe o pessimismo talvez inato que não queria levar a sério. Sorria de lado, como dizem.

O embate entre o sonho e a vida é comum a quase todos nós. Mas é mais contundente, creio, para quem leva na própria sensibilidade a herança dos doloridos. Assim João Alphonsus, notadamente o escritor, oscilava entre simples e complicado. Sua obra é um misto de desconfiança e audácia. Seus personagens, mais ou menos tímidos, têm atitudes imprevisíveis. Há sempre alguém, nos seus contos, tentando transpor o limiar da loucura, ora por excesso de bondade, ora por extremos de perfídia. Toda a fauna de sua imaginação, embora tratada com ternura, move-se grotescamente em campos limosos, perde-se neles, sem deixar de evadir-se, com certa significativa frequência, para o lado de Deus. Isso por instinto, bracejando alguns na ignorância, outros em pedantismo estéril, todos ao desamparo. Se uma palavra pudesse resumir a sensação que nos atinge, a transbordar desse estranho universo, havia de ser desamparo; ou desalento. Em clima de exaustão, em que não frutifica sequer o desespero, e muito menos floresce a esperança, os coitados que desejam ser bons procuram meios proibidos. No livro de mais relevante fatura artística, *Eis a noite*, aparece um conto ilustrativo a respeito: "O mensageiro". É a história daquele rapaz que se apresenta como Felisberto Teixeira qualquer, vindo do interior para a Capital, residente numa qualquer pensão, revisor de um jornalzinho qualquer. Depois de transformar-se em anjo da guarda pacificador e doador de felicidade, proporcionando aos seus companheiros uma noite de alegria impossível de conservar-se, passa o pobre-diabo a abrir as torneiras de gás da casa adormecida, "porque tinha tomado o lugar de Deus no seu pequeno mundo". O desfecho atingido de chofre, por superar um problema apenas esboçado em órbita metafísica, é de causar dor de cabeça. A mesma dor de cabeça que provoca Dostoiévski ao inventar *O idiota* como solução de santidade. Então, a nota essencial do estilo de João Alphonsus, que é o humor, mescla de compaixão e mordacidade, toma cores sombrias, assume amplitude maior. O trivial de suas primeiras experiências vai sendo dominado aos poucos com a aquisição da técnica e o amadurecimento do espírito.

O gênero a que ele se deu já é por si mesmo arriscado, espécie de caminhar em corda bamba, meio policial, meio bandido, fustigado pelas dramáticas incongruências da vida, atraído pelo lado cômico das coisas. A comicidade que, de acordo com Bergson, pode ser encontrada nas formas, nos movimentos, na situação, nas palavras e nos caracteres, mereceria estudo na obra de João Alphonsus, desde que muito cauteloso. Pois o que há de peculiar no seu riso é que ele nasce de uma angústia, tanto mais sufocante quanto mais humilde o objeto que a desperta.

Deve-se ainda observar que, além das agruras do gênero, o autor de *Galinha cega* enfrentou os redemoinhos de uma revolução literária dela participando ativamente em fase inicial contra a quase totalidade de preferências, àquela época, o que é muito significativo.

Acima de tudo, porém, é o brasão da autenticidade humana a melhor defesa de seu patrimônio.

BIBLIOGRAFIA

ALPHONSUS, João. *Eis a noite*. São Paulo: Martins, 1943.
————. *Galinha cega*. Belo Horizonte: Os Amigos do Livro, 1931.
————. *A pesca da baleia*. Belo Horizonte: Bluhm, 1941.
DIAS, Fernando Correia. *João Alphonsus:* tempo e modo. Belo Horizonte: Centro de Estudos Mineiros, Universidade Federal de Minas Gerais, 1965.

UM LIVRO DE MÁRIO MATOS

Classificou Machado de Assis a carreira literária como "tarefa nobre, pausada e séria". Com esses mesmos adjetivos queremos qualificar a obra que Mário Matos escreveu sobre o autor de *Dom Casmurro*: nobre, pausada e séria. Da nobreza do livro falam o estilo, gracioso e firme, a um tempo; a linguagem de escol e, ainda, o clima de alta espiritualidade em que se mantém quanto à essência do estudo. Da primeira à última página, mesmo naquelas em que se mostra severo na crítica ao que ele próprio denomina o espírito anticristão de Machado, há o traço de uma linhagem fidalga que se bate por motivos superiores e cuja franqueza é testemunho de ânimo forte. Não admira que, tomando como norma de vida os ensinamentos do Evangelho, encontre nas páginas do velho mestre pessimista e incrédulo veneno tanto mais perigoso quanto mais sutil.

Parece-me que tem razão o ensaísta mineiro quando se refere ao contágio depressivo do humorismo machadiano nos corações delicados, para os quais resulta em abatimento moral a descoberta de Machado que, aos menos sensíveis, causará, talvez, apenas certa complacência maliciosa e risonha, como se a questão do bem e do mal fosse de maior ou menor futilidade, no reino literário. Mas nem todos, é óbvio, possuem espírito crítico... Não houve, evidentemente, da parte do criador de *Quincas Borba*, nenhuma intenção de moralizar ou desmoralizar, bastando-lhe condicionar suas figuras ao sabor da existência, sem subtraí-las aos influxos de sua íntima constituição de ser desconfiado, realizando, sem mais intuitos, a arte pela arte.

De qualquer maneira, a obra machadiana possui requisitos para ser, como é, considerada uma das mais notáveis que nos tem dado a língua portuguesa, além do que, só merece aplausos o homem que trabalhou persistentemente durante tão largos anos, o que se fez, desajudado e pobre, o que nunca perdeu a compostura, o que se impôs à estima de seus pares, o que se integrou nos quadros do funcionalismo público tão dignamente como presidiu à Academia Brasileira de Letras nos tempos de Nabuco e Rui Barbosa.

Apreciando tal vida e tal obra, o autor do presente ensaio confirma seus próprios méritos de biógrafo e crítico, revelados em *O último bandeirante*. Aqueles que esperam encontrar coisas inteiramente inéditas no capítulo biográfico ficarão desapontados se não perceberem que, ao evocar certo episódio, ao descrever determinada cena, teve o ensaísta a intenção de revelar a significação do gesto, explicar nas entrelinhas, harmonizar o plano geral de estudo. "A originalidade não se encontra em nenhum escritor" é opinião, que não subscrevemos, de Mário Matos. Não é na novidade, propriamente, que reside a originalidade, mas no modo peculiar de sentir, cada ser, as manifestações da vida, de captar as ondas exteriores, no feitio de transmiti-las depois transubstanciadas, enriquecidas de seiva humana. O que há de original nesse trabalho reside, a meu ver, na "atração dos contrários", na diversidade que existe entre o observador e o observado e, em consequência, na crítica delicadamente sentimental e nobremente cristã do introvertido de Minas Gerais.

Pausado é o segundo adjetivo que merece o estudo em apreço. Pausado, não no sentido de tardo, moroso, mas na significação mais ampla de refletido, meditado, circunstancioso. Nota-se, à evidência, o intuito do autor de examinar detidamente cada questão à luz da consciência e da justiça; percebe-se o seu escrúpulo quando cita repetidamente outros autores cuja vantagem é a de terem chegado mais cedo ao assunto e cuja contribuição ele é o primeiro a querer valorizar. Repleto de citações comprovativas e exuberante de exemplos elucidados sob vários aspectos, esse volume é também um atestado de paciência meticulosa, digna de encômios, tanto mais que a forma de inteligência do escritor mineiro trai o estigma da inquietude e do sonho, nem sempre propício ao trabalho metódico. Assim concentrado, Mário Matos é o símbolo do equilíbrio, enfeixando todos os caracteres que formam o gênio montanhês.

Seu livro está preparado para qualquer vicissitude, sereno e seguro de si mesmo, vertido em meios-tons e meias-tintas, sem com isto ceder coisa alguma de sua autoridade, nem desmerecer de suas convicções. Analisa, após a narrativa biográfica, a obra do romancista carioca numa vasta visão de conjunto que representa, aliás, a mais bela e forte projeção do livro, o setor de irradiação que ilumina as outras páginas.

Em seguida, Mário Matos focaliza as diferentes atividades e as mais expressivas produções de Machado, passa em revista os mais notáveis estudos feitos em torno da grande figura, para terminar num capítulo sintético, em que se cristaliza claramente seu pensamento nuclear: "os personagens explicam o autor". Capítulo de interesse universal em que se define coisa bem difícil de ser definida – o fenômeno do *humour* em que se chega fatalmente a uma conclusão: "o humorista guarda consigo um cômico frustrado, um lírico que falhou, um satírico que não evoluiu". Capítulo em que se esbarra com Machado de Assis nesta frase açambarcadora: "Não se sabe o que o humorista quer".

Não há fugir à atmosfera de serenidade desse livro. Aliás, a serenidade é consequência lógica daquela nobreza primacial a que aludimos. No sentido preconizado por Carlyle, quando descreve o herói como homem de letras, encarnou Mário Matos o tipo exemplar: "O herói é aquele que vive no interior das coisas". Toda a riqueza, toda a verdade, reside no interior das coisas; também aí reside, por conseguinte, toda força de sugestão, toda inspiração. Só aqueles que sabem curvar-se sobre o mistério do íntimo ser estão aptos a refletir e projetar a sombra de outros seres. Assim como o ambiente das câmaras escuras é o único propício para a revelação das imagens virtuais, só as almas recolhidas na profundeza do silêncio e da solidão costumam desvendar outras almas. Machado de Assis está presente no verbo de Mário Matos com toda a sua glória de primeiro vulto da literatura nacional mas também com a sua deficiência humana. As restrições ao grande romancista com referência à pouca sensibilidade com que encarou os destinos superiores do homem são testemunhos de probidade sem a qual o livro do nosso ensaísta deixaria de ser sincero. Faltou, de fato, alguma coisa a Machado de Assis, algo misterioso como o sussurro das florestas, pequenino como a lágrima: o sentido da poesia. Não se pode negar que ele haja escrito bons versos, excelentes, mesmo. Porém toda a sua obra carece de um sopro vivificador inefável; nenhuma aragem de sonho ou visionamento a percorre; nenhuma flama a aquecer o sentimento das coisas a fecunda; nenhum abandono a enfraquece; nenhum arroubo a transporta; nenhuma percepção do eterno e do absoluto a perturba. Quem disse que sentia falta de ar ao ler Machado, assinalou uma descoberta; adverte Mário Matos que o que lhe falta é a fé. A poesia está no ar que respiramos, na fé que nos impulsiona. Enquanto o poeta se caracteriza pela audácia, inconsequência ou empáfia que se traduziria bem nas palavras do rei *"Après moi, le déluge"* – a obra do taciturno do Cosme Velho é toda prudência e percuciência, toda um recuar sobre os próprios passos. Imaginemos um vulto a caminhar sobre abismos, como Cristo sobre as águas: o poeta. Joaquim Maria nos vem à lembrança como um sábio curvado sobre microscópios, no escritório frio. No entanto sabemos que ele gostava de música, frequentava concertos e teatros, apreciava as rosas de seu jardim e tinha apego à sua Carolina, musa recatada e amável. Mas é patente sua deficiência de ternura humana, insofismável a escassez de reações naturais que poderia ter tido diante das grandes alegrias como diante das grandes dores do mundo. A estrutura mesma de sua personalidade tornava sem significação para ele as palavras paroxísticas: êxtase, deslumbramento, horror, paixão, desespero, céu, inferno. Nem sequer o elemento da loucura, tão frequente em páginas suas, e tão comovedor, se afina ao processo lírico; nem sequer esse elemento nos leva a uma atmosfera de compaixão pura, porque a piedade que nos inspira é incômoda, pela força do ridículo... O criador secarrão não simpatiza com seus personagens... E que é poesia senão aquilo que faz a comunhão dos santos? Que é poesia senão amor, compreensão, ou pelo menos desejo de compreensão, laço invisível de almas no enlevo ou na melancolia de viver? Machado é um limitador de destinos. Mau não direi que seja, pois não criou a maldade de seus títeres: em verdade ela já existia. Também não foi santo, como quer Eduardo Frieiro, porque desconheceu a outra face da humanidade: a que se enternece, e redime, a que chora sobre a própria miséria, a que ama, consola e perdoa...

Voltando a Mário Matos: esse livro que Machado de Assis haveria de estimar, uma vez que reúne as qualidades que ele apontava como padrão da tarefa literária, há de repercutir nos centros cultos do País.

À MARGEM DO *MANUSCRITO HOLANDÊS*

Esplêndida sátira à sombra de larga poesia, eis o que encerra *Manuscrito holandês ou A peleja do caboclo Mitavaí com o monstro Macobeba*, de M. Cavalcanti Proença. Criaram os preliminares da obra saboroso aparato em que se percebe, talvez por sugestão, o gesto caboclo, meio sonso, meio tímido, bem característico da índole do herói, bem justaposto ao clima da narrativa. Buscando devolver a Jurueba a parlenda casualmente encontrada à beira-mar no bojo de uma garrafa, parece o autor eximir-se da responsabilidade do texto. Não o faz apenas para aguçar a curiosidade do leitor. Deseja ele esclarecer, é de supor-se, que certos eventos da efabulação não lhe pertencem originalmente mas, sim, à nossa tradição indígena.

A natureza da obra é positivamente rapsódica: sua fonte de inspiração, muito pura, é brasileira ao extremo, sem deixar de abrigar elementos universais, como a perene luta entre o bem e o mal. Escolhendo, estilizando, adaptando, harmonizando, concatenando trechos de lendas esparsas, penetrando-lhes o íntimo sentido, modificando-as e orientando-as em função ética, o autor imprime ao livro, através do amálgama de concepções heterogêneas e de ardente sincretismo, um todo orgânico.

Ao manancial primeiro veio juntar-se o enredo de sua própria imaginação: fruto da realidade circundante, de observações individuais, ressonâncias de ideias e sentimentos, todas essas coisas, aliás, com muita graça diluídas em atmosfera predominantemente lírica. Síntese entre o passado e o presente, o sobrenatural e o humano, o longínquo e o imediato, a obra, que contém uma sátira bem forte, atende a sensibilidade de primeira água, sadia, sem egoísmo, direta, profundamente apegada à natureza; por isso mesmo capaz de compreender, tanto o pequeno mundo dos homens como o grande mundo cósmico.

Daí a nobreza natural do poema, sua plenitude sóbria, seu amadurecido bom gosto, sua justeza de proporções, sua cadência uniforme. Mitavaí ficará, por certo, em nossa literatura, ao lado de Macunaíma a cuja família pertence, como sinal de uma terra, de uma grei, de um estilo de vida, de um tempo, de uma feição particular de espírito.

A diferença que se faz notar entre pai e filho – o próprio Cavalcanti Proença aponta o parentesco ao recomendar ao herói, por boca de Tetaci, levante uma estátua àquele que venceu o gigante dono da muiraquitã – a maior diferença reside em que o herdeiro já possui caráter.

Apesar de sua volubilidade, em contraste com certa morosidade advinda do clima geofísico, é personagem de valor próprio, que se adapta a novos meios em virtude do desejo de aperfeiçoar-se, movido sempre de boas intenções.

"E, se tenho de ser capanga", diz ao abandonar um partido político por outro, "ao menos vou ser de quem tem razão." E ainda: "Acho que tenho bicho-carpinteiro, não encontro parada em lugar nenhum. Só mudando, mudando". A índole de Mitavaí, como a de Proteu, flui em perpétuo devenir, constantemente a renovar-se, a enriquecer-se de experiências – "Às vezes fico pensando que sou irmão do Rio Irovi".

Essa página em que fala o herói do seu destino é de maravilhoso encantamento, concentrando todo o sentido poético do livro – "Ainda não chegou o dia da minha enchente grande", conclui com simplicidade. É que, de acordo com a profecia do Boi-Espácio, ele ainda teria que remir seu povo – "Mitavaí, seu destino é grande".

Sem que a intuição do poeta se deixe ofuscar, em momento algum, pela clarividência do erudito, os conhecimentos científicos deste constituem o alicerce do livro de arquitetura firme. Bem no chão o interlúdio pitoresco, paira entre duas amplidões aquáticas: a do rio de onde emerge o indiozinho Mitavaí, e a do oceano por onde desaparece Arandu, como irmão do Rio Irovi, atrás da serra, em perspectiva indefinida. Mitavaí, no seu estado inaugural menino feio, já no último estágio demonstra a qualidade de disposição que lhe assegura o sobrenome Arandu – sábio, sabedor – não sem passar por uma série de aventuras humanas e sobrenaturais, como convém a um herói lendário de tribo. Por isso anotou Hans Richter: "Não podemos falar em príncipe, tratando de Mitavaí, entretanto, a seu modo, seria. Faltava-lhe, todavia, a virtude dos príncipes preconizada por Martial, pois não conhecia de pronto as pessoas". De fato, não conheceu Olga, não conheceu Taguarto, senão tarde demais; nem o significado das palmas que se transformariam em apupos logo depois do banquete político; não conhecia o coração dos homens que o levantaram à gloria para logo em seguida persegui-lo de morte. As amizades primeiras, a renúncia ao maior amor, a paciência aprendida com Tetaci, a dedicação encontrada em Flor-da-Noite, a sabedoria transmitida pelo Boi-Espácio, seu nume tutelar, toda a experiência de suas andanças acabou por dar-lhe estrutura inegável, entretanto complexa, de espécime de raça – "Vou-me embora sem despedida", parece estar sempre dizendo. Desde o seu aparecimento "na verdura do camalote que escorregava na pele do rio" a cantar com "voz de menino em coro de igreja":

> Rio abaixo, rio acima,
> ai, flor de lima,
> meu coração não aguenta
> despedir de quem me estima,

ele já vem marcado pelo estigma da saudade, da solidão, do anelo de liberdade e independência.

Tetaci, a alma, a inspiração brasileira na sua pureza, claridade, inteireza, evanescência e sacralidade; Mitavaí, o homem telúrico na sua espontaneidade e força à procura de si mesmo, abrindo caminho na espessura do ambiente; Macobeba, o de outros mundos, erro perene, mistificação, intromissão, deformação, interesse mesquinho: eis o triângulo simbólico da saga evoluída para a modernidade.

Guardando de Tetaci "o perfume, mormaço e mel, aroma de muito amor", o índio sofre reveses e ingratidões, caladamente, embora seja um bravo, como provou a ensejos numerosos. Ainda quando se desmandava era para arremeter-se contra o busto de bronze da praça... É que no fundo conservava aquele coração de menino que desde cedo revelara no convívio dos animais e das plantas, falando-lhes e ouvindo-os, crescido nesse orvalhado clima em que, em certo momento, "a anhuma nem gritava, com medo de trincar o espaço que parecia de vidro"; e, em outro: "por detrás das árvores andava um aviso de que o sol vinha nascendo".

"O coração do índio sofria sem ver de que, dor desanimada que tomava o corpo todo, saudades desenganadas, moleza, dormência." E, em contraponto com a notação psicológica, o autor maneja este fino pincel: "Só achava cômodo agachado, os joelhos quase encostados no queixo como se estivesse morto dentro da igaçaba, com desenhos brancos de tauá". Esse era o tempo da preparação.

Como qualquer bom caboclo, o herói se diverte em área semicivilizada. Surpreende-se e delicia-se com os folguedos de um circo. Mas, quando foge o boi ao final de grotesco episódio, ei-lo de novo ensimesmado na sua visão apocalíptica: "Mitavaí, pendurado nas cordas do toldo, viu o bicho abrir caminho com os guampos, parecia até que tinha engordado, lustroso. Conheceu que era o Boi-Espácio, na plena força de boi-visagem, saltando por cima de uma criança caída, subindo no escuro da praça".

A peleja com o monstro Macobeba desvenda a personalidade de Mitavaí, a quem não faltam desassombro, tenacidade, malícia. E desprendimento diante da vitória. "Mas, gente, como é que souberam?", ingenuamente pergunta aos que o festejam depois da façanha. Não tardaria o momento do seu sacrifício. E o do seu grande gesto poderoso, capaz de fazer adormecer a horda dos celerados.

A essa altura é ele sem discrepância o próprio Poronominare, o dono da terra, aquele que na lenda nheengatu, perseguido como feiticeiro, perguntava a Iure: "Tu acreditas será que esta gente que vem subindo a serra ficará viva, quando de meu corpo sair sangue?". Então fez Poronominare o gesto redentor que repetiria Mitavaí. E as palavras tradicionais, na versão de Brandão de Amorim, igualmente se conservaram: "Aquela gente, que estava pela costa da serra, tremia de medo, perto da sua cabeça estrondava o trovão. Aí mesmo, contam, sem ninguém saber como, aquela gente dormiu".

Emprestando cunho de classicismo às expressões linguísticas que, de arcaicas se foram tornando plebeias, o escritor realiza belo trabalho em prol da restauração da língua pátria. Desconfio que o grosso comedor de línguas não agia apenas no sentido de fazer silenciar, mas, por acréscimo, no de importar substitutas...

Diferenças à parte, esse trabalho evoca, por muitas afinidades, a obra de Frederico Mistral, tão afeiçoado aos costumes de sua gente, como à língua primitiva de seu torrão.

Um dos mais inspirados momentos do *Manuscrito holandês* refere-se ao envenenamento de sete crianças pela manipuera. A esse passo, a pena do escritor mostra-se perfeita na emoção discreta e quase sem voz de tão profundamente dolorida. "Umbelino e Mitavaí acharam as crianças quietas, deitadas por perto da gamela, feito cachorro de caça, descansando." E sem mais: "O hóspede pagou a cachaça do velório e os sete caixõezinhos de cetineta azul".

Dentro da mesma tonalidade, como em processo polifônico, essa obra reúne várias melodias independentes para efeito de conjunto. Não destoa deste a mesma sátira: variação, pretexto centralizado e não motivo central, é de supor-se. O *"intermezzo"* cômico funciona como elemento atualizante de controle e equilíbrio; surge a talhe de foice para valorizar a poesia ambiente e o aspecto moral da obra, testemunhando, aliás, intenso poder de análise e crítica, assim como o espírito construtivo do autor. Talvez pelo fato de ser o riso fator eminentemente social, aceita-se de imediato essa mudança de direção para um terreno de desafogo e desabafo da inteligência, diminuída a tensão sentimental. A perícia com que o autor acerta no alvo suas agudas farpas sem veneno, sem ódio, em saudável divertimento, comunica-nos sensação de alívio: não se destrói o ideal, como nas sátiras amargas da desilusão e do descrédito; destrói-se aquilo que se opõe ao mesmo ideal.

Na estrutura global do livro, o capítulo das boas risadas representa uma tomada de consciência, um mergulho na realidade contingente, sinal de advertência muito lúcido e muito oportuno.

A intuição do poeta – harmonia entre o interior e o exterior – tornou possível tal solução de elementos contrários. A sátira aparece de súbito em ângulo inesperado, a assinalar o encontro de dois mundos: o do estágio folclórico e o de uma civilização de improviso, de empréstimo e transição. A esse aspecto, a passagem de Vofavofe é inteiramente brilhante, não deixando a menor dúvida quanto às intenções do autor. Logo se apresentará de corpo o diretor da companhia: "O monstro apareceu no subúrbio e comeu a língua de uma torre de rádio"... Já não precisamos perguntar-lhe – quem és tu? – como perguntou outrora Calendal a Marco-Mau, o que assolava a Provença e que assim falou reportando-se à dinastia demoníaca: "Quem sou eu? O meu avô Barrabás que figura na Paixão; o arcipreste que roubou o dinheiro de São Pedro em Avinhão; Mandrin, o terror do Delfinado; e Gaspar de Besse, o fantasma dos desfiladeiros de Oliule, eram bonecos ao pé de mim".

Se Mitavaí não consegue vencer por definitivo o gigante Macobeba, é que este possui o dom de ressurgir das próprias cinzas. Mas o caboclo que simboliza a expressão racial, ou pelo menos, a procura dessa expressão, através de um modo de viver legítimo, também saberá ressurgir depois de cada derrota, como sábia e teimosamente sugere o autor nas duas últimas palavras do livro – "Mas volta".

Voltará sem dúvida, para que o Brasil continue a ter seus escritores peculiares, nessa alta linhagem de José de Alencar, Mário de Andrade, Guimarães Rosa, Cavalcanti Proença.

BIBLIOGRAFIA

CAVALCANTI PROENÇA, Manuel. *Manuscrito holandês ou A peleja do caboclo Mitavaí com o monstro Macobeba*. Rio de Janeiro: Antunes, 1959.

DA COSTA E SILVA, Alberto da. *Antologia de lendas do índio brasileiro*. Rio de Janeiro: INL, 1957.

MISTRAL, Frederico. *Calendal*. Trad. J. A. d'Azevedo. Porto: Lamares, 1927.

REFLEXÕES SOBRE A HISTÓRIA

Chegou a vez da integração da mulher nos quadros do Instituto Histórico e Geográfico de Minas. Novidade, esta, equivalente a algum abalo sísmico para meios sociais menos avisados. Eu mesma perguntaria com certa perplexidade, tal é a força do convívio da sombra a que tem sido fadado o espírito feminino: pode a mulher, tanto mais frágil quanto mais sensível, partilhar com o homem de grandes embates culturais, qual seja o da formação da consciência histórica de uma grei?...

Pois, de fato, a missão daqueles que se reúnem sob o signo da História não é tão somente arrebanhar cabedais de tempos pretéritos, enriquecer o patrimônio dos povos pela erudição, prestar tributo à memória dos heróis, mas, além e acima de tudo isso, plasmar a própria consciência histórica da Nação. Essa consciência não se improvisa mas se cristaliza aos poucos, de geração em geração, por meio de peculiares instrumentos e normas de trabalho: a pesquisa, a análise documental, o exame das influências naturais sobre os eventos, suas causas morais próximas e remotas, o estudo de personalidades e coletividades, a preparação dos quadros de visão panorâmica, a composição de monografias, a síntese artística, a crítica, a indicação de novos caminhos que correspondam a ideais legítimos.

"A História é sempre", afirma Huizinga, "a captação e a interpretação de um sentido que se busca no passado." Fundamento, pois, de toda cultura, ela condiciona o sentido ético-social de um povo, marcando diretrizes políticas e finalidades essenciais. Recentemente, a Associação de Professores de Dresde reconhecia de público que "a formação do sentido histórico leva [...] da experiência e compreensão da origem das coisas e suas manifestações, à vontade de colaborar ativamente em benefício da cultura". Ainda mais longe foi Claparède, o grande pedagogo, ao ver na formação da consciência histórica o caminho da futura inteligência mundial – única vereda para a sonhada paz.

Universalmente reconhecido o valor da História, focalizemos de preferência a sua natureza e a maneira pela qual se revela. De acordo com a índole do século XIX, definiram-na os enciclopedistas como *récit*. Tomaram então grande impulso as ambições da história científica, hoje contidas dentro de órbitas normais. É claro que o aparelhamento da ciência, o progresso técnico, a utilização de instrumentos mecânicos, a análise objetiva, a analogia de métodos e sistemas representam para o historiador valiosíssima contribuição. Porém, o que se fundamenta em razões do homem está na esfera exata de sua originalidade: terá de ser aferido, em última instância, pelo que o homem possui de original. Não é apenas o texto a interessar-nos: é todo o complexo das pegadas humanas. O texto é problemático se não pudermos situá-lo no anel de circunstâncias em que foi escrito; e se não soubermos aquilatar de sua valia com relação a usos e costumes da época e do meio de que provém. Por isso ironizou Lucien Febvre a fórmula naturalista: *"L'histoire se fait avec des documents écrits, sans doute. Quand il y en a. Mais elle peut se faire, elle doit éssayer de se faire, à tout prix, sans documents écrits, s'il n'en existe point. Tout ce qui étant de l'homme, dépend de l'homme, sert à l'homme, signifie la présence, l'activité, les goûts et les façons d'être de l'homme".*

Sim, o campo do historiador tem a amplitude mesma da existência. Falam com o vigor dos documentos escritos todos os valores e fardos que acompanham o ser humano em sua trajetória e que permanecem na terra após o seu desaparecimento, ora modelados no espaço, ora conduzidos nas franjas do tempo: um bloco de pedra levantado aos ares por mãos de artista, águas desviadas de seu curso para fins utilitários, a intenção sigilosa de algum pacto, um estilo de vida, uma cantiga de berço que nos veio de longe...

Superado o alvitre do último século, podemos hoje afirmar com os grandes adeptos do conceito moderno, por exemplo, Marrou: *"L'histoire est une réponse à une question posée et qui jaillit de ce qu'il y a de plus profond dans l'âme du chercheur".*

Ora, o que a inteligência humana não consegue captar, ou demonstrar por meios palpáveis e comprovantes imediatos, tem sido muitas vezes descoberto por uma espécie de pressentimento, vislumbre, instinto, associação de ideias. Impressionante exemplo: o encontro do tesouro do túmulo de Vix por Joffroy veio plenamente confirmar uma antiga convicção de Mommsen, exposta na sua *História de Roma*. Pesquisador apaixonado, ele se baseara, como a outros ensejos, em conjeturas pessoais, daí partindo para uma ilação.

Além disso, o que o espírito do homem não logra transmitir racionalmente, nem classificar em moldes preestabelecidos, tem sido e há de ser representado por meio de expressões similares e analógicas, nascidas da sensibilidade para atingir a sensibilidade. O conhecimento do passado pelo presente só pode ser feito à base de uma super-realidade. Ao dividir, no início do século XX, as águas do conhecimento humano em duas formas teóricas – a arte e a ciência – disse Croce: *"La storia non ricerca leggi né foggia concetti; non induce né deduce; è diretta ad narrandum, non ad demonstrandum; non costruisce universali e astrazioni, ma pone intuizioni"*. Este é por certo um conceito extremamente rigoroso, que não permite grande extensão mas que define a História, de maneira incisiva, como obra de arte. Assim compreendida, a História oferece lições mais fecundas, tornando-se ao mesmo tempo o manancial em que se abebera a Sociologia, a fim de deduzir cientificamente suas leis e princípios.

Através de intuição, pois, recriará o historiador, pela força da expressão verbal, toda a significação de uma realidade pretérita, a par dos processos positivos de verificação.

Já em 1883, ao ensejo de sua entrada na Real Academia de la Historia, a tese apresentada por Menéndez y Pelayo era a seguinte: *"De la Historia vengo a hablaros – dizia – pero non considerada en su materia y contenido, ni siquiera en las reglas críticas y métodos de investigación para escribirla, sino de lo que a primera vista parece más externo y accidental en ella, de lo que condenan muchos desdeñosamente con el nombre de* forma, *como si la forma fuese mera exornación retórica y no el espíritu y la alma misma de la historia, que convierte la materia bruta de los hechos y la selva confusa y enorme de los documentos y de las indagaciones, en algo real, ordenado y vivo, que merezca ocupar la mente humana..."*

Voltava-se dessa maneira, depois das discussões do século XIX, construtivas pelas definições de novas responsabilidades, à mais remota experiência do gênero. Não negava Heródoto, o pai da história, a necessidade do elemento científico. Já a palavra grega *"historía"* tem o sentido de "averiguação". E os seus propósitos eram claros, assim como admirável seu espírito de justiça, de acordo com o prólogo: "Esta é a publicação do averiguado por Heródoto de Halicarnasso, para que nem o tempo apague os feitos dos homens, nem as grandes e maravilhosas façanhas – algumas devidas aos gregos, outras aos estrangeiros – sejam olvidadas pela fama".

Segundo Bowra, Heródoto logrou definir lucidamente a natureza e o caráter da História, compreendendo-a como uma série de eventos. Mas acontece que a magnitude do assunto e o seu instintivo sentimento de respeito à divindade transportaram-no a esfera mais vasta. A inspiração levou-o do livre método narrativo a uma atitude épica; e essa atitude, ao contrário de prejudicar a verdade histórica, deu-lhe veemência relevante.

Arte da composição, a História exige, além do discernimento lógico e da base científica, sensibilidade peculiar, força íntima, liberdade de imaginação, não para fantasiar mas para reconstituir e recriar de vários elementos dispersos algo de autêntico. A realidade sucedida no tempo voltará então a viver, com a seiva subjetiva, em novas dimensões. Assim como a obra de Oliveira Martins, o grande historiador português, de poderosos dons artísticos.

Na qualidade de arte, a História vive nas proximidades da Poesia. A primeira afinidade reside na essência de que procedem ambas. Partem em busca da revelação do essencial como linhas paralelas. Seus métodos e processos divergem; mas inscrevem, uma e outra, em transcendentes espelhos, a figura do homem, a salvo das contingências de temporalidade e finitude. Inspiram-se mutuamente. A História constitui muitas vezes, direi melhor, constitui sempre, o motivo do poema. Que poderá dizer a criatura humana de suas próprias sensações, emoções ou percepções que não assuma caráter histórico? O mais abstrato poema realiza-se acusando causalidade, exprime continuidade, existe, é pois virtualmente histórico. De outra parte, numerosas são as obras poéticas cujo teor provém de sucessos concretos. De

Homero a Shakespeare, de Shakespeare a Guimarães Rosa, vai toda uma escala de maravilhosas ficções correspondentes a verdades comprovadamente vivas ou a verossimilhanças tão vivas como verdades. Todo poema, ainda que de ordem interior, é partícula histórica, símbolo testemunho, que alcança pleno significado ao incorporar-se ao sentido global da História. Basta palpitar do fogo sagrado de Prometeu.

Se de fato Poesia e História se identificam (a este ponto me propusera chegar) pode a mulher prestar eficiente colaboração a uma entidade cultural como o Instituto Histórico e Geográfico: pela aura de imaginação e graça intuitiva com que a dotou a natureza; pelo seu dom de compreender o inexplicável; sua facilidade em contornar problemas insolúveis; sua acuidade em penetrar segredos; seu gosto e senso de harmonia; sua sabedoria em aceitar o mistério; seu apego aos princípios teológicos; sua ternura em relação ao passado; seu entusiasmo diante do porvir; sua fé, esperança e caridade. Lealmente reconheço nessas faculdades do espírito feminino alguns extravasamentos e limitações que a companhia do homem costuma dissipar e conter pela prudência, temperança, fortaleza e justiça, que são o apanágio do sexo forte; pela densidade de seus atributos intelectuais; pela experiência nas lides políticas e no trato com a civilização; pelo senso do presente; pela exatidão conceptual; pela capacidade filosófica que o distingue.

Tais dissensões ou diferenças criadas pela mesma natureza, longe de dificultarem o nosso convívio, poderão redundar, conjuntamente, em benefício dos ideais que nos movem. As tendências da mulher, com o predomínio do sentimento, levam-na a uma concepção mais amena da História, que a impressiona pela beleza dos grandes feitos, pelo fascínio de personalidades heroicas, pelo pitoresco das tradições orais, o que a torna elemento irradiador do entusiasmo cívico e fonte primacial de folclore. Com vistas a especial lucidez, o homem revela juízo mais severo: seu espírito crítico propende a acumular experiência de modo a julgar, em companhia de Ortega y Gasset, que do saber histórico o mais importante é a lição dos erros do passado para que não venham a repetir-se.

A mulher inclina-se a receber os fatos com suas motivações a fim de integrá-los em sentido humano-religioso. O homem procura analisá-los em suas tramas e consequências, deles haurindo conceitos de valor, de acordo com a moral vigente.

A mulher aceitando a História como dádiva a ser transmitida e o homem dominando o próprio destino histórico encontrarão, em consonância, uma solução que permita o aperfeiçoamento da comunidade, em plano cultural e ético.

BIBLIOGRAFIA

CROCE, Benedetto. *Estetica*. Bari: Laterza, 1946.

HUIZINGA, Johan. *El concepto de la historia y otros ensayos*. México: Fondo de Cultura Económica, 1946.

MENÉNDEZ Y PELAYO, Marcelino. *Estudios de crítica literaria*. Buenos Aires: Glem, 1942.

ROMANCE COM NOTÍCIAS FOLCLÓRICAS

À lembrança dos romances de Joaquim Manuel de Macedo, *A moreninha* e *O moço loiro*, livros incorporados ao nosso patrimônio literário, deveria associar-se a de um outro, o qual me parece de essencial interesse para o estudo dos costumes e da psicologia de outrora.

Refiro-me ao romance intitulado *As mulheres de mantilha*, cuja peculiaridade consiste na apresentação de uma série de imagens do tempo colonial, focalizadas através de uma rica documentação folclórica.

Baseando-se em argumento histórico de escassa importância, Macedo traçou o esboço de hábitos e conceitos generalizados na segunda metade do século XVIII no Rio de Janeiro, então nova capital do Brasil.

Romance e folclore, nesse momento de formação do novo núcleo étnico e social, entrelaçam-se com amanhecente candura, a que não falta malícia infantil, e nem sagacidade primária.

Sem possuir a agilidade mental de Manuel Antônio de Almeida, nem o mesmo talento, nem a mesma clara intuição do pitoresco, que fazem de *Memórias de um sargento de milícias* livro excepcional entre nós, Macedo aproxima-se de seu colega à altura de escrever *As mulheres de mantilha*. É até provável que se tenha inspirado no exemplo de Almeida, cuja obra surgira quinze anos antes, em 1854.

Com larga pachorra e consciência profissional limitada, porém sincera, Macedo tece a trama de seu romance de modo a introduzir com naturalidade os fios da psicologia coletiva que ditava, precisamente, os costumes da época.

Se não convence artisticamente, por deficiência de poder expressivo, informa de maneira bastante graciosa. Não se trata de uma galeria de caracteres, mas um conjunto de vagas figuras esfumadas movimentando-se em função do meio, vivendo para a ressurreição do passado. O autor possuía noção do valor de seu trabalho, como se depreende de suas próprias palavras: "No século vigésimo os romancistas historiadores, que são os professores de história do povo hão de agradecer estes e outros esclarecimentos da vida íntima das famílias do nosso tempo".

Desfilam, pois, ao correr das páginas desse livro, em minuciosas descrições, as festas que faziam as delícias de nossos antepassados, suas usanças e caprichos, as cantigas que cantavam, os versos que compunham, geralmente de sabor político e muita mordacidade, "visto como não tinham tribuna parlamentar, onde se falasse por eles, nem imprensa, que fosse livre órgão da opinião de cada um".

O livro parece ter sido escrito sob a égide do lundu, a cada passo recordado com sensível complacência do autor, embora este o desaprove em termos expressos: "O lundu, a cantiga folgazona, sarcástica, erótica e muito popular exagerava os seus direitos, e ia às vezes até a licença, ofendendo, arranhando os ouvidos da decência".

Quem fugiria ao sortilégio do lundu, apesar das fulminantes reprovações das autoridades religiosas? Às reprimendas de certo frade zeloso replicava o povo:

Fr. Antonio do Desterro
quer desterrar a alegria;
mas eu sou patusco velho,
e teimarei na folia.

A essa época, de acordo com a instrutiva parolagem de Macedo, inteiramente favorável à suposição a que foi conduzido Mário de Andrade através de estudos musicais, o lundu, de que derivou o fado brasileiro, fazia as primeiras incursões em meios sociais mais finos, passava das camadas populares para as aristocráticas. Com efeito: convidada pelo vice-rei para cantar em palácio, Inês, personagem do livro, sem experiência do protocolo, canta um lundu que costumava cantar em família. Enquanto se constrange o pai da moça, o vice-rei acha graça, ri-se, a sala aplaude com entusiasmo e... sobe de categoria o lundu. Tal acidente coincide com estas palavras de Mário de Andrade: "É possível mesmo que ainda na colônia já tivesse entrado nos salões da burguesia abastada e da nobreza, pois também reproduzi na *Antologia das modinhas imperiais* um lundu para cravo que não passa de um andante muito europeiamente setecentista ainda, só tendo de estranho algumas síncopas".

É pois natural que se cantasse então o lundu, ora ao som da viola, ora ao som do cravo, conforme anota Macedo.

Sobre a Festa dos Reis, o romancista apresenta uma súmula, na qual se percebe diferença da que se realizava na Bahia e noutros Estados, conforme a descrição de Melo Morais Filho, sendo a do Rio já menos primitiva e mais fraca: apenas constava de cantatas de grêmios sociais e não de representação completa de autos.

Merecendo atenção especial do autor, o entrudo é comentado com abundância de pormenores, aliás muito semelhantes aos do quadro oferecido por Morais.

Não se esquece Macedo de referir-se à indumentária de homens e mulheres do tempo, eles, pelo menos, mais vaidosos do que os nossos contemporâneos. Assim evoca uma grande noite no teatro: "Na plateia ostentavam-se as fardas: nos camarotes o riquíssimo e pesado luxo dos ornamentos das senhoras, cujos vestidos e sapatos de salto eram bordados de prata e de ouro, e nos homens as casacas de veludo, jalecos de cetim também bordados de prata ou ouro e contendo um relógio em cada bolso, dois relógios pois presos por cadeias de ouro".

Convenhamos: o uso de dois relógios de uma só vez é de gloriosa memória!

Sem desdenhar assuntos de culinária, o autor induz-nos a assistir a um banquete cujo cardápio assustaria mesmo Pantagruel. Mais simpatia nos merece o aluá, "inocente e refrigerante cerveja do arroz, apregoado nas horas mais calmosas dos dias de verão e em todas as estações".

Para os que têm curiosidade de saber que aspecto apresentavam as casas da época, aí vai a notícia: "Abundavam as casas térreas e de um só pavimento, e essas reservavam as portas e batentes das janelas para se trancarem à noite, mas de dia tinham os vãos das portas e janelas defendidos aos olhos curiosos por peneiros ou tecidos de palha firmados em um quadrado de sarrafos, que se penduravam, ou se podiam mover encaixilhados". Tais peneiros, é de supor-se, são os precursores de nossas venezianas.

Entre todas as informações do romance, contudo, a mais impressionante pela raridade do texto, sem similar em nossa biblioteca, é a que se relaciona com a "serração da velha", prática herdada da península Ibérica, onde, segundo afirma Teófilo Braga, já era diferente da que se usava em outros países europeus. É pena que o romancista brasileiro não haja discriminado os instrumentos que compunham a orquestra infernal, para tornar mais eficiente, do ponto de vista técnico, a seguinte notação, fonte talvez única para o conhecimento de um aspecto significativo do folclore nacional: "Nas cidades e até nos pequenos povoados ajuntavam-se mancebos folgazões para a festança: dizia-se que pelo correr da noite se havia de *serrar* a mulher mais velha da cidade ou povoação e era tão simples e crédula a gente daqueles tempos, que havia velhas que tremendo de medo se escondiam durante o dia fatal para não serem apanhadas pelos serradores.

À noite saía a sociedade à rua: homens possantes vestidos a caráter, às vezes representando índios, ou negros africanos, ou mouros puxavam um carro com imenso estrado, sobre o qual viam-se meia dúzia de figurantes trajando à fantasia e uma grande serra armada e pronta para serrar uma pipa dentro da qual se dizia ir encerrada a velha condenada ao sacrifício.

Onde era possível obter-se música, uma dúzia de tocadores de instrumentos bárbaros, ou capazes de produzir grande ruído, não excluía a banda de música de verdadeiros professores que, durante a marcha da burlesca procissão, alternavam com a orquestra infernal, tocando marchas alegres: onde tanto não se podia conseguir, contentavam-se os folgazões com a orquestra infernal.

Às vezes cessava a música, e os puxadores do carro marchavam, entoando cantigas alusivas ao trabalho que executavam, alternando também com os serradores que cantavam, ora fazendo alusões à velha que levavam na pipa, ora outros cantos mais ou menos engraçados, ou em moda entre o povo.

Quando os carregadores paravam para descansar ou de propósito defronte de alguma casa, a cujos moradores queriam obsequiar, os serradores dançavam grotescamente, e um deles, principal, fazia em alta voz a leitura de uma composição poética, em que era cantada a vida da velha que ia ser serrada.

Passavam assim pelas ruas até que na praça principal se completava a função serrando-se a pipa, que em vez de mostrar serrada no seu interior a velha, apresentava boa e variada ceia, e abundância de garrafas de vinho."

Depois de outras minudências, valoriza-se a narrativa com uma preciosa versão do que então cantavam os "serradores da velha" ao ensejo dessa festividade, que se realizava exatamente no vigésimo dia da quaresma:

Serra, serra, serra, a velha,
puxa a serra, serrador;
que esta velha deu na neta
por lhe ouvir falas de amor.

Serra-ai! – serra-ai! – serra-ai! – puxa,
puxa-ai! – puxa, serrador!
Serra a velha-ai! Viva a neta
que falou falas de amor.

Serra! – a pipa é rija:
serra! – a velha é má:
serra! – a neta é bela;
serra! – e serra já.

Realmente, entre esse rude cerimonial demológico e os versos da parlenda infantil "Serra, serra, serrador", cujas variantes Cecília Meireles colecionou, há relações subjacentes e complexas.

ASPECTOS DO MOVIMENTO MODERNISTA

Sem ofuscar a importância dos elementos subversivos que constituem a própria essência da arte, pode-se afirmar que todo evento artístico, parte integrante da história da civilização, condiciona-se, de certo modo, ao pretérito.

Homero contribuiu para o desenvolvimento da sensibilidade estética da Europa e, em decorrência, de quantos receberam a herança helênica. Virgílio, representante da latinidade, acrescentou às letras algo de insólito como o estremecimento do coração humano, diante do mistério perturbador do destino. Se é Homero o clássico exemplar pela harmonia de suas criações, é Virgílio o primeiro romântico pela evolução interior de sua criatura.

Encontram-se nesses mestres, respectivamente, as fontes originais das duas grandes correntes literárias a que denominamos, a título de simplificação, Classicismo e Romantismo.

Duas palavras – perfeição e infinito – de acordo com o conceito de Strich – caracterizam os dois movimentos fundamentais da arte no seu afã de espelhar o homem, de fonte serena ou de expressão angustiada, em certas fases de sua existência ou em determinados períodos históricos.

Reconhecemos através do esplendor do Renascimento, da amenidade do Arcadismo, da exatidão parnasiana e do pitoresco realista, aquelas áreas de equilíbrio, plenitude e segurança vital com que foi plasmado o mundo de Ulisses.

Percebemos nas canções de gesta da Idade Média, nas metáforas do Barroco, nos ímpetos do Romantismo propriamente dito, na musicalidade do Simbolismo, as mesmas linhas de sensibilidade, índole intelectual, inquietude moral, e vivência mística prefiguradas em Eneias.

Reflexo da literatura europeia de línguas neolatinas, as letras brasileiras provaram, sucessivamente, antes de definidas em sua autonomia, experiências barrocas, neoclássicas e românticas, repetidas mais tarde com variantes de circunstâncias nas escolas parnasiana e simbolista.

De um lado, o espírito clássico representa a maturidade de um ser, de um povo ou de uma época, na sua lavratura de perfeição. De outro, o espírito romântico cristaliza o impulso de infinito que inspira a verde mocidade.

Foi este último que marcou inicialmente o movimento modernista irradiado de São Paulo para todo o Brasil, à hora em que nossa terra buscava, com igual premência, soluções originais para problemas de ordem social, econômica e política.

O entusiasmo a princípio demonstrado pelo grupo que promoveu essa revolução literária, através de audaciosas manifestações burlescas, foi pouco a pouco cedendo lugar a atitudes comedidas e sem embargo irônicas, por meio da crítica e da criação independentes, como sempre acontece em momentos de transição. Porém os princípios então defendidos, sem quebra ou distorção de base, continuaram a ser os mesmos, afeiçoados de modo a atingirem amplitude e significação mais clara.

Por necessidade de autodefesa, pela compreensão dos deveres do intelectual e consciência da seriedade da luta em que se haviam intuitivamente empenhado, os jovens passaram a aprofundar seus conhecimentos. E o Modernismo tornou-se, dia a dia, mais positivo. Não no sentido de objetividade exterior, propícia a soluções formalísticas, mas na ordem de elucidação dos legítimos interesses do homem.

Assim, o movimento, que surgira combativo, tornou-se participante, o que já representa um progresso. A etapa da participação, que é a mesma vivência, supera a do compromisso, cujo ponto de vista é geralmente unilateral. Verifica-se então que houve coincidência entre o brado de alerta e uma verdade de fato.

A preocupação com os meios expressivos tomou impulso, em seguida às escaramuças ideativas. O embate entre a inteligência e a vontade, a sensibilidade e a imaginação, foi uma constante na poesia da época.

Dadas essas proposições a serem desenvolvidas, poderemos talvez afirmar, desde já, que o movimento modernista representa, em sua fase definida, uma síntese entre o objetivo e o subjetivo, o real e o ideal, o clássico e o romântico. Salvo engano, mais do que uma escola, é uma afirmação vital, transcendente, ao surpreender a realidade por meio da intuição. Dividiríamos o seu histórico em três fases:

1ª – a de destruição, preparação de terreno, propaganda, experiências imaturas na esfera literária, que vai de 1916 a 1921;

2ª – a de tomada de consciência, apresentação de corpo inteiro, projeção pelo País, adesão nacional, pujança artística, situada entre 1922 e 1930;

3ª – a de criações renovadas esteticamente, e enriquecidas de significação social, consequência e resultado dos ideais e das pesquisas, época decorrida de 1930 até 1942, data em que Mário de Andrade pronunciou sua célebre conferência comemorativa; ou até 1950, de acordo com o crítico Wilson Martins.

Poderíamos ainda alvitrar que, relativamente à mais estimulante e aberta de suas conquistas, "o direito permanente à pesquisa estética", tal movimento prossegue o seu curso que é irreversível neste sentido, e assim será, enquanto não houver incoerência, retrocesso e estagnação mental.

Aí estão as novas escolas a exercerem o pleno direito de experimentações e até mesmo extravagâncias que o tempo se incumbirá de aproveitar e depurar.

Na 1ª fase, o espírito de destruição, preparação de terreno e propaganda é principalmente representado por Oswald de Andrade, Cândido Motta Filho, Menotti del Picchia, Mário de Andrade, Sérgio Milliet, Sérgio Buarque de Holanda. Entre os artigos então publicados em jornais paulistas, os de maior sensação foram: "O meu poeta futurista", "Morte a Peri" e "Mestres do passado". Coube a Oswald de Andrade, por seu temperamento extrovertido e explosiva inteligência, proceder às primeiras escaramuças. A Menotti del Picchia, reformular ideias e divulgar

PROSA * VIGÍLIA POÉTICA

nomes, quer nacionais, quer estrangeiros. "O que ojeriza o articulista", diz Mário da Silva Brito referindo-se a Menotti, "são os peris mentais, a consciência peri, a arte peri, isto é, em miúdos, o conservantismo, o misoneísmo, a escravidão ao passado, a subserviência ao obsoleto."

Aqui uma observação entre parêntesis: o ataque à criação de José de Alencar constitui pitoresco pormenor, pois hoje, feitas as contas, verificamos que se houve precursor do movimento foi exatamente o escritor cearense, o qual surpreendeu a necessidade de se libertar a língua dos velhos preconceitos lusos; e vislumbrou, na espessa matéria folclórica, cintilações do espírito nacional.

Coube a Mário de Andrade, em sete artigos notáveis pela acuidade da inteligência, a análise crítica do Parnasianismo, ainda hoje válida, descontados os excessos da paixão, a extravasar-se em frases audaciosas como esta: "Vivos alguns, embora! despejo sobre vós, ó Mestres do Passado, os aludes instrumentais do meu réquiem e acendo junto à cruz dos vossos monumentos, sobre os vossos crânios vazios, a fogueira da consagração contemporânea".

Eis os elementos a que resistiam e combatiam os moços então chamados futuristas:

a) o passadismo em geral, com a condenação das ideias preconcebidas e atitudes de rotina;

b) o naturalismo, atacado por Motta Filho, Buarque de Holanda e Oswald de Andrade, que dizia: "profundamente asno, esse Zola";

c) o regionalismo, ferido por Motta Filho em seus protestos contra o Jeca Tatu, símbolo das letras regionais; e também por Menotti, que havia escrito *Juca Mulato*, mas que acusava o regionalismo como "artifício quase cabotinamente jacobino";

d) o conceito da trindade étnica brasileira, negada principalmente por Menotti através da tese da miscigenação da raça pelo caldeamento do sangue imigrante, de modo especial o italiano;

e) os entraves do Parnasianismo e da metrificação compulsória, com relação à poesia e o represamento da linguagem natural;

f) a taciturnidade de pensamento, ação e produção.

Em contrapartida, seus gestos afirmativos eram estes:

a) procura da realidade nacional em todos os aspectos, mormente nos aspectos progressistas da era industrializada que São Paulo orgulhosamente representava;

b) busca das tradições do País, em suas legítimas raízes; as folclóricas;

c) nova concepção de arte baseada na força da expressão individual;

d) superação de preconceitos gramaticais;

e) valorização do verso livre e do ritmo afetivo;

f) aceitação do Simbolismo como movimento de vanguarda, de que, entretanto, divergiam estruturalmente;

g) defesa da alegria como fonte criadora.

A procura da realidade nacional processou-se de modo curioso: em desafio a certa atitude de ufanismo então em voga (vocábulo alusivo ao opúsculo de Afonso Celso – *Porque me ufano de meu país*), timbraram esses escritores em levar suas sátiras até o desrespeito pelo Brasil; algumas vezes maltratando apenas com ar de brinquedo e envergonhada ternura, a sensibilidade da terra; outras vezes maravilhavam-se com a cor local à maneira ingênua dos descobridores do trópico. A esse ensejo, encontraram duas novidades: a máquina (telefone, aeroplano, cinematógrafo, como diziam), fatores de indústria e comércio até o momento relegados como elementos indignos da obra literária; e o motivo negro, que havia servido tematicamente aos nobres sentimentos e às convicções éticas de Castro Alves e outros poetas como inspiração mais ou menos abstrata, mas que só então se tornou assunto concreto, de vivência imediata e comunicação humana. Versejava Augusto Meyer:

Vira a chapa
bota uma toada gemente de negros.

E Ascenso Ferreira:

Loanda, Loanda, onde estás
Loanda, Loanda, onde estou?

A busca das tradições do País rasgou e iluminou uma área de estudos até então infrequentada e não sistematizada: a do folclore, não somente no sentido erudito de Sílvio Romero e Couto de Magalhães, precursores científicos, mas ainda sobretudo no sentido do aproveitamento poético de uma incalculável e quase intata riqueza; ressurgiram as lendas, as fábulas, os mitos, os contos de herança negra e indígena: boitatá, cobra-grande, negrinho do pastoreio, boto, iara, curupira, caipora, outros mais.

A nova concepção de arte, baseada na força expressiva individual, na necessidade interior e não mais na sedução formal, promoveu a quebra dos cânones escolásticos com a rutura da metrificação mecânica e o abandono da velha sintaxe, inaugurando o ritmo de ordem subjetiva e introduzindo fórmulas coloquiais de linguagem, algumas vezes plebeias, na escrita. A exemplo, estes versos de Mário de Andrade:

Brasil que eu sou porque é a minha expressão muito engraçada,
porque é o meu sentimento pachorrento
porque é o meu jeito de ganhar dinheiro, de comer e de dormir.

A defesa da alegria como fonte criadora canalizou-se, a princípio abusivamente, através do humorismo, da piada, do sarcasmo, da anedota, encaminhando-se aos poucos para a ironia. "Queremos construir a alegria", propunha *Klaxon*, a revista que morreu de tanto rir, segundo Oswald.

"Por essas e outras brincadeiras", diz Manuel Bandeira no seu *Itinerário de Pasárgada*, "estamos agora pagando caro, porque o 'espírito da piada', o 'poema-piada' são tidos hoje por característica precípua do modernismo." Em seguida pergunta: "E por que essa condenação da piada, como se a vida só fosse feita de momentos graves ou só nestes houvesse teor poético?".

O certo é que mais tarde esses mesmos poetas, Bandeira, Mário e Drummond, por sobre a pedra no caminho, encontraram a nota justa do senso do humor, graciosa e amarga mistura de mordacidade e ascetismo.

Os fatos mais importantes do primeiro período, além das publicações literárias e jornalísticas, são as exposições de arte plástica, principalmente a da pintora Anita Malfatti, recém-chegada da Alemanha e dos Estados Unidos, onde estudara e trabalhara anos a fio, com inteligência e desenvoltura. A princípio bem recebida, essa exposição redundou em celeuma depois que Monteiro Lobato sobre ela escreveu um artigo cruel: "Paranoia ou mistificação?". O tempo se incumbiu de responder a esse impertinente desapreço, porém o mal estava feito, de consequências dramáticas para a sensibilidade feminina da jovem artista, denominada a "protomártir" da revolução. Em torno da mostra e justamente por causa da incompreensão de que foi vítima, se arregimentaram as forças pioneiras. Isso foi em 1917. Já por esse tempo igualmente expunha Lasar Segall. Alguns anos depois chegou a vez de Victor Brecheret, escultor que se tornou a bandeira dos moços de vanguarda, provocando-lhes delirante entusiasmo. A vitória desse brasileiro em Paris, logo após, premiado entre 4.000 concorrentes ao "Salon d'Automne", é celebrada em São Paulo como vitória coletiva dos inovadores. "Ó glória, ó felicidade", exclama Menotti, "é o caso de se declarar, público e raso, o crepúsculo dos zoilos."

Assim é que as artes plásticas estavam destinadas a exercer forte influência sobre as nossas letras daí por diante, seja através do sortilégio das cores e das formas, que ressalta de algumas obras poéticas, seja pela prática da crítica. Em maioria, os poetas modernistas foram comentadores de arte, porém nem sempre de arte poética. É de notar-se que ainda hoje os poetas escrevem mais sobre pintura do que sobre poesia.

O fascínio da imagem visual sensibilizou especialmente Cassiano Ricardo em sua primeira fase, hoje superada, e também Ronald de Carvalho, não de maneira muito feliz por falta de transcendência no colorido.

A propósito, lembra-me uma frase de Louis Hourticq: *"Un art ne rend toutes ses possibilités que lorsqu'il reste dans la logique de sa technique et qu'il obéit aux volontés de sa matière"*.

Em 1920 e 1921, se intensificam os trabalhos. Mário de Andrade escreve *Pauliceia desvairada*; Oswald de Andrade tem pronto seu romance *Os condenados*; Menotti, que já havia publicado alguns livros, multiplica seus artigos polêmicos; Guilherme de Almeida, já consagrado, participa ativamente das discussões do grupo. Projeta-se então qualquer coisa de extraordinário para as comemorações do centenário da Independência. Ao mesmo tempo, Cândido Motta Filho apresenta a nova teoria numa série de artigos intitulados "A moderna orientação estética", de que se recordam algumas frases incisivas: "A arte, sendo uma manifestação da vida, não pode furtar-se às leis da vida". "Encarcerar a arte é encarcerar Proteu." É de Menotti a fórmula do futurismo paulistano do momento: "Máxima liberdade dentro da mais espontânea originalidade". A denominação "futurismo" era simples questão de rótulo, uma vez que o grupo não aceitava totalmente os princípios de Marinetti, embora o admirasse e aplaudisse, como a Papini, Soffici e Palazzeschi.

De acordo com Mário da Silva Brito, em sua documentada *História do movimento modernista*, obra básica para estudo do assunto, é depois da publicação dos ensaios "Mestres do passado" que Mário de Andrade, respeitado por sua capacidade criadora e crítica, se faz líder, arregimentando os que ele denominava "Dragões do Centenário".

Ainda em 1921 segue para o Rio, à procura de adesões para a causa, a primeira bandeira futurista, e lá se encontra com Ribeiro Couto, Manuel Bandeira, Renato Almeida, Villa-Lobos, Ronald de Carvalho, Álvaro Moreira, Sérgio Buarque de Holanda. O entendimento se processa da melhor maneira, através da leitura de poemas e conversações, dando início a belas amizades como a de Mário e Bandeira.

Chegava logo após da Europa o escritor Graça Aranha, com a cabeça repleta de novos conceitos estéticos, fadado a tornar-se o fulcro da "Semana da Arte Moderna". Não havia muita afinidade entre as ideias do consagrado acadêmico e as da ardente juventude que o cercava, pois enquanto Aranha se batia, por meio de linguagem castiça e preciosa, pela integração do indivíduo no cosmos, os moços modernistas, mais modestos, sonhavam com a integração do brasileiro na sua terra, de modo mais realista e democrático. Apesar disso, foi largamente benéfico para a revolução literária o apoio de Graça Aranha, que, em virtude de seu prestígio, levou o público à perplexidade.

Inicia-se em fevereiro de 1922 – o ano do centenário da Independência – a segunda fase do movimento, com a realização da Semana de Arte Moderna, generosamente auxiliada por Paulo Prado, e com o seguinte programa: conferência de Graça Aranha sobre "A emoção estética na arte moderna"; palestra de Ronald de Carvalho sobre "A pintura e a escultura moderna no Brasil"; leitura de Mário de Andrade de produções suas; música de câmara de Villa-Lobos; e uma larga exposição de artes plásticas, de Anita, Brecheret e Di Cavalcanti, entre outros. O último, parece, foi quem aventou a ideia da Semana, em conversa com Guilherme de Almeida.

Participaram ainda, como figuras atuantes, com palestras e leitura de poemas, nos dias sucessivos: Menotti, Oswald, Motta Filho, Luís Aranha, Sérgio Milliet, Guilherme de Almeida e seu irmão Tácito de Almeida, Plínio Salgado, Agenor Barbosa, Couto de Barros.

Parece que ainda hoje o Teatro Municipal de São Paulo deveria ter as paredes abaladas pelas vaias que então ecoaram naquelas inolvidáveis noites. Porém não: as vaias atravessaram o recinto e se projetaram longe, em todas as direções do imenso Brasil como dardos de propagação de um ideal. E a vitória se completou com a cristalização dos três princípios fundamentais apontados pelo papa do modernismo.

a) o direito permanente à pesquisa estética;

b) a atualização da inteligência artística brasileira;

c) a estabilização de uma consciência criadora nacional.

A novidade fundamental – explica Mário – foi a conjunção dessas três normas num todo orgânico da consciência coletiva.

A transição de uma para outra escola, dentro do ciclo literário, quando se esgotam certas fórmulas e apenas restam ressaibos sentimentais, não elucidaria suficientemente essa aventura de tão forte alcance na vida do País. Não era apenas questão de figurino tomado a exemplo de Marinetti, cujo salto-mortal sacudira os meios cultos da Itália e da França; nem tão somente a sugestão do Pós-Impressionismo e do Cubismo europeu a inflamar a imaginação de nossa mocidade; nem mesmo a inquietude dos que liam Tzara, Apollinaire, Cendrars e Cocteau; nem apenas o reconhecimento da superfluidade parnasiana a tecer fios de ouro no vácuo; não era também o impulso de quem deseja lugar ao sol ou o simples instinto de destruição inerente aos novatos. Foi, além e acima de tudo isso, um despertar de consciência, a descoberta da terra, o encontro do homem com sua gente, a percepção de que a língua falada no Brasil oferecia virtualidades inéditas para a literatura.

Foi um movimento decisivo que não se repetirá no Brasil, conjugação total da inteligência e sensibilidade, inauguração de uma filosofia que nos pertence, ainda que imatura, e passível de aperfeiçoamento.

Havíamos tido, escusa lembrar, grandes espíritos voltados para os problemas da terra, insignes trabalhadores do pensamento, ensaístas, historiadores e poetas, imbuídos de preocupação nacional. Porém não tivéramos uma concentração de esforços em sentido de integração comunitária, o ideal coletivo de brasilidade, o *Clã do jaboti*.

Eis como reconsiderou o fenômeno, quarenta anos depois da célebre Semana, o crítico Sérgio Buarque de Holanda: "Até então, os nossos escritores tinham sido, em sua generalidade, simples literatos, como tais indiferentes ao que não fosse beleza formal e ornamental, marcando sempre uma fronteira rígida entre a arte e a vida prosaica e cotidiana. Agora, todos eles, num acordo tácito, eram levados a transcender a simples preocupação estética, no sentido corrente da palavra, preocupação que conduz a literatura a estiolar-se na literatice e a arte a desaparecer nos artifícios".

A procura do conteúdo autêntico foi, de fato, a alma do movimento. Porém o que mais assombrou o público foi a renovação da forma, o furioso anseio de novidade verbal que sacrificou alguns talentos e algumas obras por excentricidade. Já imperava em 1922 o estilo de época, em detrimento do estilo de cultura. "Eu sou o último heleno", bradava Coelho Neto em 1924, ao ensejo da rumorosa e memorável sessão da Academia Brasileira de Letras, em que Graça Aranha rompeu com seus pares por defender os novos ideais, renunciando ao título e saindo do Petit Trianon carregado nos braços dos jovens.

Sim, foi a poesia a verdadeira pedra de escândalo da escola. Tanto que poderíamos aplicar ao nosso caso algumas palavras de Roland de Renéville ao analisar aspectos da literatura francesa depois de 1918: *"La Poésie, qui reste le domaine le plus sensible aux variations de la mode intellectuelle, et celui dans lequel les expériences peuvent le mieux s'exercer puisque les règles y demeurent les plus aparentes [...] la Poésie fut vouée tout entière à ce sursaut de révolte qui exigeait que tout fut remis en question".*

Na árvore das letras (se me permitirem a divagação) a poesia seria a flor, pelo fato de ser mais apta para captar os segredos atmosféricos, precedendo e augurando em essência a substância frutífera da prosa.

Em breve estava firmado um novo conceito de poesia, a partir de sua significação interna, e a envolver seus princípios estruturais, ritmo e imagem. De acordo com a tradição a imagem constitui similitude exterior entre duas realidades: a natural e a artística. Segundo o conceito moderno revela identidade espiritual entre causa e efeito. A imagem que outrora prevalecia baseava-se no raciocínio, aproximava elementos afins ou aparentemente semelhantes em níveis paralelos, como, por exemplo, o "incêndio – leão ruivo", metáfora descritiva de Castro Alves. A imagem perseguida pelos modernos tem atitude extralógica, propõe fusionamento e unidade entre elementos díspares entrelaçados nas próprias raízes líricas, como por exemplo o verso de Drummond "Sou apenas uma rua", em que homem e rua não são mais do que uma entidade. Há pois, no segundo caso, maior intensidade de essência poética, apesar da dessemelhança física dos componentes.

Dantes, o ritmo condicionava-se à metrificação preestabelecida através de esquemas mecânicos. O ritmo novo corresponde à necessidade da expressão. O verso chamado livre cria seu mesmo ritmo (ou talvez seja criado por ele). Aproveita, ainda, com variantes de acentuação e pausa ou combinação de dois ou mais esquemas primários, a herança do passado O ritmo de hoje possui força propulsora que age instintivamente, mas tem leis, como o voo dos pássaros, o ímpeto das ondas na praia, a pulsação do sangue nas artérias. Trata-se de uma técnica dinâmica, em substituição à estática.

Voltemos ao aspecto evolutivo do movimento, para acentuar a importância dos eventos que se seguiram à Semana, com especial referência a um ensaio de Mário de Andrade, publicado em 1924: *A escrava que não é Isaura*, súmula da concepção estética do Modernismo. Eis alguns de seus tópicos essenciais: "Lirismo puro + Crítica + Palavra = a Poesia". "O belo artístico é uma criação humana independente do belo natural." "O assunto poético é antipsicológico. Todos os assuntos são vitais." "Verso é o elemento da linguagem que imita e organiza o movimento do estado lírico." "O poeta parte de um todo de que teve a sensação, dissocia-o pela análise e escolhe os elementos com que erigirá um outro todo."

Retomando o assunto de que se ocupara em "Prefácio interessantíssimo" de *Pauliceia desvairada* sobre a diferença entre melodia e polifonia poética, define esta última de conformidade com a teoria da música, de que possuía excelente cultura: "Polifonia é a união artística simultânea de duas ou mais melodias cujos efeitos passageiros de embate de sons concorrem para um efeito total final". E exemplifica: "Num soneto passadista dá-se concatenação de ideias: melodia. Num poema modernista dá-se superposição de ideias: polifonia".

A questão fundamental, pois, está na substituição da lógica pelo intuitivo, o que é cientificamente ponderável em virtude da simultaneidade de nossas sensações. Ele mesmo cita Ribot: *"L'état normal de notre esprit, c'est la pluralité des états de conscience (le polyidéisme). Par voie d'association, il y a un rayonnement en tous sens"*.

A consolidação desta e de outras ideias revolucionárias ia-se fazendo aos poucos através de revistas entre as quais se destaca *Klaxon,* de que se publicaram 6 números. Vieram também a lume, nesta segunda fase, os seguintes livros: *Ritmo dissoluto*, de Manuel Bandeira; *Meu* e *Raça*, de Guilherme de Almeida; *Poemetos da ternura e da melancolia* e *Um homem na multidão*, de Ribeiro Couto; *Pau-brasil*, de Oswald de Andrade; *Toda a América*, de Ronald de Carvalho; *Poemas análogos*, de Sérgio Milliet; *Chuva de pedra*, de Menotti del Picchia; *Martim Cererê*, de Cassiano Ricardo; *Coração verde*, *Giraluz* e *Poemas de Bilu*, de Augusto Meyer; *Losango cáqui*,

Clã do jaboti e *Remate de males*, de Mário de Andrade; *Poemas*, de Jorge de Lima. O ano de 1930 assinala duas estreias de importância, não apenas para Minas, como para o Brasil: a de Carlos Drummond de Andrade com *Alguma poesia* e a de Murilo Mendes com *Poemas*. Esses livros, cada um a seu modo, estão marcados pelo espírito da época. Na terceira fase, seus autores evoluirão para uma poesia mais discreta, equilibrada e límpida.

Minas colaborou de modo compreensivo e eficaz para a vitória dos novos ideais e é justamente pela importância dessa colaboração que o estudioso das letras deverá reservar-lhe um capítulo à parte, com a inclusão do contista João Alphonsus e outros intelectuais.

De 1930 a 1942, além do aparecimento de grandes romances nordestinos, vinculados à base modernista, agora enriquecida de conteúdo social, tema este a merecer exegese em separado, vieram a lume outros livros de poesias de profunda significação: *Brejo das almas* e *Sentimento do mundo* de Drummond, *Ingenuidade* de Emílio Moura, *Cana-caiana* de Ascenso Ferreira, *Tempo e eternidade*, de Jorge de Lima e Murilo Mendes, *A túnica inconsútil*, de Jorge de Lima, *A poesia em pânico* de Murilo Mendes e *Cobra Norato*, de Raul Bopp. O último poema, "síntese muito harmoniosamente organizada da dicção culta e da fala popular, segundo Manuel Bandeira, é um dos pontos altos da poesia modernista, pois resume todas as suas características, além de constituir-se num impacto de sensação, a mesma sensação febril que o autor deve ter experimentado naquele universo de paludes que é a região amazônica.

Embora o romance do nordeste centralizasse as atenções nesse período, pelo arranque da substância social e força expressiva com que surgia, a poesia caminhava com decisão e firmeza. Já não trazia o sabor das primeiras colheitas, mas também não traía qualquer improvisação. A gravidade substitui o pitoresco, a fluência da linguagem sobrepõe-se à vivacidade das expansões, as arestas se vão polindo, ampliam-se as emoções, multiplicam-se os assuntos já agora em função de universalidade, ora em sentido místico, ora metafísico, ora simplesmente humano. O motivo perene assume superioridade sobre o contingente, não apenas nos autores mencionados como em outros que surgem no cenário das letras, sucessivamente. Por mais originais que sejam, estes pagam tributo às experiências do Modernismo, gozam da liberdade de expressão assegurada aos artistas. Poetas contemporâneos como Augusto Frederico Schmidt, Cecília Meireles, Tasso da Silveira e Murilo Araújo, cuja feição espiritualista diverge das inquietudes típicas do movimento, recebem os influxos de ordem formal da nova poesia. Nenhum poeta brasileiro realmente vivo terá ficado incólume a tal sortilégio. A rajada modernista dividiu as águas do mar Vermelho. Isso, em primeiro lugar, porque a subversão tinha autenticidade.

Em suma, eis as principais modificações estilísticas da poesia, considerando o termo estilo na acepção de síntese entre o conteúdo e forma:

1 – libertação da sintaxe gramatical portuguesa em benefício de uma língua mais natural ao meio, como, por exemplo, a colocação dos pronomes átonos no início da frase;

2 – liberação do tema e do vocabulário em favor da democratização literária. Exemplos: "O poeta come amendoim", de Mário de Andrade, "Na rua do Sabão", de Bandeira, "Poema de sete faces", de Drummond, "Beco", de Menotti;

3 – anexação da inteligência crítica ao substrato poético. Exemplos: "Escola rural", de Oswald de Andrade, "Toada à toa", de João Alphonsus;

4 – processo visualista por influência das artes plásticas, em contraste com a técnica musical simbolista. Exemplos: "Relâmpago" de Cassiano Ricardo, "Mormaço" de Guilherme de Almeida;

5 – uso de imagens cruzadas, e frases desconexas, fator psicológico denunciante do subconsciente, deformação linguística como redundância de realidade interior. Exemplos: "Noturno de Belo Horizonte" de Mário, "Mapa" de Murilo Mendes;

6 – utilização da elipse em vista do conceito de ser, o poema, súmula ou essência. Exemplos: "Morro azul", de Oswald de Andrade, outros poemas de *Pau-brasil;*

7 – adoção do negrismo (ou negritude) de feição lírica, de inspiração subjetiva. Exemplos: "Poemas negros" de Jorge de Lima, de Raul Bopp, de Ascenso Ferreira, "Poemas da negra", de Mário de Andrade;

8 – desprestígio, provavelmente por desconfiança, do tema do amor. Com o tempo, tal motivo prevaleceria, porém na qualidade de assunto e não sob condição temática. Exemplo: *Poesia em pânico*, de Murilo;

9 – preferência por motivos brasileiros, incluindo o folclore. Exemplos: "Oração ao negrinho do pastoreio", de Augusto Meyer, "Recife", de Bandeira.

Entre as contradições do processo reformista, três são mais sensíveis:

1 – o choque mais ou menos anárquico entre a inteligência crítica e o ímpeto deformador do subconsciente;

2 – a refração do propósito democrático em obras de caráter aristocrático ou de árdua interpretação;

3 – a derivação do regionalismo jequista para o surgimento de um novo regionalismo fantasioso, o andante ou de interpenetração, exemplificado por *Macunaíma* e adotado, em nossos dias, por Guimarães Rosa em *Grande sertão: veredas*.

O resultado final foi, contudo, altamente positivo, pela cristalização de uma lírica nacional legítima e, pois, representativa dentro da literatura universal.

Ao cabo de seu ensaio "Simbolismo, Impressionismo, Modernismo", assim se exprime Afrânio Coutinho: "Apesar das deturpações, com o Modernismo os principais gêneros literários e a crítica fixaram uma fisionomia própria, afeiçoaram seus instrumentos, aprimoraram suas técnicas, revalorizaram o artesanato, consolidaram uma consciência crítica e profissional, incorporaram definitivamente a temática brasileira, emprestando ao conjunto da literatura uma autonomia estética e nacional e uma indisfarçável maioridade".

BIBLIOGRAFIA

ANDRADE, Carlos Drummond de. *Confissões de Minas*. Rio de Janeiro: América, 1944.

ANDRADE, Mário de. *A escrava que não é Isaura*. São Paulo: [s. n.], 1925.

————. *O baile das quatro artes*. São Paulo: Martins, [s. d.].

————. *O movimento modernista*. Rio de Janeiro: Casa do Estudante do Brasil, 1942.

BANDEIRA, Manuel. *Itinerário de Pasárgada*. Rio de Janeiro: Jornal de Letras, 1954.

————. *De poetas e de poesias*. Rio de Janeiro: Cadernos de Cultura, 1954.

COUTINHO, Afrânio. *A literatura no Brasil*. Rio de Janeiro: São José, 1959. v. III.

GRAÇA ARANHA, José Pereira da. *O espírito moderno*. São Paulo: Ed. M. Lobato, 1925.

HOLANDA, Sérgio Buarque de. Quarenta anos depois. *Suplemento de O Estado de S. Paulo*. São Paulo, 17 fev. 1962.

MARTINS, Wilson. 50 anos de literatura brasileira. In: CARVALHO, Joaquim Montezuma de. *Panorama das literaturas das Américas*. Angola: Ed. do Município de Nova Lisboa, 1958. v. I.

MILLIET, Sérgio. *Panorama da moderna poesia brasileira*. Rio de Janeiro: MEC, 1952.

SILVA BRITO, Mário da. *História do modernismo brasileiro*: antecedentes da Semana de Arte Moderna. São Paulo: Saraiva, 1958.

O POETA CAMILO PESSANHA

A ocorrência do centenário de nascimento do poeta português Camilo Pessanha é bom pretexto para que se volte a falar de sua poesia, menos conhecida entre nós do que deveria ser. Explica-se o alheamento do grande público em virtude da singularidade dessa poesia. Mas o que faz o poeta não será mesmo a singularidade, a autenticidade, através de uma forma concludente? Camilo Pessanha imprimiu estilo estritamente pessoal à sua obra de alto nível, jamais acomodatícia, fútil ou supérflua, embora extravagante às vezes. A realidade exterior, mal existindo para ele, assume aspectos de "limbo", "cores virtuais", "clarões represados", "país perdido", de onde nos chega sua voz:

> Vou a medo na aresta do futuro,
> embebido em saudade do presente.

Recordemos alguns de seus dados biográficos como possíveis relações entre causa e efeito, uma vez que sua poesia, embora desligada do tempo histórico e do meio, é um exato reflexo de reações emotivas ao impacto existencial. Algo longínqua de todas as coisas, quase sem referência a ambiente e circunstância, sem possibilidade de reencontro ou recuperação segundo os conceitos deterministas do autor, essa poesia escassamente sentimental e profundamente sensível tem na dramaticidade interior seu caráter fundamental.

Nasceu Camilo Pessanha a 7 de setembro de 1867, em Coimbra. Na infância, reside sucessivamente em várias localidades, em companhia dos pais. Recebe instrução primária em Lamego. Faz estudos secundários em Coimbra. Aí se forma em Direito. Dedica-se algum tempo à advocacia. Nomeado professor de filosofia do Liceu de Macau, parte para a China. Visita o Japão. Regressa a Portugal algum tempo depois para tratamento de saúde. Volta ao exercício das funções. Torna e retorna, sempre inquieto, pouco saudável. É conservador de registro predial em Macau, mais tarde juiz de comarca. Parece então aclimatar-se ao meio. Visita uma vez mais a metrópole. E vem a falecer sombriamente em Macau, em 1926.

Era de natureza complexa, tinha atitudes paradoxais. Mordaz para com os poetas contemporâneos, vaidoso de seus próprios versos. Mostrava inteiro abandono na intimidade, conforme carta escrita a seu primo José Benedito, em 1905, alusiva a uma "longa e dolorosa tragédia espiritual cujo resultado fatal e final", diz ele, "foi a lamentável ruína que há dois anos eu sou". Sem aconchego familiar e sem suficiente energia moral, parece, para opor-se a certos costumes exóticos da colônia, escreve pouco, não se preocupa em divulgar seus trabalhos, embora se orgulhe deles, não participa de grêmios literários, não demonstra interesse pela questão nacionalista que então empolgava sua pátria. Esse distanciamento provinha, talvez, de instabilidade congênita, agravada por condição penosa que o desgostara desde a infância, acentuando-lhe o egocentrismo.

Exígua quantitativamente, porém de excepcional qualidade a exigir admiração e respeito, sua obra poética está contida no volume que se intitula *Clepsidra*.

Seu inato e aristocrático subjetivismo o levaria a aderir à concepção antimaterialista, antilógica e antidiscursiva da Escola Simbolista, cujos fluidos vinham da França, mas a que o poeta soube dar colorido peculiar, graça lírica portuguesa, certa candidez tradicional.

Dentro do movimento espiritualista da época, o Simbolismo foi uma espécie de mística, na qual o poeta se propunha a missão de encontrar ou de voltar ao reino perdido pelo apego à realidade imediata, à mecanização crescente do mundo e às imposições da natureza. Foi uma reação salutar, todavia ilusória por ser apenas de ordem estética. As forças espirituais solicitadas não poderiam suprir as deficiências do ser contaminado pelo cotidiano. Os que aceitaram tal concepção, que coincide com a doutrina cristã do livre-arbítrio, não poderiam fugir aos embates entre a tendência mística e a índole carnal, entre o prazer e o dever, a iminência e a transcendência da vida. Daí resultou o drama de Baudelaire, Verlaine, Rimbaud, Pessanha, almas atormentadas pela angústia metafísica, pela idealização da beleza como sucedâneo da perfeição moral – a que os verdadeiramente cristãos se atêm – pela aspiração de uma harmonia que só encontraram, intempestivamente, nas regiões do poético. Assim, a literatura foi para eles uma coisa viva e o que escreveram é para nós, ainda hoje, "literatura viva".

A respeito, diz José Régio: "Literatura viva é aquela em que o artista insuflou a sua própria vida e que por isso mesmo passa a viver de vida própria. Sendo esse artista um homem superior pela sensibilidade, pela inteligência e pela imaginação, a literatura viva que ele produza será superior, inacessível, portanto, às condições do tempo e do espaço".

A poesia simbolista não envolve o condicionamento a que se circunscreve o ser humano, mas os reflexos desse condicionamento, quando o indivíduo anseia superá-lo. Foi o que se propôs Camilo Pessanha, ao transformar o mundo exterior em significados intrínsecos, ao deformar o real em visão introspectiva, ao juntar fragmentos esparsos de cor e de som para a criação de um todo, sobrepondo a uma primeira imagem outras imagens, ainda que divergentes. Com êxito, assim expõe Bernardo Vidigal as características dessa poesia: "Nela encontramos a expressão sincopada, suspensa, até que, integrada no contexto, se torna inteligível. As intercalações com função comparativa, a gradação sucessiva de apostos, cada qual mais prenhe de intenção; a exposição de motivos aparentemente de igual validade, em diversos planos, com irrupção de elementos uns nos outros, e a gradual consolidação do motivo dominante que agrega a si todos estes elementos dispersos e subitamente lhes imprime um sentido. Tem qualquer coisa de técnica de contraponto".

Escolhia as palavras em função das sensações, despertadas umas pelas outras; tornava agreste a própria melodia na escaramuça dessas sensações, como exemplificam os sonetos "Quem poluiu, quem rasgou os meus lençóis de linho", "Floriram por engano as rosas bravas", "Poema final" e outras páginas.

De que foi poeta consciente e lúcido desde a juventude, não há dúvida. Ao dirigir-se, em 1888, em carta a José Benedito, comunicando projetos literários referentes ao futuro livro, explicou que desejava dividi-lo em duas partes: "A primeira havia de ser a luta pela realização do prazer, com a certeza de lutar por uma aspiração falsa. Seria talvez pessimista. O prazer, não tendo realidade sua, era o aniquilamento do desejo, de forma que esta luta representaria ansiar pela morte. A outra parte – exceções, consolações, aniquilamentos parciais do eu, êxtases, espasmos e modorras". Diante do livro publicado, verifica-se que o programa foi cumprido. Não a rigor, já que a divisão em duas partes é tão somente de ordem física: sonetos, na primeira, poemas de metros e estrofes irregulares na segunda. Numa e noutra se encontram, a par de uma presciência extremamente pessimista do prazer e da vida em geral, obsessões de aniquilamento como única forma de libertação. A exemplo, este maravilhoso poema que quase se perde e sugestivamente se intitula "Branco e vermelho", o qual ainda não figura na edição de *Clepsidra* de 1945, com tanto desvelo organizada por João de Castro Osório, mas cujo primeiro verso é nomeado na "Introdução" como inicial de um poema já existente em princípios de 1916. Ao ensejo da última visita feita a Portugal, ditara Pessanha ao então adolescente Castro Osório várias composições que sabia de cor, prometendo enviar-lhe outras, entre as quais uma que começava exatamente com o verso: "a dor forte e imprevista" de "Branco e vermelho". Segundo seu feitio abúlico, deixou de cumprir a promessa. A página foi publicada no jornal *Ideia Nova* de Macau em 1929, e reencontrada, bem mais tarde, por Bernardo Vidigal, entre os manuscritos do poeta, então na posse de seu filho João Miguel, conforme anotação do apresentador da pequena antologia *Nossos clássicos*. Também a estampara a revista *Atlântico* número 4, segunda série, cuja data não pude apurar. O importante é que ela se salvou.

Raras vezes a poesia de língua portuguesa terá atingido tão ardente poder de fascinação. Este poema se encontra carregado não apenas de caudal emotivo, mas de energia intelectual contagiante, por exclusivo efeito da imagem. A descrição da caravana que passa tem algo de dantesco. Neste momento, Pessanha é um verdadeiro vidente, a fazer-nos ver e meditar sobre a estranha visão a que se entrega, oriunda de um estado de transe, experiência de embriaguez, iluminação astral, quem sabe? É milagre de restauração de alucinante miragem para uma límpida beleza formal; fusionamento de uma dor única e todavia universal, a repercutir em novos estágios, lá onde nasce a melancolia e termina a angústia, mediante a consoladora magia da arte. É de notar-se a força crescente dessa obra-prima pelo sortilégio das repetições. A ênfase não está no vocabulário, bastante enxuto, mas na cadência progressiva dessas repetições de versos e rimas, que supõem a marcha dificultosa. Eis o poema "Branco e vermelho":

A dor, forte e imprevista,
ferindo-me, imprevista,
de branca e de imprevista
foi um deslumbramento,
que me endoidou a vista,
fez-me perder a vista,
fez-me fugir a vista,
num doce esvaimento.

Como um deserto imenso,
branco deserto imenso,
resplandecente e imenso,
fez-se ao redor de mim.
Todo o meu ser, suspenso,
não sinto já, não penso,
pairo na luz, suspenso...
Que delícia sem fim!

Na inundação da luz
banhando os céus a flux,
no êxtase da luz,
vejo passar, desfila
(seus pobres corpos nus
que a distância reduz,
amesquinha e reduz
no fundo da pupila)

Na areia imensa e plana
ao longe a caravana
sem fim, a caravana
na linha do horizonte
da enorme dor humana,
da insigne dor humana...
A inútil dor humana!
marcha, curvada a fronte.

Até o chão, curvados,
exaustos e curvados,
vão um a um, curvados,
os seus magros perfis;
escravos condenados,
no poente recortados,
em negro recortados,
magros, mesquinhos, vis.

A cada golpe tremem
os que de medo tremem
e as pálpebras me tremem
quando o açoite vibra.
Estala! e apenas gemem,
palidamente gemem,
a cada golpe gemem,
que os desequilibra.

Sob o açoite caem,
a cada golpe caem,
erguem-se logo. Caem,
soergue-os o terror...
Até que enfim desmaiem,
por uma vez desmaiem!
ei-los que enfim se esvaem
vencida, enfim, a dor...

E ali fiquem serenos,
de costas e serenos,
beije-os a luz, serenos,
nas amplas frontes calmas.
Ó céus claros e amenos,
doces jardins amenos,
onde se sofre menos
onde dormem as almas!

A dor, deserto imenso,
branco deserto imenso,
resplandecente e imenso,
foi um deslumbramento.
Todo o meu ser suspenso,
não sinto já, não penso,
pairo na luz, suspenso,
num doce esvaimento.

Ó morte, vem depressa,
acorda, vem depressa,
acode-me depressa,
vem-me enxugar o suor,
que o estertor começa.
É cumprir a promessa.
Já o sonho começa...
Tudo vermelho em flor...

Sente-se pela estrutura da linguagem, em que os períodos se interceptam, como se fossem investidas e recuos psicológicos, que os textos de Pessanha apresentam problemas de ordem pessoal, sem contudo perderem independência. Isto é o que mais importa à arte poética: possuir sobrevivência própria e conservar, simultaneamente, a marca do ser humano. Sem esperança de coordenar seu mundo íntimo ao espetáculo de entorno, sem solução para qualquer das duas perspectivas, a espiritual e a material, o poeta não se engana sequer com os mitos criados de sua imaginação. Aceita-os para destruí-los, como se destruiu a si próprio, em certo sentido.

Quem vos desfez, formas inconsistentes,
por cujo amor escalei a muralha,
– leão armado, uma espada nos dentes?
Felizes vós, ó mortos da batalha!

É um solitário, amante de liberdade e espaço. Talvez por haver viajado muito, acusam seus poemas numerosas imagens marinhas geralmente itinerantes, sinais de instabilidade: além de três sonetos intitulados "Caminho", fala em vela, navios, gaivotas, remar, ventos, amuradas, planície azul, naus, caravelas, ardentia, quilhas, à flor dágua, onda, areia, salsugem, singra o navio, seixinhos, conchinhas, naufrágios, lençol aquático, úmida areia, levantou ferro, ondas do azul oceano, cartas da derrota, força no vapor, lemes, mastros, água salgada. A presença do mar é uma constante. Impressiona ainda a insistência de vocábulos indiciativos da sensação de frio: mármore, túmulo, neve, lábio gelado, casebre transido, alma de silfo, carne de camélia, lençóis de linho, soidões lacustres, acrópole de gelo, lago escuro, água cristalina, frio escalpelo, fria aragem matutina, blocos de gelo, velhas lájeas, passou o outono já, já torna o frio, mãos translúcidas e frias, fulgiam nuas as espadas frias, cai nupcial a neve. Tais elementos predominam, servindo algumas vezes de contraste a imagens ardentes: sol, vinho, oiro, vermelho.

Clepsidra vale pelo conjunto e não apenas pelos momentos mais felizes. Porém nestes, como por exemplo a página "Ao longe os barcos de flores", a transposição de intuitivos estados de alma atinge estágio inefável, em que se cria uma atmosfera onírica:

Só, incessante, um som de flauta chora,
viúva, grácil, na escuridão tranquila,
– perdida voz que de entre as mais se exila,
– festões de som dissimulando a hora.

Na orgia, ao longe, que em clarões cintila
e os lábios, branca, do carmim desflora...
Só, incessante, um som de flauta chora
viúva, grácil, na escuridão tranquila.

E a orquestra? E os beijos? Tudo a noite, fora,
cauta, detém. Só modulada trila
a flauta flébil... Quem há de remi-la?
Quem sabe a dor que sem razão deplora?

Só, incessante, um som de flauta chora...

O sentimento da solidão parece presidir à descoberta deste som de flauta, consolo ou motivo a mais de nostalgia, causa ou efeito de tristeza, sinal de coexistência, ancoradouro a que se ampara aquele que de longe assiste à festa do mundo sem dela participar. Através deste som de flauta, que em frases tão cadenciadas como o próprio centro de interesse, representa a fluidez do tempo, há um elo de ligação entre o particular e o universal, persiste um ambiente para a introspecção da criatura que sofre, no isolamento individual, o desejo de identificar-se com o todo:

"E a orquestra? E os beijos? Tudo a noite, fora, cauta, detém".

O poema é um círculo que gira sobre si mesmo com a insistência das melífluas características vocabulares (viúva, grácil, flébil, modulada), para voltar à irremediável cantilena:

"Só, incessante, um som de flauta chora...".

Pura modulação cariciosa é também outro poema de atmosfera, "Viola chinesa", em que reponta o gosto musical das consoantes líquidas, delicadamente escolhidas e sabiamente dedilhadas. Não se pode deixar de mencionar o poema "Na cadeia os bandidos presos", como acabado modelo de criação simbolista, sendo o autor o mais nítido representante da escola em Portugal, uma vez que António Nobre tende mais para o lirismo romântico e Eugénio de Castro para a forma parnasiana. Pertencem os três à mesma geração, porém não se agrupam com docilidade, temperamentos e intuitos diversos.

Vislumbro certo parentesco de Pessanha com Gérard de Nerval, outro nostálgico da espiritualidade, precursor do Simbolismo francês e, quem sabe?, até mesmo do Surrealismo. Porém este assunto merece atenção à parte. Já se disse alhures que Pessanha foi o precursor do Modernismo português, tendo tido influência sobre Fernando Pessoa e outros mais. Em que medida aceitaríamos a ideia, sem um exame estilístico? Não havendo ensejo para tanto, observarei que o gosto da interrupção da frase por uma palavra abrupta, o corte transversal de sentido para deter a lógica, e a organização do ritmo são comuns aos dois poetas. Também relembrarei algumas coincidências, ao acaso.

Na expressão, algo irônica, do pessimismo:

De Pessanha:
Porque o melhor, enfim,
é não ouvir nem ver...
Passarem sobre mim
e nada me doer!

De Pessoa:
Melhor é nem sonhar nem não sonhar
e nunca despertar.

Na expressão da renúncia ou desapego ao amor carnal:

De Pessanha:
Não era ela, mas sim.
(O que eu quis abraçar),

a hora do jardim...
o aroma do jasmim...
a onda do luar...

De Pessoa:
Quero-te para sonho,
não para te amar.

Na expressão da desesperança fatalista:

De Pessanha:
[...] Viça uma flor...
Pões-lhe o dedo, ei-la murcha sobre a haste...

De Pessoa:
Onde pus a esperança, as rosas
murcharam logo.

É óbvio, não se procura explicar Fernando Pessoa através dessa influência ou simples afinidade. Tem razão António Quadros quando diz: "Explicar Fernando Pessoa por qualquer espécie de influências exteriores é ignorar a qualidade de seu espírito, que podia ser maquiavelicamente hábil mas nunca passivamente receptivo". Aí é que está: ele sabia (não fosse genial!) valorizar pormenores encontradiços à direita e à esquerda para levá-los ao crisol de seus mundos essenciais.

Interessa lembrar certos fatos: por volta de 1912, Fernando Pessoa copiava com ávido encantamento os poemas de Pessanha para enviá-los a Mário de Sá-Carneiro, então residente em Paris. Ambos demonstravam enorme curiosidade pelo autor que não se preocupava em editar seus versos, sabendo-os de cor e ditando-os a amigos, nas eventuais visitas a Portugal. Seus maiores admiradores à época, notadamente Carlos Amaro, distribuíam tais versos pelos cafés, até que, em 1920, editado pela escritora Ana de Castro Osório, surgiu *Clepsidra*.

Também se ajusta ao caso um trecho de carta de Fernando Pessoa a João Gaspar Simões, com data de 1931: "Quero referir-me simplesmente sobre a influência que o Pessanha pudesse ter tido sobre o Sá-Carneiro. Não teve nenhuma. Sobre mim teve, porque tudo tem influência sobre mim; mas é conveniente não ver influência de Pessanha em tudo quanto, de versos meus, relembre o Pessanha. Tenho elementos próprios naturalmente semelhantes a certos elementos próprios do Pessanha; e certas influências poéticas inglesas, que sofri muito antes de saber sequer da existência do Pessanha, atuam no mesmo sentido que ele".

No seu ensaio *A poesia da moderníssima geração*, João Pedro de Andrade considera o autor de *Clepsidra* entre os precursores da geração do *Orpheu*. Na "Introdução" de *A poesia da presença*, Adolfo Casais Monteiro diz que "Pessanha é de certo modo um precursor".

Parece-me que a sua influência se exerceu de modo mais ou menos determinante, através das duas tendências antagônicas apontadas por José Régio como sendo as características essenciais e comuns a este Modernismo português: "1) tendência do artista para se abandonar o mais inteira e candidamente possível ao seu próprio instinto criador, individual, à sua inspiração; 2) tendência do artista para conceber completamente a arte que vai realizar".

Em suma: a obra de Camilo Pessanha, além de intuitiva, é intelectualista, provém de um estado crepuscular, passa por uma extrema lucidez, para ser finalmente devolvida a uma aura de mistério e sonho. Não é apenas pelo conteúdo (a manifestação de um ser dramático) que ela deixou ressonâncias; mas ainda pela maneira sincopada, oblíqua, pelo aproveitamento de estratos superpostos, pela riqueza poligonal das metáforas, pela recorrência da forma que, se não foi revolucionária em amplo sentido, foi certamente inovadora.

BIBLIOGRAFIA

PESSANHA, Camilo. *Clepsidra*. Lisboa: Ática, 1945.

————. *Poesia e prosa*. Rio de Janeiro: Agir, 1965. (Nossos clássicos)

ANDRADE, João Pedro de. *A poesia da moderníssima geração*. Porto: Livraria Latina Editora, 1943.

CASAIS MONTEIRO, Adolfo. *A poesia da presença*. Rio de Janeiro: MEC, 1959.

QUADROS, António. *Fernando Pessoa*. Lisboa: Arcádia, 1960.

RÉGIO, José. *A moderna poesia portuguesa*. Lisboa: Inquérito, 1941.

SIMÕES, João Gaspar. *Vida e obra de Fernando Pessoa*. Lisboa: Bertrand, [s. d.].

A POESIA DE UNGARETTI

Autenticidade e cristalização, causa e efeito do mesmo fenômeno artístico, resumem o segredo de Ungaretti. Autenticidade: dom recebido dos céus, graça lírica, força recôndita do ser, capacidade de amar. Cristalização: poder discriminador, de síntese, faculdade de condensar e sofrear. A autenticidade é o sangue. A cristalização é virtude e, muitas vezes, despojamento. Inútil seria o dom sem o critério da escolha. Escolhe-se dentro dos limites do que se possui. Assim, possuir e saber perder é a vitória do artista; é a vitória admirável de Ungaretti.

Sua mensagem, densa de substância, apresenta-se em forma rarefeita. No crisol da palavra habita seu mundo interior, de calidez latina marcante, porém subterrânea. Paixão e lucidez completam-se nessa complexa personalidade. À menor solicitação, reage sua inteligência; qualquer coisa logra tocar sua sensibilidade, mover e demover seus sentimentos. Da alegria para a angústia vai apenas um passo – quando a criatura humana é assim suscetível. Na arte, entretanto, encontraria Ungaretti o desejável equilíbrio, através de inata e laboriosa autocrítica. Da tormenta de seus impulsos até à bela serenidade tocada de orgulho e resistência, percorre Ungaretti um largo caminho.

Recordo palavras suas: *"Fu durante la guerra, fu la vita mescolata all'enorme sofferenza della guerra, fu quel primitivismo: sentimento immediato e senza veli, spavento della natura e cordialità rifatta istintiva dalla natura; spontanea ed inquieta immedesimazione nell'essenza cosmica delle cose; fu quanto, d'ogni soldato alle prese con la cecità delle cose, con il caos e con la morte, faceva un essere che in un lampo si ricapitolava dalle origini, stretto a risollevarsi nella*

solitudine e nella fragilità della sorte umana; faceva un essere sconvol-
to a provare per i suoi simili uno sgomento e un'ansia smisurati e una
solidarietà paterna – fu quello stato d'estrema lucidità e d'estrema pas-
sione a precisare nel mio animo la bontà della missione già intravista,
se una missione avessi dovuto attribuirmi e fossi stato atto a compiere,
nelle lettere nostre".

Antes de tudo, a poesia é sua resposta à vida. Não é meio de evasão ao mistério da existência mas aprofundamento desse mistério, via de aperfeiçoamento humano, vocação equivalente a uma nova mística. Não se intitula em vão *Vita d'un uomo* o conjunto de sua obra.

Essa poesia avessa a todo enredo, a toda retórica, enxuta como areia do deserto, sem nenhum epíteto ocioso ou decorativo, sem confidências sentimentais, sem explanações filosóficas, com violentos contrastes, é o retrato de um homem na sua integridade espiritual e carnal. Em plena guerra, compreende que era chegado o momento de construir algo sobre os escombros. A vacuidade simbólico-romântica de certos ídolos já se fizera sentir no setor literário. A audácia de Marinetti se estendia além das fronteiras italianas, conclamando as gentes para o "salto-mortal" e – devemos reconhecê-lo – desbravando caminhos atulhados. Alguns poetas tentavam aglomerar palavras em liberdade, numa tormentosa procura lírica. De todo o grupo, sobressaiu Ungaretti: além de ter alguma coisa para dizer, ele sabia como fazê-lo.

Havia nascido em país estranho, onde passara a infância; havia convivido com a elite intelectual francesa ao tempo em que Mallarmé conquistara um público reduzido porém muito seleto. Já então devia repercutir nos mais avançados espíritos da época a lição de Croce.

Sobre aquela geração, escreveu Giuseppe de Robertis: *"I lette-rati sono giunti ad una concezione dell'arte, purissima, che è anche scuola morale: obbligando a esprimersi nelle forme più semplici e immediate, e offrendo il modo di veder dentro, nello spirito, con una sicurezza che non era consentita da un linguaggio incerto e impreciso, in corrispondenza di stati di animo temporanei e approssimativi".* Sobre o nosso poeta, eis o depoimento de um de seus pares, Eugenio Montale: *"Egli solo, nel suo tempo, riuscì a profittare della libertà ch'era già in aria..."* E eis o juízo de um crítico, Francesco Flora: *"Con Ungaretti quali siano i fonti dai quali la sua stessa aria deriva, nasce un nuovo modulo poetico".*

É que ele percebera os equívocos e as ambiguidades que costumam transformar a poesia em espécie prosaica. Desdenha então, por incômoda, a ordem sintática tradicional; faz do ritmo a força propulsora e limitadora do verso; abandona por inútil a rima; resguarda o pensamento e oferece a imagem; fixa a essência das palavras buscando-as na origem; valoriza a palavra pelo silêncio em que a envolve; cria para ela um ambiente:

> *Quando trovo*
> *in questo mio silenzio*
> *una parola*
> *scavata è nella mia vita*
> *come un abisso.*

Profundamente significativo, esse poema explica a arte ungarettiana. Descobrir analogia entre a palavra e o abismo é saber que a palavra só é válida na medida em que se entranha no coração humano, antes de florescer. Há um tempo de expectativa, um estado de germinação, para que a palavra se torne viva. Um estudo minucioso do vocabulário de Ungaretti é revelador neste sentido. Em terra tão propícia à oratória, esse latino que sabe conter-se exemplarmente, esse poeta que jamais gritou, repete com insistência na sua necessidade de expressão a palavra "grito", o verbo "gritar":

> *La vita non mi è più,*
> *arrestata in fondo alla gola,*
> *che una roccia di gridi.*

> *L'uomo...*
> *non teme e non seduce*
> *se non il proprio grido.*

> *Il grido dei morti è più forte.*

Non gridate più, non gridate.

I gridi vivi della sua purezza.

Tanti gridi di passeri...

Una fuligine
lilla corona i monti.
Fu l'ultimo grido a smarrirsi.

Lenta luna, fantasma quotidiano
del triste, estremo sole,
quale grido ridesti?

E finalmente este maravilhoso dístico:

Sono un poeta
un grido unanime.

Se examinarmos a imagem de Ungaretti à luz da tipologia de Henry Wells, o qual distingue sete espécies imagísticas (a decorativa, a oculta, a violenta, a radical, a intensiva, a exuberante e a expansiva), verificaremos que ela coincide com a da mais alta qualidade, a última da lista – a expansiva. Por definição, esta é a "imagem em que cada termo oferece ampla perspectiva à imaginação e em que cada termo modifica fortemente o outro". A exemplo:

E gli alberi e la notte
non si muovono più
se non da nidi.

Das árvores para a vastidão da noite há um abrir de cenário; deste para o aconchego dos ninhos uma concentração de calor. Daí resulta a impressão de fluidez que nos causam tais versos. O acerto de analogias tão inesperadas como aquela célebre

Balaustrata di brezza
per appogiare stasera
la mia malinconia

prende-se ao fato de que suas emoções se identificam com percepções sensoriais. Essas percepções, comuns a todos nós, servem de estímulo para apreendermos e compreendermos as emoções singulares do poeta. Essa imagem foi concebida em consonância com o pensamento de Ezra Pound, justamente: não é uma representação pictórica mas uma definição de ideias díspares, apresenta um complexo intelectual e emocional num instante de tempo. Assim é de modo geral a imagem de Ungaretti, quer visual, quer auditiva: primordialmente psicológica, sugerindo o inefável.

"O que acontece", diz Middleton Murry, "com relação à imagem exata (como a do nosso artista), é que uma qualidade percebida numa espécie de existência se transfere para definir uma qualidade em outra espécie de existência." É, pois, eficaz a imagem que nos dá a sensação da qualidade do objeto e não a simples sensação do objeto. Para isso, evidentemente, é necessário que o artista disponha de forte faculdade perceptiva de qualidade – um dos atributos de Ungaretti. Essa perspicácia faz com que ele se distancie do artista plástico, o pintor, o escultor. Seu estilo é sólido pela precisão, sobriedade e vida própria. Todavia não desliza para as artes do espaço, não se circunscreve; é no tempo que se desdobram seus símbolos em evolução contínua; o colorido de suas metáforas não se impõe aos nossos olhos mas à nossa imaginação. Dessa maneira o cultivo da forma difere inteiramente da enganosa concepção parnasiana. Já o seu crítico mais feliz, Alfredo Gargiulo, escreveu: *"Ognuno di quei primi rilievi costituì come un germe destinato a svilupparsi via via".*

Sua arte independe igualmente da música. Artista moderno, com novo senso estético, procura a pureza do poema, fugindo à contaminação de qualquer outra arte. É certo que ambas, a poesia e a música, possuem um mesmo elemento decisivo de organização, que é o ritmo. Entretanto, o ritmo poético não se condiciona à espécie mágica ou encantatória; prende-se, embora por fios tênues, à necessidade de índole intelectual a que a palavra não pode fugir. Menos livre, é talvez mais humano. O ritmo de Ungaretti possui estrutura firme, em correspondência a uma íntima harmonia. Cada poema seu é um conjunto rítmico fechado, dentro do qual se articulam os versos com movimento sensível, em cadência moderada e, de certo modo, solene. Marcada com finura pelas pausas de sentido, a melodia delineia contornos sem perda da energia central. O andamento, sempre meticuloso, inspira respeito. Não há lugar para a rima nessa estrutura inteiriça. Falando lentamente e em tom grave, porque traz o coração repleto, o poeta encontra a medida justa do verso:

Dall'ampia ansia dell'alba
svelata alberatura.

A sonoridade da língua italiana é elemento auxiliar, sem dúvida, para o efeito melódico de suas composições. E ninguém mais apto do que ele para ressaltar os valores fônicos por meio do jogo de contraste das sílabas, sempre que este jogo esteja de conformidade com a intuição a ser representada. Note-se a flexibilidade auditiva, tão fiel ao motivo, nestas linhas de "Aprile":

È oggi la prima volta
che le può aprire li occhi,
l'adolescente.
Esiti, sole?
Con brama schiva la bendi d'affani.

Ele mesmo o disse:

Il mio supplizio
è quando
non mi credo
in armonia.

Esse estado de espírito – e só o experimenta quem traz em si o princípio da harmonia – leva-o a buscar na natureza, adentro dos rios, ao longo das noites bem-amadas, em face de auroras, o completamento de seu próprio ser. Como se destilasse a essência das coisas para nelas se refletir. Com acuidade examina as cores, descobre-lhes o oculto sentido. Pode dizer:

Cerco un paese
innocente.

É que aspira àquele estado de pureza desnuda em que repousa a verdade. Coloca o mundo físico na esfera transcendente a cujos influxos se entrega para depois reagir. É um inquieto na avidez de viver em plenitude, de compreender quanto se passa em torno e acima do homem, de participar do drama universal, de mergulhar na angústia metafísica, de superá-la.

O poeta – generalizado o termo – não é um ser à parte, nem solitário por escolha. Ninguém vive mais unido a seu próximo, nem reconhece melhor o seu próximo em visão de espelho. "La pietà", um dos mais belos cantos de Ungaretti, sua página mais dramática, ao revelar-nos toda a precariedade de sua condição pessoal, não testemunha o estado emotivo de um indivíduo apenas. A voz singular do poeta, neste como em outros poemas, transborda de seus limites para um plano geral, em que se contém o desespero daqueles que pensam e povoam de nomes o silêncio, reinam sobre fantasmas e se enganam a si mesmos, e se cansam, e tombam na maior perplexidade:

Ho fatto a pezzi cuore e mente
per cadere in servitù di parole?

Que poeta não terá chegado a essa dúvida cruel? Ainda bem que coube a Ungaretti provar que não existe dualismo entre as exigências formais da arte e as exigências sociais de tema. Pois que sofreu, como homem, os abalos que sacodem o mundo, periclitante em seus fundamentos, como artista sobrelevou os reflexos desse sofrimento. Sem mutilar sua obra, sugere estados de dolorosa transição, através dos súbitos escapes de um estilo pontilhado de sigilos, representando um mundo estigmatizado pela guerra, pela revolução das ideias e dos costumes, pelas vicissitudes da vida, pela devastação da morte que nos vai tornando mais sós, dia a dia.

Diante do cosmos, o autor de *Sentimento del tempo* assume atitude de integração, apesar do latente inconformismo. Assim o atestam seus deslumbramentos em face da natureza, suas contemplações noturnas, sua receptividade para os mais leves contatos. Sua posição diante do mistério da existência é cristã e mesmo católica, apesar de erros e dúvidas: embora a religião não lhe dê a paz almejada, manifestam-se seus instintos religiosos através de patética intuição do pecado e da culpa, de imprecações e remorsos e, ainda, através do conhecimento nostálgico do efêmero: *"Tempo, fuggitivo tremito"*.

Herança tradicional, sua vivência em Cristo torna-se cada vez mais densa pelo acréscimo de experiência de dor, pela descoberta de forças morais capazes de vencer a dor. Daqueles hinos de inquietude dos primeiros tempos aos últimos poemas de *Il dolore*, principalmente "Mio fiume anche tu", há sinais de ascensão espiritual, de abandono ao sobrenatural, de confiança, de apego à doutrina:

> *Vedo ora nella notte triste, imparo,*
> *so che l'inferno s'apre sulla terra*
> *su misura di quanto*
> *l'uomo si sottrae, folle,*
> *alla purezza della Tua passione.*

A esse passo, a força do conteúdo se apresenta sob aspecto conceituoso, travando decerto a fluidez habitual da forma. Porém "Giorno per giorno", coleção de poemas do mesmo livro, expressa com transparência lírica suas mais íntimas emoções. Inspiradas pela saudade do filho, essas páginas perpetuam os laços de sangue, ressuscitando à imaginação a figura do pequenino morto, enquanto o pai não é mais do que sombra. No poema "Tu ti spezzasti" (*"sorta di epica struggente dell'età breve"*, segundo Spagnoletti), a paisagem brasileira se imortaliza com auras de magnificência, a servir de moldura para a frágil criatura destinada a desaparecer deixando a lembrança de sua estada na terra à maneira de sopro e de cristal.

Nenhuma expressão define melhor os atributos da poesia de Ungaretti do que esta com que o poeta definiu a leveza e a pureza de uma criança – seu próprio filho: *"soffio e cristallo"*.

A pureza resistente do cristal e a delicada levitação do sopro criaram, no torvelinho da literatura contemporânea, uma "alegria para sempre".

BIBLIOGRAFIA

UNGARETTI, Giuseppe. *Vita d'un uomo I. L'allegria*. Firenze: Mondadori, 1949.

————. *Vita d'un uomo II. Sentimento del tempo*. Firenze: Mondadori, 1949.

————. *Vita d'un uomo III. Poesie disperse*. Firenze: Mondadori, 1954.

————. *Vita d'un uomo IV. Il dolore*. Firenze: Mondadori, 1959.

FLORA, Francesco. *La poesia ermetica*. Bari: Laterza, 1947.

SPAGNOLETTI, Giacinto. *Poeti del novecento*. Firenze: Mondadori, 1951.

ALFONSO REYES, ENSAÍSTA E POETA

Humanismo e americanismo em correspondência, respectivamente, com os atributos da tradição e da originalidade, eis os dois ideais que perseguiu com fervor Alfonso Reyes, durante toda a existência. *Última tule* e *La experiencia literaria*, entre seus melhores livros, testemunham em conjunto essa dupla vivência de homem e de esteta. Do intercurso desses ideais resultaria o caráter de sua obra, clássica pelo equilíbrio da expressão, moderna por uma peculiar vibração do ser e suas mensagens.

Desvelava-se Alfonso Reyes pela pureza do verbo, valorizando a significação da herança latina, tanto quanto buscava resolver, em moldes de transplantação cultural e com vistas à revelação do espírito novo, problemas especificamente americanos.

Graciosa, além de expressiva, é a referência de Enrique Díez-Canedo a seu respeito: *"Alfonso Reyes, hombre de su tiempo, no es como los del antiguo sistema, que citaban a Virgilio, para abrumar a sus pobres contemporáneos. Alfonso Reyes es muy capaz de citar a Jean Cocteau para aligerar a Lucano". "Hombre de su tiempo"*, frisou Canedo. E. Anderson Imbert, referindo-se à pluralidade de vocações de Reyes, escreve: *"Hombre del Renascimiento"*. Em verdade não há contradição entre os dois conceitos: tanto foi ele homem de seu tempo, de poderosa vitalidade (e que risadas sabia dar!), como criatura do Renascimento se definirmos essa época pela multiplicidade de seus interesses: vinculações históricas e geográficas, contemplação do passado para perspectivas futuras, descobrimentos de coisas da natureza, afirmação de nacionalidade, orgulho individual de ser, de sentir. Aperfeiçoando o espírito no culto de preclara tradição, Reyes soube fixar no presente, com dignidade pessoal, a continuidade do passado no que esse possui de exemplar.

O sentimento nativo terá sido, talvez, o melhor estímulo para a conquista da erudição com que se apresentava diante de seus pares de além-mar, com segurança de quem atinge a maturidade e se compraz em vivê-la, com a consciência dessa maturidade a que se referia em Madri, no discurso pronunciado em homenagem à memória de Rubén Darío. Menos deslumbrado do que Darío e Rodó, dotado de malícia ou espírito de levitação que a ambos faltou para percepção mais pronta da realidade, Reyes complementa o quadro dos valores da América hispânica. E representa por isso mesmo, ele próprio, *"la hora adulta en que el americano puede amar a España sin compromisos, sin explicaciones y sin protestas. La hora en que, sintiéndose otro, el hombre se siente semejante a sus familiares y como justificado en ellos".* Com aquela meticulosa cortesia mexicana que apontou como característica da raça na obra de Ruiz de Alarcón, mais feliz do que este seu compatrício, Reyes conquistou o respeito da intelectualidade castelhana.

Participante efetivo das perplexidades modernas, tornou--se, pela inteligência e pelo coração, um elo espiritual entre dois mundos, não só interpretando, em ensaios e exegeses, as reações peculiares ao continente como trazendo, de suas excursões pelas literaturas alheias, substanciosas contribuições. É que ele possuía verdadeiro senso histórico, este de que nos fala T. S. Eliot, em *"Tradition and the individual talent"*, senso pelo qual se percebe simultaneamente o que escapa ao tempo e o que lhe pertence. O senso histórico, segundo o ensaísta inglês, torna tradicional o escritor ao conferir-lhe, precisamente, a consciência de seu lugar no tempo, de sua própria contemporaneidade. O talento individual condiciona-se, pois, à tradição.

Desde *La crítica en la edad ateniense*, passando por *Capítulos de la literatura española* e *Mallarmé entre nosotros*, até *Última tule (la de Séneca, un continente por aparecer más allá de los horizontes marinos)*, manifesta-se o senso histórico de Alfonso Reyes, neste conceito resumido: *"Ante los desastres del Antiguo Mundo, América cobra el valor de una esperanza. Su mismo origen colonial, que la obligaba a buscar fuera de si misma las razones de su acción y de su cultura, la ha dotado precozmente de un sentido internacional, de una elasticidad invidiable para concebir el vasto panorama humano en especie de unidad y conjunto"*. Assim é que, ao atrair o volume das águas distantes para os vales de sua proximidade, Reyes não buscava concentração egoísta mas renovação de energias.

Em 1910, ao ensejo da comemoração do 1º Centenário da Independência mexicana, o filho de Monterrey já tem papel de relevo nas letras de seu país, sendo membro do Ateneu do México, centro intelectual que teve, segundo Pedro Henríquez Ureña, influência política revolucionária. Em 1920, depois de um estágio diplomático em Madri, lança, em companhia de José Eguren e César Vallejo, as bases de novo movimento literário. Vêm a seguir outras viagens pelo exterior. Recebeu-o o Brasil em 1930 na qualidade de embaixador. Sob o título de *Romances del Río de Enero*, publicou o poeta versos dedicados à nossa capital de então. De lá expediu vários números do célebre correio literário *Monterrey*, com que se comunicava com os amigos. Seus últimos anos foram generosamente consagrados à Universidade do México. Seu nome preside então aos empreendimentos editoriais de maior importância. Sem embargo dessas atividades, sua obra, marcada por extremo requinte, jamais acusa qualquer improvisação ou cansaço, como a da maior parte dos escritores ibero-americanos, homens chamados a colaborar em setores diversos, habitualmente com o sacrifício do lavor artístico. O método, a paciência, a tenacidade e, acima de tudo, a paixão poética, fazem de Alfonso Reyes um caso à parte.

"No me deja desperdiciar un solo dato, un solo documento, el historiador que llevo en el bolsillo", dizia. De fato, sua memória tinha presteza singular. Através de um jorro constante e faiscante de exemplos, anedotas, facécias, lembretes, recados, comentários, pés de página e parênteses, ele surpreende o assunto de todos os lados, envolve e mantém viva a atenção do leitor, apela a um tempo para a imaginação e a inteligência.

Intitula-se *"Las jitanjáforas"* um de seus mais notáveis estudos. Ali se anotam observações e experiências de certo fenômeno vocabular ou simplesmente oral, com acuidade e extensão extraordinárias, embora o tema não seja desconhecido e dele se possam recolher manifestações antiquíssimas. Aprendemos que *"jitanjáfora"* se divide em duas categorias: pura e impura. Pertencem à primeira os tipos seguintes: os signos orais que não chegam a constituir palavras; a onomatopeia; as interjeições menores; os balbucios de berço; o que falam os pássaros; as *galimatías* pueris; as bruxarias-en-salmos, magia, conjuro; as canções populares que desdenham a lógica e a gramática; as estrofes bobas; e os gritos de guerra. Em suma, a primeira categoria é de espécie folclórica. A segunda família, a de *"jitanjáfora concientemente alocada"*, oferece dois graus: o dislate culto do literato e o heroico, do poeta. A este último pertencem os versos que deram motivo a toda a divagação e estrutura teórica, e batizaram arbitrariamente o fenômeno. Certo amigo de Reyes, Mariano Brull, o surpreendeu com este *"verdadero trino de ave"*:

> *Filiflama alabe cundre*
> *ala olalúnea alífera*
> *alveola jitanjáfora*
> *liris salumba salífera.*

Encantado com a novidade, nosso ensaísta pôs-se em campo e, desde *"el ímpeto léxico de Adán"* à vanguarda literária, faz descer das estantes Dante, Rabelais, Joyce, Larbaud; opina que as Danaides de Ésquilo cantavam *jitanjáforas;* explica razões de magia e hermetismo: *"En el ruido de esta sonaja hay algún misterio. Los ecos resuenan hasta el fondo de ciertos corredores por donde se llega a las catacumbas de la poesía".* Eis um modo agradável e sério de tratar assuntos do subconsciente.

Já classificaram o escritor com o epíteto de "barroco". Fica-lhe bem a qualificação com a ressalva de que os volteios de seu estilo são de ordem funcional; suas metáforas são abundantes porém não enfáticas; minuciosas porém não excessivas. *Constancia poética* o confirma, representando o balanço de sua poesia. No poema "Tonada del acero de la mañana", por exemplo, o estribilho que se associa às três partes da composição foge à habitual monotonia dos estribilhos ao tornar-se fio de ligação entre momentos emocionais diversos, como para marcar, através de novas experiências e novos matizes, a intuição primeira. Neste livro, assim como na prosa, ressaltam os dois interesses a que se votou. Sem abandonar os processos da antiga preceptiva e sem retórica, seu estro empolga e convence. Lembra-nos um novo Pégaso a tentar corridas de obstáculo, algumas vezes pelo simples prazer do jogo, outras por premência interior. De fato, o poeta atingiu aquele estágio em que o rigor técnico açula a inspiração. Nunca lhe faltam segurança e fluidez. Em um de seus bons romances, por exemplo, "La veladora", a rima toante que prevalece do princípio ao fim e que comparece de 2 em 2 versos, além de manter assurdinado o ambiente, é um elo natural, um indeclinável convite:

Niña boba, veladora
que noche a noche me aburres
con la incómoda insistencia
de tus atenuadas luces;
tú que en la vigilia duermes
y en el entresueño acudes,
pintando por las tinieblas
borrosas caras... y cruces;
a ti, boba, te convido
a compartir las volubles
locas imaginaciones
que la soledad difunde.
¿Donde están aquellos ímpetus
corajudos y salubres
que me sacaban del lecho
para obedecer al numen?
Dejo que en el duermevela
mis anhelos se columpien,
mas no sé si son anhelos
o ya sólo pesadumbres.
Negro jardín que frequentan
como duendes los perfumes,
nocturno cielo en que apenas
las estrellas dan vislumbres,
todo es recuerdo y despojo,
todo ruina y derrumbe.
¿Qué piensas tú, veladora?
Dílo y no lo disimules.
– Que no te conozco, Alfonso;
tú no eres el de costumbre.

Neste, como em outros "romances", a forma tem raízes antigas com suas evocações fônicas; a linguagem é coloquial como convém à espécie, e extremamente depurada de acordo com a lição de Góngora, seu indiscutível mestre; mas o elemento subjetivo, como o pudor da emoção, o desejo de evitar qualquer gesto sentimental, a familiaridade da expressão, a amarga ironia, enfim, o substrato, acusa o homem moderno, de interioridade mais densa: um homem que não faz distinção entre sua vida e a literatura. E por isso mesmo (solicitado a um tempo pelo tradicional e o atual, elementos que em síntese dão unidade à sua obra) é um ser complexo: lírico e sarcástico, divertido e grave, reticente e confiante.

BIBLIOGRAFIA

REYES, Alfonso. *La experiencia literaria*. Buenos Aires: Losada, 1942.

————. *Última tule*. México: Imprenta Universitaria, 1942.

————. *Constancia poética*. México: Fondo de Cultura Económica, 1959.

DÍEZ-CANEDO, Enrique. *Letras de América*. México: El Colegio de México, 1944.

IMBERT, Enrique Anderson. *Historia de la literatura hispanoamericana*. México: Fondo de Cultura Económica, 1954.

UREÑA, Pedro Henríquez. *Historia de la cultura en la América Hispánica*. México: Tierra Firme, F. C. E., 1949.

POESIA DE ISRAEL

Talvez por sugestão das letras bíblicas, que nos têm sido constante deslumbramento espiritual, parece que o caráter sagrado da poesia assume profundidade maior com referência ao mundo de Israel. Esta é a impressão que conservamos da leitura dos poemas sabiamente recolhidos e lindamente traduzidos por Cecília Meireles em volume intitulado *Poesia de Israel*.

O misticismo da grei judaica, sua soma de experiências, a extensão do sofrimento que nenhum povo terá tido através dos séculos, a esperança e o júbilo da volta à gleba, são as fontes primordiais dessa poesia que nasceu para habitar entre os homens, mais ainda do que para constar de livros. É depoimento e mensagem, antes de tudo.

Já o professor de Literatura Hebraica da Universidade de Jerusalém, Simon Halkin, havia dito em sentido genérico: "Em suas ressonâncias sociais, a poesia de Israel é certamente mais palestínica do que a prosa. A vida nova e os cantos que ela inspira combinam três categorias de emoções eternas: o amor incoercível à terra ancestral, o sentido constante do perigo e a alegria permanente da obra criadora. Entre estes elementos, o amor à terra de Israel, uma das molas mais elementares da tradição poética, tende hoje a fundir-se com a mensagem tradicional e messiânica que transmite".

Sim, apesar de serem modernos na fatura e de cuidarem de motivos imediatos, com resolução e realismo, os poemas a que nos referimos carregam certo lastro de vaticínio vindo de tempos primevos, trazem uma aura de idealidade mística hereditária. E se, de fato, a poesia israelense do momento é mais vívida do que a prosa, isto se explica pelo que possui de intuição maior, em qualquer circunstância, o fenômeno poético. É de supor-se que em momentos assim, em que tudo parece renascer por milagre, a intuição se antecipe à lógica. Pois no poema, ainda que as emoções sejam contidas como convém ao equilíbrio da arte, há algo de instintivo e de selvagem que escapa ao texto prosaico. Ainda que os sentimentos se ocultem sob o manto da imagem, há dentro deles certa violência em potencial. E mesmo que a metáfora não transmita ideia aparente, sabe fazer-se compreender por uma espécie de luminosidade implícita.

Desta maneira, a poesia revela mais cedo, e talvez melhor, a psicologia de um povo ou de uma época inaugural. Aqui se trata do reencontro de seres humanos que agora se conhecem com mais detença, dentro da mesma órbita geográfica. E, embora se tenha feito ouvir de longe em longe a voz de Israel, de uma ou de outra parte do mundo através do exílio, um coro de vozes em uníssono é sempre mais comovente.

Este livro em que figuram 24 poetas do nosso tempo, a partir do início do século XX, desde o escritor que desapareceu em 1929 até o que nasceu em 1937, encerrando 64 poemas escolhidos, é a súmula de uma vivência coletiva e de um evento histórico de repercussão mundial. Dizia em 1862 Moses Hess, no seu famoso livro *Roma e Jerusalém*: "Somente num território nacional judaico poderão florescer de novo os valores culturais do povo e, para tanto, torna-se necessário criar um centro espiritual judaico na terra de Israel". O tempo ocorrido entre o primeiro congresso sionista de Basileia em 1897, em que foi espiritualmente fundado o Estado Judeu, até a histórica sessão das Nações Unidas de 1947, em que se aprovou a criação de um Estado Judeu independente, foi uma fase de graves emoções propícias ao canto dos poetas, à frente dos quais se encontrava Bialik. Depois que em 1848 triunfou o movimento sionista e veio o afluxo de gentes distantes, as vozes poéticas se multiplicaram. E, com os grandes acontecimentos de significação político-social, sucedeu algo de extraordinário e inédito na história dos idiomas: o renascimento da língua hebraica, profeticamente reclamado pelo lituano Ben-Yehuda como "o único meio de comunicação numa terra nacional judaica".

Admira-nos a informação estatística de que o hebraico atualmente falado possui mais de 40.000 palavras, enquanto o Antigo

Testamento contém um vocabulário de cerca de 8.000. Só isso bastaria para comprovar a amplitude de tal ressurgimento. Por seus subsídios em favor do idioma e suas qualidades de guia tutelar nos momentos mais árduos da reconquista, Haim Bialik, aclamado como o poeta do renascimento judeu, destaca-se fortemente no panorama cultural de sua pátria. Temperamento colérico, personalidade rebelde a toda pressão, levantou a voz como um oráculo antigo; seu verbo foi látego e incentivo nas horas de luta. De acordo com a origem grega da palavra, ele foi um profeta: vislumbrava o futuro, falava em nome de um povo, de uma raça, do sangue que lhe corria nas veias. Das fontes de sua inspiração, ele próprio escreveu a seu biógrafo Klausner: *"Toutes mes forces ont été alimentées et nourries, telle une plante sauvage, par ce qui se trouvait déjà prêt à leur portée et par ce qui leur a été envoyé d'en haut. Et si j'ai produit tout de même quelque fruit, que le nom de Dieu soit bénit!"*.

Com amargura e também com doçura, evocou sua infância pobre em "Minha canção", assinalando amorosamente a figura de sua mãe:

> E quando de manhã repartia por seus filhos
> o pão que havia cozido e havia amassado com suas lágrimas
> eram estas e seus suspiros que alimentavam as minhas entranhas.

O sentimento filial que se faz aqui transbordante, testemunha talvez sentimento mais vasto, a veneração à mãe-pátria, sofredora de tantas vicissitudes. Este poema, tão realista nas minúcias do cotidiano, tem significação em plano superior, traduz uma experiência menos pessoal do que coletiva, ainda que o próprio poeta não o previsse.

Ao lado de Bialik, vão surgindo, na coletânea de Cecília Meireles, novos poetas: uns se reportam à tradição, expandindo e recriando temas da antiguidade, de modo nebuloso e visionário; outros mergulham na corrente das injunções, na realidade sensível, na gleba, no encantamento das montanhas e dos céus, no esforço de adaptação à vida presente, porventura ainda rude, na exaltação da vitória. Dentro desses dois campos, o do pretérito e o do renascimento, se correspondem e se identificam, de um lado, o homem comum, ser humano universal; de outro, o judeu como indivíduo.

É claro que não existe incompatibilidade entre o palestínico e o universal: foi a tradição dos livros sagrados que preparou a humanidade para a concepção do Deus único e lhe traçou as grandes linhas morais nascidas do espírito religioso, e lhe transferiu o anelo de conhecer o destino eterno da alma, a sede de encontrar os caminhos do Senhor. Mas interessa observar o indivíduo moderno que hoje se adentra em comunidade, com aspectos diferentes de outros povos, definindo-se e destacando-se dos demais. Como sempre, ambos os conceitos – nacionalismo e universalismo – fundamentam a realização completa do homem, nos anseios do espírito e na vitalidade carnal. O espírito não tem pátria, mas é natural que o corpo procure a terra de seus antepassados para melhor entendimento próprio através dos sentidos. Certas paisagens, certas fragrâncias e certos rumores da natureza como que desabrocham da intimidade do homem com sua gleba. É este sentimento confuso que sintetiza, num momento feliz, Hannah Szenes no "Canto ao Galil". Ao mesmo tempo em que se refere às montanhas, às ladeiras e aos campos como coisas concretas, a sedutora voz da poetisa se amplia, captando as qualidades psíquicas de suas percepções:

No alto das montanhas e no coração dos filhos
flutua a magia de lembranças milenares.
São elas que choram nos sons da flauta.
Isto é o Galil!

Outra mulher, Lea Goldberg, alta figura da poesia, romancista, ensaísta e professora universitária, aqui comparece com 11 poemas de importância. Os "Poemas do filho pródigo" impressionam pela fluência com que o velho tema se renova, ao ser tratado de modo pessoal, com minucioso realismo familiar. Nos "Montes de Jerusalém", o motivo elementar assume caráter essencial: um sofrimento de amor que se adiciona a sofrimentos generalizados; a alma que não sabe explicá-lo e todavia reconhece:

Oh! como é intenso o desejo de viver
naqueles que vão morrer.
Como é terrível esta paixão

e como é vazia —
de ser, de existir
ainda um ano, um ano inteiro,
uma geração mais, duas, três,
ainda uma eternidade.

Tecido de contraste e forrado de insinuante mistério, esse poema apresenta, de um lado, os símbolos da delicadeza e da fragilidade: a borboleta, o pássaro, a brisa que abençoa cada coisa, recém-nascidos em seus berços antes do sono, as alturas azuis, o céu infinito e azul, o amor infinito e azul; de outro lado, as ervas secas, as silvas, os cardos, os desertos crivados de seixos, os túmulos e os abismos do sofrimento. Da fusão de tais imagens resulta um belo painel; da nervosa emoção subjacente advém uma sensação de sabedoria serenamente conquistada, de compreensão metafísica.

Por sua vez, Chin Chalom, polonês de origem, radicado em Israel, é uma das mais pungentes expressões artísticas desse volume. Poeta místico, professa uma singular filosofia inclinada à renúncia, baseia-se estoicamente no desprendimento de tudo aquilo que não seja sua própria vida interior. A página intitulada "Dedicação" revela, mais do que um estado de espírito, uma norma de existir, uma fluência de concepções transfiguradoras e, ainda, certa convicção de que a beleza é fundamento moral. Dele se pode dizer que herdou, com a sutileza do Simbolismo, o espírito da música, o dom de transferir para as coisas circundantes um sentido subjetivo, o dom de decifrar mistérios através dessas mesmas coisas. Em verdade,

Nem tudo é tão simples, entre as quatro paredes:
há qualquer coisa na atitude das estantes,
e a pesada cortina, e o leito que se arruma
curvam-se a um jugo, a um peso de conhecimento.

Como Rainer Maria Rilke, Chalom parece viver solitário dentro da própria imaginação, à espera de que se revele o sobrenatural. Daí emana essa atmosfera de silêncio que coroa seus poemas. Sua acuidade para o sofrimento de entorno, seu amargor diante da estranha impassibilidade do mundo para com o problema do mal, seus mais puros sentimentos, enfim, estão presentes na página intitulada "Meia-noite". É de notar-se a concisão e a precisão dos termos, a reiteração dos mesmos para acentuar a força íntima do protesto, o relevo da figura esguia do homem, esguia como o próprio grito dentro da vastidão da noite, uma noite igual às outras, sem resposta.

> Escavo –
> talvez venha a descobrir a consciência do mundo.
> Talvez os mortos levantem a sua voz.

> Escavo
> um túmulo para a minha carne perecível.
> Um túmulo para a minha voz que se revolta e esbraveja
> e grito.

> E a noite cala-se.
> A noite cala-se.

Nathan Alterman, aqui representado por três poemas: "Canto dos sinais", "Lua" e "A bandeja de prata", é, possivelmente, o mais complexo temperamento do grupo. Seus versos carregam substância dramática, entre depressiva e exultante; situam-se num clima de apocalipse em que se cruzam predições e lamentos com testemunhos de bravura e advertência imediatas: "Essa é a nossa sorte – suportar os sinais".

Suas telas têm fundo sombrio; por isso mesmo realçam com maior beleza as cores e as formas de suas metáforas. Ele reconhece que o artista, o visualista que é, está sempre de guarda:

> Nunca, meu Deus, arrancarão de mim
> o sofrimento dos teus grandes brinquedos.

E com imagens ardentes como essa "A bandeja de prata", consegue transmitir a seiva de passado em termos modernos, tornando-se o representante típico dessa imantação entre o que foi e o que é.

Há ainda, nesse livro, as marcas precursoras de Avraham Chlonski, o cantor de sensibilidade múltipla. Há notas de ácida revolta e realismo cruel, pela voz de Grinberg. Tons pitorescos e originais do estro de Aharon Amir, capaz de comunicar a sensação do nada. Há uma impressionante coincidência de temas familiares, de aconchego entre pais e filhos, de afetividade singela. Uma intensa preocupação de cunho religioso. Lágrimas e clamores. Vida e participação, em suma.

É exatamente essa atitude de participação que caracteriza, define e atualiza a poesia de Israel.

A nosso ver, não sob o prisma da fórmula, e sim com referência à disposição do ânimo, a moderna poesia (em sentido geral) é menos lírica ou épica do que dramática. O poema lírico nasce de uma atitude de pura contemplação e inspira-se, de conformidade com o que diz Kayser, "de uma fonte de luz uniforme". O poema épico surge de uma atitude de compromisso, obediente a uma coordenação de camadas estruturais. Neste caso – podemos concluir –, o poema dramático é o que possui maior vocação para a clarividência, é o que tem índole de integração e se desenvolve do encontro e dos embates entre o objetivo e o subjetivo, buscando equacionamento, equilíbrio e harmonia.

A sensibilidade conflitiva e o espírito de comunhão presidem, claramente, ao livro em apreço. Daí sua modernidade e vivo interesse.

BIBLIOGRAFIA

POESIA DE ISRAEL. Trad. Cecília Meireles. Rio de Janeiro: Civilização Brasileira, 1962.

CONCEITUAÇÃO DE POESIA ENTRE OS FRANCESES

De há muitos séculos, pode-se mesmo dizer, de há milênios, o homem vem perguntando: é a poesia um dom ou uma arte? Um meio de comunicação ou um fim em si mesmo? Uma forma de conhecimento ou um acréscimo de mistério? Origina-se do próprio indivíduo ou constitui elemento de tradição? Diante dessas e de outras indagações, reina Proteu no seu versátil e multiforme domínio. Entretanto os homens mourejam, entre a cultura e a experiência, para definir a poesia, delimitar-lhe os âmbitos, medir--lhe a estrutura, conhecer-lhe a natureza. Cada civilização, cada agrupamento literário, cada poeta em sua vivência de espiritualidade e sonho, tem-se curvado, noite adentro, sobre o fenômeno. Verdade é que certas escolas, antes de tudo preocupadas em forjar figurinos para a exteriorização da poesia, perturbaram ao longo do tempo a marcha do pensamento que nos teria levado mais cedo a conclusões mais profundas, essas a que chegaram paulatinamente os dois últimos séculos.

Se não podemos apresentar uma definição cabal de poesia, altas revelações nos têm sido dadas a respeito. Pelo menos a partir do Romantismo e, principalmente, a partir dos estudos de estética do início do século XX, a questão canalizou-se para o alvo justo: o conhecimento da essência poética. Entre a natureza e a cultura, o homem oscila, vacila, contradiz ou constrói o seu mundo, numa premência de valores. Será mister distinguir, antes de tudo, o que se convencionou chamar: arte, filosofia e ciência. O desconhecimento fundamental do fenômeno nem sempre impediu que se realizasse uma grande poesia, porque nesse reino predomina o milagre. Porém, a dignidade humana do poeta está ligada intimamente à sua mesma lucidez. É bem pouco saber a maneira de agir para alcançar a cristalização do poema, ou o modo de reconhecê-lo como obra de arte através de sua aparência sensível, quando se ignora a sua imanência, a sua significação primeira. Chegou-se à conclusão, depois de longos estágios crepusculares, de que a exterioridade do poema redunda de seu próprio conteúdo; de que o valor ponderável da poesia é consequência de seu valor intrínseco. Não se trata, é óbvio, de sobrestimar o conteúdo em detrimento da forma, como fizeram certos românticos, tomados de orgulho pela inspiração; trata-se de examinar a questão nos alicerces, de disciplinar o espírito para a concepção correta de uma das mais graves vocações humanas. Para isso foi singularmente valiosa a fórmula encontrada por Benedetto Croce, ao amanhecer do nosso século, através do seu livro *Estética*, ou seja, a distinção filosófica entre as duas únicas formas do conhecimento: a intuição que conduz à arte e a lógica de que derivam a filosofia e a ciência.

Mas, já em 1833, um escritor francês, crítico não muito brilhante, contemporâneo de Sainte-Beuve, Charles Magnin (a descoberta corre por conta de Henri Bremond), consignara em número da *Révue des Deux Mondes* essas singelas porém luminosas palavras, quase despercebidas: *"L'homme est né pour connaître [...] Or, pour y parvenir, il lui a été donné deux instruments: la raison qui poursuit et atteint la science, et l'imagination que n'atteint que la poésie qu'on peut appeler la demi-science, et, mieux encore, la prescience"*.

O interesse de surpreender o fio de Ariadne que tece o poema sempre esteve presente na literatura francesa, na qual prevalece a inteligência, e o espírito é mais inclinado à ordem especulativa do que à ordem prática. De acordo com um pensador dos nossos dias, Robert de Sousa, a teoria poética, a noção abstrata de poesia, costuma alcançar na França uma atenção que não logra a poesia mesma.

Desde séculos, à força de pesquisas e análises, quase sempre de modo objetivo – talvez excessivamente objetivo – os intelectuais franceses vinham procurando configurar a poesia, dar-lhe rumos certos, remodelá-la e aperfeiçoá-la através de seu instrumento verbal, a palavra, a linguagem. Mais recente, entretanto, e mais forte, é o surto de curiosidade em aprofundar, não já os métodos criadores, mas a essência mesma da criação, não apenas a preceptiva capaz de tornar preclaro o poema, porém a sua irredutível substância.

Eis o nosso propósito: conferir, por meio de testemunhos textuais, a conceituação de poesia entre escritores franceses, alguns filósofos, prosadores e poetas mais lúcidos ou mais atentos ao problema.

Dizia Ronsard em carta a um discípulo: *"Combien que l'art de poésie ne se puisse par préceptes comprendre ni enseigner, pour être plus mental que traditif: toutefois, d'autant que l'artifice humain expérience et labeur le peuvent permettre, j'ai bien voulu t'en donner quelques règles...".*

Entre os escrúpulos suscitados pelo misterioso tema e a noção de que poesia é arte a exigir conhecimentos técnicos, desenvolve a seguir toda uma preceptiva literária que vai da análise da invenção, disposição e elocução, quer dizer, das normas dos clássicos greco-romanos – não fosse ele discípulo de Horácio – ao estudo da rima, das vogais, dos versos alexandrinos, até mesmo da ortografia. Dizem os críticos que Ronsard preparou o século XVII e a arte clássica. Assim parece. Eis o que ele ensina, por exemplo, a respeito das invenções: *"Et bien qu'elles semblent passer celles du vulgaire, elles seront toutefois telles qu'elles pourront être facilement conçues et entendues d'un chacun".*

Aí se enuncia o princípio da clareza, da transparência a que sempre foi afeito o espírito francês e que marca, de modo positivo, as características, não apenas da escola clássica mas igualmente daquelas que se inspiraram em normas idênticas, assim como o Realismo, ou seja, na área dos versos, o Parnasianismo.

Ao consultar Montaigne, verificamos que, embora não se tenha ele ocupado detidamente do tema poético, revelou seu pensamento em expressões extremamente significativas: *"A certaine mesure basse, on la peut juger [la poesie] par les préceptes et par art. Mais la bonne, l'excessive, la divine est au-dessus des règles et de la raison".*

Aqui está um conceito platônico, bem de acordo com o gênio, a autenticidade, a independência e o estilo do ensaísta que, ao criar um gênero literário, deixou a marca de uma personalidade original e fecunda que mais devia a si próprio que à tradição. Tal conceito pode ser considerado fonte inspiradora de escolas como o Romantismo, o Simbolismo e o Modernismo, pela coincidência de aspirações libertárias. Isso explica o fervoroso entusiasmo com que essas escolas, mais imaginativas do que positivas, se desenvolveram na França. A pátria de Montaigne e Pascal está sempre pronta a reformular sistemas de ideias e renovar experiências estéticas.

A seu tempo, Malherbe exaltava a importância da técnica, da fatura, da plasticidade da língua como fatores indispensáveis à criação de obras-primas. De grande alcance, a reforma por ele proposta não foi, talvez, bem interpretada. Segundo Gustave Lanson, *le dictionnaire des quarante*, seguindo-lhe a traça indiscriminadamente, eliminou da terminologia, para atingir a inteligência pura, os vocábulos concretos, coloridos e pitorescos. E estes são, exatamente, o apanágio do artista.

Já no século XVII encontramos Boileau, cujo alto e longo prestígio foi abalado pela crítica de gerações mais novas e compreensivas da necessidade de se desobrigar a arte, de qualquer liame ou constrangimento de ordem racionalista. Em verdade, foi Boileau o responsável pela prevalência da forma sobre a substância, pois, condicionando a poesia a tantos mandamentos de feição técnica, esqueceu-se da sua natureza. Formalizou, deste modo, a arte poética, limando-a, cinzelando-a, aperfeiçoando-a em sentido restrito de beleza exterior e, por isso mesmo, bloqueando-a nas suas fontes vivas.

Mais profundo e sensível à percepção da Musa, mostrou-se Fénelon, ao testemunhar, na sua *Lettre à l'Académie*, uma inteligência percuciente, uma fina capacidade crítico-filosófica, enriquecida por um gosto pessoal capaz de arejar e tornar mais lírico o ambiente das letras.

Sem formulação de normas estáticas, considerou a poesia como valor intrínseco a ser revelado, do centro para a periferia. Sua discrição é perfeita; mesmo quando entra em pormenores, seu discurso atinge um plano abstrato em que as ideias se universalizam. A exemplo, uma passagem de *Projet de poétique*: *"Combien un homme est-il au-dessus de ce qu'on nomme esprit, quand il ne craint point d'en cacher une partie! Afin qu'un ouvrage soit véritablement beau, il faut que l'auteur s'y oublie, et me permette de l'oublier. Il faut qu'il me laisse seul en pleine liberté"*.

Num poema intitulado "L'invention", belo em que pese ao lineamento discursivo, revela André Chénier suas concepções de arte poética. Depois de falar das maravilhosas conquistas da Grécia, adverte:

Qui que tu sois, enfin, ô toi, jeune poète,
travaille, ose achever cette illustre conquête.

....

Si pour toi la retraite est un bonheur suprême,
si chaque jour les vers de ces maîtres fameux
font bouillonner ton sang et dressent tes cheveux,
si tu sens chaque jour, animé de leur âme,
ce besoin de créer, ces transports, cette flamme,
travaille [...]

Sua filiação era clássica, evidentemente. E esse trabalho que ele exige do artista é o do acabamento formal, todavia condicionado ao grande impulso inicial do sangue.

É de se recordar que as escolas literárias, nascidas quase sempre intuitivamente, não derivam de uma linha de conceitos, mas propõem revisões necessárias e acabam instituindo, com novas modalidades de expressão, novos juízos estéticos. Com a aurora do Romantismo, a concepção de poesia vai adquirir dimensões inéditas. O que até então fora respeitado do ponto de vista da pura beleza e, muitas vezes, da beleza pagã, por influência dos antigos, vai ser admitido com mais independência, aos estímulos do sentimento, da emoção pessoal. O objetivo cede lugar ao subjetivo, na criação e no julgamento. Paradoxalmente, essa escola que exaltava o individualismo procurava, de modo simultâneo, integrar o homem no cosmos, à sombra do espírito religioso, enriquecendo-lhe a psicologia.

Evoquemos o depoimento de Madame de Staël, precursora do Romantismo: *"Ce qui est vraiment divin dans le coeur de l'homme ne peut être défini; [...] Il est difficile de dire ce qui n'est pas de la poésie; mais si l'ont veut comprendre ce qu'elle est, il faut appeler à son secours les impressions qu'excitent une belle contrée, une musique harmonieuse, le regard d'un objet chéri, et par dessus tout, un sentiment religieux qui nous fait éprouver en nous-mêmes la présence de la Divinité".*

A poesia era, pois, no seu parecer, testemunho de magnetismo a atuar sobre as almas, comunicação do sobrenatural.

Victor Hugo, sentimento exaltado e poderosa imaginação, multiplicou suas metáforas, entre águias e leões, para enaltecer a aura dos predestinados da arte, a missão singular do poeta. Dentro de sua ética, o poeta é outro messias, a quem cabe elevar as almas a esferas superiores. Referia-se ao poeta, e em si mesmo pensava, por certo, com entranhado orgulho, confundindo-o com o herói, o mártir, a vítima, o sacerdote, o santo, o sábio, o profeta, o mago. No tocante ao labor artístico, também expende sua tese por meio de imagens. O décimo poema do ciclo "Moi" traduz, com a força peculiar ao seu estro, o processo da inspiração no instante criador:

> *Est-ce que j'obéis? est-ce que je commande?*
> *Ténèbres, suis-je en fuite? Est-ce moi qui poursuis?*
> *Tout croule; je ne sais par moments si je suis*
> *le cavalier terrible ou le cheval farouche.*

E, logo após, ainda mais explícito:

> *"Je suis la volonté, mais je suis le délire".*

Essa concepção de transcendência, a que entretanto não pode faltar a colaboração humana no esforço construtivo, assemelha-se ao sopro divino do qual, no conceito cristão, participa nossa alma em estado de graça.

Gérard de Nerval, que nunca pôde separar poesia e vida, mas vida no mais espiritual sentido de interioridade, vida de que teve intensa percepção entre clarividente e alienado, declarou certa vez que escrevera seus poemas em estado de *"rêverie supernaturaliste"*. Isto, em pleno fastígio romântico. Para ele, a poesia era uma conquista da experiência individual mais do que uma dádiva – noção que irá desenvolver-se em futuros movimentos literários.

Também Alfred de Vigny revelava uma inquietante verdade a desafiar perquirições mais graves:

> *L'invisible est réel. Les âmes ont leur monde*
> *où sont accumulés d'impalpables trésors.*

Talvez tenha escapado à maioria de seus contemporâneos o substancioso sentido de tais versos. Assim se explicaria o que escreveu ele, num momento de desamparo e mau humor: *"La Poésie est une science. La nation française n'aime pas les vers, parce qu'elle ne sait pas les lire. Il faudra deux siècles d'éducation pour lui donner quelque peu de lecture et une ombre d'atticisme...".*

Será mesmo exato que a França não gosta de versos? O atormentado Baudelaire o afirma: *"Ici chez nous, en famille, sachons dire la vérité: la France n'est pas poète, elle éprouve même, pour tout dire, une horreur congéniale de la poésie".*

Mais tarde e mais discretamente, declarava Henri Bremond: *"Nous, français, fermés que nous sommes, dans l'ensemble, à une certaine poésie...".*

Mas voltemos ao principal do nosso tema. Banhado de romantismo até os ossos, Alfred de Musset mistura a poesia à natureza, entrega-se a ela como a um cálido amor que o consola de todas as melancolias de fim de século: *"Poète, prends ton luth et me donne un baiser...".*

Eu que tanto amei esse poema na adolescência sinto ainda hoje a tentação de dizer: E para que ir mais longe, numa noite de maio?

Dentro de alguns anos despontaria o gênio de Baudelaire, destruidor de convenções, precursor de uma arte nova, que ansiava por encontrar o espiritual no campo do real, acima de qualquer paradoxo: *"La Poésie est ce qu'il y a de plus réel, c'est ce qui n'est complètement vrai que dans* un autre monde". *"La poésie ne peut pas, sous peine de mort ou de défaillance, s'assimiler à la science ou la morale; elle n'a pas la Vérité pour objet, elle n'a qu'Elle même." "Ainsi, le principe de la poésie est, strictement et simplement, l'aspiration humaine vers une beauté supérieure, et la manifestation de ce principe est dans un enthousiasme, une excitation de l'âme – enthousiasme tout à fait indépendant de la passion qui est l'ivresse du coeur, et de la vérité qui est la pâture de la raison."*

Essas palavras de "Notes nouvelles sur Edgar Poe" revelam uma lucidez a que raras vezes atingiu um poeta. Impressionado com as ideias do escritor norte-americano, desenvolve sua doutrina, enriquecendo-a de descobertas pessoais. Foi um momento de perplexidade. Reivindicar para a arte uma autonomia completa, sem compromisso de espécie alguma e, além do mais, buscar a poesia no recesso da consciência, onde existem zonas obscuras, para daí trazer à luz, através de analogias e não de similitudes, as notações da sensibilidade, era então coisa insólita. E como tudo se fazia propício ao nascimento de uma nova escola, veio o Simbolismo. Vida interior, mergulho nas sombras, encantamentos vagos, conflitos íntimos, sensações inefáveis e inseguras, tais características levariam o poema a paragens inexploradas:

> *De la musique avant toute chose,*
> ....
> *De la musique encore et toujours!*
> *Que ton vers soit la chose envolée*
> *qu'on sent qui fuit d'une âme en allée*
> *vers d'autres cieux à d'autres amours.*

Não se pode negar que, ao contato das artes umas com as outras, reinam certas afinidades entre a poesia e a música. Os meios-tons, os segredos apenas sugeridos, encontram reforço na melodia, na harmonia e no timbre da linguagem, tornando-se esta ainda mais auditiva. Assim, a atitude simbólica demonstrava grande confiança na técnica, no valor da palavra como sonoridade, para efeitos de ressonância e correspondência.

A aventura prossegue com êxito. Nas confidências de Rimbaud encontramos um conceito ainda mais audacioso: *"Je veux être poète et je travaille à me rendre voyant". "Je est un autre." "C'est faux de dire: je pense. On devrait dire: on me pense".*

Natureza singularmente complexa, Rimbaud levou a extremos a intuição de que a poesia não se origina do pensamento e sim de um como sentimento místico inefável, para ele de ordem demoníaca, assim como teria sido de ordem angelical para São João da Cruz. O que Nerval prenunciara, mediante acessos naturais de loucura, Rimbaud vai perseguir por meios artificiais.

Iluminação, vidência, delírio, sortilégio, magia, transposição dos sentidos para novas sensações, destituição de valores tradicionais para a criação de mundos autônomos, foi a sua desassombrada experiência, de tão larga repercussão nas letras modernas.

Em seguida surgia Mallarmé, o mais aristocrático doutrinador da escola. Dizia ele, sabiamente, com absoluta serenidade e conhecimento de causa: *"La poésie est l'expression, par le langage humain ramené à son rythme essentiel, du sens mystérieux des aspects de l'existence: elle doue ainsi d'authenticité notre séjour et constitue la seule tâche spirituelle"*.

De fundamental importância foi a sua participação nesse movimento. Nada fácil de ser configurado em linhas gerais, seu pensamento cintila aqui e ali, através de imagens límpido-azuis dentro de espessos bosques. Talvez ninguém tenha sofrido tão intensamente na qualidade de artista como esse amoroso da pura beleza e da poesia absoluta. Desdenhando os postulados racionalistas, acentuou a predominância, sobre o positivo, do indefinido; mas de um indefinido que fosse a mesma revelação em transparência de cristal, pelo magnetismo e a perfeição da palavra. Obcecado por atingir a diafaneidade da expressão e, ao mesmo tempo, desejoso de conservar em sigilo o impulso interior, num ardente purismo intelectual e estético, tornou a arte em espécie de mística. Tal conflito o faria hermético, é natural. O que não estivesse dentro em seu mundo sonhado seria

Un inutile gisement
nuit, désespoir et pierrerie.

Mas que maravilhosas visões o alentavam:

Une agitation solennelle par l'air
de paroles, pourpre ivre et grand calice clair.

O elemento imponderável da poesia, a cujo serviço estaria a técnica, em sentido diverso do Parnasianismo, conquistou, dessa forma, o primeiro plano. Tornou-se agora mais clarividente a consciência do poeta. Mas ainda restam muitas barreiras a transpor no meio social e até mesmo nos meios escolares. Tal condição levou Paul Valéry a perguntar, atônito, no seu ensaio *"Questions de poésie"*: *"N'est-il pas admirable que l'on cherche et que l'on trouve tant de manières de traiter d'un sujet sans même en effleurer le principe?"*.

Reconhecendo a volubilidade das musas, as flutuações do gosto individual e a rápida transmutação dos valores estéticos, lutou, esse fino espírito, com todas as energias intelectuais, para que a poesia fosse considerada como arte a exigir uma técnica superior e a ser analisada na sua mesma essência, dentro de sua estrutura. Em favor de estudos de texto, desprezava os estudos de contorno, quer dizer, os que se relacionam com as circunstâncias, influências, eventos biográficos etc.

"La Poésie", diz Valéry, *"se forme ou se communique dans l'abandon le plus pur ou dans l'attente la plus profonde: si on la prend pour objet d'étude, c'est par là qu'il faut regarder: c'est dans l'être, et fort peu dans ses environs".*

Ao expor sua doutrina, que não era nova mas que vivia um estado de torpor ou de meia vigília, o abade Henri Bremond sacudiu, em 1925, o ambiente literário francês, dividindo opiniões, propondo esclarecimentos, esparzindo ironia, apesar da gravidade com que tratava o assunto de sua dileção. Intitula-se *"La poésie pure"* a conferência que então pronunciou em sessão pública das cinco academias, propugnando pelo reexame da misteriosa essência poética. Sua defesa da poesia pura, quer dizer, destituída de elementos impróprios ou inorgânicos, baseava-se numa lógica transparente, guiada pelo sentimento místico inerente à contemplação.

"Par l'intermédiaire des expression même qu'il emploi, le poète a dessein, non pas de nous apprendre quoi que ce soit, bien qu'il ne puisse s'exprimer sans nous apprendre quelque chose, mais de faire passer en nous un certain ébranlement, mais de nous entrainer à une certaine expérience, mais de nous élever à un certain état. C'est en cela même que consiste le miracle de la poésie, ou, comme nous disons parfois, sa magie."

Num poema, antes de tudo e acima de tudo, há o inefável, resumia ele. De fato, esse contágio que se irradia, essa transmutação através da qual o poeta se exprime, representa, menos do que suas ideias e sentimentos, o estado de alma que o tornou poeta, e que só se explica em virtude dos laços com o divino. Trata-se de experiência inacessível à luz da consciência, a exemplo da oração extática, do arrebatamento místico religioso.

A crença de que o poeta está em contato com o mundo sobrenatural, e de que a poesia é um meio de comunicação entre o homem e as forças extraterrenas, vai tornar-se o fundamento, embora revestido de aspectos diferentes e mesmo satânicos, da doutrina surrealista.

Em dois ramos bifurca-se então o conceito mágico da poesia: um, à feição de Rimbaud, a acreditar na potência do sonho, na eficácia do inconsciente em liberdade; outro, de acordo com Mallarmé, a buscar na palavra, como objeto plástico, o próprio sortilégio do poema. Persiste ainda hoje, por sinal, a influência desses dois itinerários, com algumas interpolações e extremismos.

Apresenta André Breton, no seu *Manifeste du surréalisme*, a seguinte definição para a escola: *"Surréalisme, n. m. Automatisme psychique pur par lequel on se propose d'exprimer, soit verbalement, soit par écrit, soit de toute autre manière, le fonctionnement réel de la pensée. Dictée de la pensée, en l'absence de tout contrôle exercé par la raison, en dehors de toute préoccupation esthétique ou morale".*

A luta incessante do homem, não apenas pela expressão, mas pela penetração do significado da existência, a ânsia metafísica do ser à procura de si próprio, assume às vezes caráter bem trágico. Assim, foi nesse momento em que alguns poetas, identificados com o valor da psicanálise como técnica de recuperação do sonho, se entregaram a uma perigosa aventura de palavras em alvoroço, fuga sem diretriz, despojamento estético, volta a um estado deliberadamente selvagem, no afã de atingir a realidade interior adormecida no subconsciente. Desse violento empenho resultaria, é claro, uma como deliquescência da forma, derivada da própria desordem íntima. Além de literário, esse movimento foi marcadamente social pela atitude que assumiu, de represália contra todas as coisas estabelecidas e processos tradicionais, num tremendo e emocionante testemunho pelos erros do homem, do mundo, da existência e da não existência.

A poesia é, contudo, mais forte do que se supõe. E desse caos surgiu, por vezes, uma criação de estranho esplendor vital. Calculadas as perdas e os saldos, verifica-se hoje que o patrimônio francês acresceu com a pesquisa: com ela firmou-se o conceito de poesia como essência do ser, em sentido ontológico; dela resultam numerosas sugestões que dinamizam a arte dos nossos dias.

Pouco a pouco, os espíritos vão conquistando equilíbrio e serenidade. Assim escreve Aragon em *Le crève-coeur: "La liberté dont le nom fut usurpé par le vers libre reprend aujourd'hui ses droits, non dans le laisser-aller, mais dans le travail de l'invention".*

Um grande filósofo, Jacques Maritain, toma então a palavra para expor, de maneira metodizada e fascinante, sua teoria poética haurida em céus metafísicos – e por isso mesmo de repercussão universal: *"Poésie est ontologie, certes [...] Mais en ce sens qu'elle prend naissance dans l'âme aux mystérieuses sources de l'être, et les révèle en quelque sorte par son propre mouvement créateur [...] c'est vers la totalité de son être que le poète est ramené, s'il est docile au don qu'il a reçu, et consent à entrer dans la profondeur, et à se laisser dépouiller".*

Estas palavras se referem, creio, tanto ao conteúdo quanto à forma. De fato, se a poesia nasce das mesmas fontes do ser humano, a sua aparência sensível arranca das mesmas origens, no ato criador. E essa docilidade ao dom recebido, esse consentimento de penetração na profundeza, essa renúncia a ofuscantes descobertas acessórias, correspondem à sinceridade artística, à única sinceridade a que se obriga o poeta, e que o faz concentrar-se na busca, na posse e na entrega do "essencial representativo".

Ao terminar esse passeio literário, talvez possamos conceber o seguinte pensamento: se a poesia contemporânea (e não somente a francesa) ainda não atingiu sua plenitude, o poeta dos nossos tempos, pelo menos, tem a consciência do que deseja atingir. O que não deixa de ser consolador.

BIBLIOGRAFIA

ARAGON, Louis. *Le crève-coeur*. Paris: Galimard, 1941. [Métamorphose]

BAUDELAIRE, Charles. *Oeuvres complètes*. Paris: La Pléiade, 1951.

BOWRA, Cecil Maurice. *La herencia del simbolismo*. Trad. Patricio Canto. Buenos Aires: Losada, 1951.

BREMOND, Henri. *Prière et poésie*. Paris: Grasset, 1926.

————. *La poesía pura*. Trad. Julio Cortázar. Buenos Aires: Argos, 1947.

CHARPIER, Jacques, SEGHERS, Pierre. *L'art poétique*. Paris: Melior, 1956.

HUGO, Victor. *Toute la lyre*. Paris: Nelson Éditeurs, [s. d.].

LANSON, Gustave, TUFFRAU, Paul. *Histoire da la littérature française*. Paris: Hachette, 1953, 1954.

MARITAIN, Jacques. *Fronteras de la poesía*. Trad. Arquímedes González. Buenos Aires: La Espiga de Oro, 1945.

MARITAIN, Jacques et Raïssa. *Situation de la poésie*. Paris: Desclée de Brouwer, 1938.

MONNEROT, Jules. *La poésie moderne et le sacre*. Paris: Gallimard, 1945.

NERVAL, Gérard de. *Le rêve et la vie*. Paris: Hachette, 1955.

RIMBAUD, Arthur. *Oeuvres complètes*. Paris: La Pléiade, 1951.

THIBAUDET, Albert. *Histoire da la littérature française*. Rio de Janeiro: Americ=Edit., 1936.

VALÉRY, Paul. "Questions de poésie". *Anthologie des poètes de la N. R. F.* Paris: Gallimard, 1936.

VERLAINE, Paul. *Oeuvres complètes*. Paris: La Pléiade, 1951.

VIVÊNCIA POÉTICA (1979)

POESIA: MINHA PROFISSÃO DE FÉ[1]

O privilégio, que me foi conferido, de proceder de viva voz a uma abordagem de minha própria poesia é motivo de constrangimento para quem fez do silêncio e da sombra a sua morada.

A fim de contornar o problema, sem deixar de corresponder à distinção do convite, situarei a poesia num contexto de convicções e ideais, antes de deter-me a respeito de minhas experiências.

Aquela brincadeira da menina que compunha versos na lousa, ao tempo em que frequentava o Grupo Escolar de Lambari, recitava Fagundes Varela e Raimundo Correia, foi o ponto inicial de uma linha impressentida que se estendeu por muitas décadas e persiste. Não sei precisar o instante em que cessou o divertimento e principiou a gravidade do ofício. É que me surpreendo, ainda hoje, com a graça do jogo, em meio a cogitações sobre os mistérios da vida e da morte, diante dos conflitos entre a pessoa e o mundo, principalmente diante das provações da poesia aos impactos do século.

Nesse campo de forças contrárias, tenho buscado uma postura de equilíbrio para aproximar-me da poesia, uma vez que ela pode estar no fundo do poço ou no voo do pássaro. Não um feixe de nervos, mas o fluxo mesmo da vida há de palpitar-lhe nos tecidos, à feição do pulso que a rege. Ela não se esbanja, a poesia sonhada, não treme nos bordos da taça, não se esbate em espuma. Sugere plenitude, vigor e cristalinidade. Então é prosseguir, entre aclives e declives, ora tombando, ora avançando em meio a miragens, a caminho do que foi concebido para tormento e júbilo.

Não ouso definir especificamente a poesia, embora tenha aventado que ela seria a coação do eterno dentro do efêmero. Sinto-a como aura que se irradia do ser, que preside às melhores atitudes, e que se concretiza no poema, na criação plástica, na composição musical. Considero-a, desta forma, elemento fundamental e

---

1 Conferência proferida em Brasília, a convite da Fundação Cultural do Distrito Federal, ao ensejo do XII Encontro Nacional de Escritores, em abril de 1978.

substancial da existência humana. Quanto ao poema, acredito que estabeleça um vínculo entre o número e o fenômeno, entre o não ser, anterior ao verbo – sonho, emoção, abstração – e o ser, oriundo do ritual artístico. Será talvez por isso que o poema, imponderável a certos ângulos, desafia a dissecação científica da crítica.

"Cada obra poética (segundo Lévi-Strauss) contém em si mesma suas variantes ordenadas sobre um eixo que pode ser representado em vertical, formado por níveis superpostos: fonológico, fonético, sintático, prosódico, semântico, etc." Pois bem: podemos observar-lhe os sons elementares, os fonemas – som e articulação –, a contextura gramatical, a pronúncia, a transferência da significação para o significativo, e ainda o ritmo e outros aspectos. Porém a obra só será captada, na sua unidade e porventura na sua totalidade, se a análise objetiva for presidida pela intuição eidética, ou seja, a intuição relativa à essência das coisas, não à sua existência ou função.

É que a poesia reside entre o obscuro e o revelado, a palavra e o silêncio. Fecundo silêncio expressivo como a palavra mesma, a limitá-la e prolongá-la em fluidez psicológica, aureolando-a, esfumando-lhe a densidade, protegendo-a da claridade crua...

Da criação poética

Não há normas preconcebidas para a criação poética, nem previsões circunstanciais. Sabe o poeta, confusamente, que deve estar atento, que algo existe a ser desvendado a qualquer instante. E acontece: indefinida lembrança, cuidado sem causa, atração, repulsa, bater mais rápido do coração, lucilar na mente, desenho no ar, folha de papel em branco. Vem a primeira palavra, o primeiro verso, outros versos se precipitam, são agarrados em desordem, dominados, mondados, postos em níveis adequados, finalmente aquietados ao longo da composição. Tudo isso em minutos ou em horas de trabalho, no segundo caso com interrupções aparentes, porque em verdade o poema continua a ser feito, entre uma e outra atividade diversa, continua a ser lapidado, experimentado sílaba a sílaba, investigado a vários prismas, do fundamento à ressonância.

De súbito, às vezes, entre o adormecer e o despertar, aparece a exata solução de uma dúvida: o termo que havia travado a fluência, a intensidade ou a autenticidade da elaboração, já tem substituto.

Da palavra

A palavra não é a finalidade nem o limite do poema: é sua opção, seu arbítrio, seu meio, sua matéria, diamante bruto a ser lapidado de encontro e ao encontro de outras palavras, ímã a atrair outras palavras para certa consecução sensível. A palavra mantém a dignidade da obra poética, é o que há de mais verticalmente humano no poema, à base da articulação verbal, do compromisso de entendimento, da vocação de expressão, do desejo de comunicação, da graça de ser inteligível.

Não se agencie o vocábulo como valor isolado, senão como instrumento – que será representativo na medida da capacidade que tiver o usuário de conferir-lhe poder ou fascínio de sugestão. Cada vocábulo em si é um cofre na expectativa de abertura, corpo inanimado à espera de sopro vital, capaz de ressurgir tantas vezes quantas for convocado para o milagre de romper as pedras do silêncio, vibrar, dizer.

Fator de importância neste dizer é a voz interior, que se exterioriza pela inflexão, na força ou na sutileza, na magnitude ou na simplicidade.

Do ritmo

O ritmo governa o poema, desde o momento de sua concepção. Não se constitui em poema o aglomerado de versos livres ou metrificados sem recriação rítmica. O ritmo é de ordem interior, individual, insubstituível; a métrica é de natureza externa, coletiva, declinável. Podem conviver, se o ritmo for legítimo, impulsivo e soberano, capaz, portanto, de servir-se da métrica tradicional, sem afetar a própria essência. Antecipando-se eventualmente ao primeiro verso, o ritmo não sacrifica o vocabulário nem o tema. Fonte de equidade premonitória, anunciadora e preservadora dos elementos da composição, o ritmo se afirma como estrutura, pois relaciona os diversos componentes entre si.

Da musicalidade

A música participa da tessitura do poema, especificada não apenas no ritmo, porém ainda na melodia, na harmonia e em timbre. A melodia consiste na ondulação da sonoridade vocabular, ora a subir em fulgor, ora a descer em surdina, conforme a entrega ou o segregamento das sílabas. Tanto quanto as vogais – claras ou sombrias –, as consoantes – sonoras ou surdas, orais ou nasais –, em alternâncias, determinam a escala melódica. Além de ser a relação proporcional dos sons, a harmonia é uma correspondência vibrátil ao sentido profundo. Encadeando verso a verso, estrofe a estrofe, significado a significante em módulos de consonância ou em rasgos de dissonância, a harmonia mantém a expressividade. O timbre pode ser percebido no instante em que se define como caráter: é a marca do estilo, o que de mais íntimo se encerra adentro da musicalidade, a resguardar-se de qualquer fluidez, surgindo apenas como ato de presença, atitude, convicção, persuasão.

Da rima

Quem busca a palavra para efeito de arte, não cuidaria de procurar a rima para o verso, nem deixaria de acolhê-la como dádiva ou coincidência em circunstâncias singulares. Elemento perigoso, ainda assim precioso pela índole audível, a rima já cumpriu destino de inspiração e já se transformou em ornamento. Ao entrar em decadência, permitiu a ascensão da assonância, consagrada pelos modernos. A assonância (termo preferível ao de rima toante) não é rima imperfeita ou incompleta. O seu princípio de homofonia é distinto, baseado na última vogal, em constituição de acorde entre elementos idênticos e elementos diferentes (as consoantes). Aproximação fonética entre vogais tônicas de um e de outro final de verso, a assonância move-se em campo aberto a inúmeras e extremamente sutis experiências vocais, sem risco de tornar-se supérflua, quando há riqueza de vocabulário.

Da imagem

Irradiação e envolvência do poema, classificado este como objeto-síntese, a imagem não é um objeto à parte, não se destaca do conjunto poemático, é sua mesma duração contínua, através da memória ou da previsão. Representa o passado pelo devir, assim também o devir pelo passado. É uma palpitação mental da vida, a fluir de dentro para fora, proporcionando intensidade, linha, cor, forma e volume ao poema. É a proposta que se torna tátil, ponto de convergência plástica no reino da oralidade. Configura-se em estremecimentos de sangue e de carne, ainda que sem alusão ao concreto. Mesmo abstrata ou metafísica, a imagem transfunde, pelo espírito que a anima, algo de real, de vívido e de sólido. Insinua tanto o visível quanto o invisível. Seu desígnio não é afetar os olhos, mas despertar os sentidos para a tangência do recôndito, ou do que paira além, talvez fora do existente, na periferia do mágico e do absurdo. Imagem: súmula de experiências acumuladas e de magnéticas antecipações. Imagem: refração do subconsciente – talvez – à incidência da escolha.

Do motivo

O motivo é decorrência da têmpera do poeta, espécie de identidade. Sempre o ser humano em jogo. Diante das contingências e reflexos em círculo; em face de si mesmo, razão do mundo. O motivo é o pulsar das veias, o itinerário da mente, a espreita da alma, a densidade do corpo. O taciturno prepara a voz para desafiar o silêncio. Caminha o sonâmbulo acima do chão, com os braços estendidos para a frente a defender-se do que desconhece. Procura o mágico em mergulhos no inconsciente as asas que vão tocar o azul. Empunha o mortal as armas que matarão a morte, lá onde só a imaginação constrói. É verdade: entre a imaginação e a fantasia estarás em pugna. Não há sobrevivência na fantasia que irrompe dos arredores a tentar aquele que compreendeu a sacralidade da solidão. O teu lado leviano colherá a orquídea que se enlaça ao carvalho para adorno de tua casa. Mas a orquídea é apenas sinal da natureza para despertar formas peculiares que serão trabalhadas por dedos de artista. Toma o pretexto à direita e à esquerda, mas edifica no centro. Não te dominem objetos, nem emanações alheias, nem cerimoniais de tempestade. És habitado pelo motivo, ó irmão poeta. O que te pertence nesse terreno é exclusivo e só o que te pertence, válido. Inútil qualquer tentativa de captura fora de tuas lavras.

Da representação

Já é tempo de considerar-se a expressão artística por sua própria validade. Ela não representa fuga, desistência, ou ocultação de algo, conforme cômodos conceitos anacrônicos. A obra de arte é presença viva, audível, visível, palpável, sensível, posta e exposta à prova como objeto oriundo de uma determinação.

Este objeto será definido em termos de nova categoria, ainda que se reporte ao indefinível, pois existe pela forma que assume, na convergência de elementos vários.

A obra de arte é uma adesão ao real, aquém ou além do humano, fora do psicológico, embora nem sempre alheio a ele, sempre a arcar com finalidade específica de ordem estética.

O indivíduo que cria pode ser maior ou menor, discordante ou até mesmo coincidente em relação ao objeto criado: distinguem-se, todavia, como entidades autônomas "no plano do conhecimento".

Nada mais elucidativo, a respeito, do que a admirável lição de Jung, em *Psicología y poesía*: "Todo homem criador é uma dualidade... Por um lado é um processo humano-pessoal; por outro, um processo impessoal-criador".

Enquanto o indivíduo tem normas ou preconceitos e experimenta problemas dentro de certos condicionamentos da natureza, a arte se fundamenta em fatores extranaturais e exige métodos peculiares, de acordo com sua essência e transcendência.

Os valores estéticos do fazer, operar, depurar, revelar o desconhecido, organizar o desconexo, é que conferem à criação essa propriedade positiva, a salvo de qualquer aspecto retrátil.

O que interessa, no caso, não é a verdade subjetiva, ou suposta verdade transmitida pela obra, e sim a verdade da obra, que reside na estrutura, submetida e solidificada a critério de cânones inerentes, segundo os princípios da arte e da técnica, não necessariamente suscetíveis de influências de ordem psicológica ou biológica.

Se, por exemplo, escrevo um poema intitulado "Assim é o medo", no qual procuro dar a sensação do fenômeno (percebido e sentido pela pessoa humana que sou), isto quer dizer que a barreira do "medo" foi ultrapassada para um plano diverso, por sinal, destemeroso.

Não se trata, no momento, do aspecto catártico, mas simplesmente do cognoscitivo.

Na sua índole de transformador da linguagem, o poeta se exercita em diferentes sentidos, inventa personagens, fábulas e metáforas, traça linhas transversais, utiliza-se de máscaras, não com o fim de disfarçar ou dispersar o que tem em mente, mas de atingir sínteses representativas que possam ter significação autossuficiente a outro nível.

Não é desvio da realidade a transferência do linear para nova dimensão, nem a permutação da voz unívoca pela incidência plural. Acresce que há uma opção de natureza profunda quanto a manipular sentimentos e ideias, opção esta de gosto, sensibilidade, personalidade, requinte, a desafiar, por suposto, o óbvio, a redundância, a vulgaridade. A mesma sugestão, emanada de uma frase elíptica, deixa de ter cunho evasivo para funcionar efetivamente, como parte conservada na sombra em processo de esfumatura, a favor do conjunto.

Ainda que o esforço resulte em algo de obscuro para os não iniciados ou destituídos de intuição artística, permanece o ato criador como atitude volitiva, de confiança e de fé.

Se, porventura, em assomo "flaubertiano", eu disser esta frase: "Minha poesia sou eu", deverei esclarecer que me refiro à poesia em estado de nebulosa ou magma, anterior à condensação e configuração do poema. Logo que este esteja construído, perde o vínculo inicial, assim como o ser humano, criado à imagem e semelhança de Deus, goza de existência própria, desde o primeiro respiro.

Do tema

Se os elementos já enumerados, integrantes da criação poética, são comuns a toda experiência, há outro ainda mais aproximativo: o tema, vale dizer, aquilo que afeta indistintamente os sentidos humanos e precede a informação semântica. Seja de categoria perene – o amor –, seja de ordem acidental – as coisas do cotidiano –, o tema se apresenta na qualidade de fenômeno. A reação que provoca, todavia, é variável ao infinito, conforme a escala dos temperamentos. É então que sobreleva o tema, reanimado, deformado, transfigurado em posse exclusiva e testemunho estético. Equipara-se, desta forma, ao tratamento que se lhe empresta: lírico, dramático, trágico, irônico, satírico, leviano, profundo. Mas só adquire valor de símbolo quando foge ao planiforme, à padronização e à generalidade, através de processos artísticos legítimos, intuitivos e experientes.

Nada impede que um poeta moderno se reporte a argumentos antigos, por exemplo – o anjo –, símbolo estável, desde que o faça em termos de atualidade, transportando-o do real para o ideal e deste para o imaginário. Uma vez que o mito é "revelação da alma preconsciente", segundo a lição de Jung, há de sobreviver pela reiteração da sensibilidade plural, apto a conservar sabores primevos na impregnação de novas águas. Todavia o tempo, determinador de rupturas ao embate de civilizações sucessivas, instaura um volume considerável de temas, a par de inquietudes e interesses inéditos. Força é reconhecer: nenhum poeta sobrevive se se distancia do tempo em que vive. O que se alienar, trairá seu coração e sua consciência. Mesmo sem alusão direta a circunstâncias, o poeta se acusa como ser comunitário. Pois a crispação de uma sensibilidade ferida será mais evidente do que a denúncia ou notação de eventos. A evolução de um estilo, da brandura para a energia, da expansividade para o rigor, do lírico para o dramático, pode revelar sintomas inequívocos de uma participação adentro da esfera vivencial, incluindo perplexidade, dissidência ou repúdio. A máquina, por suposto, é foco de atenção em nossos dias. Mas para que se manifeste certa atitude diante dessa coisa avassaladora, não é necessário que o vocábulo máquina figure explicitamente num texto literário.

Indivíduo com raízes no grupo social, representativo de uma parcela social, o poeta fala em nome da mesma parcela, mas fala antes de tudo em nome da criatura humana que é, impossibilitado, por certo, de captar todas as veemências do mundo; fala à sua maneira particular, atendendo ao foro íntimo e de acordo com suas convicções estéticas, sem demais compromissos nem modismos. Quanto a mim, creio que arte é depuração, nunca fermentação. Permito-me indicar alguns poemas em que tenho demonstrado, mais diretamente, meus interesses de âmbito geral: "Terra negra", "Porém a terra", "Um poeta esteve na guerra", "Lareira", "A cidade mais triste", "Adeus à lua", "Ausência do anjo", "Mensagem" e "Lamento do soldado morto".

Em brilhante ensaio, conferiu-me certo escritor português o título de "poeta da morte". Não me considero tal. Reconheço que o tema da morte me tem sido constante, como na obra de inúmeros poetas de todo o mundo, pois infinitamente sugestivo, aberto a hipóteses e voos incalculáveis. É exato que em determinada fase de minha vida esse assunto se tornou explosivo, em virtude de dolorosas circunstâncias. Celebrei-o no volume *Flor da morte*, e já o abordara em composições de *A face lívida*, livro de angústia, temor e repulsa, ao tempo em que se alastrava a 2ª guerra universal. Contudo, tanto antes como depois, tenho visado, de modo pertinaz e intensivo, a essência do ser, a substância do que é vital, a ansiedade da criatura em busca da perfeição e do infinito, os mistérios da natureza, o próprio mistério do processo poético, o relacionamento entre a alma e Deus, a caminhada da alma à procura de Deus.

Meus livros *Velário*, *Azul profundo*, *Além da imagem* e *O alvo humano* podem testemunhar essa concentração de índole metafísica ou ontológica. (Perdoem-me a relevância dos termos, à falta de outros mais singelos.)

A 1ª parte do *Azul profundo* contém uma série de páginas ("A joia", "As imagens", "Contemplação", "Máscara", "Ária cigana",

"Bailado", "Ó noite", "O irrevelado" e "Ariel") significativas de interesse pelos problemas da expressão artística através de suas várias modalidades: a música, a pintura, a escultura, o teatro, a dança.

Entre as motivações mais persistentes ao meu espírito, figura o tema da loucura, esse país estranho cujos habitantes se entregam de corpo e alma à liberdade e ao sonho. Aproximei-me de seus redutos através dos seguintes poemas: "Floripa", "Do louco", "As Ilhas Aleutas", "Canção do berço vazio", "A caudal no escuro", "Ofélia", "Do idiota", "O excepcional". Ensinou-me a observação da realidade que o louco levita, que o louco tem lábia e, acima de tudo, que o louco é sagrado.

Por sua vez a infância, representação do evanescente, proporcionou-me há vários anos um livro de memória e contemplação: *O menino poeta*, enternecido depoimento de reações inerentes à meninice, espécie de biografia da infância em termos de experiência e empatia. Horas felizes foram aquelas em que voltei a respirar a atmosfera do primitivo e do ingênuo.

Diante da natureza, minha posição é de aprendizagem, abandono, deslumbramento ou de juízo crítico defensivo, quando se faz mister. A natureza é mais do que modelo para a criatura. Ser natural que somos, antes da transcendência do espírito, há entre nós uma relação contínua. Em *Além da imagem*, no qual se concentram experiências fragmentárias, através de um ritmo que tentei tornar dinâmico a fim de atingir dimensões mais profundas ou mais longínquas do que as coisas circunstantes, "Os indícios", "Árvore", "Frutescência", o real é tão somente alusivo, porém fala de meus apegos. Com intensa emotividade, escrevi mais tarde "Os estágios", ao perseguir a ideia de um possível paralelismo entre a evolução da vida humana e o desenvolvimento dos três reinos ou processos naturais, para, em conclusão-síntese, prenunciar o surgimento de um quarto reino – o do puro espírito.

Minha atração pela natureza culminou em maio de 1977, quando tive ensejo de compor longo poema dividido em quatro partes, sob o título de *Celebração dos elementos – Água, ar, fogo, terra*. Entregue à fascinante aventura de sondar o arcaico, perquirir o esotérico, subjetivar o cosmos em rasgos humanos de presença, esbocei o panorama daquilo que promove, envolve e manipula a espécie do homem, cuja existência se fundamenta e se inscreve na perenidade dos elementos classificados pelos antigos. Simultaneamente, acompanho a intuição de que o humano participa da vivência de cada um desses fenômenos, por força de afinidade e contato.

A terra natal, por seu turno, sempre me foi um manancial de sortilégios. Ainda nos bancos escolares me debruçava sobre *Histórias da terra mineira*, de Carlos Góes, com enlevo maior do que sobre contos de fadas e de príncipes. *Madrinha lua* encerra os tópicos desse envolvimento e carinho. Veio mais tarde *Montanha viva – Caraça*, tentativa de narração, descrição e principalmente interpretação desse pequeno mundo grandioso – monumento, santuário, fonte de cultura, campo de formação espiritual – de notória influência em nossa sociedade. *Belo Horizonte bem querer*, com flagrantes e mosaicos evocativos dos primeiros tempos, fecha o tríptico da minha mineiridade.

Quanto ao volume publicado em 1973, *O alvo humano*, assinalo-o como registro introspectivo, súmula de caminho percorrido, revivescência de caráter ético: focaliza problemática de intenções, volições, objetivos vitais. Neste sentido, o espírito examina seus próprios anelos e embates de eventualidade, busca deslindar seus dilemas entre o desejo de integração e impulsos de intransigência. Algumas páginas, como "O espelho", "Meridiano", "Coração", "Cantata" e "Os estágios", demonstram sentimentos e anseios de cunho religioso, talvez místico. Outras, entre as quais "Ídolo", "Púrpura", "Impactos", "Sibila", "Espacial" e "Perplexão", sem embargo do roteiro, descobrem mais claramente os percalços da época – esta em que predominam, sobre as exigências da alma, os empenhos materiais. Em unidade de propósitos, a coletânea de publicação mais recente, *Miradouro*, complementa de certa forma *O alvo humano*, pela notação de matizes psicológicos. O primeiro, no entanto, pendia para o lado pessoal; o segundo reflete os efeitos que a visão do mundo proporciona a quem o observa, analisando, ao mesmo tempo, os valores intrínsecos do objeto observado. Assim, *Miradouro* insere um modo peculiar de contemplação ambiental. Deveria ter como epígrafe a seguinte frase de Plotino: "O que em mim contempla produz o objeto de contemplar".

Depois de haver escrito um livro juvenil sobre o amor, ao início de minha faina literária, por várias vezes tenho abordado o assunto, perene por si mesmo e inaugural para cada geração. Poderei apontar alguns títulos ostensivos em que o tema retorna com exclusividade: "Tuas palavras, Amor", "Ó sonho perfeito!", "Diferença", "Três amores", "Poema do amor", "As algemas", "Pastor, tua estrela", "Canção grave", "Plenitude", "Fidelidade". Todavia, qualquer página ao longo de minha lírica insinua certa metáfora, alude de certa maneira a este sentimento que transcende a nossa humanidade para abranger o universo.

Ao cabo de tantos anos de trabalho, estudo e pesquisa, em que tenho avaliado, apaixonadamente, a maravilhosa riqueza do nosso idioma, dediquei-me, no segundo semestre de 1975, à elaboração de um livro bem diverso dos anteriores. Buscando penetrar o sentido e dar relevo a palavras da língua portuguesa escolhidas a critério, consagrei a cada uma delas um dístico, ora de sugestão, ora de elucidação. Uma epígrafe, tomada a Khlébnikov, explica meus intuitos ao escrever *Reverberações*: "A palavra possui uma vida dupla. Ora ela cresce como uma planta e produz um acúmulo de cristais sonoros: então o começo do som vive sua própria vida e a parte da razão permanece na sombra. Ora a palavra se põe a serviço da razão: o som deixa de ser onipotente e absoluto, o som torna-se *nome* e executa docilmente as ordens da razão. É uma luta dos dois universos, das duas potências, que prossegue sempre no seio da palavra e que dá à língua uma vida dupla: dois círculos de estrelas cadentes".

Ao término do exame de consciência a que fui submetida por força de generosidade amiga, chego à seguinte conclusão: se mais não realizei ou se não realizei o que de mim se esperava, fiz o que estava ao meu alcance, entregando-me à vocação que me veio do berço, consciente, embora nunca satisfeita da técnica passo a passo adquirida.

E aqui deixo a lembrança de um pensamento de Schiller, que exerceu grande influência na minha formação, através de seu livro sobre educação estética: "Se nos entregamos ao gozo da verdadeira beleza, então somos, naquele momento, donos em igual proporção de nossas potências ativas e passivas; com a mesma suma ligeireza nos entregamos à seriedade e ao jogo, ao repouso e ao movimento, à condescendência e à reação, ao pensamento instintivo e ao absoluto".

VICENTE HUIDOBRO E O CRIACIONISMO

Durante largo período de sua história literária, o Chile deixou de manifestar sensibilidade lírica. Desde os primórdios de sua literatura, demonstrava inclinação épica, através de versos vigorosos e ardentes, em que se exaltavam os feitos históricos e os heróis da resistência à colonização hispânica. Entre a cordilheira dos Andes e o oceano Pacífico fora longa e áspera a luta dos araucanos contra o domínio espanhol. Essa faixa de vales, maravilhoso pomar sob o frio das neves, fora palco de lutas sangrentas em que o índio preferia morrer a deixar-se lesar. Os próprios espanhóis reconheceram tal bravura, e um deles, o militar Alonso de Ercilla, nascido em Madri, renascido no Novo Mundo através de sua célebre epopeia *La araucana*, escrita entre o fragor de batalhas e a fundação de núcleos de moradia, rendeu homenagens ao valor dos nativos. A epopeia da conquista calou fundo nos ânimos chilenos. A tal ponto que os primeiros poetas da terra tentaram o gênero, por exemplo, Pedro de Oña, o autor de *Arauco domado*. Foi entretanto um prosador, o padre Alonso de Ovalle, jesuíta, a primeira voz lírica a enaltecer, com emoção pessoal, a alma e as belezas peculiares à terra, em seu livro *Histórica relación del Reino de Chile*. *"Vamos por aquellos montes pisando nubes"* – é assim que inicia uma de suas belas páginas descritivas.

O exemplo de Ovalle, porém, não teve maiores consequências. Por longo tempo ainda prevalece o espírito objetivo e observador de um povo marcado pela circunspecção e a severidade. "O isolamento do homem do Chile, produto da cordilheira e do mar", diz Mariano Latorre, "conformou um tipo racial de gesto rude e de palavra sóbria."

No século XIX, concorre para a formação intelectual e moral de toda uma geração, o erudito venezuelano Andrés Bello, que consagra parte de sua existência a lecionar e a fundar instituições culturais no Chile. Se até então não surgira a pura força lírica, o impulso individual, a voz desgarrada do homem a desbravar de sua intimidade o segredo da tribo, desde então, por largo período, o que predomina é o gênero histórico, são as pesquisas científicas. Tornara-se patente, e foi discutida a influência de Andrés Bello. Na sua *Historia de la poesía hispanoamericana* (II, p. 358), Menéndez y Pelayo toma a defesa de Bello, atacado por Sarmiento, cuja voz apaixonada se erguera contra o excesso de estudos formais: *"Bello no había ido a Chile a formar poetas, ni se le llamara para eso. Lo primero que hizo fué abrir cátedra de gramática castellana, que era lo más urgente, para que con el tiempo pudiesen florecer poetas y prosistas"*. A tese que sustentava Sarmiento era a de que *"países como los americanos, sin literatura, sin ciencias, sin artes, sin cultura, aprendiendo recién los rudimentos del saber, no podían tener pretensiones de formarse un estilo castigado y correto, que sólo puede ser la flor de una civilización desarrollada y completa"*. Atribuía, pois, a esterilidade poética do Chile *"a la perversidad de los estudios, al influjo de los gramáticos, al respeto a los admirables modelos que tenían agarrotada la imaginación de los jóvenes"*.

De fato, nem as ideias impetuosas do Romantismo conseguiram medrar naquele austero ambiente, rico de historiadores e investigadores do passado, porém não de intérpretes.

Um grande romancista, Blest Gana, possuidor de uma visão global da realidade chilena, estreia em 1860. Logo, tomados de entusiasmo, surgem novos ficcionistas a analisarem detidamente os vários aspectos da nação em desenvolvimento. A poesia se mantinha em plano inferior. A essa época se organizava o "Certamen Varela" com os melhores propósitos, todavia limitadores da inspiração poética. Foi quando apareceu Rubén Darío, a princípio mal compreendido e mal apreciado. Contudo, sua lição seria transcendente e decisiva, "não apenas para toda a América hispânica mas também para toda a literatura de língua espanhola, incluindo o além-mar". Começam então a aparecer os primeiros poetas modernistas, alguns imitando a feição simbolista, plástica e musical do autor do

Azul, outros de índole parnasiana. Destacam-se Pedro González, Francisco Contreras, Vicuña Cifuentes e Carlos Pezoa Velis, o qual se ocupa de motivos populares em versos de tradição clássica.

Não tardaria a hora das províncias, cada qual com seus representantes autênticos, desdobrando em conjunto um panorama renovador. De Coquimbo são Carlos Mondaca, espírito ascético, e Gabriela Mistral, a grande mística da maternidade, do amor e da morte. Pablo de Rokha vem da cordilheira da costa, imbuído de gosto nacional, fazendo da terra sua razão de ser. De Santiago é Vicente Huidobro, de quem nos ocuparemos em especial. A seguir, desponta a estrela de Pablo Neruda. Muitos outros talentos poéticos se fazem notar, num acúmulo de imagens e ritmos singulares. Mas bastariam os três poetas de projeção internacional – Vicente Huidobro, Gabriela Mistral e Pablo Neruda – para compensar o silêncio de eras passadas, no setor lírico. Não importa que Vicente Huidobro tenha escrito em francês alguns de seus livros de versos, nem que tenha vivido longos anos na França. É certo que isso prejudicou a repercussão de sua obra na América Latina, que só tardiamente veio a reconhecer-lhe a importância e o valor. Percebe-se hoje o quanto foi profunda a sua influência na área da poesia e da poética, embora seu nome tenha ficado um pouco à sombra. Suas criações revolucionárias e seus conceitos renovadores são de impressionante atualidade por terem sido, justamente, fortes esteios dessa reformulação geral das últimas décadas.

Façamos, de início, breve retrospectiva de sua vida e obra. Nasce em 1893 em Santiago, onde vem a falecer, em 1948. Pertence a uma família aristocrática e rica. Viaja para a Europa, onde permanece por longas temporadas. Convive, em Paris, com a fina flor da intelectualidade. Frequenta igualmente as melhores rodas de Madri. Publica sucessivamente de 1913 a 1941 numerosos livros de versos, ensaios sobre poética e ficção poemática. Eis os títulos, em ordem cronológica, de sua obra literária: *Canciones en la noche, La gruta del silencio, Pasando y pasando, Las pagodas ocultas, Adán*, esses antes de 1916, segundo C. Poblete. Segundo Antonio de Undurraga, sua bibliografia é a seguinte – a partir de 1916: *El espejo de agua, Horizon carré, Tour Eiffel, Hallali, Ecuatorial, Poemas árticos, Saisons choisies, Finis Britanniae, Automne régulier,*

Tout à coup, Manifestes, Vientos contrarios, Mío Cid Campeador, Altazor o el viaje en paracaídas, Temblor de cielo, Cagliostro, La próxima, Papá o El diario de Alicia Mir, En la luna, Tres inmensas novelas, essa em colaboração com Hans Arp, *Sátiro o el poder de las palabras, Ver y palpar, El ciudadano del olvido* e, finalmente, em edição póstuma, *Últimos poemas.*

Recentemente, o ensaísta Undurraga, ilustre e dedicado conhecedor de sua obra, trasladou para o castelhano vários poemas do original em francês. Além de exercer intensa atividade intelectual, Vicente Huidobro participava entusiasticamente do movimento social e político da época, chegando a combater na guerra civil espanhola ao lado das hostes republicanas e a compartilhar da tomada de Berlim no posto de capitão do exército francês, assim como a admitir, nos últimos anos de sua vida, quando dirigia o jornal *Acción de Santiago,* o lançamento de sua candidatura à presidência do Chile. Tristan Tzara, Paul Éluard, Apollinaire, Malraux, Gerardo Diego, Juan Gris e Picasso eram seus amigos. Aos dois últimos artistas se devem retratos plásticos que credenciam o poeta como homem de belos traços físicos, cabeça iluminada de expressão lírica, olhos de doçura algo infantil. No perfil desenhado por Joseph Sima em 1931, sua fisionomia trai uma índole contemplativa. Assim o evoca Mariano Latorre: *"Se caracteriza por una inquietud extraordinaria, una morbosa movilidad de niño consentido: lo veo en su lujosa mansión de aristócrata, pidiéndole a la mamá que le baje la luna del cielo..." (La literatura de Chile,* p. 185).

Poeta em toda a extensão da palavra foi Vicente Huidobro, cuja aventura espiritual ainda hoje exerce influência não somente na literatura de língua hispânica mas ainda na literatura francesa e, também, nas letras brasileiras. Força é reconhecer que ele foi, de acordo com os argumentos abundantemente documentados de Antonio de Undurraga, pioneiro da escola que abriu novas perspectivas para a poesia contemporânea. Entretanto, convém anotar algumas pesquisas em torno do assunto. Max Henríquez Ureña, ao traçar, em seu livro *Breve historia del modernismo,* o desenvolvimento das atividades do tempo, que são também as atividades vitais do intelectual hispano-americano ávido de renovações, reserva, naturalmente, um capítulo para o Chile. Depois de analisar a preponderância de Darío, que só se manifestou plenamente depois da publicação de seus primeiros volumes – *Azul...* e *Abrojos y rimas* –, arrola os poetas que pertencem à geração subsequente; detém-se algumas linhas a exaltar a figura de Gabriela Mistral e depois se refere ao nosso poeta: *"Con Vicente Huidobro que, surgido bajo el signo modernista, funda después el Creacionismo, ya estamos en un mundo distincto: y queda abierto el camino para nuevos e audaces movimientos de vanguardia a los que la generación subsiguiente prestará decisivo impulso"* (p. 359). Vale a pena recolher a opinião de outro historiador literário, Luis Alberto Sánchez, autor de *Nueva historia de la literatura americana*, em apêndice intitulado *"Ojeada sobre las tendencias literarias de postguerra"*: *"Huidobro"* – diz ele – *"más culto, más cerebral, más afrancesado, trajo a la poesía chilena su sentido equilibrado, su esprit de finesse, captor de nuevas corrientes, afanoso de originalidad. En esta actitud, mucho se le ha discutido y detractado, y él ha contribuído a mover – a veces sin provecho – a enturbiar el ambiente literario de su país; pero de él queda no el fundador del creacionismo – discutible escuela poética – de vida fugaz y demasiado emparentada con otros ismos coetáneos de los años al derredor del veinte, sino la pura voz lírica presente en muchos fragmentos de Altazor, en lindas estrofas de* Horizon carré, *en sus últimos poemas, algunos publicados en* Sur de Buenos Aires, *en donde se ve madurar un esteta que si recuerda a Valéry y desde luego a Paul Éluard, no por eso abdica de indiscutible personalidad"* (p. 414). Por sua vez, Guillermo Díaz-Plaja, no último capítulo de seu livro *La poesía lírica española*, ao abordar os aspectos da nova poesia, considerando o "ultraísmo" como o movimento subversivo dessa mesma poesia, tão só em pé de página alude à questão criacionista: *"No intento siquiera el planteamiento del problema de prioridad entre el ultraísmo y el llamado creacionismo, por tener este último una ubicación preferentemente en la literatura americana –* Herrera Reissig, Huidobro *– y, sobre todo, por creer que la ruidosa polémica planteada afecta más a bizantinismos de detalles o a vanidades personalistas"* (p. 395). Voltando ao ensaio de Undurraga, obteremos mais detidos esclarecimentos. Conforme seus dizeres, o "criacionismo" forneceu as bases essenciais para a plataforma de ideias intitulada "ultraísmo", lançada em Madri e na França algum tempo depois e que se translada para a América Latina com êxito imediato e brilhante, devido à genialidade de Jorge Luis Borges, poeta argentino de formação europeia. Porém, enquanto se consagrava a expressão "ultraísmo", o termo paralelo "criacionismo" ficava apagado.

A filosofia inspiradora da estética de Huidobro, como ele próprio elucida em suas reminiscências, está contida em certas profundas palavras de Emerson, ao fazer o elogio do poeta: "Ao poema, não o fazem os ritmos, senão o pensamento criador do ritmo; um pensamento tão apaixonado, tão vivo que, como o espírito de uma planta ou de um animal, tem arquitetura própria, adorna a natureza com uma coisa nova. Na ordem do tempo, o pensamento e sua forma são iguais. O poeta tem um pensamento novo; tem uma experiência nova para desenvolver; dirá os caminhos que percorreu e enriquecerá os homens com seus descobrimentos; pois cada novo período requer uma confissão, outro modo de expressão, e o mundo parece que espera sempre o seu poeta" (p. 33).

Tais palavras calaram fundo no irrequieto espírito do jovem Huidobro, em hora de grande perplexidade. Ia-se formando aos poucos seu conceito do ato poético. A fim de atingir um módulo artístico original e dar à inspiração uma arquitetura própria e obviamente adequada, já não se podia aceitar a imitação da natureza como fórmula. Então pergunta, já conhecendo intuitivamente a resposta e a solução, no seu manifesto *"Non Serviam"*, lido em Santiago, em 1914: "Até agora nada mais fizemos do que imitar o mundo em seus aspectos, nada temos criado. Que saiu de nós senão o que já tenha estado diante de nós, rodeando nossos olhos, desafiando nossos pés ou nossas mãos?" Esse manifesto, segundo Undurraga, constitui a ata de independência de Huidobro. *"Non serviam"*, dizia ele com arrogância, "não serei teu escravo, mãe natureza; serei teu amo. Te servirás de mim, está bem. Não quero e não posso evitá-lo; mas também me servirei de ti. Terei minhas árvores, que não serão como as tuas; terei minhas montanhas, terei meus rios e meus mares, terei meu céu e minhas estrelas. E já não poderás dizer-me: esta árvore está mal; não me agrada este céu... Os meus são melhores" (p. 35).

Bem mais tarde, em *Vientos contrarios*, ao fazer o elogio da arte negra na qual percebia maior transposição ou insubmissão do que na arte europeia, encontra uma síntese maravilhosa para seu pensamento fundamental: "A verdade da arte começa onde termina a verdade da vida" (p. 36).

É claro, como diz Juan Eduardo Cirlot, que a arte legítima jamais prescindiu do componente da invenção. É também óbvio que a teoria da arte como coisa mental vem de tempos longínquos. Isso não diminui o valor de Huidobro ao realizar estritas experiências técnicas no setor e ao exprimir com meridiana clareza uma conceituação orgânica do fenômeno artístico. Foi em 1916 que, em Buenos Aires, pronunciou uma conferência após a qual se batizou e consagrou sua doutrina. Tantas vezes repetira o verbo criar que ao final o público, tomado de emoção, passou a saudá-lo com o epíteto de criacionista. "A primeira condição do poeta é criar; a segunda, criar; a terceira, criar" (p. 40), dizia. Para isso, apresentava as seguintes fórmulas: "Fazer um poema como a natureza faz uma árvore". "O poeta é um pequeno deus." "Por que cantais a rosa, ó poetas! / Fazei-a florescer no poema" (p. 78).

Ao situá-lo como vanguardista, na sua *Historia de la literatura hispanoamericana*, escreve Anderson Imbert, com simpatia não isenta de malícia: "Quer dizer que o poeta devia criar, inventar feitos novos. Como? Despojando as coisas de seu real e fundando-as com outro ser, no meio da imaginação. No fundo, foi uma forma de metaforizar. Suprimia a comparação, o enlace lógico da fantasia com a realidade. Ao mundo que nossa inteligência aceita e organiza, Huidobro opõe um mundo inventado. É o que sempre fizeram os poetas; porém Huidobro assombrou com suas enumerações caóticas, seus neologismos, suas imagens disparatadas, seus versos livres tipografados caprichosamente, seu culto às letras soltas sem significado (um verso: ai a i ai iiii o ia), seus balbucios dadaístas, seus super-realistas automatismos subconscientes, suas cabriolas para burlar-se da literatura" (p. 313). Cauteloso e irônico, esse parecer. Terá razão Imbert?

Herdeiro do modernismo hispano-americano, escola que havia poderosamente contribuído para libertar a poesia de antigos cânones, por intermédio do símbolo, Huidobro anelava por um processo revolucionário que liquidasse de vez a lógica, o princípio da identidade, a categoria da causalidade, as concepções de tempo e espaço.

O momento histórico propiciava toda espécie de violência, ditada pela angústia e pelo absurdo da situação em que se encontrava o universo, entre as duas grandes guerras. Com tantas motivações inéditas ao redor e tantos abalos íntimos, o artista reclamava direitos de inovação, ainda que por meios perigosos que ao cabo deram vazão ao movimento suprarrealista, pagando tributo tanto a Nietzsche como a Freud, em estado paradoxal e conflitivo. Contudo, Huidobro não cede ao automatismo, antes se defende dele em nome da superconsciência ou delírio clarividente, como se pode observar pelo aspecto formal de sua obra, em coincidência com a substância. Eis uma de suas mais importantes declarações, súmula de rebeldia e lucidez: "Nunca o homem esteve mais perto da natureza do que agora, em que já não trata de imitá-la em suas aparências, senão de proceder como ela, imitando-a no fundo de suas leis construtivas, na realização de um todo, no seu mecanismo de produção de novas formas" (p. 39). Essa programação filosófica acompanha a obra poética em andamento. Não era fácil impor-se em sua própria terra, onde e quando reinava como ídolo Rubén Darío. Nem fácil acrescentar algo de original à poesia de língua espanhola em que brilhavam tantos poetas nas primeiras décadas do século. O esforço de Huidobro para superar redundâncias é digno do maior respeito. Em virtude de sua ousadia e de seu hermetismo, encontrou incompreensões. Mas despertou a admiração de altos espíritos, entre os quais Jorge Carrera Andrade: "Huidobro, com seu criacionismo, fortificou a construção poética, dotando-a de materiais superpostos, antes nunca usados, e de sutis inventos, leves e duráveis a um tempo. A expressão idiomática se converteu então em uma nave livre com a proa sempre dirigida para um horizonte desconhecido" (p. 146). Eis um belo depoimento não gratuito mas resultante de análise.

O motivo inspirador do poeta chileno é, primordialmente, o homem dentro da natureza, dentro do emaranhado da existência, a bracejar entre os escombros de uma civilização e a mecânica de fábula de uma era nascente; o homem em pugna com os seus próprios mistérios; aderentes a esse motivo estão as coisas vivas, as paisagens que deslumbram os olhos, as máquinas inventadas para assombro dos mesmos inventores, as sensações insondáveis à luz da razão. No início da carreira, preocupava-o antes de tudo a problemática da expressão artística, pelo que se depreende do conjunto de poemas *El espejo de agua*. Já em *Ecuatorial* se alarga sua visão do mundo:

> *Era el tiempo en que se abrieron mis párpados sin alas*
> *y empecé a cantar sobre las lejanías desatadas*
> *saliendo de sus nidos*
> > *atruenan el aire las banderas*
> *LOS HOMBRES*
> > *ENTRE LA HIERBA*
> *BUSCABAN LAS FRONTERAS* (p. 241)

> *Qué de cosas he visto*
> *entre la niebla vegetal y espesa*
> *los mendigos de la calle de Londres*
> *pegados como anuncios*
> *contra los fríos muros* (p. 247)

> *Junto a la puerta viva*
> *el negro esclavo*
> > *abre la boca prestamente*
> *para el amo pianista*
> *que hace cantar sus dientes* (p. 249)

Essas ligeiras anotações pertencem a poemas em que se desdobram confusas lembranças, emoções secionadas como flores sem caule, pensamentos que se cruzam sem tempo de maturidade, balbucios premonitórios de mistura a soluços agônicos. Esses poemas sofridos de tempos de guerra, em que os mesmos rouxinóis se mecanizam, guardam conhecimentos amargos e feição lírica, ao mesmo tempo, condicionados, tais fatores, a um vivo sentido de humor. Poemas contraditórios: algumas vezes alegres, de uma alegria mental mais do que física, ardentemente imaginativos e todavia graves de angústia – a da perene condição humana sem suporte, pelo menos para os que anseiam penetrar o outro lado das coisas. O mais vibrante e comovido momento de Huidobro está no poema *Altazor*, unanimemente considerado pelos críticos sua obra-prima, do qual traduzi o seguinte trecho:

Angústia angústia do absoluto e da perfeição
angústia desolada que atravessa as órbitas perdidas
contraditórios ritmos quebram o coração
em minha cabeça cada cabelo pensa outra coisa

Um fastio invade o oco que vai da alma ao poente
um bocejo cor mundo e carne
cor espírito envergonhado de irrealizáveis coisas
luta entre a pele e o sentimento de uma dignidade
                    [devida e não outorgada
Nostalgia de ser barro e pedra ou Deus
vertigem do nada caindo de sombra em sombra
inutilidade dos esforços fragilidade do sonho

Anjo expatriado da cordura
por que falas? quem te pede que fales?
Arrebenta pessimista mas arrebenta em silêncio
como se rirão os homens daqui a mil anos
homem cão que lates a própria noite
delinquente de tua alma.
O homem de amanhã se burlará de ti
e de teus gritos petrificados goteando estalactites
Quem és tu habitante deste diminuto cadáver estelar?
Que são tuas náuseas de infinito e tua ambição de eternidade?
Átomo desterrado de si mesmo com portas e janelas de luto
de onde vens aonde vais?
Quem se preocupa de teu planeta?
Inquietude miserável
despojo do desprezo que por ti sentiria
um habitante de Betelgeuse
vinte e nove milhões de vezes maior que teu sol

Falo porque sou protesto insulto e esgar de dor
só creio nos climas da paixão
só devem falar os que têm o coração clarividente
a língua a alta frequência

buços da verdade e da mentira
cansados de passear suas lanternas nos labirintos do nada
na cova de alternados sentimentos
a dor é o único eterno
E nada poderá rir diante do vazio
Que me importa a burla do homem-formiga
nem do habitante de outros astros maiores?
Não sei deles nem eles sabem de mim
sei da minha vergonha da vida de meu asco celular
de minha mentira abjeta de tudo quanto edificam os homens
os pedestais aéreos de suas leis e ideais

Dai-me dai-me prestes um plaino de silêncio
um plaino despovoado como os olhos dos mortos

Em tentativa de aproximação a tal poema, diríamos que *Altazor*, no atirar-se em paraquedas de incalculável altura para profundezas ignoradas, é uma reiteração simbólica de Lúcifer – rebelado por não poder ser maior do que Deus. Em termos de modernidade, tal como se apresenta, a metáfora adquire leveza, sem perda de densidade, pela intervenção do pitoresco no elemento dramático. Sem possibilidade de conhecer todas as coisas nem de torná-las como as desejara, o poeta ensaia o voo para a libertação total. Mas enquanto persiste este voo, esta queda, este breve momento de vida que equivale a uma viagem pelo cosmos em companhia de todos os seres, tudo seja emoção, visão, participação e desgarramento, no tempo e no espaço. Quando ele diz – cai – parece convidar o mundo a acompanhá-lo na vertiginosa experiência:

Cai e queima ao passar os astros e os mares
queima os olhos que te miram e os corações que te aguardam

queima o vento com tua voz
o vento que se enreda em tua voz
e a noite que tem frio na sua gruta de ossos (p. 284)

Durante a ventura, ele não abandona sua preocupação inicial, a da teoria poética; e traça uma parábola de curvas insinuantes que constitui desafio à velha maneira de reunir analogias:

Basta senhora harpa das belas imagens
dos furtivos comos iluminados
outra coisa outra coisa buscamos
sabemos pousar um beijo como um olhar
plantar olhares como árvores
enjaular árvores como pássaros
regar pássaros como heliotrópios
tocar um heliotrópio como uma música... (p. 293)

É a temerária insubmissão estética a instruir uma avançada teoria da metáfora talvez ainda não superada. A metáfora já não é um jogo retórico mas sim uma forma de revelação psicofísica, ao juntar elementos díspares na aparência, mas que possuem secretas afinidades, embora não comprováveis nem mensuráveis. De fato não se logra calcular a distância real entre as duas entidades da imagem hodierna. Todavia a intuição receptora logra harmonizar a contradição que ela representa, pelo calor da expressão criadora, pelo contágio de sua graça, força ou beleza. Declara o professor Harald Weinrich no magistral estudo "Semântica da metáfora moderna: "Estamos cada vez mais convencidos de que as nossas metáforas não são, como o supunha a velha teoria metafórica, imitações de similitudes preexistentes na realidade ou no pensamento, pois elas forjam as analogias, elas criam as correspondências e elas são instrumentos demiúrgicos da mais alta importância" (p. 280).

Segundo o mesmo ensaísta, as metáforas mais audaciosas são as que trazem contradição nos termos – fenômeno assim chamado pela lógica. Ele próprio cita o clássico exemplo: o círculo quadrado. Ora, *Horizon carré* é precisamente o título de um livro de Vicente Huidobro, publicado em Paris pelas Edições Paul Birault em 1917.

Encontram-se, ao longo de sua obra, numerosos exemplos de imagens pertencentes à categoria do absurdo: *"Para seguir el camino / hay que recomenzar; Hice correr ríos / que nunca han existi-*

do" (p. 226). *"En donde estamos / el mundo ha cambiado de lugar"* (p. 232). *"Auroras boreales / en el polo sur"* (p. 243). *"He estado en todas partes y en ninguna"* (p. 267). *"Golondrina atravesada por el viento"* (p. 293). *"Mis ojos oyen las campanas / cuando la oreja mira el número de las casas"* (p. 304). *"Eres hermosa como un cielo bajo una paloma"* (p. 306). *"Volad flores detrás de vuestro aroma"* (p. 310). *"Todo es otra cosa"* (p. 320). *"Un árbol donde maduran las aldeas"* (p. 321). *"Hay muertos que es necesario matar"* (p. 341). *"La nada luminosa / ni luminosa ni oscura / La armonía de la nada sin armonía / La nada y el todo sin todo / Para ver eso hay que resucitar dos veces / Para sentirlo hay que morir primero"* (p. 321).

Ao lado e em torno dessas construções de sentido antilógico (aceita a proposição de que o antilógico tem sentido...), se multiplicam outras talvez menos cerebrais e mais amáveis, possivelmente, aos olhos de ver: *"Todas gaviotas / dejaron plumas en mis manos"* (p. 219). *"La noche viene de los ojos ajenos"* (p. 219). *"Mi sangre que hizo rojas / las auroras boreales"* (p. 222). *"El último rey portaba al cuelo / una cadena de lámparas extintas"* (p. 242). *"Sentados sobre el paralelo / miremos nuestro tiempo"* (p. 242). *"Las ciudades cautivas / cosidas una a una por hilos telefónicos"* (p. 244). *"Es preciso subir el naufragio bajo un edredón de lana"* (p. 328). *"Mi mano derecha es una golondrina / mi mano izquierda es un ciprés / Mi cabeza por delante es un señor vivo / y por detrás es un señor muerto"* (p. 308).

Como se pode observar pelos últimos versos, que outros viriam confirmar, o tom jocoso se mescla ao lírico, perfazendo uma tonalidade cromática jamais fatigante, apesar da insistência do paradoxo e da repetição de certas imagens – *rosas, golondrinas, palomas, auroras, pájaros, corderos, mar, cabellos, arco-iris, naufragios* – convivendo ao lado de elementos práticos ou técnicos: fios telegráficos, pontes, faróis, torres, chaqueta, *bolsillo*, naves, aeroplano. Em virtude dessa atmosfera tolerante, em que coabitam vocábulos de índole emocional com os de interesse imediato, os poemas se equilibram graciosamente, frutos de sensibilidade peculiar. É no poema *Altazor*, dividido em cantos, que se verifica em determinada estrofe toda a virtuosidade e ousadia criadora do poeta, através de neologismos cambiantes de forma e som numa sucessão de prismas, conforme as provocações da musa. Mas convém discriminar: essa deformação léxica não é gratuita, faz parte integrante do contexto, ilustra-o com eficácia, instaurando o clima de velocidade indicado já na linha inicial da estrofe: *"No hay tiempo que perder"*. Diante da primeira andorinha, símbolo anunciador da arribada (*"viene gondoleando la golondrina"*), sôfrego de maior rapidez, torna-se o poeta gaguejante no seu tropeço vocabular: *"Al horitaña de la montazonte / Ya viene la golondrina / la golonfina / la golontrina / la goloncima / la golonchina / la golonclima / la golonrima / la golonrisa / la golonniña / la golongira / la golonlira / la golonbrisa / la golonchilla / la golondía..."* (p. 294)

À medida que se aprofundam suas explorações do ignoto, com indisfarçável inquietude, cresce seu sentido de humor, em compensadora leveza, como recurso de equanimidade. Os poemas da maturidade têm momentos chistosos e alegres:

> *Ella daba dos pasos hacia adelante*
> *daba dos pasos hacia atrás*
> *El primer paso decía buenos días señor*
> *el segundo paso decía buenos días señora*
> *y los otros decían cómo está la familia*
> *hoy es día hermoso como una paloma en el cielo* (p. 306)

A nota pitoresca está sempre diluída na emotividade, lembrando a teoria dos vasos comunicantes. E como o estado de infância se avizinha do estado poético, as metáforas têm matizes indefiníveis, entre o risonho e o grave: *"Acaso esta oscuridad / viene de aquel armario / en donde me he ocultado"* (p. 222). *"Bajo las aguas gaseosas / un serafín náufrago / teje coronas de algas"* (p. 246). *"Mi reloj perdió todas sus horas"* (p. 249). *"Soy el ángel salvaje que cayó una mañana / en vuestras plantaciones de preceptos"* (p. 287). *"Paseos arqueológicos / que tienen tanto orgullo como si se bañara un caballo"* (p. 302).

A adjetivação é sumamente original. Quando o substantivo é de categoria nobre, menos acessível, a qualificação o coloca em termos de alcance comum. Alguns exemplos do processo: estrela doméstica (p. 236), estrelas fermentadas (p. 221), oceano filial (p. 196), astro quebrantado (p. 222), auroras cativas (p. 228), lua ferida (p. 234), canção solidificada (p. 251), rouxinol mecânico (p. 251).

Em sentido inverso, os elementos de ordem cotidiana ou imediata assumem interesse de nível mais elevado ou simplesmente abstrato. Assim: cabeleira sideral (p. 234), enfermidades vesperais (p. 222), chuva eletrizada (p. 222), cabeça madura (p. 251), aeroplanos ébrios (p. 251), vidros delirantes – do céu – (p. 316), ossos azuis – das pedras – (p. 371), olho enlouquecido (p. 283).

Há entre outras uma expressão perturbadora: "insaciável olvido" (p. 286), em que o adjetivo precede o nome, criando atmosfera onírica de abstração, apesar da convivência com o real, pois "insaciável" é vocábulo bastante forte para "olvido", que parece neutro. Na reunião de palavras "mundos veludos", o segundo substantivo tem função sugestiva de qualidade. Em *cielo oblongo* se concretiza forma geométrica inesperada.

Essa poesia tem laivos de barroquismo, todavia diferente do estilo de Góngora. Este operava por acumulação ou concentração em espirais, enquanto Huidobro usa método dispersivo, pensamentos simultâneos, imagens lançadas a distâncias variáveis, de modo a denunciar e causar estado vertiginoso. É possível que o autor fosse de caráter volúvel. Mais do que conflito interior, o que agencia seu dinamismo lírico é a disponibilidade, a versatilidade, a dissidência sentimental, a sedução diversicolor por todas as manifestações da vida. Atraente, solicitado e discutido como parece ter sido, transfere para o poema não apenas as reações da sensibilidade, mas ainda a própria feição de ser e de agir, desatendendo programaticamente o senso comum, em benefício da fantasia. Não se preocupa em dar ao poema uma arquitetura fechada que o tornaria mais habitável. Seus pássaros voam sem intenção de volta: e por isso mesmo são belos.

Uma das características dessa poesia é a sutileza, a delicadeza com que se transpõe para o campo lírico a mesma sensualidade, sendo, entretanto, intitulada *Ver y palpar* uma das coletâneas de versos, o que não deixa de ser expressivo. Um termo entre outros – cabeleira ou cabelos – denuncia, pela frequência e pelas circunstâncias em que comparece, índole aristocraticamente sensual. Exemplos confirmativos: *"Yo quería ese mar para mi sed de antaño / lleno de flotantes cabelleras"* (p. 245). *"Dentro de tus cabellos hay música"* (p. 258). *"La cabellera que se ata hace el día*

/ *La cabellera al desatarse hace la noche"* (p. 291). *"Y todo el cabello al viento / eres más hermosa que el relincho de un potro en la montaña"* (p. 293). *"Peina su larga cabellera como las serpientes del milagro"* (p. 322). *"La última sirena fatigada bajo el peso de sus cabellos sonoros"* (p. 329). Note-se aqui o sincretismo a insinuar harmonia de sensações físicas. Mais alguns exemplos: *"Los ríos / todos los ríos de las nacientes cabelleras / los ríos mal trenzados / que los ardientes veranos han besado"* (p. 250). *"Levantarás el cielo con tu presencia / el cielo loco por la armadura de tus cabellos / y tus cabellos dirán un día la causa de su luz / la energía latente de su origen?"* Nestes últimos versos chegam a ter função metafísica, os cabelos amados! Mas há todo um poema em que se resume a predileção imagística: "Bay rum":

> *En tus cabellos se ha dormido*
> *aquella alondra que voló cantando*
>   *CUÁL ERA MI CAMINO*
>   *Nunca podré encontrarlo*
> *Las cascadas*
>   *Pequeñas cabelleras en la orilla*
> *Sus estrellas resbalan y no brillan*
> *En el cielo despoblado*
> *Tan sólo tu cabellera sideral*
> *Suelta sobre la tarde*
>   *Aquellas llamas que arden*
>   *Oración o cantar*
> *Dame tu mano*
> *Vamos*   *Vamos*
> *Hay un poco de música en el musgo*
> *Huir*
>   *hacia el último bosque*
>   *Y en la noche*
> *Vaciar tu cabellera sobre el mundo* (p. 234-235)

Seria demasiadamente longo falar sobre a vivência do criacionismo na poesia hispano-americana. Interessa-nos focalizar, de passagem, essa vivência na poesia brasileira.

Um de nossos melhores poetas, Murilo Mendes, se utiliza dessa mesma técnica de contradição nos termos, de metaforismo por inversão, de imagismo abstrato, de preferência por sinais geométricos. Seus adjetivos têm igual sabor picante, no sentido contrário ao previsível; muitos de seus poemas são totalmente articulados fora de toda lógica, em climas aéreos. Oswald de Andrade, Sérgio Milliet, Cassiano Ricardo e outros mais poderão ser estudados sob idêntico aspecto. Alguns novos poetas valem-se de amálgamas paradoxais e neologismos reversíveis de maneira semelhante, porém mais radical, nas perquirições do absurdo.

O fato me parece digno de atenção: aparecido por força de coincidências, vindo direta ou indiretamente de outras paragens, com essa ou similar denominação, o fenômeno CRIACIONISMO felizmente viveu e ainda vive entre nós.

BIBLIOGRAFIA

HUIDOBRO, Vicente. *Poesía y prosa*. Madrid: Aguilar, 1957.

DÍAZ-PLAJA, Guillermo. *La poesía lírica española*. Barcelona: Labor, 1937.

DÍEZ-CANEDO, Enrique. *Letras de América*. México: El Colegio de México; Fondo de Cultura Económica, 1944.

IMBERT, Enrique Anderson. *Historia de la literatura hispanoamericana*. México: Fondo de Cultura Económica, 1954.

LATORRE, Mariano. *La literatura de Chile*. Buenos Aires: Instituto de Cultura Latinoamericana, 1941.

SÁNCHEZ, Luis Alberto. *Nueva historia de la literatura americana*. Buenos Aires: Ed. Americalee, 1941.

UREÑA, Max Henríquez. *Breve historia del modernismo*. México: Fondo de Cultura Económica, 1954.

WEINRICH, Harald. Semântica da metáfora moderna. *Kriterion* – Revista da Faculdade de Filosofia da Universidade Federal de Minas Gerais, Belo Horizonte, n. 64, 1964.

MÁRIO DE SÁ-CARNEIRO

Entre os poetas portugueses do início do século, a estranha figura de Mário de Sá-Carneiro se impõe com prestígio cada vez maior nos meios literários. Sua rápida passagem pela vida terrena foi dramática, tendo ele deixado obra notável, se bem que escassa, em prosa e verso, de natureza simbólica e estrutura moderna.

Nasceu no ano de 1890 em Lisboa; tornou-se órfão de mãe bem cedo; estudou e iniciou carreira literária em sua terra; foi fundador e colaborador da célebre revista *Orfeu*; publicou simultaneamente em 1914 seus livros *Dispersão* e *A confissão de Lúcio*; a seguir, em 1915, lançou *Céu em fogo;* residiu algum tempo em Paris, cidade de sua predileção, onde se matou aos 26 anos, ao cabo de angustiosa crise espiritual, deixando alguns inéditos em poder de seu grande amigo Fernando Pessoa, com quem se correspondia. Outros papéis de sua lavra ficaram perdidos, parece que definitivamente, no quarto de hotel em que pôs termo à existência.

Em 1937 surgiu a primeira edição de *Indícios de oiro* sob o patrocínio da revista *Presença*. Através de Edições Ática saíram, mais tarde, o volume *Poesias*, os dois livros em prosa – reeditados – e as *Cartas de Sá-Carneiro a Fernando Pessoa*.

Os poucos dados biográficos que dele se conhecem confirmam a estranheza de sua personalidade, perceptível nos poemas, em que se fundem arte e vida. Desde o primeiro contato, sua arte impressiona pela violência do contraste entre o pessimismo conceptual subjacente e o luxuoso dinamismo da construção imaginativa. Sem qualquer intenção de paradoxo: é a própria violência desse contraste que faz com que a dicção do poeta resista ao tempo, sem comprometimento da excentricidade pela vulgaridade. O que há de decorativo nesses versos tem razão de ser tão profunda quanto complexa. Entre o fundamental e o supérfluo se dividia e se confundia o poeta, igualmente atraído pelos extremos. De um lado o conhecimento de uma realidade talvez irreparável, talvez agravada por lentes aumentativas; de outro, a necessidade de aparências brilhantes e sonoras, de que os sentidos se inebriavam até o êxtase, até às raias da alienação. Não era uma luta pelo possível, que a arte poderia justificar e compensar, mas uma luta pelo impossível, que nem a vida, por mais que lhe oferecesse, poderia solucionar e satisfazer. Foi a crise, em puro desespero, de uma infindável adolescência. É que ele não possuía uma visão total do mundo, mas tão somente uma visão de ser no mundo, ou de estar no mundo, com o qual se achava em pugna, sem procurar aprender seus ensinamentos, nem contemplá-lo passivamente como dádiva para os sentidos. Sem possuir uma conceituação madura da existência, aferrava-se à sensação de estar porventura ilhado em si mesmo. Desta maneira se explica sua tendência para acumular pormenores de modo extravagante, seu procedimento estilístico de inventariar imagens sempre mais fortes, de intensificar o metaforismo com enervamento. Essa dinâmica de instabilidade, como que giratória em sentido de círculo vicioso, volta ao ponto de partida sem perspectiva, sem panoramas abertos. De certa forma, sua poesia é sufocante pela limitação dos motivos, embora variável na modalidade expressiva. O que há de mais notável nessa poesia é a relação entre a originalidade da fonte, quer dizer, de um estado, de uma intuição, de uma situação, e a originalidade dos meios expressivos. Acumulada de hipérboles e contrastes, acusa, sem embargo, um processo de destruição dos mitos românticos, por espezinhamento das próprias emoções. Os excessos imagísticos deixam de ser românticos em virtude da brusquidão que os recorta, a evitar qualquer eloquência discursiva, e a seguir direção vertical, de aprofundamento no inconsciente.

Faz-se presente, na obra de Sá-Carneiro, não apenas o depoimento psíquico de indivíduo inadaptado e inadaptável ao meio social, como também a solução poética de uma problemática humana. Isto é que importa no momento: a procura de sua feição criadora, o exame dos elementos técnicos de sua composição.

Temas, enredos e circunstâncias se perderiam, não fossem sustentados por essa força cujo nome ignoramos, mas cujas manifestações nos ferem a sensibilidade.

Este poeta, que jamais faria do mimetismo um ideal, que jamais cederia à cor ambiente seus coloridos peculiares (ouro, vermelho e negro são os tons que sugere), possuía uma espantosa vocação histriônica: foi vítima de si mesmo como homem; e herói de si mesmo na qualidade de anti-herói, de símbolo circense, entre o sensível e o rascante de suas invectivas. No soneto "Aqueloutro", por exemplo:

> O dúbio mascarado, o mentiroso
> afinal, que passou na vida incógnito;
> o Rei-lua postiço, o falso atônito;
> bem no fundo o covarde rigoroso...
>
> Em vez de Pajem bobo presunçoso...
> Sua alma de neve asco de um vômito...
> Seu ânimo cantado como indômito
> um lacaio invertido e pressuroso...
>
> O sem nervos nem ânsia, o papa-açorda...
> (Seu coração talvez movido a corda...)
> Apesar de seus berros ao Ideal,
>
> o corrido, o raimoso, o desleal,
> o balofo arrotando Império astral,
> o mago sem condão, o Esfinge Gorda...

Nada mais cruel e mordaz do que este jorro de epítetos contra o alvo que o obcecava, centro do mundo – sua própria pessoa. Mesmo quando se sente que o poeta aqui atingiu a plenitude artística, a transbordar do significado confessional para a representação genérica. É bem certo que o maior interesse humano é o do ser humano. Por isso nos comove o que ficou aquém da palavra, o que a ela confere valor essencial de particularidade, antes de chegar à universalidade. Não estará no interesse despertado por algo que parece estranho ou inverossimilhante uma prova de autenticidade do medianeiro, além da prova inequívoca de sua força estilística?

Nesta viagem ao redor da ilha em que se isolou Mário de Sá-Carneiro, é de se reconhecer de imediato sua candente imaginação. Logo à entrada de seus lares flameja uma bandeira em cores, com grande variedade de símbolos, alguns deles constantes; como elos de uma corrente, as metáforas se prendem umas às outras, arrastando o peso das sensações e intuições, quando, de súbito, interfere uma nota explosiva que as intersecciona, e as distribui para novos planos. De modo geral, porém, há simetria na composição desses poemas organizados com nítida consciência técnica, ritmo normal, metrificação uniforme quase sempre, e rimário comum. As imagens aparecem geralmente em série, com ardor progressivo até à exaustão. Exemplo:

> Há roxos fins de Império em meu renunciar –
> caprichos de cetim do meu desdém Astral...
> Há exéquias de heróis na minha dor feudal –
> E os meus remorsos são terraços sobre o mar...

A hipérbole permitiu-lhe a liberação do que ele mesmo denomina os seus excessos:

> Eu morro de desdém em frente dum tesouro,
> morro à míngua, de excesso.

Existe nessa poesia uma luta entre a imaginação e a fantasia, a primeira buscando controlar a segunda, trazendo-a de volta a uma experiência real, sentida de fato, como se pode averiguar no ajuntamento dos dois versos acima, e na reação do segundo a fim de elucidar uma sensação complexa. Tal procedimento de intervenção no mundo ilusório por uma espécie de clarividência ainda que ilógica é um dos traços característicos desse artista. Assim é que ele corrigia ou dissimulava. Flagelando-se ou flagelando sua megalomania. À suprema exaltação, opunha absoluta humildade, como nos poemas "A queda", "Dispersão", "Distante melodia", etc. Seus textos acusam pungente, embora vago, saudosismo, resto de nostalgia tão peculiar ao gênio português, a que ele imprime selo original:

Vêm-me saudades de ter sido Deus. ("Partida")
E doente-de-Novo, fui-me Deus. ("Além-tédio")
Um som opaco me dilui em Rei. ("Epígrafe")
– Ao meu redor eu sou Rei exilado. ("Distante melodia")
César, mandei vir dos meus viveiros de África. ("Bárbaro")
Lord que eu fui de Escócias de outra vida. ("O lord")
Oh! regressar a mim profundamente / e ser o que já fui no meu delírio...
("Escala")

Dir-se-ia que ele quisera ser tudo ou qualquer coisa menos o que era de fato. Porém, na tentativa de despersonalização – e o paradoxo é evidente –, palpita a necessidade que tem de integrar-se, de reunir num todo os fragmentos de si mesmo. Sempre a falar na 1ª pessoa, como se verifica facilmente:

E eu que sou o rei de toda essa incoerência. ("A queda")
Eu não sou Eu nem sou o outro. ("7")
– Por sobre o que Eu não sou há grandes pontes. ("Ângulo")
Eu – a estátua que "nunca tombará". ("Sete canções de declínio-6")

Mais persistente ainda se faz o emprego do pronome oblíquo da 1ª pessoa:

Tenho medo de Mim. ("Epígrafe")
É só de mim que ando delirante. ("Álcool")
Heráldico de Mim. ("Não")
Perdi-me dentro de mim. ("Dispersão")
A vida corre sobre mim em guerra. ("Estátua falsa")
Volteiam dentro de mim. ("Rodopio")
Há oiro marchetado em mim... ("Taciturno")
Estilizei em Mim as doiraduras mortas! ("O resgate")
Em mim findou todo o luar. ("Elegia")
Haja bailes de Mim pela alameda! ("Escala")
Todo me incluo em Mim. ("Manucure")
Rolo de mim por uma escada abaixo ("Apoteose")
e fico só esmagado sobre mim. ("A queda")

Inumeráveis são as notações psicológicas, através dos termos adequados – eu, mim, comigo, meu, minha, meus, minhas – denunciadoras de extremo egocentrismo.

Ser ou não ser – eis a tragédia desse novo Hamlet, criatura de sentimentos vacilantes, cidadão dividido entre Portugal e França, alma a reagir contra o perene em nome de uma civilização tecnicista. Sua fuga para Paris ("Tudo, menos Lisboa", escrevia a um amigo) está ligada, mais do que ao esnobismo de que sofria, à aspiração de novas vivências libertárias e criadoras. É de se recordar os graves problemas históricos do momento português, a instabilidade e a mudança dos governos, as exigências inglesas, a resistência dos patriotas, a instalação da república incipiente, o saudosismo contagiante, a incompreensão geral com vistas à literatura. Além disso, e também por isso, era um poeta de transição entre o Simbolismo já decadente e as auras de uma nova corrente ainda não batizada e de que foi um dos precursores, o Super-Realismo; era um esteta que não desejava imitar a estrutura do universo físico, mas competir com os aspectos da natureza a fim de exprimir "Átrios interiores", ou, em súmula, seu íntimo ser. Nada mais lógico, pois, do que a utilização do verbo ser, o mais importante em todas as línguas, para com ele marcar e definir a estrutura de sua obra, o que fez com audácia e por vezes com desafio às construções habituais do idioma. Eis alguns exemplos:

Serei, mas já não me sou. ("Dispersão")

Catedrais de ser-Eu por sobre o mar. ("Distante melodia")

Há vislumbres de não-ser. ("Rodopio")

Ai, a dor de ser-quase, dor sem fim... ("Quase")

Sou esfinge sem mistério no poente. ("Estátua falsa")

A ponte levadiça e baça de Eu-ter-sido. ("Taciturno")

A tristeza de nunca sermos dois... ("Partida")

Estátua, ascensão do que não sou. ("Desquite")

Permaneci, mas já não me sou. (*A confissão de Lúcio*)

E mais o expressivo exemplo desta quadra:

Eu não sou eu nem sou o outro,
sou qualquer coisa de intermédio:

pilar da ponte de tédio
que vai de mim para o Outro. ("7")

O segundo verbo a despertar atenção, nos livros de Sá-Carneiro é oscilar, cuja significação é variável em nuanças de acordo com o emprego – transitivo, intransitivo ou relativo – sem perder a significação léxica – balançar-se, mover-se alternadamente em sentidos opostos, ter movimento de vaivém, vacilar, hesitar, tremer, variar, agitar, além de abranger um sentido mais alto – comover, tocar, possuir. Aquela contradição, que o verbo ser indicou através dos complementos, vai agora reforçar-se. Se o esteta que nele habitava quisera ser nada menos do que Deus, o moço que conhecia dificuldades materiais para manter-se, entre a mesa de um "café" e um quarto de hotel, por certo se equilibrava mal. Nesse transe, quem não sabia agir e muito menos reagir do ponto de vista prático, mas apenas "fazer", impregnou sua arte de um cunho revolucionário de movimentação, dinamismo, oscilação, fenômeno que corresponde até certo ponto ao Expressionismo, ao Cubismo, ao Fauvismo, ao Futurismo e ao Interseccionismo em vias de idealização. Como o poeta pensava principalmente por imagens, é natural que a sua imagística se mostrasse oscilatória. O verbo oscilar lhe segue o estigma, a indecisão, o desajustamento, a relutância, a carência de energia, a não aceitação da fatalidade, o fio de esperança entre o ser e o não ser, tudo o que sabia e desconhecia, representando simultaneamente a fuga e o regresso ao real, o estado que ele explica nos seguintes versos:

Esta inconstância de mim próprio em vibração
É que me há-de transpor às zonas intermédias,
e seguirei entre cristais de inquietação,
a retinir, a ondular...

Que verbo mais adequado para expressá-lo na sua inteireza, depois da desintegração entre opostos a que se submetera por meio do verbo ser? No plano insólito da mesma insegurança, o poeta se encontra e se define por intermédio do verbo oscilar, empregado de maneira original, ora como causalidade, ora como efeito. Do volume de poemas:

Tudo oscila e se abate como espuma. ("Álcool")
Enfim oscilo alguém! ("Não")
... tempo Azul / que me oscilava entre véus de tule. ("Distante melodia")
tudo quanto oscila pelo Ar. ("Apoteose")

Dos livros em prosa, com absoluta impregnação do elemento poético:

Vibradas as sensações máximas, nada já nos fará oscilar. (p. 16)
A sensação foi tão violenta, que nem sei já em que triste cidade a oscilei. (p. 52)
Os nossos corpos embaralharam-se, oscilaram perdidos (p. 16)
Também por um outro eu oscilava ternuras... (*A confissão de Lúcio*)

A seguir, exemplos colhidos de *Céu em fogo*:

... tudo quanto me impressiona [...] em sexo apenas o oscilo. (p. 49)
... de tanto oscilar em oco. (p. 62)
... a oscilar a minha soberba. (p. 99)
ele [...] oscilava, não só um corpo [...] – mas também uma alma. (p. 147)
... oscilou-me então um arrepio de gelo... (p. 194)
... a impressão que me oscilou... (p. 232)
... hipóteses [...] fazem-nos oscilar de Mistério... (p. 254)
Se todo se conhecia, se todo se oscilara? (p. 273)
Paris [...] incerto de o oscilar de novo... (p. 280)
... essa capital [...] oscilá-la no seu sangue, sê-la. (p. 293)
... o oscilava uma destas crises... (p. 316)

O número de vezes que ele escolheu o verbo oscilar, convidativo na sonoridade, impressiona menos do que o modo arbitrário com que dele se serve. Oscilar alguém, oscilar ternuras, ser oscilado por uma impressão ou sensação é deveras bizarro. Incapaz de estabilizar a energia nervosa dentro da realidade inverossímil em que vivia, desejoso de libertar-se do peso da vida para de todo entregar-se à atmosfera teatral que era o seu mundo, ele era, de fato, uma oscilação viva, da ordem para o caos e vice-versa. Na área do insólito, há muito que pesquisar em Sá-Carneiro, para uma interpretação cabal a fazer a distinção entre os elementos simulatórios ou fantasiosos e os dados reais, embora subjetivos, da imaginação. A propósito: não será necessário remontar a Coleridge ou, ainda mais longe, a Novalis, para a acusação dessa diferença, embora sejam tais mestres de sutileza os pioneiros de uma teoria ainda não suficientemente observada. O dicionário se resume em dizer: "Imaginação, invenção construtiva, organizada (por oposição a fantasia, invenção arbitrária)". Mas já é um ponto de partida para maiores voos. Desconheço até hoje um poeta que ofereça melhores possibilidades para um estudo dessa diferenciação. Eis algumas anotações que talvez possam ser analisadas e discutidas, quando se queira proceder sistematicamente a tal investigação. Entre os poemas que pertencem à imaginação, presumo, se acham os seguintes: "Aqueloutro", "El-rei", "Caranguejola", "Último soneto", "O pajem", "Pied-de-nez", "Cinco horas", "Sugestão", "A queda", "Além-tédio", "Dispersão", "Escavação", "Partida". Entre aqueles em que prevalece a fantasia: "Álcool", "Estátua falsa", "Rodopio", "Salomé", "Não", "Certa voz na noite, ruivamente", "Taciturno", "O resgate", "Bárbaro", "Escala". Em página a que chamarei mista, há uma quadra de pura imaginação como esta:

> Eu fui alguém que se enganou
> e achou mais belo ter errado.
> Mantenho o trono mascarado
> onde me sagrei Pierrot.

Mais adiante surge outra quadra de inventiva arbitrária:

> Minhas tristezas de cristal,
> meus débeis arrependimentos
> são hoje os velhos paramentos
> duma pesada Catedral.

Não será fácil o deslinde entre uma e outra categoria, a do imaginar e a do fantasiar. Creio, no entanto, que intuitivamente se reconhece maior autenticidade na primeira.

Simbolista tardio e modernista precoce, Mário de Sá-Carneiro, já fugindo ao decadentismo e já perseguido de uma realidade firmada no século, ou seja, a consciência de que o inconsciente é uma força, deu grande liberdade, renovando-os sempre, aos símbolos obsessivos. Entre esses, a palavra "oiro", o verbo "doirar", com suas conotações léxicas até o imprevisível advérbio "mordoradamente", têm significações diversas, até mesmo contrárias.

É de notar-se, desde logo, que seu segundo livro se intitula precisamente *Indícios de oiro*. Já no primeiro dizia:

Ser [...] arco de oiro e chama distendido. ("Partida")

Sou chuva de oiro e sou espasmo de luz. ("Partida")

Fios de oiro puxam por mim. ("Vontade de dormir")

... recordo / a sua boca doirada. ("Dispersão")

Só de oiro falso os meus olhos se douram. ("Estátua falsa")

Luas de oiro se embebedam. ("Rodopio")

Se acaso em minhas mãos fica um pedaço de oiro. ("A queda")

Pertencem ao segundo volume os seguintes versos:

A torre de oiro que era o carro da minha Alma. ("16")

Mastros quebrados, singro num mar de oiro. ("Apoteose")

Num sonho de Íris, morto a oiro e brasa. ("Distante melodia")

Caía oiro se pensava Estrelas. ("Distante melodia")

Há oiro marchetado em mim, a pedras raras, / oiro sinistro... ("Taciturno")

Fundeaste a oiro em portos de alquimia? ("Ângulo")

Que poeira de oiro, os meus desejos. ("Elegia")

Tirano medieval de oiros distantes. ("Escala")

Num entardecer a esfinges de oiro e mágoa. ("Escala")

Meu alvoroço de oiro e lua. ("Declínio-7")

Meu vinho de oiro bebido. ("Abrigo")

(Que história de oiro tão bela... ("Cinco horas")

Dispam-me o oiro e o luar. ("Desquite")

Quando este oiro por fim cair por terra,

que ainda é oiro, embora esverdinhado? ("O fantasma")

Nunca em meus versos poderei cantar,

Como ansiara, até ao espasmo e ao Oiro,
Toda essa Beleza inatingível. ("Apoteose")

Nas áreas dessa imagística poderíamos distinguir – *grosso modo* – duas tendências que se separam e, às vezes, se conjugam: a de uma aristocrática sensibilidade diante da beleza e a de uma abrupta sensualidade diante de todas as coisas, mesmo as transcendentais, que o poeta anela marcar fisicamente. O curioso embate se patenteia no tratamento do símbolo em pauta. Sabe-se que o ouro tem exercido, desde a mais remota idade, verdadeiro fascínio sobre o homem. Os primitivos, incapazes de distinguir entre o objeto sensível e o significado místico de suas mesmas crenças, se prostravam diante dos ídolos de ouro, considerando-o como o próprio nume. E se deslumbravam, naturalmente, com suas características de beleza e durabilidade. Os modernos ainda hoje o adoram pelo seu valor material e suas condições de estabilidade e indestrutibilidade, tomando-o como símbolo de opulência e poderio.

"No ouro", diz um sociólogo alemão, "o homem viveu e vive a dupla natureza de toda a vida, a sua polaridade de espírito e matéria." Sim, o puro metal tem reverso, no fulgor capcioso, tentador e diabólico de sua mesma incorruptível substância, podendo representar tanto a ideia de maldição como a de bendição. Assim o tomou Mário de Sá-Carneiro, em dicotomia trágica relacionada com suas ambições pessoais de homem e de artista. Entregue ao sortilégio do ouro, de seus lampejos ora celestiais, ora demoníacos, sabe que suas mãos estão vazias; mas pressente que sua arte perdurará. Traça, então, uma parábola entre o ouro que traduz beleza, perfeição, ideal, e o ouro que lhe dera meios de subsistência. Assim fica a oscilar, ora a bendizê-lo em sonhos, ora a maldizê-lo na impossibilidade de possuí-lo. São valores dissonantes de contraponto. E o que parece apenas decorativo tem uma razão de ser, como no verso acima citado: "Há oiro marchetado em mim, a pedras raras, / oiro sinistro".

Quando ele se pergunta: "Fundeaste a oiro em portos de alquimia?", está evocando, ironicamente, a ilusão perene da humanidade, quanto à pedra filosofal.

Outras muitas peculiaridades oferece a poesia de Sá-Carneiro. Se, de modo geral, o artista se baseia na abstração do concreto, ou seja, na utilização das coisas imediatamente presentes como sinais representativos do reino imaginário, em contrapartida emprega com frequência uma técnica oposta, de concretização de abstrações, conforme os seguintes exemplos: "balaústres de som"; "arcos de Amar"; "pontes de brilho"; "ogivas de perfume"; "país de gaze e Abril"; "baía embandeirada de miragem"; "joias de opulência"; "espadas de ânsia"; "basílicas de tédio"; "insígnias de Ilusão"; "molduras de honra"; "escadas de honra". Aqui se percebe, em opção de desafogo, o peso da realidade interior que o oprimia, a ponto de transformar-se em coisa concreta. "Basílicas de tédio" é imagem bem compacta para ombros sensíveis.

O vocabulário do poeta, embora não muito rebuscado, acusa preferência terminológica de sabor simbolista: licorne, acanto, bruma, quimera, diadema, nostalgia, claustro, esfinge, princesa, vislumbre, alabastro, lua, castelo, etc., sem desvalia de oiro e derivados. Em compensação, possui expressões cruas e realistas, que serão arroladas à parte. A construção sintática é que é realmente preciosa, a urdir novidades expressivas, a transformar a funcionalidade de verbos com relação ao sujeito e ao predicado, a empregar arbitrariamente tanto o verbo numeroso, como o verbo impessoal. Assim, nestes versos do primeiro ciclo:

Desço-me todo, em vão, sem nada achar. ("Escavação")
Deliro todas as cores. ("Inter-sonho")
Respiro-me no ar que ao longe vem. ("Álcool")
Manhã tão forte que me anoiteceu. ("Álcool")
P'ra que me sonha a beleza. ("Vontade de dormir")
Eu falhei-me entre os mais, falhei em mim. ("Quase")
São êxtases da cor que eu fremiria. ("Como eu não possuo")
Nada me expira já, nada me vive. ("Além-tédio")
Os instantes me esvoam dia a dia. ("Além-tédio")

Do segundo ciclo:

Os braços duma cruz anseiam-se-me. ("Nossa Senhora de Paris")

Percorro-me em salões sem janelas nem portas. ("Taciturno")
Que se prolongue o Cais de me cismar. ("Escala")
Morreram-me meninos nos sentidos. ("O fantasma")
Lajearam-se-me as ânsias brancamente. ("Apoteose")

De *A confissão de Lúcio*:

Álcool que nos esvai em lume. (p. 62)

De *Céu em fogo*:

O Mistério ogivou-me longos aquedutos. (p. 86)

No seu passivo e receptivo egocentrismo, é natural que ele se sinta transmudado em objeto, quando em circunstâncias normais, seria o sujeito de um verbo como sonhar: "Pra que me sonha a beleza / se a não posso transmigrar?"... De tal egocentrismo falam com insistência todos os poemas de "Dispersão" e "Indícios de oiro", à exceção de duas quadras dedicadas a "Anto" – António Nobre – de quem se aproxima na admirável página "Caranguejola", e, ainda, do "Último soneto", único momento em que se abandona a uma delicada emoção amorosa com vistas à segunda pessoa:

Que rosas fugitivas foste ali!
Requeriam-te os tapetes – e vieste...
– Se me dói hoje o bem que me fizeste,
é justo, porque muito te devi.

Em que seda de afagos me envolvi
quando entraste, nas tardes que apareceste!
Como fui de percal quando me deste
tua boca a beijar, que remordi...

Pensei que fosse o meu o teu cansaço –
Que seria entre nós um longo abraço
o tédio que, tão esbelta, te curvava...

E fugiste... Que importa? Se deixaste
a lembrança violeta que animaste,
onde a minha saudade a Cor se trava?...

"Último soneto" envolve uma doce queixa de amor. Não se sabe
se esta sensação de abandono se relaciona com a moça francesa que
lhe fizera companhia e que, aliás, se mostrara preocupada a ponto
de procurar o Consulado de Portugal a fim de solicitar socorro para
o poeta, algum tempo antes do trágico desenlace. O que interessa
é que a confidência transpira ternura, denotando capacidade sentimental em meio ao desafio pertinaz de suas reações a toda espécie
de amenidade emotiva. Fernando Pessoa, que o compreendeu plenamente, procurou explicá-lo em carta a Gaspar Simões, em 1931:
"A obra de Sá-Carneiro é toda ela atravessada por uma íntima de-
sumanidade, ou melhor, inumanidade: não tem calor humano nem
ternura humana, exceto a introvertida. Sabe por quê? Porque ele
perdeu a mãe quando tinha 2 anos e não conheceu nunca o carinho
materno. Verifiquei sempre que os amadrastados da vida são falhos
de ternura, sejam artistas, sejam simples homens; seja porque a mãe
lhes falhasse por morte (a não ser que sejam secos de índole, como
o não era Sá-Carneiro), viram sobre si mesmos a ternura própria,
numa substituição de si mesmos à mãe incógnita..." Como não era
seco de índole, parece-me que a fuga aos sentimentos afetivos, em
Mário, é uma espécie de autodefesa, receio de entregar-se em dema-
sia, desconfiança de não reciprocidade na medida de seu exorbitante
temperamento. Daí o exclusivismo quase absoluto de suas motivações egotistas. Daí a perda de certo lirismo em favor de uma estranha
dramaticidade em que o autor se focaliza a si próprio para dentro
de múltiplos espelhos côncavos e convexos, sempre às voltas com
simulacros e ornamentações, comprovando uma vocação histriônica
sem similar. Alvejando a si mesmo, o que chega a ser assombroso,
experimentou todas as gamas da ironia, do humor, do sarcasmo, da
mordacidade, da sátira, do grotesco, do cômico, do ridículo e, por
fim, do trágico. Em hora de exasperação, vai ao cúmulo de intitular-
-se "o Esfinge-gorda", em alarmante desnudamento que só um gênio
se permitiria sem quebra de dignidade, como então acontece. Por
mais que ele exercite suas manobras de acrobata em trapézio, não é

questão de riso, mas de suspense, de espanto, de solidariedade. Não há lugar para a hilaridade no instante em que o saltimbanco arrisca o salto-mortal, cortando a respiração da audiência circense. Assim o impacto dessa poesia, ao transpor a barreira do individual para projetar-se à distância, é comovente e grave.

Com referência a aspectos dramáticos, não se pode fugir à ideia de "máscara" ou disfarce, de que se serve conscientemente todo artista para efeito expressivo. Casais Monteiro tratou do assunto na sua tese *Estrutura e autenticidade como problemas da teoria e da crítica literária*, lembrando o exemplo de Fernando Pessoa, que, além de praticar a poesia dramática, encontrou síntese admirável para explicá-la e explicar-se como tendo "a exaltação íntima do poeta e a despersonalização do dramaturgo". O poeta de "Dispersão", embora sem heterônimos, tem também mais de uma voz, criador que é de personagens imaginários com os quais se identifica. Ao citar Kierkegaard, para quem "[a] ironia resulta de se confrontar sempre a finitude particular com a exigência ética de infinitude, tornando assim possível que surja a contradição", comenta Casais Monteiro: "A ironia seria assim a própria experiência da superação do individual na consciência da impossibilidade de o ultrapassar, isto é: não a superação do individual, mas o seu conhecimento dentro dessa sujeição; ou ainda, por outras palavras, o finito reconhecendo-se como tal, e sabendo que é finito, mas por isso mesmo dramaticamente dividido entre a finitude que não satisfaz a consciência e a inatingível exigência de infinitude". É bem o caso do autor de "Indícios de oiro". Sempre a falar na 1ª pessoa, renova-se a cada momento em aparências contraditórias, num jogo de polifonia e de contraponto, cujas partes heterogêneas se combinam em dissonâncias ou paradoxos. Assim quando se sente Deus, Rei, César, Doge de Venezas escondidas, Rajá de Índias de tule, Pierrot, saltimbanco, estátua falsa, herói de novela... Com esse mecanismo de oposição, ruptura e recomposição, salvam-se as incongruências pelo todo que vem a ser a super-realidade. A respeito, lembra-nos um esquema abstrato dos valores estéticos oferecido por Charles Lalo, no seu livro *L'esthétique du rire*. Basta-nos a referência à harmonia procurada e à harmonia perdida, sem necessidade de alusão à harmonia possuída, a não ser como solução final – que se resume na arte. Dir-se-ia que em Sá-Carneiro houve contaminação de busca e perda, com os respectivos elementos: o terrível, o patético, a depressão-excitação, a fatalidade e a hipertonicidade, em confronto com o risível, o grotesco, a emancipação, a anarquia, a hipotonicidade. Por isso mesmo suas zombarias impõem respeito: "A grande festa anunciada / a galas e elmos principescos / apenas foi executada / a guinchos e esgares simiescos...".

A carga sugestiva do poema "Caranguejola", no qual o poeta simula desistida responsabilidade que deveria afetá-lo, transferindo-a para outrem, é toda de angústia, enquanto apresenta mediação semântica de superfície, puerilidade, despistamento, desopressão, alívio:

Desistamos. A nenhuma parte a minha ânsia me levará.
Pra que hei de então andar aos tombos, numa inútil correria?
Tenham dó de mim. Co'a breca! levem-me pra enfermaria!
Isto é, pra um quarto particular que o meu Pai pagará.

Termos como "pateta, comichão, pinotes, enjoo, caqueirada, destrambelho, bolores, estrebucha, debochada, tarada", seriam de escandalizar num poeta do início do século, não fossem aplicados tão convincentemente. Mesmo em França, o método de Baudelaire, de desmitificar a poesia com a introdução de elementos antipoéticos, havia causado espécie. Mas o processo era válido e hoje em dia ninguém mais o estranha. "Coube à poesia moderna", diz o ensaísta Cassiano Nunes, "o trabalho desentulhador, de desobstrução, de limpeza, da poesia, pela introjeção drástica, detergente, violenta, da Antipoesia." De vários modos obtém Sá-Carneiro o desejado efeito sardônico, talvez a mais forte de suas características. Neste verso: "Recama-te de Anil e destempero", em que se deixam captar, ao mesmo tempo, a contradição e o sofrer da contradição, é por intermédio da oposição de dois termos aparentemente irreconciliáveis – anil e destempero. Mais adiante, através de uma situação inopinada cortando a metáfora:

– Num programa de teatro
suceda-se a minha vida –

Escada de oiro descida
aos pinotes, quatro a quatro!...

A materialidade da imagem exprime ideia moral e por isso deixa de ser vulgar. Aqui está uma quadra de "Elegia", de humor bem amargo:

Ó grande Hotel universal
dos meus frenéticos enganos,
com aquecimento central,
escrocs, cocottes, tziganos...

A noção de conforto físico se mescla ao sentimento de miséria moral, constituindo conflito entre sensações diferentes, assim como contraste entre sensibilidade e fruição. A outro ensejo, os detalhes desafiam a sustentação da estrutura:

Lá anda a minha Dor às cambalhotas
no salão de vermelho atapetado –
meu cetim de ternura engordurado,
rendas de minha ânsia todas rotas...

A sacralidade da palavra "dor" unida à situação ridícula é uma quebra do previsível, a sugerir ruptura de ordem social pelo temperamento do indivíduo. O poeta sacrifica toda delicadeza em prol da eficácia expressiva, desde os tons da ironia: "A minha vida sentou-se / e não há quem a levante", até às mais árduas explosões do sarcástico a tangenciar o grotesco e o patético:

Quando eu morrer batam em latas,
rompam aos saltos e aos pinotes,
façam estalar no ar chicotes,
chamem palhaços e acrobatas!

Que o meu caixão vá sobre um burro
ajaezado à andaluza...
A um morto nada se recusa,
e eu quero por força ir de burro!

Os dois livros em prosa, que possuem as mesmas peculiaridades formais e a mesma dialética de frustração introspectiva e inquieta, esclarecem, nos seus incursos analíticos ao subconsciente, o que os poemas sugerem em síntese. Esclarecem, também, fundidos à tessitura emocional, os pensamentos essenciais do autor, notadamente seus conceitos de arte, suas diretrizes criadoras. Não se julgue que ele tenha sido apenas um instintivo. Para se ter uma noção de sua lucidez intelectual, como lembra Jorge de Sena, basta ler alguns trechos de sua correspondência com Fernando Pessoa, a quem escreveu o seguinte, em carta datada de 14 de maio de 1913:

> Meios-artistas aqueles que manufaturam, é certo, beleza, mas são incapazes de a pensar – de a descer. Não é o pensamento que deve servir a arte – a arte é que deve servir o pensamento, fazendo-o vibrar, resplandecer – ser luz, além de espírito. Mesmo, na sua expressão máxima, a Arte é Pensamento. E quando por vezes é grande arte e não é pensamento, é-o no entanto porque suscita o pensamento – o arrepio que uma obra plástica de maravilha pode provocar naquele que a contempla.

Céu em fogo – livro desigual, com deslizes e puerilidades – é de grande importância no conjunto, pois, além de fator de intimismo autobiográfico, é testemunho de sua conceituação sobre alguns problemas vitais, embora ainda imaturos, em vias de desenvolvimento.

Árdua tarefa seria a de separar os dois planos em que se movem suas delirantes novelas, amontoado de personagens sonhadores, idealistas, alucinados, obsessivos, neuróticos ao extremo da loucura, do crime, do suicídio, do assassínio, mas que teorizam com lógica, às vezes, brilhante. O vago artista de "Asas", Petrus Ivanowitch Zagoriansky, cujos prodigiosos poemas acabam resvalando do caderno de originais – por voos mágicos! – no instante em que atinge a perfeição (ou a loucura), expõe teoria coincidente com certas anotações do autor, que ele evidentemente encarna. Aqui estão algumas ideias atribuídas ao poeta russo: "E eis qualquer coisa que a minha Ânsia estrebuchou fixar!... Translucidez-Espectro... Visões de Nós próprios... e dos templos... dos palácios... das torres... das arcarias... Ah! eu não vibro só os monumentos nas suas linhas imutáveis, nativas, rudes – a pedra. De há muito absorvi senti-los a bem mais

Imperial nos seus moldes incorpóreos de ar – transmitidos, flexíveis, impregnantes..." "Quero uma Arte interceptada, divergente, infletida... uma Arte com força centrífuga... uma Arte que se não possa demonstrar por aritmética... uma Arte-geometria no espaço... *Áreas e Volumes!*" Mais adiante: "Uma arte fluida, uma arte gasosa, *uma arte sobre a qual a gravidade não tenha ação!...*"

Em outro capítulo: "A estranha morte do professor Antena", encontram-se pegadas de ideias religiosas, com laivos de magismo, espiritismo, espiritualismo, ocultismo, transcendentalismo, apresentadas pelo sábio personagem: "Não somos mais, na vida de ontem e na de hoje, do que as sucessivas metamorfoses, diferentemente adaptadas, do mesmo ser astral. O homem é uma crisálida que se lembra". "A fantasia compõe-se de reminiscências. Se o homem *fantasiou* destinos diversos para depois de si, é porque nele existem lembranças dalgum fato real, paralelo".

O ambiente fascinante e tétrico em que se movem os títeres do *Céu em fogo*, entre punhais e música, infâmia e beleza, sublimação e miséria, é o mundo total das intuições divinatórias e dos instintos obscuros, presidido pelo pensamento da morte. Nesse clima indistinto – nunca se sabe onde começa o onírico e onde termina o real – habita uma fauna de exceção e mistério, batida de sonho e de medo, talhada do mesmo barro e bafejada do mesmo sopro de seu criador.

Tal como diz a ensaísta Maria Aliete Galhoz: "A Sá-Carneiro não lhe interessou a experiência da verossimilhança romanesca autônoma, não imaginou nunca uma visão através de terceiros efetivamente desprendidos da sua complacência ou da sua raiva implicada e pessoal. O verismo recreador de que usa gira dentro da sua vibratilidade, da sua imagem reprimida mais profunda, da personalidade projetiva compensatória do seu próprio eu".

Para exprimir seu intrincado e denso mundo introspectivo, tanto em prosa como em verso, o poeta encontrou sempre uma forma correspondente: áspera e hiperbólica. Seu estilo, baseado na angústia, na frustração e no ressentimento, ampara-se de todos os lados de termos concretos, vivas imagens, movimentos bruscos, sugestões espetaculares que apelam imediatamente para os sentidos, principalmente os audiovisuais. Sua atenção parece fixar-se e concentrar-se nas coisas físicas e muitas vezes no próprio físico, quando sua intenção é focalizar graves fenômenos espirituais, realizando, assim, com sacrifício da própria natural suscetibilidade, uma espécie de autocrítica sem precedentes na história da poesia de língua portuguesa. Por tudo isso, que implica contribuição de alto valor à nossa língua e à poesia universal, a obra de Mário de Sá-Carneiro é capaz de arrebatar-nos para infindáveis cogitações.

BIBLIOGRAFIA

SÁ-CARNEIRO, Mário de. *Poesias*. Lisboa: Ática, 1946.
————. *A confissão de Lúcio*. Lisboa: Ática, 1961.
————. *Céu em fogo*. Lisboa: Ática, 1959.

GUIMARÃES ROSA E O CONTO

Assim define o dicionário a palavra "conto": narração falada ou escrita; historieta; fábula; engodo; embuste. A definição é exata sem deixar de ser abrangente e sugestiva. Em literatura, há que distinguir bem entre narração falada e narração escrita. A que se prende à oralidade e cuja origem se perde nas brumas do tempo, tecedora de lendas e mitos, vem até nós por meio da tradição, evoluindo e tomando cores diferentes de acordo com o meio. É a voz do passado a ressuscitar a cada momento o que no homem existe de permanente: o sentimento, as emoções naturais, a nostalgia do inefável, assim como as reações suscitadas pelo contato com a realidade: o peso do mundo, a atração do mal, a confusão do espírito.

Como se sabe, a narração falada pertence ao acervo folclórico, às vezes resguardado em livros, com a ingenuidade e a plasticidade que lhe são peculiares. É a voz universal, anônima, primitiva, a voz da ancianidade e da infância, a voz da intuição genuína e da sabedoria empírica. Tal como diz Câmara Cascudo: "O conto popular revela informação histórica, etnográfica, sociológica, jurídica, social. É um documento vivo, denunciando costumes, ideias, mentalidades, decisões e julgamentos. Para todos nós é o primeiro leite intelectual. Os primeiros heróis, as primeiras cismas, os primeiros sonhos, os movimentos de solidariedade, amor, ódio, compaixão, vêm com as histórias fabulosas ouvidas na infância".

Com o suceder dos séculos, o homem não se contentou em repetir o que se dizia em coro: individualizou-se a narração; esta perdeu as características gerais, passou a representar uma visão pessoal determinada por uma sensibilidade singular e, em decorrência, a ter uma forma não de todo definida mas reconhecível.

PROSA ✳ VIVÊNCIA POÉTICA

Assim, o conto se libertou para modalidades múltiplas, de conformidade com o critério, o pensamento, a imaginação e o instinto criador de cada contista.

No consenso da crítica literária, o conto só teve início no século XIX. A rigor assim é, de acordo com as exigências artísticas. Para Sílvio Romero, "o conto digno desse nome é apenas a narração de uma situação passageira na vida de uma personalidade, em seu meio normal, só ou em relação com alguém. Seu alvo é dar, em síntese, a descritiva ou o drama de uma situação, de um *passus*, na vida de um personagem". Herman Lima trouxe uma contribuição ao assunto: "A só descrição em si não constitui [portanto] um conto verdadeiro. Há que desenvolver a equação de um problema, individual ou coletivo, em função de tempo, com os seus conflitos e imperativos sociais ou pessoais, tanta vez de aparente ilogismo, como é o destino e a própria vida". Esta é a linguagem do homem moderno, diante da complexidade da arte como derivação da existência. Já nos aproximamos de uma conceituação mais incisiva, a que nos oferece Elizabeth Bowen: "A tensão poética e a clareza são tão essenciais ao conto que dele se poderia quase dizer que fica à margem da prosa; no seu uso da ação, o conto está mais próximo do drama do que do romance. [...] A ação deve, no romance, ser completa e determinada; no conto, recupera uma simplicidade heroica". Há nesse juízo algo de muito lúcido: o que se refere à tensão poética na qualidade de elemento essencial ao conto. É principalmente sob esse aspecto que passaremos a examinar o conto de João Guimarães Rosa, no âmbito de três livros: *Sagarana*, *Primeiras estórias* e *Tutameia*. As criações de *Corpo de baile* ficarão à parte, não só pela necessidade de se limitar o presente estudo, como por terem sido denominadas "novelas" ou "poemas" pelo autor. Existe ainda o problema quantitativo, embora extensão ou número não seja aí dado fundamental. Pois, em verdade, consideramos "conto" "O alienista", obra-prima de Machado de Assis – e da língua portuguesa –, com o desenvolvimento de oito capítulos.

Já que nos referimos a Machado, convém lembrar que foi ele quem inaugurou, no Brasil, em seguida às tentativas de menor êxito por parte de antecessores, o conto verdadeiramente literário, instaurador de uma corrente, de estrutura completa porém sóbria, com quadros ao vivo. Além do tratamento formal, de alta pureza linguística, distingue o conto de Machado o gosto do enredo, com eixo de ação, tempo e espaço contidos na realidade mais próxima e, sobretudo, o empenho de penetração psicológica de personagens citadinos. O interessante é que, ao cabo de analisar suas "vítimas", o escritor lhes preserva sempre algum segredo; a última palavra fica com o leitor, com o crítico, sabe Deus com quem. Até aí vai a ironia que é o seu grande sortilégio.

A Bernardo Guimarães, pioneiro, e mais tarde a Afonso Arinos, devemos a iniciativa do processo regionalista, em que o meio exerce papel decisivo, com suas implicações geofísicas e suas coordenadas ecológicas, quanto aos aspectos espaciais das relações entre o homem e as instituições humanas.

Como situar Guimarães Rosa, o contista, entre as duas modalidades? A meu ver, ele logrou sintetizá-las, realizando a fusão de diversos elementos na unidade e variedade de sua obra. Além do mais, adotou uma atitude coloquial de contador de estória que nos lembra a maneira folclórica, humanizando a narrativa com recorrências da memória, pormenores que vêm à tona de súbito, depois de passado o momento oportuno.

Há de um lado *Sagarana*, livro repleto de acontecimentos que desafiam uma interpretação da realidade telúrica, com os hábitos e costumes de determinada área geográfica onde os heróis são humanos como em qualquer lugar. Há o ciclo das *Primeiras estórias*, em que predominam as forças transcendentais de certa vivência universal, embora vertida nas mesmas telas da primitividade e candura de uma grei representada às vezes por um indivíduo. Acode, ainda, a fase de *Tutameia*, em que o enredo é mínimo para a máxima densidade subjetiva. No último caso, o verbo se desenvolve paralelamente à emoção, esconde-se em meandros de labirinto, de onde surge uma tênue luminosidade nascente, e/ou por vezes agonizante. Tudo se plasma em sigilo, minúcia a minúcia, para revelar-se através de uma têmpera especial, semelhante, talvez, a fenômeno de recalescência.

Tomemos por exemplo o conto intitulado "Lá, nas campinas", em que o personagem – Drijimiro –, tudo ignorando da infância, recordava-a "demais". Eis um trecho fundamental: "Vinha-lhe a lembrança – do último íntimo, o mim do fundo – desmisturado milagre. Só lugares. Largo rasgado um quintal, o chão amarelo de oca, olhos-d'água jorrando de barrancos. A casa, depois de descida, em fojo de árvores. Tudo o orvalho: faísca-se, campo a fora; nos pendões dos capins passarinhos penduricam e se embalançam... De pessoas, mãe ou pai, não tirava memória. Deles teria havido o amor, capaz de consumir vozes e rostos – como a felicidade". "Frase única ficara-lhe, de no nenhum lugar antigamente: – '*Lá, nas campinas...*'"

O personagem vive a vida cotidiana, esquece-se temporariamente das recordações, volta inesperadamente a encontrá-las. "Tudo e mais, trabalho completado, agora, tanto – revalor – como o que raia pela indescrição: a água azul das lavadeiras, lagoas que refletem os picos dos montes, as árvores e os pedidores de esmola. Tudo era esquecimento, menos o coração."

Aí o contista insinua um comentário: "Toda estória pode resumir-se nisto: – Era uma vez uma vez, e nessa vez um homem. Súbito, sem sofrer, diz, afirma: – '*Lá...*' Mas não acho as palavras".

É certo que as palavras não alcançam plenamente a incógnita. Mas é também certo que um poeta como Rosa abre clareiras no mundo das sombras. E é isto que prevalece na sua arte, notadamente nos contos dos dois últimos livros: a tentativa de uma revelação metafísica. O episódio não tem sequer importância senão na medida em que entrelaça as franjas da memória, fazendo brotar uma reação de sensibilidade, perpetuando um sentimento singular e todavia comum a todos nós. O acontecimento é pretexto para trazer à baila a transcendência de existir. Espírito basicamente místico, encontra na dura realidade a forma daquilo que não se cristaliza aos olhos terrenos, optando sempre pelo sobrenatural. Neste sentido seu nome se inscreve na literatura como um investigador de mistérios, desde os mais íntimos da alma, até os incomensuráveis de entorno. A própria vastidão do problema inspirou-lhe o gosto da minudência, uma técnica de insistência e rebuscamento para efeito de deslinde. Assim, fio por fio, com entranhada pertinácia, experimentou a linguagem em todos os tons, aglutinou e deformou vocábulos; examinou a metáfora a diversos prismas e a distâncias diferentes. Por fim, procurou personagens espontâneos: meninos, moças em flor, ciganos, pobres, mendigos, cegos, miseráveis, os que matam porque o destino os leva a matar, as pecadoras por fatalidade ou ternura, numa palavra os menores na escala social; até mesmo os bichos, para ver se transpunha o limiar, ao menos, do grande mistério em que navegamos.

Se o estilo é uma atitude do homem, opção tanto moral quanto estética, é de crer-se que a alma de Rosa mergulhava na humildade cristã, com certa angústia banhada, confortada e vivificada por uma forte alegria interior. Não por desconhecer as forças do mal, mas por saber compensá-las com as virtualidades do bem, sua obra conserva grande pureza. Não compactuando com a degradação, ele a sofria; e ao cabo de uma penosa circunstância realista, quedava na expectativa de algo que não tem nome, de um novo dia que o calendário ignora. Fato raríssimo em nossas letras, ou melhor, na literatura universal contemporânea, tão despiciente quanto aos valores essenciais.

Confirmemos com alguns exemplos essa impressão de otimismo, citando de vários contos o trecho final; a começar de *Tutameia*:

De "Curtamão":
A mim, por fim, de repletos ganhos, essas frias sopas e glória. A casa, porém de Deus, que tenho, esta, venturosa, que em mim copiei – de mestre arquiteto – e o que não dito.

De "Desenredo":
Três vezes passa perto da gente a felicidade. Jó Joaquim e Vilíria retomaram-se, e conviveram, convolados, o verdadeiro e melhor de sua útil vida. E pôs-se a fábula em ata.

De "Faraó e a água do rio":
Quando um dia um for para morrer, há-de ter saudade de tanta coisa... – ele só se disse, pegou o mugido de um boi, botou no bolso. Andando à-toa, pisava o cheiro de capins e rotas ervas.

De "Grande Gedeão":
Agora acabou-se o caso. De Gedeão, grande, conforme os produzidos fatos. No estranhado louvor de desconhecidos, vizinhos e parentes, festejando-se. Sendo que pasma-os ainda hoje – e fez-lhes crer que a Terra é redonda. Aleluia.

De "Tresaventura":
Ia dali a pouco adormecer – *"Devagar, meu sono..."* – dona em mãozinha de chave dourada, entre os gradis de ouro da alegria.

De "– Uai, eu?":
Acho que achei o erro, que tive: de querer aprender demais depressa, no sofreguido. Inda hei porém de ser inteligente, bom e justo: meu patrão por cópia de imagem.

De "Zingaresca":
So-Lau decide: – *São coisas de outras coisas...* Dá o sair. Se perfaz outra espécie de alegria dos destrambelhos do Rancho-Novo. Serafim sopra no chifre – os sons berrantes encheram o adiante.

Examinemos no mesmo sentido *Primeiras estórias*:

De "As margens da alegria":
Trevava. Voava, porém, a luzinha verde, vindo mesmo da mata, o primeiro vaga-lume. Sim, o vaga-lume, sim, era lindo! – tão pequenino, no ar, um instante só, alto, distante, indo-se. Era, outra vez em quando, a Alegria.

De "Sequência":
E tudo à sazão do ser. No mundo nem há parvoíces: o mel do maravilhoso, vindo a tais horas de estórias, o anel dos maravilhados. Amavam-se. E a vaca – vitória, em seus ondes, por seus passos.

De "Luas-de-mel":
Abracei minha Sa-Maria Andreza, a gente com os olhos desnublados. Se me se diz? E então. Aqui nesta fazenda Santa-Cruz-da-Onça; aqui é um recato. Ah, bom; e semelhante fato foi.

De "Substância":
Sionésio e Maria Exita – a meios-olhos, perante o refulgir, o todo branco. Acontecia o não-fato, o não-tempo, silêncio em sua imaginação. Só o um-e-outra, um em-si-juntos, o viver em ponto sem parar, coraçãomente: pensamento, pensamor. Alvor. Avançavam, parados, dentro da luz, como se fosse no dia de Todos os Pássaros.

Note-se, de passagem, essa feliz aglutinação neologística: pensamor.

E agora estendamos a *Sagarana* a ligeira pesquisa, porém de modo global, em virtude de ter o livro caráter realista, objetivo, dramático, mais em função narrativa e descritiva do que contemplativa e meditativa. Não obstante serem alguns desses contos relacionados com crimes e mortes, o cunho principal não transpira pessimismo, nem a atmosfera chega a ser densa. Os próprios malfeitores possuem uma ética, uma ordem, uma disciplina interior ou uma índole apenas disponível, desaproveitada. Na mais célebre estória do conjunto – "A hora e a vez de Augusto Matraga" –, a redenção do personagem se faz lenta e longamente; mas de modo cabal, dentro de seus fortes instintos: morre matando para defender os mais frágeis; e com honra maior, contrariando seu mesmo coração de amigo. De miserável e estúrdio, sublimado em herói.

Sagarana é um painel de cores diversas, quer na escala das paisagens, no diálogo dos interlocutores ou nas implicações sociológicas, relativas à zona centro-oeste do Brasil, bem pouco civilizada, mas rudemente atenta à defesa da honra e dos direitos humanos. Nenhum de seus títulos terá enredo excepcional; ao contrário, os eventos são geralmente simples e verossímeis. A solução técnica, sinuosa como os vaivéns do mesmo cotidiano, seria a mais importante de suas características se, além dela, não se atinasse com certa grandeza em ascensão, vale dizer, com a visão premonitória do escritor. Essa visão estava fadada a, em livros posteriores, uma irrefutável translucidez. O que mais admira é que a grandeza do homem (interior) se torne patente através de personagens tão humildes, até mesmo grotescos. Como pode o autor infundir a outros seres, sem defleti-los artificialmente, sua percepção de religiosidade cósmica? Tal sucesso teria sido operado pela mestria técnica ou haverá no fundo uma espécie de sortilégio? Evidentemente, sua técnica se baseia numa força maior, de interioridade, de convicção, de devoção. Seu potencial de energia se concentrou, em primeiro lugar, no conhecimento dos segredos da língua, não somente da língua pátria, mas de várias línguas de que fazia estudo comparativo. Assim pôde ele construir, não um sistema, devido à condição libertária de seus inventos semânticos, mas uma plataforma idiomática propícia à estrutura da obra.

Do convívio dos grandes filósofos, Guimarães Rosa recolheu e levantou uma cosmogonia *sui generis*, povoada de suas mesmas intuições, experiências e juízos e comprovada na participação de experiências alheias. Era espiritualista, sua concepção do mundo. Ele o confirma textualmente, em carta de 1958, dirigida a seu amigo, o intelectual Vicente Ferreira da Silva: "Estou nesta cintilante linha: Platão – Bergson – Berdiaeff – Cristo".

E mais explícito, adiante: "O ensino central de Cristo, a meu ver (o do reino do céu dentro de nós), é: 1) o domínio da natureza, a começar pela natureza humana de cada um pela fé, que é a forma mais alta e sutil de energia, à qual o universo é plástico; 2) o amor, possibilitando a coexistência, sem o mínimo sinal de atrito, conflito, desarmonia, destruição e desperdício".

Estas ideias em que a ética e a estética formam um todo construtivo transpiram de suas criações. O que se pode verificar, não tanto pelas citações finais das estórias, mas pelo que paira tacitamente no conjunto, apenas variando de tonalidades exteriores o início e o meio, já que o espírito é o mesmo que se manifesta em claridade ao término de cada incursão.

É profundamente marcante a sintonia sujeito-objeto, autor--personagem, criador-criatura, eu-universo, na obra de Rosa. Não será fácil distinguir, nos contos examinados, a voz do sertanejo que fala e a voz do homem culto que o interpreta. Essa obra emerge da natureza explosivamente, ou volta com gravidade à natureza, como volta o filho pródigo à casa paterna? Talvez se possa esclarecer essa dúvida com a ideia de um tríptico: intuição, lógica, novamente intuição. Em outros termos: síntese, análise, novamente síntese. A solidez do escritor se resume possivelmente nesta fórmula, tendo estruturado um gênero peculiar, em que se confundem poesia, filosofia e ficção.

A dimensão primordial dessa obra, a poesia, está presente na atmosfera geral, na alma lírica das criaturas que acordam para a vida, no agreste da natureza, no ar matutino, na modulação dos pássaros, nas descrições intercaladas para duração de tempo e preparação de desfecho. Quem poderá esquecer a pictórica descrição de uma ave, pela primeira vez contemplada pelos olhos do Menino?

Quando avistou o peru, no centro do terreiro, entre a casa e as árvores da mata. O peru, imperial, dava-lhe as costas, para receber sua admiração. Estalara a cauda, e se entufou, fazendo roda: o rapar das asas no chão – brusco, rijo, – se proclamara. Grugulejou, sacudindo o abotoado grosso de bagas rubras; e a cabeça possuía laivos de um azul-claro, raro, de céu e sanhaços; e ele, completo, torneado, redondoso, todo em esferas e planos, com reflexos de verdes metais em azul-e-preto – o peru para sempre. Belo, belo! Tinha qualquer coisa de calor, poder e flor, um transbordamento.

Sob o aspecto filosófico, perceptível a cada passo e, ainda mais, em sondagem de conjunto, seria mister um alentado estudo. Por enquanto, juntemos algumas sentenças extraídas dessas páginas, considerações abstratas e aparentemente simplórias ditas pelos personagens, a fim de termos ideia do pensamento nuclear do autor, uma vez que o julgamos em consonância com a obra. Eis o que se diz em *Tutameia*, de mais conceituoso:

Divulgo: que as coisas começam deveras é por detrás, do que há, recurso; quando no remate acontecem, estão já desaparecidas. Suspiros. (p. 13)

... não esperar inclui misteriosas certezas. (p. 19)

O gênio é punhal de que não se vê o cabo. (p. 24)

Não há como um tarde demais – eu dizendo – porque aí é que as coisas de verdade principiam. (p. 35)

"Deus do belo sofrido é servido..." (p. 36)

Todo abismo é navegável a barquinhos de papel. (p. 38)

A gente tem de existir – por corpo, real, continuado – condenado. (p. 53)

... amar não é verbo; é luz lembrada. (p. 75)

... viver é um rasgar-se e remendar-se. (p. 76)

Todo o mundo tem a incerteza do que afirma. (p. 84)

Será já em si o "eu" *uma contradição?* (p. 90)

Loucos, a ponto de quererem juntas a liberdade e a felicidade. (p. 106)

... viver sem precisar de milagres seria lúgubre maldição. (p. 115)

... rir é sempre uma humildade. (p. 117)

A liberdade só pode ser um estado diferente, e acima. A noite, o tempo, o mundo, rodam com precisão legítima de aparelho. (p. 125)

Para mim mesmo, sou anônimo; o mais fundo de meus pensamentos não entende minhas palavras; só sabemos de nós mesmos com muita confusão. (p. 138)

... que o amor menos é um gosto para se morder que um perfume, de respirar. (p. 170)

Em prosseguimento, eis algumas citações colhidas de *Primeiras estórias*:

"Representar é aprender a viver além dos levianos sentimentos, na verdadeira dignidade." (p. 41)

As nuvens são para não serem vistas. Mesmo um menino sabe, às vezes, desconfiar do estreito caminhozinho por onde a gente tem de ir – beirando entre a paz e a angústia. (p. 52)

Mesmo um sábio se engana quanto ao em que crê... (p. 139)

... era preciso, sem cessar, um milagre; que é o que sempre há, a fundo, de fato. (p. 140)

"O amor é uma estupefação..." (p. 144)

Um homem é, antes de tudo, irreversível. (p. 148)

"A vida é constante, progressivo desconhecimento..." (p. 149)

Relembremos agora alguns conceitos encontrados no volume *Sagarana*, onde se nota, com a diferença do clima – extrovertido e dramático – a força realística da expressão algo popular:

– ... É andando que cachorro acha osso. (p. 60)

As notícias sempre chegam primeiro do que a gente de bem. (p. 143)

– ... O medo é uma pressa que vem de todos os lados, uma pressa sem caminho... (p. 290)

"Só os cavalos é que podem entender o carro." (p. 292)

– A gente deve de pensar tudo certo, antes de fazer qualquer coisa. (p. 305)

De "Conversa de bois":

– Eu acho que nós bois,[...] assim como os cachorros, as pedras, as árvores, somos pessoas soltas, com beiradas, começo e fim. O homem, não: o homem pode se ajuntar com as coisas, se encostar nelas, crescer, mudar de forma e de jeito... O homem tem partes mágicas... (p. 306)

A ficção propriamente dita, o evento em órbita, é o que primeiro fere os sentidos e o entendimento. Neste caso se explica a preferência de certo público ledor por *Sagarana*, onde se sucedem manifestações de vida natural com maior desembaraço e colorido. A íntima espiritualidade, a sutileza lírica de *Primeiras estórias* e o esoterismo de *Tutameia* terão de ser interpretados e compreendidos com afinco de sensibilidade e detença de contemplação. Poderemos classificar muitas das páginas desses últimos livros como poemas: tênues vislumbres de quase nenhum acontecimento – modulado e aureolado no ilógico; orvalho sobre situações imponderáveis. Basta evocar "Soroco, sua mãe, sua filha" e "Sequência".

De cada um dos três volumes, para mais detida apreciação, destacaremos um título. Do inicial, seja "Conversa de bois". A estória é simples: um carro de bois, atoleiros, despenhadeiros, carga estranha – rapadura e defunto – dois homens, ou melhor, um carreiro, diabo grande, e um menino guia sofredor, com lágrimas pelo pai morto e pelos maus-tratos da hora. Antes do término da viagem, o desastre: o maior carreiro do mundo esmagado pelas rodas do carro, por dorminhoco. E a conclusão dos bois de trás: "Tudo o que se ajunta se espalha". Entrementes, a grande conversa dos bovinos, a lentidão da campanha sugerida pelas mudanças de panorama com detalhes tranquilos de afligir a curiosidade pelo episódio, as interrupções causadas por encontros casuais; e a raiva crescente do menino sofredor que a própria vida se incumbira de vingar. Tudo vagaroso e vagaroso como o relógio sertanejo, acusando a diligência técnica.

De *Tutameia*, o mais hermético, o mais ambicioso de perquirições no subconsciente, por isso mesmo de dicção um tanto asfixiada, venha "Quadrinho de estória". Nada mais do que isto como acidente: a visão de um prisioneiro sobre o foco da praça onde caminha uma mulher de azul. "De seu caixilho de pedra e ferro o olhar do homem a detém, para equilíbrio e repouso, encentrada, em moldura. Seja tudo pelo amor de viver. A vida, como não a temos." O homem recorda a outra mulher, a que não existe mais, "a jamais extinta". Porém não se arrepende. Uma longa tristeza que se curva sobre si mesma em transparência de nuvem, a emoção travada, a linguagem aderida ao tema, sofredora como ele, por ele.

De *Primeiras estórias*, repleto de poesias, guarde-se um lindo capítulo de lances estranhamente autobiográficos nos meandros da metáfora: "O espelho". Como diz logo o próprio narrador, não se trata de uma aventura, mas de uma experiência a que o induziram, alternadamente, raciocínios e intuições. Fora das noções de física e das leis de ótica, saberá o interlocutor o que seja um espelho? "Reporto-me ao transcendente" – explica na introdução. E em seguida desenvolve considerações sobre o objeto concreto que o preocupa, examina-o de várias qualidades e feitios, recorre a reminiscências lendárias e históricas, tudo em monólogo intercortado de perguntas. Até que desabafa rememorando o momento em que o jogo de dois espelhos lhe revelara inesperadamente o perfil – "desagradável ao derradeiro grau". "Desde aí, comecei a procurar-me – ao eu por detrás de mim – à tona dos espelhos." "Saiba que eu perseguia uma realidade experimental, não uma hipótese imaginária." Tanto se espreitou e se desvelou na mira que, ao cabo, se lhe toldaram os olhos para o reflexo. E veio um tempo em que não se enxergava a si mesmo. Não se reconhecia, talvez interceptado pelo mundo no seu implacável turbilhonar, talvez sossegado no olvido do egocentrismo, ou na cegueira do orgulho, é de supor-se. Bem mais tarde, "ao fim de sofrimentos grandes", voltou-lhe a faculdade de espelhar-se. Mas o que encontrou em débil cintilação não foi o rosto do homem na sua maturidade: foi o seu rosto de menino. As conclusões em que se empenha o narrador já não interessam por serem rebuscadas, possivelmente em fuga de emoção. O rosto de menino sim, como símbolo de recuperação da simplicidade, da confiança, da alegria, resume toda a maravilhosa beleza, toda a finura artística desse conto.

É presumível que ele encerre uma controvérsia ou uma réplica ao *Retrato de Dorian Gray*, de Wilde. E também uma competição, em profundidade, com o conto de Machado de Assis, sobre o mesmo tema. Porém uma coisa é certa: não é a ciência o instrumento mais adequado para a revelação do humano, mas sim a arte, capaz de arrebatar os mais secretos rumores do coração e da mente.

BIBLIOGRAFIA

GUIMARÃES ROSA, João. *Sagarana*. 7. ed. Rio de Janeiro: José Olympio, 1965.

————. *Primeiras estórias*. Rio de Janeiro: José Olympio, 1962.

————. *Tutameia*. Rio de Janeiro: José Olympio, 1967.

CÂMARA CASCUDO, Luís da. *Contos tradicionais do Brasil*. Rio de Janeiro: América, 1946.

CAVALO AZUL. São Paulo, n. 3, 1968.

LIMA, Herman. Variações sobre o conto. *Cadernos de Cultura*, n. 37. Rio de Janeiro: Ministério da Educação e Saúde,1952.

MACHADO DE ASSIS, J. M. *Seus 30 melhores contos*. Rio de Janeiro: Aguilar, 1961.

O POETA SEVERIANO DE REZENDE

Ao publicar em Lisboa, no ano de 1920, seu único livro de versos, intitulado *Mistérios*, o mineiro José Severiano de Rezende inscreveu-se, de modo altamente significativo, no mapa da poesia brasileira.

Poderemos, sem dúvida, classificá-lo como simbolista, em seus fundamentos. Porém há que examinar-lhe o gosto parnasiano, o delírio romântico, as marcas do humanismo, os suportes barrocos, a realidade mística e, ainda, as inovações que o credenciam como vanguardista, antes do modernismo de 22. A estrutura dessa obra é de extrema complexidade.

Da concepção espiritual da existência em que se baseia, decorrem as seguintes características: insatisfação do que possa oferecer a vida real, fuga para mundos imaginários, substituição do natural pelo sobrenatural, radicalismo de conceitos e sentimentos, visão cósmica do universo, filosofia cristã, situação conflitiva entre o bem e o mal, esperança de salvação individual e coletiva, intensa vida interior refugiada na arte e em Deus, assim como atrações demoníacas.

Para atingir sua autenticidade e dar à obra contextura sólida, o poeta valeu-se de todas as suas contrastantes virtualidades, relacionando-as com os recursos de várias escolas ou correntes estéticas e trabalhando com febril clarividência os seguintes dados: ênfase verbal, linguagem forte, vocabulário enriquecido de inventos à base do latim e do grego, paradoxos, oposição de imagens, metáforas litúrgicas, alegorias religiosas, aliteração em larga escala, choque agressivo de consoantes, cadência móvel, ritmo impulsivo, metrificação vária, desde versos bíblicos aos de duas sílabas, repetição de vocábulos e períodos, adjetivação aumentativa, enumeração caótica, emprego de advérbios inusitados, criação de novos verbos, fusão de adjetivos numa só palavra.

A ênfase faz-se patente através do vocabulário de escol e das imagens suntuosas, denunciando caráter vigoroso, com necessidade vital de sobrepor-se às contingências. Algumas vezes, seu estilo se mostra precioso e afetado. Entretanto, os incursos se integram no contexto mais como complementos do que como acidentes ou acessórios. A convicção com que o poeta projeta suas formas expressivas torna-as convincentes e eficazes. Sua natureza é de fato estranha, violenta, arrebatada, apaixonada, o que lhe proporcionou inferências dramáticas de defesa. Assim como testemunha o poema "O cedro ferido". Depoimento particular a transmitir uma realidade psíquica em que se inserem imaginação, sentimento e inteligência em choque com o mundo exterior, esse poema não apresenta figuras de adorno: o objeto contemplado encarna, em toda a extensão – mesmo a visível –, a aparência e as experiências do homem: atitude ereta, orgulho, segurança, dor, gosto mórbido de sofrer, como reação ou represália – fenômeno peculiar ao artista de fundo romântico. O pensamento nuclear circunscrito à combustão do corpo que arde, produzindo luz e calor, aparece veladamente, diluído na órbita do Simbolismo. As inovações do ritmo, com versos de 14 sílabas combinados com decassílabos normais, avançam a caminho do verso livre ou sem compromisso métrico. A forma corresponde exatamente aos impulsos de um temperamento ressentido e forte, com anseio de afirmação.

De fato, Severiano de Rezende levou vida difícil, repleta de incompatibilidades consigo mesmo, de incompreensões do e com o meio social, mormente o que escolhera no entusiasmo da juventude, o da igreja católica.

Sacerdos in aeternum, ele arrasta pela vida o estigma de um engano inicial de vocação. Ou terá sido infiel a essa vocação, por excesso de soberba, intransigência e intolerância? Homem de fé, cristão de sentimentos inalienáveis e ardentes, rompeu caminho a seu modo, impugnando o erro e a hipocrisia, pagando tributo pelos próprios desacertos, buscando messianicamente uma solução salvadora não apenas para sua alma como também para a humanidade. Poesia ontológica, esta, em que se planifica o ser na qualidade de ser, marcado por suas origens e afeiçoado a seus fins. Não é moralizante por intenção e desvirtuamento da finalidade precípua da arte, mas sim de categoria moral por ser altamente humana. Sem ser totalmente místico, o autor se distingue por uma espiritualidade em ascensão, lembrando espiral barroca, os sentidos ainda presos à carnalidade, aos apelos e anelos naturais. Situação insolúvel, carregada de dor e tristeza, sempre com alusão "à saudade sem fim que o homem tem da virtude".

O estilo de Severiano, produto de circunstâncias e, ao mesmo tempo, atitude de reação contra influxos a que não podia fugir psicologicamente, é processo expressivo de complicados estados de consciência. Devido ao dilaceramento interior, mostra um conflito permanente entre o bem e o mal, distanciados com absoluta nitidez, talvez além do que fora mister, esquecida a lição de Cristo quanto à conveniência de se deixar crescer o joio junto ao trigo: lição de amenidade, doçura e confiança nas forças recônditas do bem. O poeta está mais preso ao Velho Testamento do que ao Novo: isto é perceptível, mais pela concepção rigorosa que tem das coisas do que pela constância com que cita argumentos e epígrafes dos Profetas como outras reminiscências hebraicas, dos livros antigos. Todavia são frequentes as lembranças do Evangelho; os nomes de Cristo, Senhor Jesus, e o de Maria são repetidos com devoção, há citações de São Mateus e do Apocalipse, homenagens à Santa Madre Igreja, comovedoras preces, em que a alma se abandona ao inefável.

O livro *Mistérios* tem organização global e é bem vinculado em suas injunções. Embora sem indício de datas, as partes do volume se escoam numa ordem cronológica natural cabível, exata e, ainda, progressiva quanto à técnica e quanto à condição humana.

Em primeiro lugar vêm os poemas eróticos, prenunciados pela citação de Baudelaire: *"Ma jeunesse ne fut qu'un ténébreux orage"*. Herança do Renascimento e influência do coetâneo, surgem alguns mitos pagãos: Níobe, Minerva, Olimpo. São sonetos de sabor parnasiano e teor de sensualidade intensa, com algumas notações líricas. Só na ausência da amada, o poeta encontra momentos de delicadeza e ternura. Radical no seu conceito relativo à mulher, Severiano considera o eterno feminino como fonte de prazer e encarnação do mal. Em compensação, coloca em extremo oposto e inacessível plinto a Virgem Maria, símbolo ideal. Terá desconhecido o meio-termo, o equilíbrio, a simplicidade; algo de inexplicável o impedia de aceitar o amor como plenitude e sagração de sentimentos naturais. É claro que o sacramento da Ordem o havia marcado e nem ele podia esquecer a lição da primeira queda, no Éden. Mas é estranho que se limitasse a conceber a mulher sob aspectos tão deprimentes até mais tarde, quando se mostra compassivo, como ao final da página intitulada "Treno".

A segunda parte do livro denomina-se "Painéis zoológicos" e é composta de alexandrinos em que a técnica se impõe de maneira exemplar segundo os cânones parnasianos, porém vai mais longe, ao fixar a intuição e a sugestão da causa motora e não apenas a sensação audiovisual do motivo. Foi este o momento em que o poeta tentou alhear-se de si mesmo para atender a assuntos objetivos, no exercício de observar diretamente a qualidade de um corpo animal e, mais do que isso, a impressão condicionada a esse corpo e seus movimentos. São pinceladas coloridas e ritmos na aparência extravagantes mas em verdade apropriados e condizentes com o tema, a focalizarem, dentro de seu mesmo reino, um grupo de alimárias em atitude de dinamismo. Espécie de evasão ao mundo subjetivo, tal momento criador foi também uma comprovação de que os seus sentidos eram hábeis e ágeis na captura de formas sensíveis. Não obstante, o último soneto da série volta a revelar a intimidade do poeta, fazendo do "Hipogrifo" um símbolo.

Em outras oportunidades e com sentido mais profundo, há no livro uma impressionante frequência de estranhos seres animais, bichos perseguidores, corvos, dragões, serpentes, esfinges, perfazendo ao todo uma grande sombra, toldo espesso a descer sobre a cabeça do homem, além da presença de anjos maus, demônios contra os quais é preciso lutar sem trégua. Embora não se possa determinar de modo absoluto a realidade contida no símbolo, não seria improcedente atribuir à ideia do pecado toda essa imagística de pesadelo e atribulação que muda de cor e feitio sem deixar de ser um símbolo em série, a emprestar caráter e unidade à obra.

A agonia religiosa, até agora esboçada, vai ter plena expansão na sequência que se denomina: "Livro da contrição e da mágoa". Aqui se encontra o poeta na sua plena capacidade artística. Dedicada a Alphonsus de Guimaraens, o amigo a quem se refere como sendo "Dileto entre os diletos, Eleito entre os eleitos, Perfeito entre os perfeitos", a coletânea se compõe de 36 poemas. É uma súmula de grandeza anímica e perplexidade interior. Aqui se apura um estilo: todas as minúcias concorrem para valorizar uma atitude ou proposição subjacente, sem prejuízo da fluência e espontaneidade da linguagem. Aprofunda-se a angústia metafísica, há maior intimidade entre a alma e os próprios mistérios, ampliam-se os horizontes em comunhão fraterna: ele não está só, e busca interpretar as "Vozes interiores" que o acompanham. Ele tem sede do absoluto, anela a perfeição, tenta elevar-se até Deus, alvo supremo. Para exprimir a intensidade das emoções e reflexões, ainda vacilante como indivíduo, o poeta encontra metáforas sincréticas e cadências em que se dulcificam os acentos rítmicos. É a hora do Simbolismo. O jogo das imagens prevalece sobre o período discursivo, intercalado de sinais e sugestões. Mas ao contrário dos poetas da decadência, dos quais recebe inegáveis influxos, cultiva a virtude teologal que os outros não possuem – a esperança, como brasa a arder sob as cinzas do ambiente que o oprime.

É bem representativo desse conteúdo afetivo-sensorial o soneto "Castelo", mosaico feito de confrontos em oposição sistemática, imagem *versus* imagem. Em matéria de contrastes, de que o livro se repleta, lembre-se um dístico admirável: "Esta leve e pesada Cruz / neste longo e breve deserto".

A página "Epithymese" encimada pela citação de um versículo do salmo XXXVII – *"Ante te omne desiderium meum"* – é uma das mais belas preces da poesia de língua portuguesa, pelo tom de religiosidade e dolorida nostalgia, sentimentos contidos num círculo, em que as metáforas se entrelaçam como a formarem um diadema – que seria a láurea do poeta ou seu retorno à origem.

Ao final do volume se acham poemas esparsos, não menos dependentes do conjunto pela tonalidade que faz do todo, implicitamente, uma sinfonia. Tais poemas se ligam entre si através de um fundo musical de extrema variedade, desde o movimento mais lento e taciturno até ao mais vivaz e brilhante. A composição "Ephialta", com 90 dísticos em esquema estrófico-rímico sustentado até à exaustão, ecoando sempre em "ente", com imprevisto vocabulário, parece concentrar, em fastidiosas repetições, o medo que marcou a infância e a juventude de um ser densamente imaginativo. As sensações transmitem-se por meio de alegoria, numa atmosfera de projeções fantásticas e mórbidas, sempre em crescendo, até o cair da sombra final. Tudo aí concorre para que a visão se torne lúcida, para que sejam atingidos os ouvidos pelo tanger dos sinos e as endechas do mar; e de súbito, silenciando tudo, provoque sensação de medo, ao "presságio de anátema iminente".

Há, sem dúvida, uma realidade psíquica jacente nessa página que bastaria para consagrar o poeta. Aqui culmina uma obsessão de visões perseguidoras que em outros poemas se fazia notar, entre os quais "Bellua", a merecer deferência pela originalidade de tratamento e inovação do ritmo, feito de ondulações sinuosas de maré. São os momentos de uma angústia metafísica sem nome. Com o passar do tempo, surgirão novas expressões de inquietude já controlada pela esperança em Deus e confiança no próprio viver. "Cântico à vida" é um hino de exaltação à existência e ao mesmo sonho que a torna possível. Palavras e imagens se intercalam, precípites sem ordem aparente, numa feição muito moderna; os ritmos transbordam das medidas usuais, é tudo um escachoar de evocações e previsões, até à síntese dos últimos versos:

> E como já vivi hoje e outrora, também
> hei de viver nos séculos dos séculos. Amém.

"Cântico à vida" é poema de afirmação, provavelmente escrito na maturidade avançada, já superados muitos atritos e já vencido o desgosto das primeiras desilusões, as mais árduas. Atesta sabedoria adquirida à força de sofrimento e meditação. Nenhuma ingenuidade na aura febril: apenas o cunho de um temperamento exuberante e extremista. Acusa, a cada instante, o homem culto a apontar nomes e eventos em prospecto de conjunto, como se o tempo fosse o mesmo espaço. Mas antes de tudo transpira emoção e sensibilidade em ondas musicais que lembram Wagner, talvez pelas referências a Parsifal, Kundry e Lindas-Flores. Comprova-se ao ensejo certa expressão de Paul Valéry: *"Dans la forêt enchantée du langage, les poètes vont tout exprès pour se perdre et s'y enivrer d'égarements, cherchant les carrefours de signification".*

Atingimos o ponto culminante da caminhada: o poema "A Lúcifer", com epígrafe do Canto Litúrgico do Sábado Santo, dividido em quatro partes, na primeira das quais os quartetos e um dístico de cinco sílabas terminam por vocábulos proparoxítonos revezando com oxítonos, em lugar do rimário comum – prática inovadora. A concepção ideológica do poema é arrojada dentro da doutrina cristã. Apesar da nitidez do objeto visado – Satã –, algo de pessoal o transforma em sujeito: o próprio poeta, transmudado na figura simbólica de Lúcifer por envolvimento da imaginação, na afinidade instintiva do orgulho, até mesmo por analogia biográfica. Tal hipótese, pressupondo transfusão integral de objeto-sujeito, ameniza possivelmente a audácia conceptual.

"Hino ao homem venturo" encerra o volume. Pela gravidade do assunto, enlaçamento de temas e densidade de tratamento, é muito complexo. Marca-o, no aspecto altissonante, uma grandeza épica fora de expectativa; projetado para o futuro, foge às normas do gênero cujo fundamento é a recorrência ao pretérito. Epopeia da alma em trânsito pelo efêmero, nostálgica do desconhecido que só pode ser vislumbrado intuitivamente, à procura da lei de continuidade e de relacionamento para as coisas, "Hino ao homem venturo" se baseia na esperança. Se "Cântico à vida" é uma interpretação existencial, em que as percepções confabulam um aferimento ético genérico; se "A Lúcifer" é ainda uma interpretação, se bem que particular, à luz do espírito, a referida epopeia é uma contaminação da realidade-objeto com as faculdades psíquicas do sujeito. Assume feições delirantes de vidência, na perquirição voluntária. É súmula de emoção, pensamento, nervos, consciência e subconsciência. O poeta concebe um salvador a vir, um salvador indefinível que talvez seja o próprio Cristo, talvez algum soberano em potencial, alguma estrutura reformista, ou força anímica destinada a redimir a humanidade. Em efígie é um ser absoluto, perfeito e completo, o quanto é relativa, defeituosa e deficiente a vida na terra. Patenteando o revolucionário entregue à paixão do ideal, o artista não cerceado pelas próprias dores, esse poema tem cunho social de intransigente protesto contra todos os erros e males: abrange o universo sem descuidar-se da intimidade espiritual. A exemplo dos seguintes versos:

Vens... O Homem novo em ti levanta-se contra o Homem velho
porque és o cavaleiro rude e integral do Evangelho

e o trugimão tentacular do Paráclito Santo.

Poder-se-á supor, tendo em vista a aristocracia de princípios e a
arrogância temperamental de Severiano, que o superego com que
sonha é projeção de seu mesmo ego. Não realizado na medida de
suas aspirações, ele constrói a parábola de um ser infinitamente
poderoso no qual se sublima. Seria, assim, uma réplica à criação
anterior, em que se confunde com o anjo rebelde. Desta vez tem o
mundo nas mãos. Para chegar a tal síntese, faz desfilarem, ao lado
dos vaticínios, evocações do mundo antigo com seus heróis e suas
lendas. O atropelo das enumerações, a extravagância do vocabulário e o jogo cruzado das imagens criam atmosfera apocalíptica, em
que o pensamento se adensa, não se sabe se pela profundidade ou
pelo mistério da concepção. Dir-se-ia que o gênio do poeta estava
às raias da loucura; ou enveredara pelas experiências surrealistas da
vanguarda europeia de então. Aceitemos a sua magia; permaneça
o enigma em torno ao alvo do poema – novo eu, novo poder, novo
Messias, sempiterna esperança da humanidade. O certo é que as
criações de Severiano comportam não somente uma poética – teoria e prática inventiva, mas ainda uma patética modalidade de viver
e suportar o mundo.

Não lograríamos discriminar com nitidez uma categoria da outra. Mas focalizaremos de agora em diante, preferentemente, seus
processos estilísticos. O poeta reconhecia seus mesmos pendores:

A ênfase cultivando e arvorando o pleonasmo
desde o alto da cabeça à ponta dos artelhos.

A ênfase começa pelo vocabulário: lêmures, gândara, avernos,
etc. Prossegue pela iteração e insistência da frase: "landa astral,
landa astral dos augurais profetas". Evidencia-se pela repetição de
ideias em formas diversas: "Claro delírio e límpida loucura". Assim
como pela insistência de imagens paralelas: "Tudo o que tem voz
e canta / tudo o que tem asas e sobe". O estribilho tem função

PROSA * VIVÊNCIA POÉTICA   343 enfática: "Ela vai, ela vem, qual doida procelária / Ela vai, ela vem, olímpica escultura". Produz efeito semelhante a pertinácia de certas rimas ou consonâncias, como a sustentação de sons uniformes de "Ephialta" ou do poema "Ode ao ódio". Também na metrificação se observa o selo da grandiloquência, através dos dodecassílabos – quase sempre alexandrinos – e dos decassílabos, esquemas de sua predileção, de mais enérgica virtualidade. Raramente aparecem os ritmos ímpares que são mais maleáveis e talvez por isso não o agradassem, embora fossem os favoritos do Simbolismo.

Quanto à imagística, observa-se desde logo a inclinação pelas metáforas eclesiásticas além de suntuosas: "Eu vi sair do templo a procissão da mágoa", "E o anjo exterminador num céu de chama adeja".

É estranho que ele, sendo homem de vida interior, tenha tanto apego às exterioridades brilhantes, aos rituais e cerimônias. Talvez tenha sido atraído ao seio da igreja por esses aspectos, ainda incapaz, ao procurar o sacerdócio, de considerar a profunda significação dos atos litúrgicos. Nunca deixou, mesmo na maturidade, de traduzir as inquietudes espirituais por meio de figuras exuberantes e recorrentes.

Em poesia tão dinâmica, o substantivo e o verbo têm prevalência. Mas o adjetivo tem lugar próprio, sempre ligado à essência qualitativa da causa emocional: "aziago azar", "vaporosas virgens", "longas delongas". Exige menção a escolha de adjetivos raros e esquisitos: triádica, ignívomo, criselefantino, edgarpoesco – este a rimar com grotesco (*et pour cause*...). De adjetivos superlativos há uma lista: pungentíssima, aspérrimo, humílimo, por exemplo. Os advérbios não são numerosos mas são originais: sonambulariamente, armorialmente, majestaticamente, etc. Quanto ao verbo, o poeta o manuseia com dinamismo, fazendo-o exercer as funções de ação, estado, qualidade e existência. São dignos de nota alguns verbos imitativos, novidade para a época: boquejar, noctambular, rouxinolear. E também os verbos aumentativos, entre os quais: transluzir, redoar, tressuar.

De seu gosto pessoal resultam construções intransferíveis: "céu de chama", síntese de duas percepções; "rubim rubente", cujo adjetivo reforça a ideia visual do substantivo; "coro, rútilo e florente", em que o primeiro qualificativo sugere sensação de cor e o segundo, sensação de forma, cor e odor, em sincretismo com a palavra "coro" obliquamente musical. O "ardente lírio negro" de "Flora brasiliensis" é emblema feliz, união de ideias opostas, assim como "violáceos lutos". As contradições são constantes, não só quanto aos sentimentos mas quanto à suscetibilidade física das coisas contempladas ou apreendidas.

Dificilmente se poderia determinar se há preponderância de fenômenos audíveis ou visíveis, tão amalgamados se encontram. Mesmo em versos de significado abstrato, a sugestão visual comparece: "E o pecado sobre a minha alma se debruça".

O colorido que vivifica essa poesia é de tons opostos, notando-se, entre as imagens deslumbrantes, as seguintes: "incêndio de arrebóis", "esmeralda esplendente", "jorro de astros", "ignívomo corcel argênteo". De outro lado, aparecem ameaçadoras tonalidades: "fagulhas funestas", "pavor flamante", "punição que fulgura". Menos assíduas são as expressões que representam a tipologia do Simbolismo pela aproximação do meio-termo ou dos ambientes crepusculares, como "ânsias de nuanças e de bruxuleios". É de se aludir, porém, à página "Outonal", das mais assinaladas pela índole da escola, a partir do título, e cujos versos ganham relevo pela reciprocidade, pela aderência gradativa com que um sentido contamina outro. Sob o aspecto auditivo, além da mobilidade da cadência, há constante menção a certas percepções: "murmúrio ancestral", "surdina aromal", "já seu tropel estrepitoso atroa". Há, ainda, numerosas alusões a instrumentos musicais ou simplesmente sonoros: liras, alaúdes, trompas, harpas, etc. Mas é principalmente na melodia do verso, na alternância de sons silábicos, no manejo das rimas e no domínio do ritmo que se destaca sua sensibilidade auditiva.

De ligeira pesquisa fonológica resultaram os seguintes fenômenos linguísticos, fonemas de consoantes fricativas: "infrene fremir", "aziago azar", "assombra e assusta", "arfante o faro em febre". Fonemas de consoantes oclusivas: "palor opalescente", "estranha estrige", "a proa que se apruma". De consoantes líquidas: "lendárias landas", "elétrica e lesta", "escrevo e risco, escrevo e rasgo, o estro repousa". Fonemas nasais: "juntas molgando o descomunal monstro anseia", "que bruma me obumbrou o entendimento". As citações esparsas e desligadas do contexto como unidades autônomas não chegam a dar ideia desses valores de timbre que atestam potencialidade semântica: são material subsidiário para estudo dessa técnica de iteração e fixação.

O aliteramento é sempre funcional. Observe-se que os fonemas nasais se prestam a insinuar a sensação do bronco, opaco, obtuso e compacto. As vogais líquidas inclinam-se para a delicadeza, a melancolia, a dúvida. As fricativas excitam a atenção, despertam a inteligência. As oclusivas dão mostra de energia e coragem. Não sei se existem possibilidades de generalização para esses conceitos; mas pressinto uma correlação entre as variações da fonética e as do estilo individual em apreço, com o auxílio de dados psicológicos.

As rimas de Severiano são um rosário de contas preciosas: aéreo – fere-o; crime – ouvi-me; cipreste – alar-se prestes; resiste – diz-te, etc. O poema "A Lúcifer" ostenta na primeira parte uma série de marcação melódica servida por vocábulos proparoxítonos: desde "vívido, módulo, íncola" até "errático, fluídico, Lúcifer". Não são palavras vãs; é uma sustentação musical de ordem peculiar, nervosamente condutora de estímulos: 21 substantivos, 17 adjetivos, 1 verbo, 1 vocábulo reiterado – cólera – que lhe era caro a ponto de associá-lo a uma inolvidável metáfora – "labareda em cólera".

Com um epíteto de sua lavra, exatamente, "labareda em cólera", labareda possuída de ódio, sim, mas também traspassada de amor, de profundo e amargo amor, proclamemos a poesia de Severiano de Rezende, coração que sangrou de um dardo desconhecido.

(Súmula do prefácio à 2ª edição de Mistérios, organizada por Henriqueta Lisboa e publicada em 1971 pelo Centro de Estudos Mineiros da Universidade Federal de Minas Gerais)

A OBRA POÉTICA DE ALPHONSUS DE GUIMARAENS

A melhor homenagem que poderíamos prestar a Alphonsus de Guimaraens, pela transcorrência de seu centenário, é a releitura de sua obra poética, não esquecida mas, eventualmente, afastada de nossas cogitações pela faina do cotidiano.

Depois de haver escrito, há longos anos, um ensaio sobre o Poeta, parece-me que agora, à releitura, o estimo ainda mais. Parece-me que o encontro mais lúcido e mais determinado como artista. Lúcido na escolha de métodos para expressar suas intuições com pormenorizada conexão dos aspectos da forma. Firme na decisão de vincular superiormente suas vivências à própria vocação artística. Pertinente e curiosa é a observação de Kenneth Burke em *Teoria da forma literária*, a respeito de certos problemas humanos: os artistas... diz ele, "podem sofrer o pleno impacto de uma experiência sem evasões psicológicas, porque sua atitude os capacita a sentir parcialmente como oportunidade aquilo que os outros devem sentir tão somente como ameaça". E ainda: "A técnica de articulação do artista faculta-lhe admitir aquilo que os outros homens negam por via de subterfúgios emocionais". Palavras, essas, inteiramente aplicáveis ao caso de Alphonsus.

De uma primeira vitória moral sobre o sofrimento, não traduzido em "fuga" mas em afirmação lírica, vai prosseguir o Poeta em caminhada ascendente, cada vez mais cônscio de seus íntimos interesses, fielmente defendidos dia a dia, contra todo o silêncio e desamparo do meio ambiente. O motivo nuclear dessa obra, eixo do qual se irradiam temas menores e se ramificam matizes afetivos e evocações místicas da natureza e de eventos geralmente antigos ou ligados ao pretérito, é a morte da primeira namorada – Constança. Sem quebra de respeito a esse amargo acontecimento, amargo tanto quanto prematuro para a verde adolescência do Poeta, julgo nele encontrar o verdadeiro "ensejo" para a explosão de um intenso lirismo que talvez se diluíra em outras condições. O fato é que, transfigurada em mito, sem perda de autenticidade, Constança vai ser a imagem onipresente, ainda quando muda de nome, e se faz viva, ou se transforma em luar, em placidez de lago, em flor, em vislumbre celestial, em "áurea Revelação de outra Virgem Maria".

Assim, da experiência vital para o terreno estético, através de uma artesania a primor, cresce o homem e realiza-se o artista. Possuidor de minuciosos conhecimentos técnicos, Alphonsus de Guimaraens nunca improvisou, nunca se deixou levar pela simples emoção, condicionando sua arte a uma extrema fluidez cantante, bem de acordo com os postulados simbolistas. Por feliz coincidência, essa era a escola que lhe convinha e a que deu lustre, ao lado de Cruz e Sousa e Severiano de Rezende, com os mesmos formando o admirável trio do Simbolismo brasileiro.

O que ressalta de imediato nessa poesia é a correlação existente entre o motivo, os temas, as imagens e o ritmo, como que previamente estabelecidos em harmoniosa estrutura.

Aqui se verifica que a estrutura é, de fato, uma relação, uma disposição e ordem de elementos para que funcione um todo, um edifício, um organismo, uma obra de arte. A poesia de Alphonsus vale pelo conjunto assim como pelas partes em que se divide e subdivide, por uma coletânea de poemas, por um soneto, verso a verso, cada um deles significativo e tendente a uma significação geral que talvez pudéssemos resumir numa expressão: a inanidade das coisas terrenas. Aquele seu profundo misticismo será, presumo, consequência da mesma fatalidade acidental, mais do que resultado de influências de ambiente ou influxos de escola literária. Pois até mais tarde, em plena maturidade, vamos encontrá-lo mergulhado na leitura da Bíblia, compondo *Escada de Jacó* e *Pulvis*, com a mesma religiosa unção com que escrevera os primeiros livros, com um metal de voz ainda mais subjetivo:

> Ai! mísero de quem procura a origem
> dos seus males em outra selva escura
> que não a sua própria desventura... (p. 335)

Entre os aspectos formais utilizados pelo Poeta, ressalta a "forma repetitiva" em que se mantêm uma intuição e uma norma, sob múltiplas aparências. Cada nova imagem é pormenor conveniente à formulação de sua verdade interior. A impressão de monotonia da obra em conjunto se desfaz se atentarmos para as minúcias de cada setor, articuladas de conformidade com as duas diretrizes que nortearam na arte: o amor e a morte. Isso representa uma intenção nunca desmentida, uma entrega total. À força de meditar sobre os mesmos problemas, de reiterar sentimentos, de ressuscitar emoções em revérbero, alcança o Poeta uma dicção de extrema sutileza e limpidez, essa limpidez de raio de sol entre névoas, essa sutileza de arco-íris entre franjas de chuva.

Uma de suas metáforas mais constantes, quase obsessiva, é a lua, o luar. E ao luar poderíamos classificar, talvez, como "repetição" da lua na terra, no espelho das águas, na habitação solitária, na alma que sonha, o que coincidiria com a unidade na variedade ou, ainda, com a causa primeira e seus múltiplos efeitos. As passagens relativas ao termo – lua, luar – possuem uma carga emocional muito particular, segundo a qualidade de símbolo apropriado a certo padrão de experiência – tristeza, pureza, evanescência. Além de várias composições inteiramente dedicadas a "a suave castelã das horas mortas" (p. 107), acham-se facilmente numerosos exemplos:

Era noite de lua na minha alma. (p. 257)

Anda a lua a seguir-te os leves passos. (p. 259)

Foste uma lua que se não renova:
tombaste numa cheia de noivado
e eu até hoje espero a lua nova... (p. 276)

Gôndola branca no alto-mar
no céu a lua vem vogar...
....
Barquinha santa que não tem vela... (p. 210)

Ao luar que é confessor de quem ama... (p. 504)

É uma lua de acompanhar-se enterros... (p. 205)

Olhar de amor, luares de lua. Vivo
a vida excelsa de um contemplativo,
os pés na terra, a alma pairando no ar... (p. 94)

Algumas vezes usada como decoração, não no sentido de simples adorno mas de detalhe adequado à representação, a lua sofre, outras vezes, processo personalizador, adquirindo maior energia, como nos seguintes versos:

A lua bate a todas as portas. (p. 215)

Anda a lua a seguir-te os leves passos. (p. 259)

Como a lua chora de amor! (p. 216)

Alguns tercetos da "Ária do luar", pelo especial relevo da forma, devem ser recordados:

O luar, sonora barcarola,
aroma de argental caçoula,
azul, azul em fora rola...
....
Como lençóis claros de neve,
que o sol filtrando em luz esteve,
é transparente, é branco, é leve.

Eurritmia celestial das cores,
parece feito dos menores
e mais transcendentes odores.
....
Cantos de amor, salmos de prece,
gemidos, tudo anda por esse
olhar que Deus à terra desce.

Pela sua asa, no ar revolta,

ao coração do amante volta

a Alma da amada aos beijos, solta. (p 115)

Atente-se para a sinestesia do terceto que sugere sensação aromal em virtude do colorido, de maneira muito graciosa; atente-se para o rimário que, de alto a baixo, demonstra requinte miniatural em esquivança do monocórdio, variando a sonoridade vocabular das três rimas agrupadas, a do meio mais aberta ou mais fechada que as dos extremos: barcarola, caçoula, rola; neve, esteve, leve; cores, menores, odores; prece, esse, desce; revolta, volta, solta.

Finalmente a lua assume, para esse Poeta que se considerava "Lunático" – "Eu comunguei, na Páscoa, a lua cheia"... –, o lugar que lhe compete, de símbolo supremo, duplamente significativo na dualidade espírito-matéria, através do célebre poema "Ismália" que escusa valorizar.

Dir-se-á, porventura, que falta brilho à imaginativa de Alphonsus. Convém lembrar, nesse caso, a abalizada opinião de I. A. Richards a propósito de metáforas: "Sempre se deu importância demasiada às qualidades sensoriais das imagens. O que dá eficácia a uma imagem é menos sua vivacidade como imagem que o seu caráter de acontecimento mental peculiarmente ligado à sensação" (*Princípios de crítica literária*).

De fato, o essencial, no poema, não é o registro da observação nem sequer o estímulo da apreensão de emoções, mas o timbre adequadamente exato das sensações. O tom velado, a cor esbatida, o assurdinamento, a discrição, pertencem à própria essência da poesia de Alphonsus. Ainda assim, ou por isso mesmo, se destaca o termo "rosicler", como algo de delicadamente colorido, faiscante e rápido vislumbre de alegria visual. Tal palavra não é propriamente exótica mas é rara; e comparece na categoria de substantivo, o que a torna mais marcante:

Foste o meu rosicler, foste a minha esperança... (p. 203)

Rosicleres de aurora no sorriso: (p. 253)

PROSA ✳ VIVÊNCIA POÉTICA

Amar a aurora, amar os flóreos rosicleres... (p. 306)

Andava como envolta em leves rosicleres. (p. 321)

A correspondência entre as partes que se articulam com motivo propulsor da obra indica necessidade de ordem. Esta realiza-se pela mesma simetria, pelas formas rigorosas do soneto, por imagens paralelas e, mais, por uma impressionante simbologia numérica de fundo místico. A pura lógica que, por motivos óbvios, não poderia participar do jogo a fim de trazer estabilidade à alma intranquila do Poeta, é assim substituída por proporções regulares e equilíbrio aritmético. O algarismo 7, número considerado como sendo o de criação e, talvez possamos dizer, o da perdição e o da salvação, abrangendo-o de modo triangular, para maior reforço da ideia comparativa, irrompe a cada passo, a começar pelo *Septenário das dores de Nossa Senhora*, constituído de sete sonetos, relativos a cada dor. Alguns exemplos ilustrativos, de outras composições:

E os sete olhos do monstro olhavam-me, esperando
que a minha alma cedesse à torpeza sombria
dos pecados mortais, cada qual mais nefando. (p. 71)

Sete salmos de luz contra os sete pecados. (p. 132)

As sete dores dos teus olhos calmos? (p. 144)

Oh! dá-me para o corpo os sete palmos. (p. 144)

E sete padres a rezar o responsório. (p. 134)

Oh! os penitenciais sete salmos. (p. 100)

E rezei a coroa astral das sete dores. (p. 101)

Sete velas, sete estrelas. (p. 283)

No seu peito a brilhar, sete gládios em riste. (p. 322)

O sétimo poema da obra inicial, intitulado "Sete damas", consta de sete dísticos, refere-se a sete ciprestes, sete salmos, sete palmos, e termina em lamúria:

Como os meus olhos estão cansados,
sete pecados, sete pecados!

Além disso, a expressão "sete-estrelo", que poderia ser substituída por plêiade, ou constelação, tem nítida preferência:

Envolta a fronte num fulgor de sete-estrelo. (p. 72)

Os olhos como sete-estrelos. (p. 120)

Em cada lago um sete-estrelo. (p. 115)

O rubro sete-estrelo dos Pecados. (p. 262)

Em sonhos onde fulgem sete-estrelos. (p. 346)

A insistência de tal número revela, sem dúvida, certos fenômenos interiores considerados ontológicos, o que serve, aliás, para afastar dessa poesia qualquer conceito de gratuidade.

Em prosseguimento à pesquisa, encontramos em *Pastoral aos crentes do amor e da morte* uma parte toda tecida de sonetos decassílabos com uma sequência de trama delicadíssima cujo número total é 77, o que não deve ser simples coincidência mas pormenor de planificação.

Quanto ao ritmo, que se acha evidentemente na órbita do construtivo quando não da matemática, na razão e no desejo de perfeição estética, recebe de Alphonsus acurado tratamento, já pela instintiva acuidade auditiva, já pela tenacidade técnica. Além do metro decassílabo, preferido em momentos de mais puro lirismo, o que ocorre em número predominante, também se faz notar o alexandrino ou metrificação de 12 sílabas com melodia enriquecida, fora da antiga rigidez, quando há maior concentração meditativa e evocativa, como nos 12 sonetos de *Câmara ardente* e nos de

Escada de Jacó, dos quais 24 pertencem a "Cavaleiro ferido" e 35 a "Caminho do céu". Essa uniformidade de agrupamentos ou séries incide, por força, em natureza de cunho esotérico, mesmo porque o sentido dos versos é densamente místico, a sugerir mais do que a explicitar. Assim, o ritmo, em qualidade e quantidade, faz parte do ritual. É estranho que José Veríssimo tenha escrito que *Câmara ardente* se compunha, além do "Peristylum" e "Responsorium", de sonetos de 14 sílabas (Nota, p. 684), contagem que não corresponde ao critério comum, como no exemplo dos últimos tercetos:

> Outros dias virão cantando o mesmo hinário
> e outras noites chorando o mesmo luar que sigo,
> e onde vejo ondular o teu longo sudário...
>
> Dentro de mim, porém, há de morrer, profundo,
> o poente em funeral do teu olhar antigo,
> para não mais ressuscitar aqui no mundo... (p. 134)

A novidade reside em que a acentuação dos versos diverge da até então habitual. No exemplo em apreço, está precisamente no derradeiro verso fortemente marcado na 4ª e na 8ª sílaba e isento da interrupção do hemistíquio, ou cesura mediana. A propósito, existe um rascunho de carta escrita a um jovem consulente pelo nosso Poeta, com interessante observação sobre o assunto: "Há também alexandrinos modernos, postos em prática pelos 'decadentes' e de que fui o primeiro a usar no Brasil: Os acentos são na 4ª e 8ª, exemplo: 'Sob o tropel de um batalhão de pesadelos'" (Notas, p. 678).

No tocante à rima, de que se vale persistentemente, como recurso musical, ao lado da onomatopeia e da aliteração, pouca coisa existe de excepcional: o bastante para comprovação do seu gênio inventivo, com a graduação de consonâncias da "Ária do luar" já mencionada e o requinte das rimas "falsas" do XXXIII soneto da *Escada de Jacó*, assim dispostas: Volta – alma – morta – Parma; calma – imota – desarma – volta; grinalda – tristes – fanada; cruzes – sirtes – urzes. Todas elas escolhidas a dedo, com bastante audácia em relação aos contemporâneos, ainda apegados ao Parnasianismo.

Dessas anotações de peculiaridade formal, vamos agora partir para o reconhecimento das essências, ou melhor, daquilo que teria levado o Poeta a exprimir-se de tal maneira, indiferente aos padrões do momento. Não se pode desprezar a influência dos simbolistas franceses, Verlaine e Mallarmé, nem mesmo a de Guerra Junqueiro e António Nobre, acidentalmente. Mas a razão fundamental, creio, é o seu gosto acendrado pela Idade Média, embora o conceito ressoe como um ligeiro paradoxo. Para renovar-se – e porque não se sentisse à vontade no tempo que lhe fora dado viver – o Poeta se transporta ao passado, aliando o ambiente de Mariana e Ouro Preto – por ele significativamente denominados Ribeirão do Carmo e Vila Rica – a vivências medievas. A distância se ameniza em virtude dos hábitos cristãos, profundamente enraizados nessas mesmas cidades repletas de templos e melancólicas lembranças de uma vida extinta.

Assim desde *Kiriale* se recolhem numerosos exemplos dessa inclinação:

Do alto do monte, altivo como um Condestável. (p. 57)

Nas ruínas augurais destas poeiras medievas. (p. 66)

– A quem guardas aí, Cavaleiro de Malta...? (p. 67)

Piedosamente irei pela terra em demanda
de ti, ó Santo Graal, Vaso da Eucaristia! (p. 69)

Ascetas imortais da Idade Média... (p. 71)

Já no prólogo de *Dona mística* surge mais uma notação:

É um cavalheiro, podeis sabê-lo,
e tais como ele já não há mais.
Sempre de joelhos, tem todo o zelo
em frente às cousas celestiais. (p. 89)

De *Câmara ardente* são os seguintes versos:

Ela faz-me pensar numa ancestral Condessa
da Idade Média, morta em sagrados delírios. (p. 133)

A mesma e integral devoção a Maria deixa-o em devaneio diante
do anjo anunciador: "Era o celeste Cavaleiro andante" (p. 143).
Em *Pastoral*, logo de início, apresenta o seu "Brasão":

De solar em solar, menestrel dos mais pobres,
ai! como suspirei pelas filhas dos nobres...
....
– Campo de neve onde agoniza um coração... (p. 189)

Depois celebra "Um dueto de amor" (p. 200) bastante macabro,
em um solar medievo: E se apraz em cantar vários "Romances", assim como "Cantigas e voltas" de sabor antigo e feição trovadoresca.
Em *Escada de Jacó*, ainda mais se acentua esse aspecto saudo-
sista, de que o soneto "Bons tempos" é modelo perfeito:

Bons tempos da loriga e da cota de malha,
quando vós, meus avós, das montanhas do Minho,
balestreiros viris, vermelhos do bom vinho,
ao sarraceno infiel ousáveis dar batalha! (p. 294)

O sentimento da Idade Média inclui, naturalmente, certa devoção a Dante. Seja pelo misticismo espontâneo e ao mesmo tempo
cultivado, seja pelo gosto e prática da simetria artística, seja pela
perda da Amada que se transforma em ideal de beleza e esperança
de salvação, existem sutis afinidades entre esses dois seres humanos que fizeram da poesia sua razão de existir. Embora poucas vezes Alphonsus se refira diretamente a Dante, frequentemente – e
fatalmente – se reporta, em confronto de musas, a Beatriz. Não é
irrelevante o verso em que diz: "O Inferno, o Purgatório e o Paraíso
de Dante". Porém mais vivas são as seguintes alusões:

Ó Catarina de Ataíde, errante
sombra aromal! Ó Laura de Petrarca,
e ó (mais que estas) ideal Beatriz de Dante! (p. 251)

Beatriz que Dante, o sempiterno, marca
com o gênio... (p. 252)

Ó Natércias, ó Lauras, ó Beatrizes! (p. 268)

Interessa lembrar uma passagem de *Pastoral* – "A dor de quem recorda os tempos idos" – que talvez traia uma reminiscência, talvez não
passe de coincidência. Mais decisiva, a meu ver, para justificar tal aproximação, é a última quadra do poema "Noiva" inserto em *Dona mística*:

Quero abraçar-te e nada abraço... O que me assombra
é que te vejo e não te encontro com os meus braços.
[...] hoje tu és uma sombra. (p. 106)

Aqui se acha, possivelmente, uma sugestão do canto II do
Purgatório, ao ensejo do encontro entre Dante e Casella:

Io vidi una di lor trarresi avante
....
Oh ombre vane, fuor che nell' aspetto!
Tre volte dietro a lei le mani avvinsi,
e tante mi tornai con esse al petto.

Também pressinto um ajuste de cordas sensíveis em oportunidades similares, entre o VII soneto de *Pulvis* e um terceto do canto
XI do Purgatório. Eis os textos de um e de outro:

E eis-me contrito e bom, ouvindo as preces
que os mortos rezem pelos que estão vivos. (p. 334)

Cosi a sé e noi buona ramogna
quell'ombre orando, andavan sotto il pondo,

É claro que essas observações não deslustram o nosso Poeta;
ao contrário, atestam seu compromisso com a verdadeira cultura e
sua fidelidade ao convívio dos grandes Mestres, exemplo que nos
deixou o próprio Dante.

A poesia de Alphonsus, eminentemente platônica na sua concepção e no seu desenvolvimento, através de imagens translúcidas e musicalidade envolvente, gira em torno de Constança como se ela fosse um ser abstrato:

Hei de sempre adorá-la, hei de querê-la
e não por ser mulher mas como imagem. (p. 92)

Melhor é vê-la como a vejo, em sonhos. (p. 240)

Temo colher o lírio do teu beijo. (p. 275)

Seja tudo por ela! Seja tudo
por essa doce e imaculada ovelha
que bale pelo mundo, ao choque rudo
da humanidade, que macula e engelha. (p. 92)

Todavia captamos e sentimos a autenticidade do sofrimento do Poeta pela morte dessa menina que levou a tuberculose. A translucidez das metáforas e o assurdinamento musical definem e confirmam, mais do que ocultam, a força de um sentimento que se resolveria, por fatalidade, em sublimação e pureza. Sim, porque ela era "Immaculata":

Ai! como Inês tu não serás rainha:
mas amada hás de ser no céu decerto
porque na terra nunca foste minha... (p. 258)

Uma extrema delicadeza de sensibilidade diante das coisas do amor, da vida e da natureza o leva a traçar desenhos aéreos e evanescentes matizes de que apenas se adivinham as formas e onde fulgura, entre a franja dos cílios, o que o ser humano possui de mais espiritual, os olhos:

Do teu olhar a bênção vespertina
encontrou-me de joelhos como um santo. (p. 249)

Venham teus olhos celestiais e humanos
valer-me na hora das visões pressagas. (p. 256)

Se és anjo, se hás de voar para o céu, que me queres?
Não pode ser mulher como as demais mulheres
quem olha assim, quem olha assim, sem nada olhar! (p. 320)

Manifesta-se, essa delicadeza, por meios equivalentes de expressão, ora em leves recuos explicativos

E pois se há no jardim tantos martírios,
é que ela causa a morte doce e pura,
doce morte! dos cravos e dos lírios (p. 272)

ora por meio de aliteração:

A áurea estrela que, lúcida, lucila. (p. 268).

Parece-me, todavia, que todas as musas da gentileza e da graça estavam presentes quando se compôs essa deliciosa canção de *Dona mística*:

Quando por mim passaste
pela primeira vez,
como eu sorrisse, tu coraste.

O sol estava abrasador.
E eu disse então: "Talvez, talvez
fosse o calor".

Quando por mim passaste
pela segunda vez,
como que pálida ficaste.

Nascia a lua, devagar.
E eu disse então: "Talvez, talvez
fosse o luar". (p. 111)

Singeleza e finura são atributos desse poemazinho de ritmo flexível, a ondular suavemente entre 6 e 8 sílabas até 4, fecho de cada parte paralela, a primeira atinente ao encontro inicial, a outra ao segundo. O tratamento lírico parece acentuar-se na reiteração da palavra "talvez". Embora tocado de leve ironia, o reticente advérbio traduz enleio entre o conhecimento da verdadeira causa, ora do rubor, ora da palidez da moça, e a humildade das evasivas.

Assim, com ternura, bom gosto e sabedoria, Alphonsus de Guimaraens resolveu, dentro da relatividade humana, o problema de seus complexos sentimentos em face da vida, do amor e da morte, legando à língua portuguesa um de seus mais altos patrimônios. Sem alarde nem violências expressivas, revivificou a linguagem poética e dignificou uma vocação singular.

BIBLIOGRAFIA

GUIMARAENS, Alphonsus de. *Obra completa*. Rio de Janeiro: José Aguilar, 1960.

ALPHONSUS E SEVERIANO

Apesar da diversidade de temperamentos – ou talvez por isso mesmo – forte e fiel amizade uniu os dois simbolistas mineiros – Alphonsus de Guimaraens e José Severiano de Rezende. O primeiro nascera em Ouro Preto a 24 de julho de 1870. O segundo, em Mariana a 23 de janeiro de 1871: ligeira diferença de idade e local. Ambos estudaram preparatórios no Liceu Mineiro de Ouro Preto, o primeiro de 1882 a 1886, o segundo em 1884, datando daí, provavelmente, os laços de afeto que seriam reforçados pela identificação de ideais. Encontram-se de novo na Faculdade de Direito de São Paulo, ocasião decisiva para as experiências que, ao calor do estímulo e da troca de ideias, realizavam os jovens poetas frequentadores da mansão de Freitas Vale. Desse convívio resultou uma valiosa corrente poética a enriquecer a literatura brasileira. E ficaram lembranças a testemunharem afinidades eletivas entre os dois mineiros.

Alphonsus termina o curso jurídico em 1893, na Academia Livre de Direito de Minas Gerais, para onde se transferira. Severiano abandona os estudos acadêmicos logo de início, para fazer jornalismo: e frequenta, por algum tempo, em 1894, a Escola de Direito de Ouro Preto. Nomeado promotor de justiça da comarca de Conceição do Serro em 1895, aí se estabelece Alphonsus e aí se casa, até que, em 1906, passa a residir com a família em Mariana, na qualidade de juiz municipal.

A essa altura, Severiano havia frequentado o Seminário de Mariana e se ordenara presbítero em 1897, tendo zelosamente exercido o apostolado católico durante alguns anos; mas acaba deixando o torrão natal em busca de ares mais propícios para

PROSA * VIVÊNCIA POÉTICA

expansões intelectuais. Por alguns dias conviveram os dois poetas – o sereno e o rebelde – em casa do pai de Alphonsus, antes que Severiano trocasse Minas pelo Rio e, em seguida, o Rio por Paris, onde residiu até falecer, a 14 de novembro de 1931, estando afastado do sacerdócio, sem repúdio da fé cristã. Alphonsus desaparecera 10 anos antes, a 15 de julho de 1921. Haviam-se encontrado pela última vez em 1915 em Belo Horizonte, entusiasticamente acolhidos por amigos e coestaduanos. Ambos haviam publicado vários livros. Alphonsus se consagra como poeta, Severiano era prosador de fama, só editando *Mistérios* mais tarde, em 1920. Carteavam-se quando à distância, trocavam versos e afetuosíssimas dedicatórias reveladoras dessa fraternidade espiritual. Um soneto de *Dona mística* traz em autógrafo a seguinte anotação: "Vila Rica, 13 de janeiro de 1894, depois de um passeio à Vila do Carmo, sede do Bispado, na companhia do meu amigo De Rezende, da raça elohita dos Profetas e Magos". *Septenário das dores de Nossa Senhora* tem a seguinte dedicatória: "Ao meu amigo diletíssimo Padre José Severiano de Rezende, ex tota anima". Por seu turno, o autor de *Mistérios* dedicou ao amigo a coletânea do *Livro da contrição e da mágoa* com estes expressivos dizeres: "A Alphonsus de Guimaraens – Dileto entre os diletos – Eleito entre os eleitos – Perfeito entre os perfeitos".

Oriundos de meios idênticos, participantes da mesma cultura humanística e da mesma escola literária, todavia diferem na expressão poética desde os pormenores da musicalidade e dos matizes até à escolha do vocabulário e à disposição da sintaxe. A motivação primordial se tangencia nos dois estilos por um fundo de religiosidade com índole mística: os temas são muitas vezes similares: a procura de Deus, a devoção à Virgem Maria, a insatisfação da matéria, o amor, a evocação do pretérito, o conceito de transcendência dos tempos medievais. Porém as soluções se distanciam à medida que se afirmam as duas personalidades artísticas; e a forma verbal, sempre mais enérgica em Severiano, separa-se cada vez mais da feição amena de Alphonsus. Enquanto neste o enlevo platônico e o amor enternecido têm lugar proeminente, naquele se nota um impacto entre o espírito e a carne, jamais conciliados. Um resiste ao sofrimento através da humildade e da renúncia. Outro enfrenta a adversidade com rancoroso orgulho a que não faltam laivos de delírio. O primeiro considera a morte como libertação e repouso, o segundo projeta para além da morte a sagração do porvir. O religioso lirismo de Alphonsus é singela intimidade entre a alma e o Criador, é atitude difusa a inundar toda a obra em uníssono de suavidade, abandono e melancolia. O misticismo de Severiano é ardente esperança de um encontro face a face com o ser divino que o compensará do malogro terreno. Aquele se entregou à poesia do desencanto e do desalento, como quem se entrega às mãos da Providência:

Que vale o inverno, a primavera,
a noite ou o dia, a treva ou a luz?
Só sabemos que nos espera
no fim da estrada sempre uma cruz. (p. 213)

Este é o vate da temeridade e dos claros objetivos, apesar dos pesares:

Cuidado! Barra afora esconde-se o arrecife!
Embora! no meu bojo arde e anseia a esperança! (p. 123)

Dos dois processos apontados por Jung – o psicológico e o visionário –, corresponde o primeiro ao autor de "Ismália"; o segundo, ao criador de "A Lúcifer". Comprovam-se os citados poemas: um, tecido de neblina a nublar a significação do símbolo; outro, a perseguir reflexões em crescendo de metáforas. As linhas mentais aereamente delineadas pelo primeiro, em desenvolvimento no tempo, contrastam com os relevos modelados pelo segundo, à força de perspectiva e rupturas no espaço. A melodia das canções alfonsinas vincula-se ao sentimento e à sensibilidade. A sinfonia dos poemas de Severiano decorre da experiência, do conhecimento e da volição. Ambos fazem da linguagem uma interpretação de valores, cada qual a seu modo: o de alma dócil buscando o inefável para além do real, o inquieto marcando o inefável de visionamento sensível. Espíritos profundamente religioscs, com diferenças essenciais: um deles tem cunho natural, outro apresenta feição estranha.

PROSA * VIVÊNCIA POÉTICA

Será talvez oscilatória uma raia a separar a poesia religiosa da poesia mística, embora possamos distingui-las em tese. De acordo com a etimologia da palavra, mística supõe mistério; de acordo com o fenômeno poético, este mistério tem caráter dual subjetivo-objetivo. Assim, prevalece na poesia mística a suscetibilidade individual elevada a um grau de extrema tensão, em que a lucidez do intelecto (ou a revelação mesma) surge com o deslumbramento de determinada visão em meio a trevas. É o caso do poeta que deixara o ministério da igreja mas não arrancara, do íntimo, o selo do sacerdócio. Entretanto, na poesia religiosa predominam os sentimentos de confiança e amor, junto à intuição de que a beleza e o bem são uma entidade em harmonia específica, daí resultando limpidez e fluidez assim como de águas a caminho do estuário. É o caso do autor de *Pastoral aos crentes do amor e da morte* cuja vida, em recolhimento, foi uma tessitura de sonho. Na escala de espiritualidade em demanda de aperfeiçoamento, coincide a poesia religiosa com as etapas da moral e da ascética. A mística supõe salto mais ambicioso, no anseio de romper de imediato as fronteiras do sobrenatural. A religiosidade fez de Alphonsus o mais lírico dos poetas brasileiros, mostrando-se fecunda ao longo de sua obra, como facilmente se comprova:

> Viver em pleno mundo azul, longe do nível
> comum para quem é mortal, sempre ajoelhado,
> na santa comunhão de um amor impassível.

> Ser um Eleito, bem longe da humana vida,
> ser o Cordeiro que vai ser sacrificado,
> e vê na luz do céu a terra prometida. (p. 72)

> Tudo é luz na nossa alma, e o mais vil, o mais louco,
> bem sabe que esta vida é um sol que dura pouco
> e que Deus vive em nós como dentro dos céus... (p. 317)

> Ninguém anda com Deus mais do que eu ando,
> ....
> E vão-se as horas em completa calma.

Um dia (já vem longe ou já vem perto?)
tudo que sofro e que sofri se acalma.

Ah! se chegasse em breve o dia incerto!
Far-se-á luz dentro em mim, pois a minha alma
será trigo de Deus no céu aberto... (p. 349)

Nos citados exemplos há uma impressionante insistência da palavra "luz", a evocar uma trajetória de sombra, de humildade interior, de confronto entre o visível e o invisível. A parte do visível, por paradoxal que soe a insinuação, é justamente a sombra – em que o homem vive mergulhado; representado pela luz, o invisível é tudo quanto o homem desejaria que fosse. A atmosfera dessa poesia é triste porém banhada de mansuetude, como se tivesse estabilidade própria e segurança perene.

O misticismo de Severiano é candente como a fé que sempre o habitou. Semeando apóstrofes e imprecações, ele parte da corajosa concepção de um "Palácio episcopal", demora na confissão patética e ainda assinalada pelo episódico de "O lidador", até atingir o plano metafísico de "Fides nostra" cuja transcendência está nos tercetos:

Como erguer a alma triste à áurea ascensão superna,
perpetuar-nos enfim na vida excelsa e eterna,
depois do largo e amargo exílio da existência?

Por vós, Senhor Jesus, o caminho seguro,
convosco o enfermo passo, em Vós o almo futuro,
na veraz radiação triádica da Essência. (p. 125)

Mas o ardor anímico daquele que vivia sob o impacto demiúrgico encontrou no poema intitulado "Prece" o mais poético momento de seus impulsos místicos, através de uma simplicidade sem par:

Ó Senhor, ó Jesus,
como é doce viajar séculos no deserto
e carregando a mais pesada cruz,
quando sabemos que estais perto

e que a vossa Luz nos conduz.
Ó Jesus, ó Senhor,
perto de Vós, que em tudo estais, qual é o deserto?
O vosso Amor tudo enche de esplendor,
ó Coração em chaga aberto,
tudo é esplendor no vosso Amor. (p. 102)

Também aqui a palavra "luz" tem significação especial: fenômeno que só os olhos do espírito são capazes de ver e de refletir, espelho em face de espelho, quando tudo o mais se obscurece.

Ambos os poetas tentaram aproximar-se de Deus por meio da poesia. Não imaginavam – o que seria errôneo – que oração e poesia se confundem, mas sentiam que a poesia conduz à oração, pode ser ato preparatório e propiciador; sabiam que a oração é complemento e plenitude do poético, no perfeito silêncio em que a alma se depara com o divino. Assumindo a responsabilidade da palavra – elemento puramente humano –, não manipularam a poesia como instrumento de serviço: antes procederam a uma exteriorização do íntimo ser, a exigir que o verbo se fizesse carne. A necessidade de apelar para o eterno, supremo bem, infinita beleza e verdade sem jaça, era parte integrante da vocação dos nossos dois grandes simbolistas. Dos mesmos princípios da escola literária a que pertenciam, e das motivações pessoais até certo ponto idênticas, resultaram, contudo, soluções e depoimentos bem diversos. Seja pela natureza da fonte, seja pelos padrões de experiência, o fato é que suas obras literárias não se confundem, apesar da semelhança de formas incidentais, da preferência de certas metáforas, da índole do vocabulário e, em principal, da proximidade temática. Tal diversificação se baseia, por certo, na divergência de atitudes fundamentais de temperamento, nas peculiaridades do gênio.

Lembre-se aqui a lição de Kayser, ao fazer a distinção entre a atitude predominantemente lírica e a atitude marcantemente dramática, uma e outra subjacentes no próprio gênero lírico. Assim, Alphonsus seria o exemplo da autorrevelação do intrínseco sem tropeços, na mais completa naturalidade. Severiano ilustraria a enunciação de que a esfera anímica e a realidade exterior, pela atuação de uma sobre outra, são conflitivas, embora conjugadas.

Para demonstração dessa diferença de ser que redunda no relevo individual de cada estilo, tomemos dois sonetos sobre motivo idêntico: o VI de *Escada de Jacó*, paralelamente ao "O castelo" do *Livro da contrição e da mágoa*. De Alphonsus de Guimaraens:

No castelo roqueiro onde vivo encerrado,
cheio de audácia como um barão de Castela,
divago. Pelo chão do meu ermo terrado
outros passos escuto. Outra sombra que vela!

Alta noite. Bem sinto o pranto que hei chorado!
Que misteriosa mão este saio afivela
sobre os meus ombros? Vou lutar como um Cruzado.
Hei de encontrá-la, hei de beijar os olhos dela!

Ouço trompas e sons e trons longos de guerra:
surgem no meu solar, que só mortos encerra,
fidalgos, infanções, ricos-homens tristonhos.

Caravelas no mar! Ponho em fuga a moirama.
E chego alfim, toda a alma em palmas de quem ama,
e acho deserto o Santo-Esquife dos meus sonhos... (p. 295)

Antes de qualquer análise, percebe-se intuitivamente que Alphonsus apresenta nesses versos, como em tantos outros, uma visão onírica fora do ambiente imediato. Ao decompor o todo em suas partes, nota-se que ele se utiliza de elementos contrastantes com tranquilidade, que as imagens de melancolia e desejo não têm matizes circunscritos, que as palavras fluem como notas musicais, de modo quase gratuito, em abertura para novas emoções recorrentes. Tudo pode recomeçar a ser dito ao final da leitura porque tudo ficou suspenso no ar em leveza de franjas, em transparência, em sugestões imponderáveis. Nenhum sinal de energia à base desse monólogo interior que todavia se refere a coisas de guerra – trompas, trons, saio, luta, Cruzado, e até mesmo acusa o termo "audácia" que deveria, em outras circunstâncias, soar fortemente. Sabe-se que esta audácia se relaciona com a divagação, sem veleidade efetiva de agir. O puro sonhador! Tem-se a impressão de que o poeta já de antemão sabia que estava sonhando, como acontece às vezes à gente, estar sonhando dentro do sono e simultaneamente conceber, por um fio de consciência, que o estado ou evento sofrido não passa de sonho... No caso em apreço, a miragem, entremeada de augúrios fúnebres e débeis esperanças, terminaria em desolação. Entretanto, não nos sentimos contaminados dessa desolação, sem dúvida pela validez de algo que não chega a ser uma situação de fato e cuja finalidade é o sortilégio. De que maneira se armou tal sortilégio? A meu ver, pela estrutura gramatical dos verbos em tempo presente. De alto a baixo, os estratos psicológicos se submetem ao momento que passa; o horizonte é lúdico, o ego é sonâmbulo, as coisas parecem abstratas, mas há uma força de presença nos termos: vivo encerrado, divago, escuto, sinto, vou lutar, hei de encontrá-la, ouço, ponho em fuga, chego, acho... Tudo isso vem a facultar a ideia de um possível recomeço, dentro da disposição instintiva do lírico para iludir a si mesmo, interminavelmente.

Examinemos agora o soneto de Severiano de Rezende, "O castelo":

No meu velho solar esboroaram-se os muros,
derruíram-se em roda os capitéis e os domos
e pelos matagais e socavões obscuros
fugiram escanções, debandaram mordomos.

Chamei a minha Eleita, aos ais, pelos monturos,
nos antros respondeu-me o gargalhar dos gnomos
e para enfim dormir sobre os penhascos duros
nas grotas aspirei a flor dos cinamomos.

Fiquei só. Longo tempo a errar por entre escombros,
vi que nova missão eu tinha sobre os ombros
e força era cumpri-la inteiramente só.

E hoje todo o meu fito é deste caos medonho
reviver integral o meu primeiro sonho
e o meu castelo medieval erguer do pó. (p. 129)

Verifica-se, de início, que o tema é uma conotação convergente da escola simbolista, no seu fascínio pela Idade Média. O sistema formal e a métrica são idênticos à composição anterior. O clima é totalmente diverso, denunciando forte carga de sentimento já unificado por uma decisão íntima. Há algo de ontológico nesse quadro que, ao apresentar uma problemática, aponta solução preconcebida. Por isso mesmo, há algo de lógico no desenvolver do discurso que, pela intensidade da imaginação, ultrapassa o terreno prosaico para o plano da emotividade. A coerência do pensamento a deslindar, elo por elo, a perplexidade interior forma um todo alegórico cerrado, mecanismo de ênfase para especificação de uma experiência singular. Através de palavras impregnadas de convicção, uma ideia fixa parece materializar-se em contornos precisos, causando sensação de peso. O drama do poeta se revela na validade dos contrários, entre os caminhos da destruição e o anelo de ressurgimento. Assim, a arquitetura do poema evolui de um passado remoto para um futuro expectante. Os dois quartetos e o primeiro terceto agenciam os verbos em tempo natural pretérito: esboroaram-se, derruíram-se, fugiram, debandaram, chamei, respondeu-me, aspirei, etc. O último terceto está no presente sem estar, pois o visionário antecipa a miragem que o move, que o carrega para um tempo de compensação e afirmação. Se o segredo (ou conceito) do poeta está revelado, por que motivo ressoa indefinidamente aos nossos ouvidos a sua confidência? O que nos atinge e comove estará no ardor do ritmo, no jogo do paradoxo, no poder imaginativo, numa palavra, na eloquência? Presumo que esteja, além disso, na causa ética inspiradora: a nobreza implícita no sensível. A sensibilidade não se estanca nem se resume no estético, porém exige o humano para complemento. Nos versos em pauta, o conceito está diluído no poético, pela sua dramática profundidade.

Em síntese: se o "castelo" de Alphonsus de Guimaraens representa uma vivência espiritual indeterminada, muito propícia ao lirismo, o de José Severiano de Rezende é a vivificação de um ideal que se defende. O primeiro vive encerrado em castelo roqueiro – vale dizer: fundado sobre rochas, que tem a constituição de rocha –, e já o adjetivo quer provar o confinamento, a impossibilidade de rompimento com semelhante estado de coisas, mediante a passividade e a complacência do poeta. O segundo apresenta um bloco inteiriço de teor histórico, na descritiva do que já não existe mas deveria e deverá existir: um castelo que o autor simplesmente qualifica de medieval, sentindo que não é outro senão a sua morada legítima, a sua propriedade de direito, o seu mesmo ser.

Da exposição analítica dos dois sonetos que correspondem a dois processos independentes, tanto de significante quanto de significado, resulta o testemunho de que a arte não tem métodos preestabelecidos, nem previsões, nem preconceitos. Bebe de suas próprias fontes. Realiza-se em liberdade de opção – desde que haja valores excepcionais e autênticos. Valores como estes que ora celebramos – unidos no tempo e reunidos na memória.

BIBLIOGRAFIA

GUIMARAENS, Alphonsus de. *Obra completa*. Rio de Janeiro: José Aguilar, 1960.

REZENDE, José Severiano de. *Mistérios*. Belo Horizonte: Centro de Estudos Mineiros da Universidade Federal de Minas Gerais, 1971.

EVOCAÇÃO DE MÁRIO CASASSANTA

Fecunda foi sua existência no tempo medido; fecunda além da morte pelo que semeou e ainda se colhe nos campos do espírito. Três linhas diretrizes se fazem notar – índole, atitude e caráter – em seguimento das quais se encontra a súmula de sua vida e obra. Sentimento, pensamento e vontade harmoniosamente se uniram na estrutura de sua personalidade, em manifestações constantes e crescentes de mineiridade, paixão da língua pátria e vocação para o magistério. Mineiridade: soma de tendências, ações e reações condizentes com o meio e a grei formada entre montanhas tutelares, longe do bulício dos litorais e perto das nuvens. Não se sabe a que ponto as forças telúricas terão influência sobre seres humanos; nem se a coincidência de temperamentos e modos vitais nasceria de herança ou de convívio. O fato é que existem agrupamentos humanos de feição delineada e similitudes genéricas. Minas Gerais se orgulha de poder diferenciar seus filhos por um conjunto de qualidades apreciáveis, ainda que certos defeitos advenham dessas mesmas qualidades.

O próprio Mário Casassanta, reportando-se a outro mineiro em *As razões de Minas*, define os atributos de nossa gente: "Tem bem vivas as suas virtudes tradicionais e características de penetração, reflexão, ponderação, hábito de crítica, bom senso, argúcia. E se lhe ajuntar um pouco de malícia, na apreciação dos homens e dos acontecimentos, ter-se-á esboçado um ligeiro perfil de seu espírito". Ao comentar a psicologia do personagem Rubião, no ensaio "Minas e os mineiros na obra de Machado de Assis", assinalou: "Rubião simboliza o que há de melhor entre os mineiros, simples, modestos, sóbrios, serenos, a arrastarem uma vida desambiciosa e satisfeita". E, mais adiante:

> Machado de Assis deu-nos o retrato de um homem, que simboliza um povo, e uma filosofia, que traduz a tendência da Montanha contra o Litoral: esse homem é Rubião, esse povo – o mineiro, e essa filosofia consiste senão na despreocupação dos bens materiais, que nele culminou, ao menos na preocupação precípua com os bens espirituais.

Idênticos conceitos manifestou Alceu Amoroso Lima no seu ensaio de sociologia regional *Voz de Minas*: "O mineirismo é como que um humanismo brasileiro dentro do próprio Brasil. A psicologia do mineiro é (portanto) a da supremacia dos valores pessoais e humanos sobre todos os outros valores".

De João Pinheiro há uma frase célebre a respeito de nosso povo: "Capaz de grandes ideais porque religioso; fácil em evoluir e difícil em retrogradar porque livre; altivo e paciente porque justo na avaliação da relatividade humana".

Outros valiosos depoimentos poderiam afiançar a tese, assim como numerosos exemplos de antepassados ilustres poderiam confirmá-la. Todavia uma indagação nos ocorre: a que época remontaria essa fama, essa concepção normativa de vida, a prevalência do espiritual? Em que fontes se abeberaram nossos maiores para que tal comportamento se radicasse e se irradiasse entre nós? Seria um dom natural, predestinação, dádiva gratuita? Resultaria acaso de um complexo de experiências vitais, de paixões sublimadas no crisol da existência, de algum processo histórico?...

Em prefácio a um livro de José Ferreira Carrato, *As Minas Gerais e os primórdios do Caraça*, comenta Sérgio Buarque de Holanda:

As terras do ouro, durante a maior parte do século XVIII, tinham sido um mundo aluvial e inconstante, como a própria riqueza que se esvaía das lavras. No entanto, esse mesmo mundo, frenético, dissipador, aventuroso, impaciente de qualquer comando, e que todo ele girava à volta de apetites materiais e bens de fortuna, irá surgir depois tão transfigurado que parecem extintas as marcas de sua feição antiga. Quase nada restará daquelas velhas Minas Gerais, onde a cobiça afanosa mal deixava espaço para o recolhimento da alma, e de onde os próprios frades e os conventos se achavam exilados. No seu lugar vamos ter outras, bem diversas, a que o prestígio dos dons do espírito, das disciplinas humanísticas, das virtudes intelectuais, da sobriedade, da prudência, da discrição, da poupança, empresta um timbre singular.

De fato, uma transformação radical se operou na província, lá pelos fins do século XVIII, como se as águas de novo mar Vermelho se dividissem. De um lado o ouro como objetivo em si mesmo, a desmedida ambição que não conduziria senão a coisas imediatas. De outro o refúgio em Deus como ser supremo, a noção de que a essência do homem reclama paz interior. O ouro mais uma vez foi símbolo de contradição, polarizando matéria e espírito. O ouro da perdição das almas vai agora – nova espécie de fogo solar – servir de intermediário junto ao poder sobrenatural, revestindo estátuas de santos e enriquecendo os templos montanheses. Com o impacto da perda das grandes fortunas, renasceram aos poucos as forças do espírito.

Dá-se então o advento do ideal evangélico, reação contra os últimos desmandos aventureiros, com a concentração de criaturas de fé e vontade nos eremitérios. Antônio Pereira, Félix da Costa, Padre Manuel dos Santos, Feliciano Mendes, Antônio Bracarena e Irmão Lourenço são os primeiros eremitas e fundadores de casas de oração e recolhimento. A Gruta-Santuário de N. Sra. da Conceição, o Convento de Macaúbas, a Casa de Oração do Vale de Lágrimas, o Santuário de Congonhas do Campo, a Ermida da Serra da Piedade, o Hospício da Senhora Mãe dos Homens da Serra do Caraça são os mananciais de um envolvimento coletivo e porventura duradouro. Eis o que diz a respeito Ferreira Carrato:

> A par da prece, estabelece-se a prática de exercícios espirituais, para que a ação acompanhe a oração, oferecendo aquele equilíbrio ideal entre a atividade rotineira e a contemplação mística, que não é dado a todos experimentar. É a oração dos justos que consegue estender por toda a parte imensa rede de intercessão, que, segundo a fé, se permeia entre Deus e os homens, para aplacar a cólera divina e erguer dos ombros humanos o peso das iniquidades do mundo...

Nem tudo – é óbvio – se transformou da noite para o dia. Desde a data da fundação de Macaúbas, em 1714, nem tudo se processou sem discórdias e incompreensões, até que os frutos amadurecessem. Mas a verdade é que a formação de Minas consolidou-se nesses agrupamentos de seres místicos e ascéticos, interessados em propagar sua doutrina e multiplicar seus núcleos, dessa maneira concorrendo para educar a mocidade. Além dos internatos, de função mais compensadora e mais grave, sucediam-se as peregrinações com resultados benéficos pelo ensinamento das pregações e concorrência da piedade. Apesar do que havia de supérfluo, ostensivo e ingênuo nas romarias mineiras em demanda aos santuários, calava fundo nos corações o anelo de progresso moral. Habituado à procura de ouro em terras distantes, através de circunstâncias árduas, o povo não media sacrifícios em busca de novos valores – os daquele ouro que os velocinos mitológicos haviam simbolizado. E assim, à margem das procissões, iam-se realizando conversões públicas, abriam-se outros educandários. Segundo Rocha Pombo, Minas Gerais possuía 172 colégios em 1870, a maioria de religiosos: os do Caraça, Diamantina, Ouro Preto, Mariana, Juiz de Fora, Barbacena, Campanha, etc. Por força de tais eventos, os ciclos da evolução de Minas se desenvolvem na base de estudos humanísticos, sob tutela eclesiástica. Tanto que em 1828 aventou Bernardo Pereira de Vasconcelos: "Até passa como verdade incontestável que [Minas] é uma das províncias do Brasil onde melhor se fala a língua portuguesa".

Escusa recordar que a essa altura já tivéramos a florescência do Arcadismo, com os seus ideais de aperfeiçoamento cultural, objetivando a própria felicidade do homem. Cláudio Manuel da Costa, Tomás Antônio Gonzaga e Silva Alvarenga, com suas meditações pessoais, amorosos enlevos e exaltações à natureza, e Basílio da Gama, com seu sentimento da vida indígena, mais do que fundadores da literatura brasileira, tinham sido fundadores de uma concepção lírica da existência. Faculdade esta propícia a escolhas sensíveis, à delicadeza e discrição, por isso mesmo desfavorável a impulsos primitivos.

Muito embora Minas houvesse atravessado longos períodos de depressão e penúria, após a fase da opulência e de alicerces culturais, são estas suas diretrizes: "o sentimento sacral da existência", segundo a lição de Alceu Amoroso Lima, e o equilíbrio das prerrogativas do ser, de acordo com a voz corrente, em síntese.

No último capítulo de um de seus livros, *As razões de Minas*, dizia Casassanta, ao fazer o elogio da ordem espiritual:

> Os mineiros não devemos esquecer-nos de que a modéstia, a moderação, a ponderação, o bom senso, a economia, a sobriedade, a temperança, a serenidade, a simplicidade, a desambição, o contentamento com o pouco,

o gosto da mediocridade no seu alto sentido helênico, foram, em todos os tempos, traços da nossa grei. É a medida, o limite, o peso, que vêm definindo e modelando a nossa ação. É o equilíbrio do corpo e do espírito, cada um com as suas exigências. Por outro lado, o culto da justiça, a tolerância, a hospitalidade, a solidariedade, a devoção pelas atividades espirituais, como a religião, as letras e as artes, acenderam, entre as nossas montanhas, um nobre lar de cultura e de humanidade. É ainda a medida a regular as relações entre os homens e a amenizar-lhes os atributos, mantendo o necessário equilíbrio entre o indivíduo e a sociedade, cada um com seus direitos e com os seus deveres.

Ele sabia do que falava, ao falar subconscientemente de si mesmo, na qualidade de mineiro da gema. Sua vida e obra foram construídas à luz dessa ordem espiritual, com os esteios da reflexão, da honradez, do sentimento e do trabalho. O estudo pelo gosto de saber, a dedicação à família por índole natural, e o magistério por vinculações sociais, foram suas atividades maiores.

De boa formação completa, mantém motivos e assuntos em nível de nobreza e dignidade, conforme suas ideias gerais. Tratou dos mais diversos interesses com a preocupação de fidelidade aos próprios conceitos. A vários ensejos defendeu a pureza da língua, a verdade, a justiça, a beleza moral, o amor pátrio, o progresso cultural de Minas. Clareza na exposição do pensamento, lógica bem armada de deslindes, períodos geralmente curtos, sempre incisivos, capítulos breves com discriminação de ideias, energia e leveza da expressão não isenta de ironia, demonstram sua agilidade mental. Nem sempre o estilo é o homem; neste caso, porém, é mais ainda: é o homem com as implicações vivenciais da natureza, gestos e nervos; com o relacionamento do meio; com as pátinas do gênio da língua; com o sabor da melhor tradição. Por isso mesmo, estilo representativo por excelência. Não foram vãs suas predileções literárias: Camões, Vieira, Manuel Bernardes, Alexandre Herculano, Camilo Castelo Branco, Eça de Queiroz, António Nobre, entre os portugueses; Joaquim Nabuco, Afonso Arinos, João Ribeiro, Carlos de Laet, José de Alencar, Euclides da Cunha, Rui Barbosa e Machado de Assis, entre os brasileiros: os mais citados nas duas antologias escolares que preparou. Sabia distinguir os mestres do idioma, sabia colher de cada qual o fruto sápido e a nota pitoresca, sabia auscultar-lhes o pensamento profundo; e, o que mais admira, sabia admirá-los com entusiasmo. A Machado de Assis dedica três estudos de importância, buscando fenômenos estilísticos e agenciando análises de texto para indução de elementos humanos e sociológicos. Sobre o caráter nacionalista de Machado – agora já reconhecido e fora de dúvida – pôde confirmar, após minucioso apuro, o que afirmara de antemão: "Quebrasse-se-lhe, porém, a casca", conforme a lição de Rabelais, que preceituava se rompesse o osso, para se achar a medula, e ter-se-ia verificado que, debaixo dessa casca, havia um tutano retintamente nacional. Sobre o "tédio à controvérsia", pergunta logo de início: "Devemos discutir? Não devemos discutir?" Passa em revista os livros do Mestre, recolhe de cada personagem a opinião e, o que é mais, a reação em momentos decisivos, aponta contradições, faz uma dissecação da palavra "tédio" dentro da obra machadiana, e finalmente conclui do exame: "A discussão é por vezes inevitável, porque um conjunto de circunstâncias nos impele e obriga. Reservemo-nos para essas ocasiões inevitáveis e colhamos, só nessas ocasiões, os males que ela nos traz ao corpo e à alma". Em seguida pondera o mineiro: "Por outro lado, Machado abre-nos uma brecha: a discussão pode trazer-nos lucro e não convém perder ocasião de lucro e aperfeiçoamento". Então – proponho – não seria o caso de se retornar às perguntas iniciais: "Devemos discutir? Não devemos discutir? Quem saberia responder?..." O que este ensaio comunica, em principal, é a funcionalidade da inteligência, o hábito da reflexão, a perícia do método, a honestidade do sistema, a paciência das perquirições. Dentro dos mundos vacilantes e perplexos que são os da vivência diária, mal saberá prever, o homem cordato, a hora e a vez de mostrar instintos combativos. Casassanta, pessoa virtualmente tranquila, voz paternal no aconchego das salas de aula, conversa amável na surdina dos gabinetes, mais de uma vez subiu nos tamancos a defender e a provar, com vigor, o que era de direito líquido.

Em "Um caso de acumulação de cargos", recurso interposto ao Presidente da República, demonstrou que, por justiça, poderia exercer simultaneamente a Cátedra de Direito Constitucional e a de Língua Portuguesa, ambas da Universidade de Minas.

Nota-se-lhe o tom fulminantemente polêmico: "Se o juiz, na decisão de qualquer litígio, procura inspirar-se em idealidades superiores, para que faça a justiça do caso concreto, por que não desceriam os jupíteres tonantes que o merecimento, o bambúrrio ou a manha hajam elevado à Consultoria Geral da República, a procurar no processo algumas espécies para atenuar as dimensões de uma iniquidade?" Extrema-se na força de persuasão, no domínio da questão jurídica, na translucidez dos argumentos, na garantia do raciocínio, na graça dos silogismos. Exatamente porque conhece a similitude entre a língua e o direito, conforme suas mesmas palavras: "Se entre o fenômeno linguístico e o fenômeno jurídico ocorrem analogias e contatos que filósofos e juristas não deixaram de assinalar, a correlação entre a Língua e o Direito de um povo apresenta-se-nos mais estreita e visível, porque forma e conteúdo se entrelaçam em tal grau que se não separam senão por um esforço de análise. Em que língua se redigem as leis?" E por aí vai com uma série de frases interpelantes, naquele estilo todo seu, de desafio ao intelecto. Se alguma pergunta se inculca – o que sucede com frequência –, já tem pronta a resposta. O hábito de lecionar o instiga à destrinça. Afasta-se momentaneamente do objetivo para mirá-lo de outro prisma, e apanhá-lo de surpresa, na estratégia do embate. Joga à feição de esgrima: seu verbo é espada, sabre, florete. Com uma nítida visão da realidade, sabe realçá-la através das figuras da oração, formas sintáticas e modos do discurso. Lembra Vieira com seus tipos de construção pleonástica, sequência gradativa crescente e assomos de pensamentos antitéticos, como estes: "por fás ou por nefas", "idas e vindas, avanços e recuos, rixas e pazes". Suas anáforas são constantes e incisivas. Nas horas cruciais em que redigiu com bravura *As razões de Minas*, dez vezes dentro de um só capítulo repetiu a expressão "o povo mineiro", ao início de cada frase, emprestando ao libelo extraordinária ênfase. No capítulo "Minas invadida", ferve-lhe o sangue à notícia da ocupação do sul. "Mas que ocupação é essa? Por acaso Minas Gerais é uma coisa sem dono, que se pode ocupar, ao capricho de um primeiro ocupante?" Aqui a energia estilística decorre da incidência familiar dos termos – ocupação, ocupar, ocupante. Assim também a outro passo, quando diz: "Não é razoável evidenciar o evidente", nasce a reiteração vocabular do seu senso de propriedade e justeza. Por isso que conhecia a matéria na teoria e na prática, sobrava-lhe autoridade para discernir o tema: *Os valores pedagógicos da língua nacional*. Lançou este livro em 1948, ao ensejo da campanha do Governo Mineiro, no sentido de aprimorar o ensino de idioma em nossas escolas. Alguns conceitos darão ideia da aula que se fez realmente magistral: "Há entre a língua e o pensamento uma relação tão íntima, que podemos asseverar que não pode pensar direito um povo que não dispõe de uma língua precisa". Mais adiante: "Que outro modo nos resta de aferir a consistência das ideias senão através das fórmulas de que se revestem?" Finalmente: "Aumentar a propriedade e a precisão da expressão equivale a aumentar as forças de aproximação e de entendimento entre os homens".

Como se vê, seus horizontes se abriam para todos os lados, em círculos progressivos de influências, pela comunhão dos espíritos e cultura integral. Quer que as criaturas se entendam e, quando esbarra numa injustiça, está pronto a defender o injustiçado. É o caso do ensaio "Júlio Ribeiro e Maximino Maciel". Refuta a ineficácia das acusações do segundo à *Gramática* do nosso coestaduano e, simultaneamente, contra-ataca apontando deslizes de linguagem nos mesmos períodos acusadores de Maciel. Não o faz com ímpeto mas graça irônica, terminando por dizer o óbvio: "Sai o feitiço contra o feiticeiro..."

Intitula-se *O poder de veto* a tese de Casassanta no seu concurso de Direito Público Constitucional. Por que teria escolhido um tema de interesse aparentemente restrito? A explicação é cabal: "O veto está situado na intersecção do executivo e do legislativo, e é exatamente nas relações entre um e outro poder que reside o mais grave problema político de nosso tempo". Ao enfrentar a questão, apresenta de início uma plataforma em que se estabelece a conceituação semântica, política e jurídica do veto, em termos claros. Mais uma vez a língua preside a um deslinde de jurisprudência. E como se elucida a vários ângulos a significação do vocábulo, daí por diante o pensador pode filosofar, discutir, apreciar e criticar, ao longo da história do direito comparado, a significação da coisa em si mesmo. Não fosse conhecedor exímio da língua, careceria de elementos para configurar as sutilezas do assunto; nem se decidiria pela denominação "poder de veto" de preferência a "direito de veto".

Deve-se ainda ao professor mineiro um trabalho primoroso, de organização, seleção e orientação pedagógica: as duas antologias que preparou para 4 séries ginasiais. A escolha dos trechos de leitura não podia ser mais feliz, pelo atrativo dos ensinamentos, com inestimáveis subsídios para a disciplina linguística e inúmeras sugestões para a formação literária. Encerra o segundo volume um Plano de Lição do melhor quilate. Toma ele a primeira estância de "O caçador de esmeraldas", de Bilac, situando o poema no tempo e no espaço. Recomenda a limitação de objetivos no exame do poema. Propõe uma análise de ideias e prospecção do tema "bandeira". Propõe uma análise da forma no sentido de se explicarem as ideias do texto, com o auxílio do dicionário, para conhecimento de diferenciações semânticas, por exemplo, entre "buscar" e "procurar". Aconselha o estudo da formação de algumas palavras em pauta e, logo, de uma família de palavras. Passa para a lexicologia, depois para a sintaxe, em seguida para a gramática histórica, mais tarde para a metrificação e, ao cabo, preconiza para os alunos uma composição escrita em afinidade com o assunto. Vale dizer: Mário Casassanta, revitalizando o ensino do idioma através do fenômeno estético e, assim, dinamizando o aprendizado literário nos seus fundamentos, foi um precursor do estudo estilístico entre nós. É este, a meu ver, um de seus melhores títulos.

Encerro minhas apreciações com algumas lembranças de ordem pessoal. Vi-o pela primeira vez em Pouso Alegre, onde já brilhava a sua estrela. Fazíamos versos, ambos; ele – com vaidade o recordo – vivamente se interessou por minhas primeiras tentativas poéticas. Falava com extrema vibratilidade e elegância de linguagem, usava termos que eu mal conhecia, citava livros que eu ainda não lera. Na minha inexperiência e timidez de iniciante, recolhi o exemplo e guardei o estímulo. Bem mais tarde, entre alguns encontros eventuais, mantivemos conversa numa livraria de Belo Horizonte. Eu começava a escrever ensaios e ele se mostrava inquieto e temeroso de que os incursos teorizantes pudessem ser prejudiciais à poesia. Defendi-me de seus argumentos asseverando que a poesia tem aspectos profundos que só se revelam através da pesquisa e da reflexão. Não o convenci nem ele a mim. A última recordação que conservo de sua personalidade é marcante: uma tarde nos encontramos casualmente na sala de espera de um gabinete médico; pretendíamos ambos licença regulamentar para repouso e tratamento de saúde. Estivemos duas horas em colóquio tranquilo, sentados em banco de madeira, enquanto os demais funcionários públicos esvaziavam a fila, paulatinamente atendidos por ordem de chegada. Ele, que ocupava lugar proeminente no governo do Estado, nada fez para obter primazia. E eu me senti tomada de admiração diante da singeleza de sua atitude.

Por tudo isso, agora que ele desapareceu do nosso convívio, considero verdadeiro privilégio ocupar a cadeira nº 26, que lhe pertenceu, na Academia Mineira de Letras.

BIBLIOGRAFIA

CASASSANTA, Mário. *As razões de Minas*. Belo Horizonte: Imprensa Oficial, 1932.

————. *Minas e os mineiros na obra de Machado de Assis*. Belo Horizonte: Ed. Amigos do Livro, 1932.

————. *Machado de Assis e o tédio à controvérsia*. Belo Horizonte: Ed. Amigos do Livro, 1934.

————. *O poder de veto*. Belo Horizonte: Ed. Amigos do Livro, 1937.

————. *Machado de Assis, escritor nacional*. Rio de Janeiro: Federação das Academias de Letras do Brasil, 1939.

————. *Notas de Raul Soares à gramática de João Ribeiro*. Belo Horizonte: Ed. Paulo Bluhm, 1941.

————. *Antologia ginasial*. Rio de Janeiro: Francisco Alves, 1945.

CARRATO, José Ferreira. *As Minas Gerais e os primórdios do Caraça*. São Paulo: Cia. Editora Nacional, 1963.

LIMA, Alceu Amoroso. *Voz de Minas*. Rio de Janeiro: Agir, 1945.

POESIA DE ABGAR RENAULT

O lirismo extremamente introspectivo de Abgar Renault contrasta com a visão pessimista do poeta com relação à vida exterior. É este, creio, o traço fundamental de sua personalidade artística, o motivo nuclear de sua poesia: a divergência entre o íntimo ser, tocado de limpidez, e as agruras do cotidiano de que o poeta assume consciência de maneira trágica, fatalizada, irreversível. Enquanto o espírito percebe com estranha acuidade o inelutável das coisas, as faculdades sensíveis se enternecem com o que há em tudo de precário. Assim, a sensação do trágico se ameniza através da translucidez emotiva, espiritualizando-se e colocando-se a palavra em seu posto de equilíbrio. Não existe propriamente um conflito à base desse contraste que não se resolve em atitude agreste nem se dissolve em dilaceramento. Com efeito: observados os matizes diferenciais entre o dramático e o trágico, é de ver que essa poesia habita a atmosfera mais árdua, onde assiste o inexorável, onde não sopram as brisas da esperança, nem se pressente o amanhã. É tudo presente, embora seja muito tarde ou demasiado cedo. É o que sugerem os seguintes versos:

> Dos teus confins, ó tarde envelhecida,
> irreparavelmente acena a vida
> frio lenço de aquém e de jamais,
>
> desliza no silêncio em que navegas
> e enche com o seu respiro as velas cegas
> da absurda nau de treva em que te vais.

O estilo do poeta é nítido, a construção de seu poema se recorta em técnica delicadamente geométrica, sem espraiar de sentimentos nem respingos de espuma. À pureza excepcional da linguagem e, mais, à finura da sensibilidade artística se devem tais impressões. Ele conhece bem o valor da palavra, de acordo com seu próprio conceito de mestre: "... é mágico o poderio criador dessa trivialidade prodigiosa que é a palavra: só existe verdadeiramente para o espírito humano o que já foi por ela consagrado: as coisas que não têm nome não têm existência".

Não se trata de uma poesia fantasiosa mas daquela em que a imaginação se orgulha de ser o que é: reflexo, deslinde, desdobramento e superação do real. Assim o atesta "Última tule" de que ressaltam estas passagens:

> Chega um momento em que a vida é distância e tudo é tarde.
> ....
> Nossa contraditória tripulação solta, entretanto,
> as suas âncoras...
> ....
> E nem sabemos, de tantas viagens,
> a que não regressará, nem onde estamos...
> ....
> Déramos o perdido e o escasso por perder
> para encontrar numa borda do tempo
> a nossa forma, o húmus de astro que tivemos.

Longe de impessoal e abstrata como de início a julgaríamos, essa poesia revela um ser humano que recolhe a emoção em profundidade para devolvê-la à superfície expressiva sem a mácula da desordem e até mesmo sem a névoa do pranto; um ser cuja sensibilidade inclui nobreza, dignidade, rigor para consigo mesmo e sua dicção. Todo o livro *A lápide sob a lua* é uma vivência de dor e fortaleza dentro de uma síntese linguística apurada no crisol da metáfora. Por exemplo, os versos de "Chão morto", onde o total despojamento da alma se equipara à força vocabular:

> ... este acontecimento que estala os ossos.
> Ou estas palavras: sal, areia, surda pedra, geladas lavas
> em que não nasce fonte, avaro fruto, espinho amargo.

Aí se contém o máximo desespero na mais perfeita sobriedade formal.

Neste livro, como em páginas esparsas, toda alusão à natureza externa traduz algo de inefável ou simplesmente espiritual, nascido, entretanto, de experiência concreta. É que o espírito comanda os sentidos intransigentemente. Daí talvez a quase ausência de coloridos. Dir-se-ia que o artista joga com os extremos, preto e branco, o cinza pérola a esbater-se amenizando as arestas. Nenhuma refulgência tropical a não ser, porventura, certo "Soneto catastrófico", assim batizado por ele que diz, diante do "caminhar da deusa":

> ... os sólios
> desabam, e das órbitas os olhos
> disparam como setas incendidas.

Se não me engano, presidiu a este transe uma atitude histriônica nada ociosa para conhecimento de mais uma faceta psicológica do autor. De modo geral, seus poemas guardam discrição absoluta. O que não impede que eles se situem na órbita das coisas vivas e sejam como corpos sólidos cujos contornos se definem por uma luz indireta. A sugestão visual dessa estrutura é de colunas erguidas, em ambiente de religioso mistério. Ninguém encara o ignoto com mais respeito do que Abgar Renault, nem o exploraria com enlevo maior se não sentisse a inutilidade de todo mergulho metafísico. Ao ensaio do voo transcendente supera a noção da fatalidade:

> (De onde nascemos? onde, em nós, a morte,
> que vai matar-nos vive?) Temos ano
> menos ano nas mãos sem luz nem norte.

O verbo exato, a adjetivação reprimida, as frases enxutas dão ideia do que restou em subterrâneo silêncio. Uma ardente serenidade domina a criação de Abgar mesmo nas horas sombrias. A página "Condição humana" em que paira veladamente a natural angústia de quem procura ver além do visível – porque o nosso postulado é este: ver além do visível –, testemunha o pressuposto:

Não conhece Homem nada do que existe, nem se existe
e o que sabe e sente é apenas uma véspera.

Ele contempla horizontes longínquos, mas reconhece que sua morada é aqui nestes rochedos solitários onde a voz dos homens não obtém resposta. Concentra-se então cada vez mais em si mesmo, como a buscar nos mares do pensamento a solução; e encontra a palavra rara, firme e durável, tal como a pérola, a que existe por si própria, consoladoramente, sem exigir resposta. Que mais desejar, por exemplo, diante da pura beleza de "Abril", de forma tão exata que não se deixa remover, traduzindo, embora, a nostalgia aquém da existência?

Ó morta mão de névoas que hoje lanças
a curva no horizonte no meu lenço
e ao fundo deste espelho a única flor!

BIBLIOGRAFIA

RENAULT, Abgar. *A lápide sob a lua*. Belo Horizonte: Imprensa Universitária – UFMG, 1968.
————. Letras e Artes. Suplemento de *A Manhã*. Rio de Janeiro, 25 maio 1947, 9 jul. 1952, 7 set. 1952, 5 abr. 1953, 10 ago. 1954.
————. *O ensino da língua portuguesa nas escolas mineiras* – "Justificação, instruções e programas". Belo Horizonte: Secretaria da Educação de Minas Gerais, 1947.
————. *Suplemento Literário do Minas Gerais*. Belo Horizonte, n. 99, 20 jul. 1968.

SECRETA MÚSICA

A poesia de Emílio Moura é uma secreta música. Talvez seja de fato a música — no sentido de "puro movimento liberto do concreto" — o elemento essencial de sua poesia, com a ressalva de não ser tão livre, a palavra, quanto o som que se transforma em tom de categoria musical específica. Mas a palavra possui também um sopro transfigurador que é a voz lírica do poeta, a voz trêmula de emoção, límpida de expressão, propícia à comunicação. Não me refiro, evidentemente, à voz que ressoa em termos de propriedade física mas àquela contida nos versos de modo implícito, a que os torna coisa viva e humana, capaz de repercutir em sensibilidade alheia. É que os poemas de Emílio Moura dão ideia de levitação, imponderabilidade, volatilidade. Sofrem um processo de evolução até o término, lá onde começa o silêncio que indefinidamente os prolonga. Sucedem-se os versos em cadência, da mesma forma como se sucedem as notas de uma melodia, encadeadas umas às outras, um primeiro impulso provocando outro impulso, a corrente deslizante no ar, o tempo fluindo, os caminhos espaciais se abrindo por encanto para visões que não se deixam ver às claras, mais ou menos etéreas. Essas visões se aliam ao movimento criador de alteração contínua, ou melhor, de modulação. Nada de fixo, cristalizado ou estático. Suas evocações — anjo, musa, mulher, princesa, mito, espelho — são formas que passam e tornam sem paralelo certo nem revelação cabal, assinalando aspectos de uma profunda inquietude sem nome, além dos anelos do amor, de beleza e de paz. Entre muitas alusões a viagens e distâncias, há uma sequência marcante de asas. E esta expressão lhe é cara:

Dentro das asas fluidas desta noite. ("Irremediável")

Por que será que aquelas asas me comovem? ("Inquietação")

Ah! o ruflar aflito de asas! ("Inquietação II")

Asas, nenhuma. / Vida, nenhuma. ("Renúncia")

Um voo rápido de asas?
Tuas Mãos. ("Presença")

Um bater súbito de asas. ("Elegia III")

Amarraram-te as mãos e pregaram-se as asas. ("Momento")

A problemática humana, de sentimento e percepção do real, Emílio Moura a transpõe de imediato para uma esfera de abstrações, cujo simbolismo transparece de modo evanescente e brumoso. Quando se refere a espelho – uma de suas metáforas prediletas – prevalece a sensação de objeto diferenciável, quase diria não identificado, espécie do disco voador.

Procuro-te em tudo:
no espaço, no tempo.
No cristal partido
há rostos inúmeros.
São múltiplós, tantos.
Nenhum te conhece. ("A musa no espelho")

Criador de atmosfera onírica, agencia, para efeitos sugestivos e suspensivos, uma adjetivação de ordem mental: múltiplos, inúmeros, inumeráveis, várias, imaginárias, intransponíveis, invisíveis, incorruptíveis, inexoráveis, etc. Esses vocábulos como que dilatam o ambiente, espiritualizando e registrando o momento poético, não como conceituação do efêmero mas como fluência de si mesmo. Concorre, ainda, para essa peculiaridade, o emprego de certas categorias gramaticais – advérbios circunstanciais de tempo ou locações paralelas, e conjunções subordinativas temporais. Alguns exemplos confirmativos:

> Agora, que te encontrei, é como se eu já te houvesse perdido. ("É preciso")

> Se eu pudesse regressar, agora, tu irias comigo. ("Poema")

> Agora que se fez noite. ("Agora")

> Por que foi que, de repente,
> todas as vidas se somaram
> para me envolver neste momento? ("Meu coração")

> Enquanto os homens se agitam e se entredevoram... ("Um dia")

> Quando os homens desceram, um dia, dos montes...
> ("Ode ao primeiro poeta")

> Quando a luz desaparecer de todo... ("Permanência da poesia")

> Quando a multidão, que há de chegar, estiver toda, toda nas ruas.
> ("Libertação")

> Penso agora naqueles que vieram cedo demais
> e se cansaram,
> e naqueles que chegaram depois que todas as portas já estavam
> fechadas. ("Meu coração")

> Quem explicará aos que vieram depois de nós que nossa verdade foi
> soterrada? ("Poema")

> Às vezes, de repente, é como se tudo houvesse desaparecido da face da
> terra. ("Às vezes")

Para acentuar essa integração no tempo, de vez em quando surge alguma hipérbole:

Por tantos e tantos séculos de resignação e humildade. ("Poema patético")

Parece que aqui estou há séculos. ("Renúncia")

Reiterando a feição melódica desse estilo, há que ressaltar o processo de ritornelo geralmente usado no canto de partitura musical, com versos que, além de constarem do introito, se intercalam entre as estrofes. Como as seguintes:

A nau que chega do Além
de onde é que vem?
....
A nau que chega do Além
dizei-me vós, a que vem? ("A nau")

"Cantiga do solitário", "Melopeia", "Aquém das palavras", "A musa no espelho", "Por que este medo", "Solidão, solitude" oferecem outros tantos exemplos de estribilhos e anáforas, com finalidade auditiva.

Ademais, o andamento rítmico desses poemas denota exata segurança e puro senso acústico, seja no espraiar de longos versetos em coleto, semelhantes aos bíblicos, seja na metrificação estreita e sóbria, de conformidade com o tema. Trata-se, pois, de uma poesia muito comunicativa, por isso mesmo que baseada no canto, na vibração de canto numeroso, assurdinado e tímido às vezes, às vezes alto e límpido, ao reunir as vozes da intimidade do poeta às vozes que ele capta do mundo exterior, interpretando-as e mencionando-as:

Do fundo de mim mesmo é que sobem, agora, as vozes apagadas que morreram. ("Dentro da noite")

Silêncio que só não é absoluto / porque as próprias formas / mesmo vagas e rudes, / são vozes que se articulam, / bocas que falam, / olhos que choram, / vozes... ("Dentro da noite")

Até quando, Senhor, estas vozes serão as nossas vozes?
("Canto da hora amarga")

Que é da voz que era tão doce. ("Canto do libertino")

Que voz é essa / de que secretas / fontes nos chega?
("Múltipla e vária")

Voz de alguém que anda esquecido. ("Alma penada")

Entre minha voz e o eco / somente há distância / mais nada.
("Canção ingênua")

Em vão me calo, tudo são vozes: / o mar e a noite, / o céu e o vento. /
Tudo são vozes. ("Compreensão")

Que voz foi aquela / voz nítida e grave / que a mim me chamou?
("Revelação")

E se ouço a música de tua voz é como se te beijasse...
É como se, de repente, uma voz misteriosa me falasse de mim mesmo
("Poema")

Há uma voz na noite! ("Permanência da poesia")

A inquieta voz esquecida. ("Epitáfio')

Até mesmo a desalentada persistência com que se interroga e interroga a quem quer que seja ou ninguém, sobre a origem e o fim das coisas e dos seres, sem esperança de resposta, seu interesse é a própria indagação, até isso mesmo é de gratuita qualidade dinâmica. A música paira no éter, possivelmente como pergunta irretorquível, prescinde de conclusão, transcende da filosofia e da ciência mais do que qualquer atividade artística. Por analogia, a interrogação que vem da alma ondula em escada – quase sempre ascendente.

Em suma, para assegurar a viabilidade dessas anotações que me induziram a ver, no estilo de Emílio Moura, cunho acentuadamente musical, dentro de nobre harmonia subjetivo-objetiva, citarei como testemunha o autor de "Confidência":

Que palavra mágica
te direi de leve,
para que me entendas?
Quem sabe se uma única,
perdida entre tantas. Mas terá sentido?
Perdida, mas límpida,
entre tantos ecos
de secreta música.

BIBLIOGRAFIA

MOURA, Emílio. *Poesia*. Rio de Janeiro: José Olympio, 1953.

DA LÁGRIMA AO SARCASMO

A partir do título – *Sistema do imperfeito* –, o livro de poemas de Guilhermino César é um desafio à lógica e uma explicitação do absurdo, na justaposição e consequente colisão dos termos.

Não se metodiza o incompleto senão à luz do sugestivo, do que fica em suspenso, em aberto. Assim, poderíamos interpretar essa poesia em dois planos diversos, através de duas importantes características apresentadas: lucidez e rapto.

Em toda autêntica poesia, essas características caminham lado a lado e às vezes se confundem. Em *Sistema do imperfeito* elas são a própria seiva do poema. O conhecimento, o reconhecimento e o testemunho do real acarretam simultaneamente a denúncia, a reação, a superação.

O poema comporta sempre uma crítica, demolidora e construtiva ao mesmo passo, fruto de inteligência aguda e poderosa força intuitiva, de sensibilidade e sentimento.

A fatalidade histórica, imposta ao intelectual extremamente perceptivo, enfrenta um sonhador, um idealista capaz de tudo compreender e de compensar, através da crença no mito – "a única talvez / paixão limpa do homem" – e por meio da energia criadora, todas as frustrações, suas e alheias:

> Foges? Eu fico.
> Não desistirei da tua, da minha explicação,
> agora e no fim do entrudo,
> enquanto houver a fonte, o fogo, a sorte,
> enquanto o último homem
> tiver aberta a sua chaga.

Em Guilhermino César, é de notar-se uma síntese de qualidades paradoxais. Enquanto sofre os impactos do século, é flagrante sua vibratilidade anímica, da qual retira o alento para sobrepor-se a circunstâncias, para recolher experiências, confrontá-las, subjugá-las. De imediato ocorre o milagre, a reviravolta, o rapto nas asas da imaginação, com a soberana presença do humor. É pelo humor, principalmente, que o poeta extravasa o espírito, "da lágrima ao sarcasmo", na sua crítica ao humano, ao social, ao mundo moderno de que participa.

> Cada dia tem seu sumo
> Em todo fruto somos ácidos
> Em cada cego brilha a estrela
> Em cada estrela somos baços.

Em virtude dessa mesma participação natural e humana, o humor do poeta, ser altamente civilizado e profundamente culto, demonstra menos aspereza no acusar do que no sofrer, como se comprova nos grandes momentos do "Animal da tarde" ou nestes versos de "A brasa na mão":

> Viver no ácido é o meu sistema.
> Não que o tenha construído
> eu.
> Recebi de presente, não sei como.
>
> É um modo de morrer se esfarelando.

Os extravasamentos metafóricos, os acessos de riso, certas expressões duras se atenuam por uma espécie de amenidade interior, simpatia, complacência. A lágrima semioculta no sarcasmo.

É justamente pelo humor que Guilhermino revela e instaura sua modernidade, assim como seu poder de análise e abstração. O que mais admira é que essa modernidade não representa qualquer ruptura com o pretérito. O nosso poeta, ilustre e consciente, logra conservar aquela "unidade orgânica" desejável, entre a visão do passado e a do presente, para continuidade do que é perene à condição humana.

Arte é renovação, sem dúvida, porém não ruptura. Modifica-se, deforma-se e transforma-se a criatura, com o tempo; todavia conserva, no íntimo, suas faculdades essenciais. Ligam-se as épocas e as gerações através dessa Essencialidade que se define por impulsos instintivos, hereditários; que se enriquece de fatores históricos; e que se cumpre com novas opções, novas aspirações e novos requisitos formais, em hora propícia.

Na cidadela de sua originalidade, o poeta vai colecionando valores que pertencem ao coletivo; abatendo fronteiras entre a linguagem erudita e expressões populares; tomando à memória o que lhe é mais caro e à experiência o que de mais vivo encontra no cotidiano. E assim constrói o seu estilo com dignidade e graça.

"Nos olhos de Plotino ou de Doña Carmen" é um verso revelador, entre muitos outros, da fusão de elementos quase incompatíveis mas aqui conciliados por facilidade de trânsito entre influências antigas e reflexos de ambiente.

Se me permitem. (p. 3)

Não é, filantropo? (p. 9)

Ora bolas, rapaz. (p. 25)

Ora essa. (p. 36)

Não acham? (p. 68)

Mas olha, cuidado. (p. 73)

Bem, não é possível? / Lixe-se. (p. 135)

É um cão e daí? (p. 118)

Quero dizer. Certo? (p. 143)

Essas intervenções, que evocam a presença de um possível interlocutor, abrandam lances opressivos e testemunham desejo de comunicação, solicitude e solidariedade junto ao próximo.

Há momento em que é mister esquecer que "o homem trucida o homem". Então surgem as veleidades do "Ultraparticular": "Lirismeu", "Amorema" e mais jatos de cristalina irisação.

Apesar da gravidade geral, das apreensões diante de tantas vicissitudes, do sentimento trágico a envolver em sombra certas páginas, como "Seres tutelares", há nessa poesia uma aura de preparação ao júbilo, um clima de expectativa, talvez de esperança, por certo de amor. Coincide, tal atmosfera de advento, com o que Octavio Paz, ao refletir sobre o poema, denomina "crença". "É uma crença alimentada pelo incerto e que em nada se fundamenta a não ser em sua negação. Procuro na realidade [diz ele] esse ponto de inserção da poesia que é também um ponto de interseção, centro fixo e vibrante onde se anulam e renascem sem trégua as contradições. Coração-manancial." A vários prismas, considero *Sistema do imperfeito* um livro extraordinário: pelo teor humano-humanístico, de sólida estrutura, pelo equilíbrio artístico e pelas soluções inventivas, ao sabor do tempo, sem quebra de fluência poética.

BIBLIOGRAFIA

CÉSAR, Guilhermino. *Sistema do imperfeito*. Porto Alegre: Globo, 1977.

PAZ, Octavio. *Signos em rotação*. São Paulo: Perspectiva, 1972.

A PALAVRA ESSENCIAL DE JORGE GUILLÉN

Na trilha da poesia pura, tem caminhado Jorge Guillén. A partir de um conceito poético peculiar e translúcido, seus passos têm percorrido longa estrada. Esta que se faz estreita, semeada de urzes e feitiços. Aqui, de surpresa, um bosque em cujo seio seria doce repousar. Mas o alvo é bem outro. Raros são os campos de relva em que os pés se amaciam. Mas a graça interior aponta para mais longe. Sentimentos apaixonantes ou vagos, ideias nítidas ou caóticas, emaranhado social, resíduos egocêntricos, teorias, preconceitos, historicidade, alheamento, interesses temporais, vínculos com o futuro, seres, fenômenos e objetos, todo esse potencial representa perigo para a poesia que se aspira sem jaça. É lastro, areia, cascalho, joio, visco, estorvo, rescaldo. Mas é daí mesmo, dessa mescla informe, que vai surgir o diamante. A recusa a tocar no patrimônio natural ou cultural poderá conduzir à secura da fonte. Assim também a avidez da exploração em libertária escolha poderia levar ao dilaceramento da matéria.

O verso é traiçoeiro até pelo fascínio sobre os sentidos. O verso em voga, o verso contaminado, subalterno, o verso vazio, o revolto, o lascivo, o que assoma nas lindes da fantasia, não condizem com o modelar. O que nasceu da sensibilidade, este sim, carreia uma verdade interior, e ascende leve à tona das águas em transparência.

A poesia de Jorge Guillén cria em torno de si própria uma aura de transparência, luminosidade e ressonância, vale dizer, tempo e espaço de sugestão e silêncio. Cada poema de *Cántico*, *Clamor* e *Maremágnum*, na sua estrutura exata e no seu firme equilíbrio, além de configurar-se como objeto artístico, ou por isso mesmo, é uma irradiação de beleza em perspectiva, um convite à alegria de ser, de cumprir um destino. Tal como diz "La vocación":

Cada minuto viene tan repleto
que su fuerza no pasa,
y aunque al reloj sujeto,
no se humilla a su tasa
justa, no se disuelve en un discreto
suspiro. Por debajo
de un más sensible sin cesar Presente,
cada minuto siente
que seduce una voz a su trabajo.
– Dame tu amor, tu lento amor, detente. (*Cántico*, p. 248)

Por ser de natureza pura, essencial, autêntica, a poesia de Jorge Guillén se desbasta de eventuais limos vegetativos, realizando uma parábola entre o núcleo e a cristalização, esta voltada e votada à pureza da origem. Assim como sangue azul a dignificar-se, entre o foco e a diretriz, e desta novamente ao foco, em viagem de ida e retorno, ela se enriquece de experiências. Embora lúcida, a poesia de Jorge Guillén provém de uma essência que não sabemos nomear, possui uma sutileza, não propriamente hermética porém de arisca explicação, pela peculiaridade do timbre, este metal de voz inconfundível. Poderíamos talvez qualificar de inefável à delicada operação artística. Inefável, diríamos, sem desconhecimento do labor técnico, do esforço de depuração em sentido linguístico, do sacrifício de escolha entre uma imagem mais brilhante e outra mais expressiva. Se existe o mistério anterior à criação, num primeiro impulso da alma, se o mistério persiste no ato fecundo, às vezes com imposições à revelia do criador, e se o mistério insiste após a revelação – que vai de uma para outras almas, é certo: algo de inefável se imprime, como um selo, sobre a poesia. Assim como sugere "Perfección del círculo":

Con misterio acaban
en filos de cima,
sujeta a una línea
fiel a la mirada,

los claros, amables
muros de un misterio,

invisible dentro
del bloque del aire.

    Su luz es divina:
misterio sin sombra.
La sombra desdobla
viles mascarillas.

    Misterio perfecto,
perfección del círculo,
círculo del circo
secreto del cielo.

    Misteriosamente
refulge y se cela.
– ¿Quién? ¿Dios? ¿El poema?
– Misteriosamente... (Cántico, p. 80)

Desde a postura mental do Poeta à textura lírica, uma e outra afeiçoadas ao complexo de interação do homem no mundo, mediante certo modo original de afirmação, decisão e confirmação, essa poesia constitui totalidade semântica de realce para o sentido ético subjacente. Sem ruptura da linguagem tradicional, sem tributo a veleidades anárquicas, traduz extraordinárias mensagens de espírito e de vivência sensorial. Baseada em propósitos conscientes de ordem interna, não se deixou contagiar pelo pessimismo de nossos dias, nem se rendeu a inovações intempestivas, nem assumiu compromissos a não ser com o foro íntimo. Todavia, neste programa de serenidade, Jorge Guillén não se isentou de participação quanto aos problemas do homem moderno, cuja sensibilidade nobremente representa. Mesmo em página tão realista como "Dolor tras dolor", o clima não é de desesperança:

Dolor en que lo humano se aquilata
mientras el hombre crece.
Dolor de redención sobre las cruces. (Maremágnum, p. 195)

Através de suportes habituais – apoios fônicos, ritmos, metáforas, sinédoques e anáforas – tesouro de recursos analógicos, e de uma terminologia sem rebuscamentos mas de elegância natural, ressalta, particularíssimo, o estilo de Jorge Guillén, a abordar os mais variados temas exteriores, em desdobramento de personalidade.

É sua a condição de observador de minúcias e segredos; tudo na vida o interessa: os seres orgânicos e inorgânicos, as abstrações e os impactos de fardo, a presença e a ausência, o momento de adormecer e o de despertar, a inclinação da mulher sobre uma flor, o menino negro a brincar na praça. Lógica e implicitamente, essas percepções decorrem de uma percepção intimista do próprio ser, em reflexos, interferências e contracantos.

A exemplo, "Los jardines":

Tiempo en profundidad: está en jardines.
Mira cómo se posa. Ya se ahonda.
Ya es tuyo su interior. ¡Qué trasparencia
de muchas tardes, para siempre juntas!
Sí, tu niñez, ya fábula de fuentes. (Cántico, p. 315)

No universo prático-dialético-lúdico em que se desenvolve sua temática, as preferências são nítidas e harmoniosamente ligadas ao todo. Porém, entre as imagens diretas da matéria, algumas o atraem com mais enlevo por maior afinidade: a matéria diáfana entre todas, o ar. Bastaria lembrar a epígrafe de San Juan de la Cruz – "Al aire de tu vuelo" – a presidir um de seus ciclos poéticos. A seguir, examinar os títulos em que a palavra mágica se faz assídua: "Presencia del aire", "Caballos en le aire", "En el aire", "Aire bailado", "Los aires", "El aire" e, finalmente, "Aire con época". Mais do que símbolo, o ar parece significar para Jorge Guillén a própria poesia, transmudada a cada respiro, a cada surpresa de ser, de receber o dom da vida, este dom que ele transforma em dádiva. E como se utiliza do ar, senão com a mesma leveza do ar perenemente inaugural, em ondas melódicas que se entrelaçam verso a verso, e que se esquivam às vezes, para novos encontros? Também o cristal – matéria de resistência e pureza – comparece com fidelidade (vocabulário e fenômeno) a iluminar a gama visual das cores, quase sempre o azul, outro símbolo amável. Elementos auditivos, prenunciados pelo tema da música, e táteis, alimentados pela reiteração de formas redondas – corolas, conchas, zeros, anéis e círculos, muitos círculos, denotam sua acuidade sensorial. Na faina de contemplador que se aproxima sempre mais do objeto contemplado, e frequentemente o rodeia a fim de melhor captar ângulos e prismas, o poeta exerce seu dinamismo. Esta volubilidade de movimentos lembra desenhos abstratos, espirais volantes e, não fosse ele espanhol, bailados esbeltos.

De modo especial, as décimas de "El pájaro en la mano" causam a impressão de círculos giratórios em torno do núcleo, em acabamento preparado para retorno, de envolvente contexto.

Note-se ainda o seu poder de contenção, concentração e síntese, o qual vem a culminar numa série de epigramas em que a alusão não se completa senão pelo que cala, em opção de reserva ou malícia:

> *Junio digo. Digo floresta.*
> *Una flora digo carnal.*
> *(¿Sugerí ventura de siesta?) (Maremágnum*, p. 115)

Esta poesia que se processa de maneira jubilosa e que se irradia, ora em solilóquio, ora em diálogo (consigo mesma, com algum interlocutor ideal?), constitui-se em lição de plena saúde. Poeta da manhã à noite, pela noite adentro, pela vida afora, catedrático de alegria, este é Jorge Guillén. Que vocação maravilhosa, que luminosa entrega de alma e corpo à certeza de ser, de viver!

> *A su alma un cuerpo guía.*
> *¿Cuál es cuerpo, cuál es alma?*
> *Una voz es: poesía. (Maremágnum*, p. 128)

BIBLIOGRAFIA

GUILLÉN, Jorge. *Cántico*. Buenos Aires: Sudamericana, 1950.
———. *Clamor. Maremágnum*. Buenos Aires: Sudamericana, 1957.

CONFERÊNCIA LITERÁRIA: ALPHONSUS DE GUIMARAENS

Há oito anos escrevi esta conferência literária para ser lida, como foi, no Rio de Janeiro, a convite do Ministro Capanema[1]. Creio que hoje realizaria estudo melhor. Principalmente se fugisse ao padrão – conferência literária.

Entretanto, não posso furtar-me ao ensejo de ver publicado este trabalho em toda a sua espontaneidade, porque ele representa um dos primeiros esforços para a divulgação de um grande poeta. Isso não constitui merecimento intrínseco para a obra. Vale, apenas, como desculpa do imperfeito.

Belo Horizonte, 1945
Henriqueta Lisboa

1 – O movimento simbolista em França

Para julgarmos do valor do Simbolismo, precisamos considerá-lo não apenas como um gesto de reação contra preconceitos de escolas literárias, mas sobretudo como um sinal dos tempos, expressão profundamente sincera da alma coletiva que, nos fins do século

---

1 A autora faz referência ao convite de Gustavo Capanema para redigir a biografia de Alphonsus de Guimaraens por ocasião da série de conferências promovida a partir de 1936 pelo Ministério da Educação, sob o título de "Nossos Grandes Mortos". A conferência foi publicada em livro, com notas bibliográficas e cronológicas, pela Editora Agir em 1945.

XIX, se debatia ansiosa por novos caminhos espirituais, nas prisões exaustas do Naturalismo e do Parnasianismo. Assim, o movimento simbolista, pela voz intuitiva dos poetas, revelou em síntese novas aspirações da humanidade. Talvez não assim tão novas, contudo nunca traduzidas de modo tão impressionante. Se levarmos em consideração os estudos de Tancrède de Visan e Jean Thorel, encontraremos as raízes do Simbolismo, que foi um movimento francês, ou melhor, um movimento cosmopolita da língua francesa, no Romantismo alemão, um século atrás, com a geração que sucedeu e combateu a Goethe e a Schiller, sob a chefia de Novalis, sonhando com uma poesia mais evocadora, mais subjetiva, mais verdadeira enfim.

Baseada numa doutrina metafísica, numa crítica do conhecimento, esta nova arte outorgava ao seu criador um poder ilimitado, limitando, por sua vez, o mundo objetivo, tão caro à corrente estética dos Impassíveis, daqueles que sonharam atingir a perfeição exterior, como que tendo por divisa a frase célebre: *"Le rêve c'est la vie"*. Mas uma vida toda de superfície, de coloridos, de relevos, de contornos, de sonoridade, de superfluidades, em que se esgotou a paciência das minúcias, em que perdeu o encanto o amor, concretizado ao excesso, em que todos os segredos foram ditos, todas as linhas definidas, e acesas todas as lâmpadas.

A ciência experimental, em lugar de satisfazer o homem, enchia-o de tédio e de desgosto. Comte pontificava. Era bela, sem dúvida, a religião da Humanidade. Mas cortava as asas, aprisionando em gaiolas de ouro os pássaros que ansiavam pelo azul. Além disto, *"perseveramos solo en la continuidad de nuestras modificaciones"*, como diz Rodó. Assim é que, aos influxos do mal-estar geral, uma ou outra voz se fez ouvir, isoladamente a princípio, mas logo acompanhada de outras vozes reveladoras do novo clima.

Temperamentos estranhos, carregados de toda a eletricidade ambiente, precursores de uma ideologia estética perigosa e sedutora como a teoria da liberdade, com heranças seculares de confusos desejos e sombrias inquietações, estes poetas foram todos tristes, porque escravos de suas próprias rebeldias

****

Poesia movida pelo desejo de exprimir o inefável, de traduzir a realidade que se esconde atrás dos fenômenos, tendo como fundamento estético o idealismo e a intuição, tinha que ser profundamente humana: feita de religiosidade e sarcasmo, de ironia e de dor, de revolta e resignação, de despudor e santidade: cristã e satânica a um tempo. Nunca se viram, na História da Literatura, tão intimamente unidos, os sentimentos mais puros aos mais abjetos instintos. Baudelaire, "novo Lúcifer vencido", esmerilhando a consciência até à tortura, com o pensamento obcecado pelo Cristianismo, e, sem embargo, com uma perfeita lucidez entregue a todos os desregramentos, é o exemplo do homem que transforma a graça em instrumento de perdição. Precursor da nova arte, foi o Poeta Maldito entre todos, por esta inversão de valores. Auscultando o próprio coração e identificando-o com as palpitações do universo, adivinhou, na correspondência de todas as coisas, inexauríveis fontes de riqueza espiritual para o artista.

> *Comme de longs échos qui de loin se confondent*
> *dans une ténébreuse et profonde unité,*
> *vaste comme la nuit et comme la clarté,*
> *les parfums, les couleurs et les sons se répondent.*

De certa maneira, o Simbolismo completa a obra do Romantismo, aprofundando o estudo psicológico, e, de outra, reage contra o que nele há de generalizado. Se Victor Hugo mereceu que alguém o chamasse *"bon géant hypocrite"*, é porque suas paixões são as de todos nós, somadas e confundidas, como um rio caudaloso que recebesse a afluência de muitos rios. Água da fonte, água límpida, gota d'água, que fizestes da vossa verdade e da vossa pureza?...

Uma participação mais íntima com a Natureza, uma exaltação não apenas observada e imaginada, mas sentida e vivida, não a análise, mas a síntese dos sentimentos e das sensações, foi o sonho da geração que se seguiu a Baudelaire.

Mas para exprimir as afinidades universais, para traduzir verdades imponderáveis e concretizar o que de secreto existe em nosso ser, era mister linguagem diferente da linguagem comum, estilo mais íntimo, forma como que intangível. Surgiu então Verlaine, cheio de insinuações caprichosas, de talhe flexível, a caminhar por linhas curvas, e sob acolhedoras sombras. Foi a grande surpresa. À expressão marmórea e castigada do Parnaso sucedia uma forma impregnada de fluidez e espontaneidade, como que líquida. A conquista de novos ritmos, aproximando a poesia da música, distanciou das artes plásticas, a que estivera assimilada na escola parnasiana. Com esta aquisição musical, a poesia só poderia tornar--se mais intuitiva.

Resumindo o pensamento de Verlaine, implícito nos célebres versos de *"L'art poétique"*, dizia Moréas: *"Le caractère essentiel de l'art symbolique consiste à ne jamais aller jusqu'à la conception de l'idée en soi"*. A música preconizada, forma sensível, orquestração de palavras, deveria estar sujeita, por sua vez, à ideia ou ao sentimento a expressar, nunca privados das analogias exteriores. Idealizava-se, pois, uma transposição de estados de alma, uma sondagem ao subconsciente, para trazer à tona os seus segredos, numa revelação imediatamente sensível.

Entre as duas atitudes antagônicas que definem os caracteres humanos, o introvertido e o extrovertido, fácil será a classificação dos poetas simbolistas na primeira categoria. Os traços que exprimem a afetividade do tipo subjetivo, segundo Helena Antipoff, são o constante descontentamento consigo mesmo, a contínua irritabilidade, contra si e contra o mundo, isto porque têm ideais elevados demais: "querem ter o poder de um Alexandre, a sabedoria de Salomão, a riqueza de Cresus, a santidade de Cristo". Outros traços, facilmente reconhecíveis, são a desconfiança, o desejo de evasão e, na opinião de Kunke, a dissimulação. O introvertido sente-se diminuído pelo próprio subjetivismo, e por isso "inventa subterfúgios e esconderijos para não dar a perceber sua maneira de ser, para disfarçar a realidade". Estes subterfúgios e esconderijos, no caso em estudo, correspondem certamente aos símbolos. A verdade mais amarga torna-se bela através dos velários.

No que toca à forma, os processos são coerentes como se houvesse o pudor de dizer tudo; não a paisagem total e clara, mas contornos imprecisos, o voo de uma asa, a queda de uma folha; nunca a luz meridiana, mas o reflexo de um raio de sol poente, não um acorde em cheio, mas o eco de um badalar de sino à distância... *"Dans le*

PROSA * CONFERÊNCIA LITERÁRIA

moment et dans le mouvement", diz Gustave Lanson, *"ils inscrivirent les choses éternelles, les lois secrètes de la nature et de l'être."*

Hora propícia a todas as rebeldias, esta, de autodivinização. Foi ela que serviu à imaginação violenta de Rimbaud, ou foi Rimbaud que a tomou para si, que lhe deu vida nova, com a palpitação desenfreada dos seus anseios, vivendo-a sobretudo em ação, depois de abandonar a arte, nas suas peregrinações pelos quatro cantos do mundo? A evasão à realidade só é necessária àquele que a conheceu profundamente e dolorosamente. Quem escreveu *Le bateau ivre,* antes de vivê-lo, que segredos da alma não teria revelado, se depois do cansaço e das desilusões das viagens inúteis tivesse dito alguma coisa? Ah! o silêncio prodigioso!...

"L'art c'est la contrefaçon de la sainteté", diz Claudel. Neste caso, o Simbolismo foi bem o drama de Deus. A ausência de Deus, nas obras de Mallarmé, a procura de Deus onde ele não poderia estar, nos poemas de Rimbaud e de Cruz e Sousa, o fanatismo em Deus, nos versos de Verlaine e de Alphonsus, são as três fases culminantes deste drama de almas tocadas por místicas vocações.

2 – O movimento simbolista no Brasil

O Brasil, terra lírica e ardente, impossibilitado ainda de viver em plenitude, sonhando sonhos desmesurados como a extensão de suas terras, sonhos grandiosos como a altura de suas montanhas e sonhos esplêndidos como o fulgor dos céus tropicais, o Brasil, resignado e crente pela herança da Cruz, a cuja sombra se deixou ficar desde o dia do seu descobrimento, impregnado de superstições, de signos, de bruxedos e feitiçarias africanas, de evocações seculares de Minho e de Douro, de recalcamento e docilidade no sangue herdado do índio, o Brasil inquietamente místico, ingenuamente bárbaro, quer dizer, indefinido, foi um campo propício à floração espiritual da poesia simbólica, aberta a todas as perspectivas. O momento era de ideologias novas. Vinho embriagante que efervescia em todas as taças, a República fazia sonhar, num delírio multiforme. O Parnasianismo atingira o apogeu da afetação, do preconceito, da ordem estabelecida.

3 – Cruz e Sousa e Alphonsus de Guimaraens

Ao mesmo impulso da liberdade política, a liberdade artística fremiu então como uma tempestade cósmica, nos versos de Cruz e Sousa. Filho de escravos, negro como a noite, o poeta de *Broquéis* e de *Faróis* agigantou-se no sul do país como um novo Prometeu acorrentado ao desespero da raça. Não tardou que das montanhas de Minas uma outra voz se ouvisse, igualmente misteriosa, usando dos mesmos processos estéticos, filiada à mesma intuição de beleza. Contudo, que diversidade perfeita! Cruz e Sousa, nascido no litoral, reagia violentamente contra todas as coisas, como que ao influxo de marés bravias. Abrigado pelas montanhas centrais, o espírito de Alphonsus evoluía com serenidade buscando uma nova arte, como quem espreita o nascimento de uma estrela. Se o primeiro traduzia a revolta do inconquistado, o segundo se resignava diante do inelutável. Cruz e Sousa soberbo, descontrolado, ríspido. Alphonsus modesto, equilibrado, insinuante. Nas cavalgadas, nas grandes fugas, nos troféus e nas apoteoses, encontrou o poeta de Santa Catarina suas alegorias. Para o solitário das montanhas, os jardins, os cemitérios, os recantos enluarados, as olheiras de veludo, foram motivos de inspiração. Na poesia do Negro há obsessão de claridade e alvura: multiplicam-se lírios astrais, esferas cristalinas, dalmáticas de neve, lácteos rios, clarões que alagam, marfins e pratas diluídas, regiões alpinas, opulência de pérolas e opalas. Nos versos de Alphonsus são crepes, sombras funerárias de ciprestes, véus de confessandas, luares de desamparo, altares quaresmais enfeitados de roxo. Se um dizia orgulhosamente a si mesmo:

Por sóis, por belos sóis alvissareiros,
nos troféus do teu sonho irás cantando
as púrpuras romanas arrastando,
engrinaldado de imortais loureiros,

cantava o outro em surdina ao seu coração:

– Trovador, as tuas trovas
têm o perfume dos lírios

e o palor das luas novas...
– São flores para martírios,
são goivos por entre covas.

Aquele toma de assalto a nossa admiração, qual intrépido aventureiro: perturba e fascina. Este, para ser amado, deve ser meditado, é confidente suave: dulcifica e emociona. E porque sintetizaram ambos, de modo tão diverso, dois caracteres estruturalmente brasileiros, o impulsivo e o contemplativo, são as duas figuras mais nítidas do Simbolismo brasileiro.

4 – Outros simbolistas

Citemos de passagem outros nomes do movimento espiritualista: Mário Pederneiras, cuja estreia se deu em 1900 e a quem Rodrigo Otávio Filho consagrou delicadas páginas evocativas, foi bem o cantor da cidade carioca, da vida simples, do amor conjugal e da ternura paterna. Artista encantador, sua poesia é água de fonte pura, que nos dá a beber no copo verde-claro dos tinhorões da própria chácara, enquanto chilreiam cigarras nas árvores, de mistura às vozes ingênuas da infância... *Histórias do meu casal*, sobretudo, o livro da felicidade tranquila e do sofrimento em surdina, é um pequenino tesouro para os que prezam as afeições singelas e saudáveis.

Silveira Neto, a quem Nestor Vítor, o grande crítico dos simbolistas, apresentou ao mundo literário, ao ensejo do aparecimento de *Luar de inverno*, em 1900, causa-nos, de fato, a impressão de um Castro Alves que desesperasse, mas um Castro Alves interior, de estranho subjetivismo, tocado de uma renúncia trágica, que culminou amargamente neste verso desdenhoso e soberbo: "Mas eu não amo para ser amado".

Imagens em assombro, olhos em fosforescência, sombras em paroxismos, suas imagens evocam procissões de almas do purgatório.

Emiliano Perneta, a quem Nestor Vítor, Andrade Muricy e Tasso da Silveira consagraram eruditos estudos, foi o esteta exuberante de vida, claro, sensual, caprichoso e desassombrado, que viveu numa embriaguez mística pela natureza, comunicando-lhe a sua ressumante seiva poética, adaptando-a aos seus anseios gloriosamente pagãos. Falando ao próprio coração, ele mesmo definiu seu temperamento paradoxal:

Livre por condição e por índole, tu
nasceste para ser como um selvagem nu.
Um selvagem, porém, que tem paixão por astros,
estátuas, capitéis, colunas e alabastros.

Dario Veloso é um nome à parte neste movimento, pela sua personalidade curiosa de condutor de almas.

B. Lopes, Nestor Vítor, Félix Pacheco, Saturnino Meireles, Virgílio Várzea, Castro Menezes, Gonzaga Duque e tantos mais, congregados em torno do bardo negro, exibindo o rótulo pomposo de "Romeiros da Estrada de São Tiago", representavam galhardamente uma geração rebelde, que se expandia através das páginas da Revista *rosa Cruz*, dirigida por Saturnino Meireles, a qual estampava também os versos de Alphonsus, admirado por todo o grupo novo, especialmente por Cruz e Sousa, segundo o depoimento de Horácio Guimarães, que militava por esta época no jornalismo carioca. Não tardaram a dispersar-se, às solicitações da vida multiforme, os elementos de reação literária. Isolado na sua torre de marfim, entre as montanhas nubladas de Minas, fiel, até à morte, à sua vocação, Alphonsus de Guimaraens, aquele que parecia, na expressão de Agripa Vasconcelos, um fidalgo em desterro, fez-se o mais suave dos místicos, o mais fino dos poetas brasileiros.

5 – O homem e a vida

Nasceu Afonso Henriques de Guimarães em Ouro Preto, a 24 de julho de 1870. Sua mãe, Francisca Guimarães Alvim, era brasileira, possuía "olhos marinhos e fronte ideal de celta", segundo a expressão do nosso poeta. Seu pai. Albino da Costa Guimarães, era português, nascera e crescera ao pé de Fafe, na vida simples dos trigais. Entre os antepassados de Alphonsus encontramos o poeta

João Joaquim da Silva Guimarães e Bernardo Guimarães, tio-avô de Alphonsus, pelo lado materno.

No ambiente propício à melancolia e ao sonho, na cidade histórica de Minas, que vivera dias de fausto e aventura nos tempos coloniais, de que guardava a misteriosa recordação nos casarões vazios e nas igrejas em penumbra, o espírito de Alphonsus se plasmou, sua sensibilidade ainda tenra amoldou-se de uma vez para sempre. Ali passou os dias de infância e adolescência. Criança, seus olhos brincaram com os anjos das procissões lendárias, seus ouvidos ouviram o badalar dos sinos pelas manhãs e, às tardes, suas narinas aspiraram o perfume do incenso. Menino, é bem possível que o seu brinquedo predileto tenha sido o de ajudar à missa, o de sacudir turíbulos de prata para ver a fumaça encher o templo de volutas caprichosas. Adolescente, suas divagações de jovem enamorado da vida deveriam florescer nas novenas de maio, nas quermesses ao luar, entre bandas de música e fogos de artifício... Foi seu professor de primeiras letras um funcionário público aposentado. Veio depois o Liceu Mineiro, cujo diretor era Randolfo Bretas, e onde fez os estudos secundários. Teve como professor de Latim Afonso de Brito e de Inglês Mr. Corsey. Matriculou-se em seguida na Escola de Engenharia. Ao cabo do primeiro ano, renegava estes estudos, num desfastio por todas as coisas. Um grande golpe acabava de sofrer, um golpe que o marcaria para sempre. Constança, aquela que primeiro amou, na pujança dos seus verdes anos, com a ternura dos grandes místicos, vitimada de uma tuberculose fulminante, trocara a terra pelo céu. O noivo inconsolável, que era também primo da enferma, filha de Bernardo Guimarães, longas noites velou à sua cabeceira. Uma bronquite apanhada na ocasião do luto fez com que os parentes se alarmassem. Era preciso que Alphonsus mudasse de clima, de ambiente. Em São Paulo poderia estudar Direito e, talvez, esquecer... Para lá seguiu, dando, logo, início ao curso e encontrando espíritos brilhantes que sem demora o procuraram.

A convivência intelectual dos novos amigos confortava-o, de certo modo, das amarguras íntimas. Severiano de Rezende, a quem se ligara por toda a vida, por uma destas amizades sólidas que só a comunhão de espíritos preside, Adolfo Araújo, Viana do Castelo, Freitas Vale, o Jacques d'Avray a quem Alphonsus chamava "prince Royal du Symbole", faziam parte da sua vida de estudante. Reuniam-se então quase diariamente na Vila Kirial, magnífica residência de Freitas Vale, o dono da casa, Severiano de Rezende, Alberto Ramos e Alphonsus, até que um dia, segundo a expressão de Freitas Vale, "o destino os separou sem os desunir". Tendo recebido grau de bacharel em Ciências Sociais pela Faculdade de São Paulo a 8 de janeiro de 1895, regressa o nosso poeta a Ouro Preto, onde lhe é conferida a 9 de março, do mesmo ano, a carta de bacharel em Ciências Jurídicas. Nomeado Promotor de Justiça de Conceição do Serro em abril de 1896, lá fixou residência. Três meses mais tarde aceitava o cargo de Juiz Substituto, correspondente a Juiz Municipal. Ali se casou a 20 de fevereiro de 1897, com Zenaide, aquela em cujo jardim florescia um pé de cinamomo, que Alphonsus cantou em prosa e em verso. D. Zenaide, que ainda hoje conserva traços de uma extinta beleza, foi o anjo do seu lar, amiga desvelada de todos os momentos. Deu-lhe quatorze filhos que aí estão, perpetuando dignamente o nome do pai. O mais velho, João Alphonsus, já teve sua consagração como romancista moderno, humano, de flagrantes nervosos como desenhos animados. O mais jovem, Alphonsus Filho, é poeta singular, que ameaça fugir para a noite, para o mar, para o desconhecido, atraído pela voz lírica da raça que lhe vem de mundos ancestrais. Em 1904, sob os auspícios do Coronel Soares Maciel, agente executivo da Câmara, fundou Alphonsus um jornal, com o nome de *Conceição do Serro*, hebdomadário que marcou época nos anais do jornalismo do interior, pela sua feição diferente, literária quanto possível. Saíram a lume 45 números deste jornal de que o nosso poeta era, segundo ele mesmo dizia, diretor, redator, revisor e tudo o mais. O humorismo de Alphonsus, aí revelado em crônicas antifeministas e de outra espécie, em sátiras contra as sogras e os médicos, é uma face interessante do seu temperamento. Mesmo os anúncios eram feitos evidentemente por Alphonsus:

Senhoras e senhoritas
Vinde vinde na carreira

Contemplar as belas chitas
Que há no Olímpio de Oliveira.

Tal é o fato que me assusto
e a engraçado não me meto:
ele vende pelo custo
perdendo todo o carreto!...

O jornalzinho conta anedotas autênticas: de uma feita um indivíduo qualquer, zangando-se por motivo irrisório com a publicação, devolve o número – causa do mal-entendido – e escreve à margem: "Devolvido. Peço o recibo da redação para ser-lhe remetida a importância". A resposta veio exata: "Cientes. Pedimos a importância do que deve, para ser-lhe remetido o recibo". Estampando a sua tradução portuguesa, a francesa e o original latino de um soneto de Leão XIII "Contra a Maçonaria", soneto em que esta é duramente tratada, nosso poeta escreve no reverso da página: "Não cremos que a seita atual dos maçons seja tudo aquilo"... Temperamento pacato e sensível, avesso à luta, gostava de respeitar a opinião do próximo, era incapaz de ofender a quem quer que fosse, e mesmo as alfinetadas a certo médico – chefe do partido oposicionista local – eram, afinal de contas, inocentes...

Por esta ocasião foi suprimido o cargo de Juiz Substituto. Com que dificuldade não lutara o nosso poeta, ajudado apenas pelo ganha-pão do jornalzinho, e já com três filhos! Foi então que Adolfo Araújo, seu amigo e proprietário da *Gazeta* de São Paulo, convidou-o para redator de seu grande jornal. Ele preferiu deixar-se placidamente em Conceição do Serro, a esperar melhores dias... Vede que consequência não acarreta cada um dos nossos gestos! Se Alphonsus houvesse anuído a este convite, porventura pudera gozar de vida mais confortável e o seu nome andaria talvez consagrado no jornalismo paulista. Recusando-o, encheu-se de magnitude a sua solidão nas montanhas de Minas e ele nos pôde dar o que, no tumulto de uma cidade próspera, talvez lhe fora vedado: a obra da meditação e do recolhimento – flor que só nos climas despovoados floresce, como *edelweiss* por entre as neves.

Reconduzido ao cargo, novamente criado, e transferido em 1906 para Mariana, continuou a vida calma de beneditino, entre autos e versos.

Em 1900, estivera ele em Belo Horizonte, segundo uma crônica de Estevão Lobo, publicada no *Diário de Minas*. Só em setembro de 1915 voltou à capital mineira – e com que constrangimento! – para receber um grande banquete que lhe ofereciam os intelectuais coestaduanos. A homenagem se estendia a Severiano de Rezende, seu amigo fraternal. Realizou-se festivamente, nos salões do Club Acadêmico, tendo sido orador oficial o então presidente da Academia Mineira de Letras – Álvaro da Silveira. Foi Severiano, pletórico de seiva, expansivo, ruidoso, com uma bela cabeleira flava a coroar-lhe a fronte, quem levantou a voz para agradecer, por ambos, a recepção carinhosa e ler, não apenas versos seus como poemas de Alphonsus, pálido, silencioso e esquisito, como alguém que habitasse o outro lado da vida...

O contraste de temperamentos parece haver sedimentado esta amizade inquebrantável, que deve ter sido para o místico de *Kiriale* como um oásis no deserto. Dir-se-ia que a confiança, a força de que necessitava Alphonsus para prosseguir caminho, vinha exatamente do apoio irrestrito que lhe dava Severiano, para com os outros sempre tão irreverente e sarcástico. Este, por sua vez, sentiu-se aplacado pela lira de Alphonsus como os leões ouvindo Orfeu.

Disse Mário Matos, numa esplêndida página, a respeito de Alphonsus: "Foi ele o homem que menos se moveu em Minas, onde ninguém gosta de andar". E com razão. Ao Rio, foi apenas uma vez em toda a vida, com o fim especial de conhecer Cruz e Sousa. Silenciam as crônicas a respeito do encontro entre os dois grandes poetas. Apenas de um fato ligeiro se guarda a lembrança: correspondia-se o vate montanhês com Coelho Neto, de há muito. Vendo-o passar na rua e estando ao lado do poeta negro, exclama: "Olha ali Coelho Neto! Vamos falar com ele!" Cruz e Sousa impede-o, rude: "Não! Eu detesto esta gente!" Esta gente eram os medalhões do tempo, os indiscutidos, os dogmáticos.

Alphonsus gostava muito de Stecchetti. O "Ódio", do poeta italiano, deliciava-o. Lia-o certa vez em voz alta aos de sua intimidade. Nos versos mais violentos, em que a paixão explode rugidora e feroz, a sua voz plangente e morna prosseguia no mesmo tom. Foi então que um operário italiano, que trabalhava na mesma sala, trepado no alto de uma escada, esqueceu as tintas e os pincéis, para gritar raivosamente: *"Più forte, dottore, più forte!"*

De uma feita, apareceu-lhe em casa Noraldino Lima, curioso de vê-lo e ouvi-lo. Largo tempo ficou na sala à espera de Alphonsus. Finalmente entra o poeta, com ar distraído. Apressa-se graciosamente Noraldino: "Vim a Mariana expressamente, não para ver as catedrais, mas para ver o príncipe". A estas palavras respondeu ele em voz sumida, encolhendo-se na cadeira de braços, dentro do enorme jaquetão preto: "Pobre príncipe!"

Como todo artista, comprazia-se na própria obra. Tendo ouvido, certa vez, José Osvaldo de Araújo dizer em tom declamatório o "Lírio e a estrela", pediu-lhe de novo, no primeiro encontro, arrastando-o para um canto da sala: "Como é mesmo que você diz o 'Lírio e a estrela'?"...

Quiseram certa vez, Da Costa e Silva, Euricles de Matos e outros ardentes admiradores seus, elegê-lo príncipe de poetas, como elemento essencial de reação, à hora em que os da direita sufragavam num concurso memorável o nome de Bilac. Ele encolheu os ombros e inquiriu: "Para quê?..." Se não acreditava na ventura, muito menos na glória. Coroado de goivos, como um filósofo antigo que passeasse à sombra dos cinamomos, sorria à sua maneira das ilusões efêmeras. Não era aquele cavalheiro do poema de António Nobre, que ia num doido galopar à cata da felicidade e a quem o vento dissera:

– Toma todas as estradas
Todas, aquém e além-mar:
Serão inúteis jornadas,
nunca lá hás de chegar...

Era, sim, um faquir amável egresso das Índias, que transformava em rosas as espadas que lhe atravessavam o coração... Retraído diante de estranhos, em casa tornava-se outro, quase sempre bem-humorado e contente no seio da família. De vez em quando passava dias inteiros em silêncio. Mas era um silêncio apenas triste, que não metia medo a ninguém. A correspondência que mantinha com os filhos ausentes é uma documentação da sua cordialidade. Em 1918, ensaiava João Alphonsus os seus primeiros voos pelos amplos espaços da poesia. O pai mostrou-se afetuoso e comovido. Correu a participar a nova a José Osvaldo de Araújo, com essas palavras que traíam, ao mesmo tempo, o seu orgulho e o seu amor: "Desgraçadamente ele tem talento".

Ninguém tem o direito de acusá-lo do desejo de evasão à realidade, na ânsia de sentir talvez, num polo diverso, a poesia que não encontrava no cotidiano burguês... Imaginação transviada sem dúvida, mas humana, e da qual emanava provavelmente o humorismo que por vezes reponta na sua obra, impressão bizarra e letal, dissolvida em doçura, como um cálice de *kümmel*...

> É a ilusão derradeira.
> Ei-las, pobre caveira,
> As mortas alegrias.
> Nem urzes nem abrolhos...
> Ressurgem novos olhos
> Nas órbitas vazias.

Mas como é triste recordar sua morte aos 51 anos, quando poderia viver entre nós ainda hoje, para alegria dos que o amam! Uma síncope cardíaca, na madrugada de 15 de julho de 1921, levou-o inesperadamente para nunca mais. Os sinos tocavam a finados, desde a véspera, celebrando o aniversário da morte de um bispo. A vida imitava a arte: "Quero para morrer pompas que vi na Sé", dissera o solitário das montanhas. Teve-as, mas não eram suas. Ainda na véspera de morrer, havia escrito versos. Seu legado aí está: numerosa descendência e estes livros: *Septenário das dores de Nossa Senhora, Dona mística, Kiriale, Mendigos, Pauvre lyre, Pastoral aos crentes do amor e da morte, Escada de Jacó e Pulvis*.

Repousa seu corpo no cemitério anexo à igreja Nossa Senhora do Rosário, em Mariana, numa campa modesta, que deveria estar perpetuamente florida de goivos e de lírios.

Consagrou-lhe o primogênito aos vinte anos este soneto:

ALPHONSUS

Corre em meu corpo o sangue de um asceta:
a pulsação de minha artéria tem
o ritmo da poesia deste poeta
que me gerou cantando a dor e o bem.

Passa em minha alma o espírito do esteta:
meu sonho altivo e minha mágoa vêm
da doçura do verso deste poeta
que me educou cantando a dor e o bem.

Alphonsus, sigo a estrada que me deste.
Meus versos, de tristeza ou de alegria,
de ti provieram para em mim nascer.

São imagens dos sonhos que tiveste
quando meu pobre ser ainda vivia
no espírito e na carne do teu ser.

"A pureza de sua poesia iluminava também o seu caminho certo", escreveu mais tarde João Alphonsus, querendo com esta frase significar o íntimo orgulho que lhe vem da atitude de altivez e pudor que sempre conservou Alphonsus em face da vida, nada pleiteando junto aos poderosos. Se escreveu, de uma feita, a certo secretário do Interior para manifestar o desejo de ocupar uma vaga de Juiz Municipal nas proximidades da capital mineira, foi de uma absoluta simplicidade e concisão: "Seria tão bom ser removido para ali, ficar mais perto de Belo Horizonte!"

Mas não foi atendido. Já anteriormente, um seu parente, altamente colocado, procurando sugestionar o Presidente do Estado para obter a promoção do poeta a Juiz de Direito, além de referir-se aos longos anos de serviço à Magistratura e à família numerosa do candidato, fez menção ao seu renome literário. Ao que respondeu o Presidente que "quanto à poesia, não era coisa que se alegasse"... E não assinou promoção nenhuma, *alegando* que seu sucessor o faria...

A falta de espírito de humanidade cooperou deste modo para que Alphonsus tivesse um fim de vida em harmonia com ela própria, sempre envolvida em obscuro silêncio. Assim puderam seus olhos contemplar melhor as estrelas nas últimas noites. Assim pôde o anacoreta de Mariana morrer como nasceu: pobre e puro.

6 – A vida e a obra

Raramente se tem visto nesta terra de exuberância, quer na configuração geográfica, quer nas manifestações espirituais do nativo, uma obra equilibrada como a do grande místico de Minas Gerais. Desde os primeiros versos Alphonsus surgiu sereno e seguro de si mesmo, e, o que mais significa, original. Concorreram decerto para o refinamento do artista, a intuição da ordem, a noção do meio-termo, o respeito às tradições, a prudência, que são as virtudes características do homem mineiro, por natureza e por educação. O solitário das montanhas é um poeta substancialmente mineiro, sem deixar de ser brasileiro e mesmo universal, porquanto, transladado para outras línguas, falará eloquentemente a quem quer que tenha alma.

O estudioso da obra de Alphonsus notará três influências sobre ela exercida: a sugestão do ambiente, a impressão causada pela morte da noiva, e as leituras místicas.

Estas circunstâncias induziram-no a um caminho que realmente deveria ser o seu, pois, conservando a originalidade imanente ao artista, valorizou os influxos exteriores, não adaptando-se, mas adaptando-os ao próprio temperamento, numa coincidência felicíssima. Nenhuma desarmonia em sua obra. A cidade, aí, é personagem essencial como Bruges-la-Morte para Rodenbach, associada aos estados d'alma, numa permuta íntima de sentimentos e de sensações. Desde a significação de sua poesia, feita de unção religiosa, de abandono e renúncia, de crença em Deus e descrença no mundo, até a forma de que se reveste, coloridos tênues, música expressional de plangência de sinos, música de violinos e órgãos sob as arcadas das igrejas, imagens, vocabulário, ritual, até o seu próprio nome, acrescido de melodias místicas, tudo recorda Ouro Preto e

Mariana. Pelo desencanto das coisas terrenas, pela resignação na amargura, pela humildade do coração, pela simplicidade diante do mistério, pela confiança na Providência, pelos sentimentos de fé e caridade, foi cristão. Todavia, cristão um tanto fatalista, como que curvado ao peso do cansaço da vida, constrangido pelo sofrimento prematuro, que o feriu duplamente: por vir em um momento de formação e pela delicadeza da sua constituição anímica.

Enquanto o ambiente exterior o predispunha para a religiosidade, a tristeza isolava-o do mundo. O homem transfigurava-se no poeta. Iniciava-se a vida de identificação com a poesia, tão perfeitamente igual à vida de identificação com Cristo. Dizia São João da Cruz, príncipe da teologia mística, que, se por um lado não se devem desejar êxtase e outros favores sobrenaturais, também nunca se prezará em excesso a união amorosa com Deus, que constitui o fundamento da vida mística. O poeta, como o santo, não clamou pela inspiração, que é uma graça dos céus, mas preparou-se para ela no hábito da atenção amorosa e ativa, deleitando-se no aconchego dos grandes espíritos, sublimando as imagens exteriores, vivendo a sua grande dor, em renúncia. A atenção passiva e infusa, que é o momento da graça poética ou da oração extática, veio como consequência, pela bondade divina. É a resposta que Deus costuma dar aos que O procuram, através da Santidade ou da Beleza.

E não apenas se servia Alphonsus dos elementos positivos da preparação, como dos negativos, eliminando os obstáculos que o pudessem afastar da sua vocação verdadeira, falta de recolhimento, distrações do espírito e do coração. Compenetrado da presença da poesia em si, concentrava suas forças, simplificando-se e espiritualizando-se cada vez mais.

7 – Alphonsus e Verlaine

A Bíblia deve ter sido o seu livro de cabeceira. O seu apego à Imitação de Cristo é patente. E não há dúvida que amava extraordinariamente a Verlaine, com quem tem mais de uma afinidade, mas de cujo satanismo decadente se afastou por completo, conservando sempre em toda a sua obra um cunho de rara dignidade, mesmo aquela que mais fala do ardor de sua mocidade: *Kiriale*. Fora de *Sagesse, Amour* e *La bonne chanson*, talvez desconhecesse o seu Verlaine, que era o das suavidades líricas... A nota melancólica, a intimidade, o acabrunhamento da alma, a esquivança, a inércia, que são as notas características da poesia do príncipe do Simbolismo francês, são também as do nosso bardo. O misticismo de ambos é humildemente sentimental, sem complicações de pensamento metafísico, tecido de ingênua delicadeza. Sente-se em ambos o influxo da graça santificante que se resolve em atração pelas imagens da liturgia católica. Têm, um como o outro, versos imponderáveis que despertam a emoção quase que por encanto, por meio de uma pequena pausa nos versos. Nem um nem outro observa a natureza pelo lado exterior. Evocam ambos o sentimento que lhes causa a paisagem de um modo impreciso, que no entanto atinge os nossos sentimentos. Como Verlaine, Alphonsus prefere a melodia à sinfonia. A devoção de um – Maria – foi também a do outro. No *Septenário das dores de Nossa Senhora*, diz o nosso poeta:

> Estes versos são como um lausperene:
> mais fizera, Senhora, se eu pudesse
> oficiar no mosteiro de Verlaine.

Quanto ao estilo e à forma, também o vate brasileiro alternou versos fortes com versos fracos, fazendo equilíbrio entre ritmos pares e ímpares. Não se utilizou do verso livre mas da assimetria do ritmo. Usou pleonasmos significativos, misteriosas elipses. Tornou o alexandrino móvel, de modo a avivar a antiga métrica. Serviu-se da rima sonora, contrastando com a rima apagada e às vezes da rima falsa, como se vê nestes versos:

> Por entre escolhos, por entre sirtes,
> Sede guia aos meus passos tristes.

Nota-se neste mesmo exemplo um verso de 9 sílabas que parece trôpego, apoiar-se logo em 8 sílabas, como para melhor sugerir a ideia do pedido de proteção. Ele combinou ainda os versos de 9 e

4, de 8 e 7, de 8 e 5, de 11, 8 e 6 sílabas com o mesmo bom gosto requintado, com que Verlaine reformou a poética francesa. Sem querer levar mais longe o paralelo entre os dois artistas, acentuo apenas certa coincidência física. Eis como Nicolau Navarro se lembra de Alphonsus, em 1915:

> Magro e triste. Em matéria de elegância, era um antípoda do Belo Brummel. A barbicha rala do queixo dava-lhe os ares duma gravura do diabo do Quarto Livro de Leitura de Felisberto de Carvalho. Mas a fronte era espaçosa e alta, vincada de grandes sulcos horizontais – estigmas que lhe iam ficando de sua penosa Via Crucis.

8 – *Dona mística*

Do cofre de joias que é o legado de Alphonsus, *Dona mística* é a pérola. Palidez enfermiça, raridade lírica, valor imperecível, nenhuma afinidade lhe falta, nem sequer a modéstia da que se oculta no regaço das conchas. Apenas 250 exemplares deste volume viram a luz do dia, quando de sua primeira e única edição em 1899, cinco anos depois de haver sido terminado. Aos que se deslumbram com o fulgor das pedrarias ao sol, parecerá um tanto morta esta poesia descolorida, embaciada, fosca, de extrema delicadeza, que me causa a impressão de ter sido escrita nas pétalas de um lírio, com a tinta a escorrer do luar... Contudo, aos mais sensíveis despertam estas letras uma infinidade de emoções e sensações, como que experimentadas através das neblinas de uma outra existência. A ideia da morte, de que mais tarde Alphonsus nos falará com travos de amargura, desta vez não nos fere, senão consola: o amor continua como dantes, porque dantes não era senão incorpóreo, como uma irrealidade... A visão que se fora era tão suave como se nunca houvera existido... A saudade dos olhos tudo resume, porque a carícia dos olhos fora tudo... Vemos então, à evocação do bardo, uma profusão de olhos: "Olhos tão cheios de véus de noivas", portas do céu alguns, outros "negros da cor das uvas".

Algumas canções de enredo singular, em que se exercita uma imaginação tépida de sonâmbulo, e a que a repetição de notas empresta singeleza e pitoresco, dão ao volume graciosos movimentos imprevistos. Eis a "Canção de Dona Celeste":

O céu, o céu está sorrindo.
           Está sorrindo.
Sorriso branco, riso infindo!
O céu, o céu está sorrindo.
Por que sorrir, Dona Celeste?
Sorri também o teu olhar...
Ah! tu disseste, tu disseste,
           Dona Celeste:
"Creio que agora vou amar."

O céu de cólera se veste,
Ululam roucos vendavais...
O céu de cólera se veste,
Não sorri mais, não sorri mais.
Por quê, por quê, Dona Celeste?
Não sorri mais o teu olhar...
Ah! tu tens ciúme, tu disseste,
           Dona Celeste:
"Creio que agora vou odiar."

O céu, o céu está chorando,
Está chorando.
Oh dia, oh dia miserando!
O céu, o céu está chorando.
Por que chorar, Dona Celeste?
Chora também o teu olhar...
Ah! tu não amas, tu disseste,
           Dona Celeste:
"Eu vou morrer... deixei de amar."

9 – *Septenário das dores de Nossa Senhora*

Septenário das dores de Nossa Senhora, publicado em 1899, escrito de 1892 a 1894, mais que um livro de versos, é um livro de orações. Iniciado por "Antífona", e encerrado por "Epífona", divide-se em sete fragmentos, cada qual consagrado a uma das dores de Maria, e contendo cada qual sete sonetos, unidos todos eles – rosário maravilhoso que se desgrana como contas – pelo mesmo fervor angelical e pela mesma graça lírica. Desenganado da vida bem cedo (se é que algum dia a ilusão chegou a deslumbrar-lhe a natureza de asceta), recolhe-se ao silêncio e à meditação, porque também ele, como a Virgem da Soledade, deveria sentir a mágoa de "ser do céu e viver longe de Deus".

Palavras dos quatro Evangelistas servem de epígrafe aos poemas que, através de suas iluminuras azuis como nesgas de céu, são flagrantes de uma lanterna mágica, aureolados de sentimentos profundos de piedade cristã.

10 – *Câmara ardente*

Câmara ardente, que veio como apêndice ao *Septenário*, encerra, entre "Peristylum" e "Responsorium", doze sonetos dolorosos, que devem ter sido escritos "à sombra funerária de um cipreste".

O pressentimento da desdita, as noites de vigília ao sofrimento, a aproximação da agonia, a última confissão, a extrema-unção, as horas passadas junto à essa, as orações mortuárias, e finalmente a última pá de terra sobre o corpo adorado, são evocações trazidas até nós pelo verbo de Alphonsus, contido numa serenidade aparente, mas cuja angústia secreta se comunica ao nosso coração. Sinceridade absoluta sente-se nestas páginas, todavia tão aristocráticas, tão acima de qualquer expansão comum aos momentos confidenciais. O artista corrigia o homem, quando o homem quisera ceder ao poeta.

11 – *Kiriale*

Do contato com *Kiriale*, o terceiro livro do autor, escrito entre 1891 e 1895, editado no Porto em 1902, surge a revelação de um estranho Alphonsus e de uma poesia algo tenebrosa, que pagou caro tributo ao Naturalismo, eivada que está de expressões desnudas e exatas. Nota-se, nesta mais do que em qualquer outra produção sua, a originalidade que lhe permitia transformar em valores estéticos expressões vulgares ou grotescas. Como Augusto dos Anjos, mas sem a mesma doentia obsessão, como Augusto dos Anjos que se congratulava em caminhar sobre terrenos perigosos como demonstração de segurança, reclinava-se Alphonsus à borda de precipícios, com risco muitas vezes de resvalar pelo despenhadeiro das aberrações. Mas não sofria a vertigem das alturas. Queria apenas colher certa flor. E a flor colhida tinha sempre a beleza fatídica da morte. Livro de mocidade cálida e sofredora, perturbada pelos acicates das paixões humanas, e contida, ao mesmo tempo, nos limites, se não da ordem perfeita, pelo menos do desejo desta ordem, vale por uma documentação de conflitos morais, tanto quanto pela inovação de alto cunho estético que encerra como poesia. Aquele que, mais tarde, seria, de preferência, como cristão, o poeta dos sentidos, deslumbrado pela formosura do invólucro, embriagado pelo perfume do incenso e das flores da Virgem, embalado pelas músicas sacras, buscando – sacerdote dos ritos externos – o conforto humilde dos cerimoniais religiosos e das alegorias amáveis do cristianismo, foi, quando moço, o verdadeiro místico, à procura do caminho da perfeição, seguindo os conselhos de Cristo: "Vigiai e orai para que não entreis em tentação". Ouçamo-lo:

> E os sete olhos do monstro olhavam-me, esperando
> que a minha alma cedesse à torpeza sombria
> dos pecados mortais, cada qual mais nefando.
>
> Silêncio e morte em que me vi! Sobressaltada
> a minha alma acordou, e o dragão que eu temia,
> fugindo, ante o sinal da cruz desfez-se em nada...

A impertinência do número sete é digna de um estudo de psicanálise. Os presságios, a hora da meia-noite, as cabeças de corvo e a evocação de espectros, talvez redundassem, para os senhores eruditos, em mania de perseguição. De fato, o gosto pelas imagens macabras e pelos símbolos mortuários traduzira certa morbidez, se o não considerarmos unicamente do ponto de vista artístico. Era uma escolha impregnada de fria volúpia e nítida clarividência. Na poesia "Ocaso", expande-se esta preferência, de modo paradoxal que, por milagre de equilíbrio, deixa de ser risível para ser um trágico, de um trágico lívido – amarelo-esverdeado, feito de horror e sedução a um tempo, e que lembra os grandes momentos de Poe:

> Perdido como estou nesta grande charneca,
>   Cheio de sede, cheio de fome,
> Disse-me Deus: sê bom! e o Diabo diz-me: peca!
> E anjos e demônios repetem o meu nome.
>
> O cemitério está, nas glórias deste ocaso,
>   Cheio de leitos como um hospital.
> Eu sonho que estou morto e sonho que me caso...
> Vou vestido de noivo e coberto de cal.
>
> Eis o que vejo nas glórias deste ocaso:
>
>   Mulheres velhas e mulheres novas,
>   Homens e crianças vão levando flores.
>   Não há coroas para tantas covas,
>   E nem há prantos para tantas dores.
>
>   Se este padre vai para o meu enterro,
>   Deixai-o caminhar bem devagar.
> O cemitério está no alto daquele cerro...
> Que ele não possa, oh Deus, nunca mais lá chegar!
>
>   Se este carpinteiro que me segue,
>   Apronta as tábuas do meu caixão,

Fazei, Senhor meu Deus, com que ele cegue
Antes de aprontar o meu caixão.

Se estes senhores de tão negras calças
E de sobrecasacas tão modernas,
Querem pegar, tristíssimos, nas alças
(Pois se olham de tal modo quando eu passo),
Fazei, Senhor meu Deus, com que as suas pernas
Não possam dar mais um passo.

(Alguém agita sudários no poente.)

Se este coveiro agora mesmo
Cavava a minha cova inexistente,
Cantando e soluçando,
Fazei, Senhor meu Deus, com que ele agora mesmo,
Caia na cova que está cavanco.

Se a costureira que ali trabalha,
Em vez de uma camisa de noivado,
Vem oferecer-me esta mortalha,
Que ela não tenha, oh Deus, no leito em que repousa,
Nem a camisa branca do noivado,
Nem um noivo que a queira por esposa.

Se estes sinos vão dobrar por mim,
Se este é o momento do meu enterro,
Fiquem os sinos a esperar por mim...
Que eu nunca alcance, oh Deus, o alto daquele cerro.

12 – *Mendigos*

Segue-se cronologicamente a publicação de *Mendigos*, volume
em prosa, editado em Ouro Preto, em 1920, quer dizer, o último
saído a lume durante a vida do autor, pois *Pauvre lyre*, que surge
após, estava no prelo quando Alphonsus faleceu. Além das crô-

nicas esparsas estampadas no *Conceição do Serro,* não escreveu em prosa senão esta obra um tanto desigual, em que ao lado de páginas surpreendentes pela originalidade da concepção e da contextura, figuram outras de expressão meramente literária e ainda outras, estas interessantes como depoimento das recordações da mocidade. Árdua tarefa seria classificar certas peças deste volume, em que o enredo faz lembrar o conto fantástico à maneira de Hoffmann, o estilo transporta a exóticos climas poéticos, e as considerações realistas nos prendem às coisas positivas de sempre. Como exemplo, "A ronda de bêbedos" desconcertante, vertiginosamente sugestiva, não se poderá dizer se é fruto de alucinação ou lucidez. Esta página é o símbolo mesmo da vida, paradoxal e múltipla.

"Nunca se viu uma caveira triste", comenta Alphonsus. Quem sabe lá se esta insistência em fitar caveiras não revela o seu medo, o pavor estoico da morte, como a bravura do soldado nos campos de batalha? Esta necessidade, bem masculina, de afrontar a própria obsessão, leva-o, neste livro, a irreverências que nos chegam a escandalizar por serem dele... Fala de coisas respeitáveis com o propósito evidente de demonstrar destemor, galhardia, capacidade de sarcasmo e displicência.

A leitura de certas passagens de *Mendigos* causa a impressão, a quem conhece sua obra em versos, de *ver o teatro por dentro...* Visão de bastidores, de andaimes, atulhamento interno, enquanto lá fora a arte, depurada e concisa, de suas poesias, se apresenta naturalmente, como se nenhuma fadiga houvesse dado ao artista.

13 – *Pauvre lyre*

Curioso é este volumezinho de versos franceses *Pauvre lyre*, publicado logo após sua morte e que nos dá testemunho daquele apego tão brasileiro e tão justificável à cultura francesa, em que o nosso espírito de latinos encontra clima auspicioso a todas as divagações intelectuais. Consta a *plaquette* de deliciosos madrigais, de envolventes *berceuses*, de pequenas canções filigranadas de ouro, à maneira de joias antigas. De rendas nos punhos, capa ao vento, guitarra a tiracolo, como os trovadores medievos, é como se apresenta o poeta. De vez em quando a lembrança da morte (não vive no tempo das guerrilhas constantes?) torna sombrio o seu olhar. Em outras ocasiões estremece-lhe o corpo:

> *Satan, va-t'en! Va-t'en, Satan!*
> *Oh! la tenter! Va-t'en! Va-t'en!*

Em geral, porém, é sereníssimo. Segreda baixinho para não acordar o silêncio:

> *Le silence est blanc comme un cygne*
> *que l'eau berce à l'ombre des bois...*
> *Le silence est doux comme un signe*
> *de croix.*

14 – *Pastoral aos crentes do amor e da morte*

Com uma perfeita discrição, um conhecimento seguro da harmonia, uma finura de tato, velada e justa, elegeu para a *Pastoral aos crentes do amor e da morte*, publicação póstuma feita por Monteiro Lobato em 1923, aquela arte em que há uma penumbra veludosa de confidência, um perfume oleoso de recantos resguardados, e a música de piano abafado na tarde vazia. A tonalidade da poesia de Alphonsus, que é quase sempre o roxo, desde o violeta forte até o lilás esbatido em cinza-pérola, tonalidade esta dissolvida por vezes em cambiantes azuis de hortênsia, impera de modo impressionante neste livro, onde nada cintila, nada destoa, nada grita. Pudores inefáveis, essências concentradas, segredos em dormência. O ar trescala de incenso, de lírios e de velas de cera. O conhecimento da vida se patenteia lúcido. Porém, na maior gravidade, o poeta conserva toda a sua frescura. O ambiente veste-se de panejamentos foscos, de franjas espessas, de mortalhas de estamenhas, de neblinas, de crepúsculos. Ouvem-se vozes em surdina, cantando sempre em bemóis, em semitons, sem variação de escalas. Mas o próprio silêncio tem reticências sugestivas. Folheemos o livro. "Brasão" define uma atitude essencialmente romântica em face da vida. "As estâncias", com algumas traduções de Verlaine e Stecchetti, são breves anotações melancólicas, dir-se--ia que pátinas arrancadas ao diário de um pessimista, o qual, sem embargo, conservasse como relíquias folhas de malva ou amores--perfeitos emurchecidos. "As canções", de que a música é elemento predominante, em gorjeios tímidos, em barcarolas a meia-voz, em serenatas de violões e flautas, em árias flexíveis como junco, lembram tudo quanto baloiça, brisa leve do mar, gôndolas, berços de criança, e tudo quanto passa de leve, nuvens, pássaros, sonhos sem destino. Mas não são frases vazias de substância, muito embora nos fiquem às vezes cantando na memória sem lhes percebermos por muito tempo a oculta significação. "Ismália", por exemplo, esta pequena obra-prima do lirismo brasileiro, embala primeiramente os nossos sentidos, escutamos e guardamos os gestos alados da pobre louca que é a imagem da mesma poesia, até que finalmente pressentimos a revelação de dualismo, de luta secreta entre os desejos materiais e as supremas aspirações. Mas por que tentar desvendar o segredo de Ismália, quando apenas deveria repetir-lhe os versos?

ISMÁLIA
Quando Ismália enlouqueceu,
Pôs-se na torre a sonhar...
Viu uma lua no céu,
Viu outra lua no mar.

No sonho em que se perdeu
Banhou-se toda em luar...
Queria subir ao céu,
Queria descer ao mar...

E no desvario seu,
Na torre pôs-se a cantar...
Estava perto do céu,
Estava longe do mar...
E como um anjo pendeu
As asas para voar...

Queria a lua do céu,
Queria a lua do mar...

As asas que Deus lhe deu
Ruflaram de par em par...
Sua alma subiu ao céu,
Seu corpo desceu ao mar...

Em "Os sonetos", de construção esmerada, encontra-se toda a alma de Alphonsus, o poeta dos idílios castos, que se recolhe depois de cada gesto de amor. Quem com maior ternura e mais fina sutileza procurou a emoção do primeiro beijo?

VII SONETO
Bem mais chorosa que uma desposada,
Chorava a lua nesta noite fria.
Minh'alma, ao ver o seu palor, sofria
A mesma infinda mágoa ciliciada.

Era um passeio ao luar. Pela encantada
Devesa fomos. Teu olhar sorria...
E cada estrela tinha a nostalgia
De não viver em teu olhar, Amada.

Entramos na floresta. O luar, tão triste!
Vê-te por entre as folhas verdes, vê-me
Todo cheio da luz que tive outrora...

O som do meu primeiro beijo ouviste.
E eu disse então: – É uma árvore que geme,
É, no silêncio, um pássaro que chora...

Finalmente "Catedral", peça que encerra magnificamente o livro, a única em que a voz do poeta se alcandora numa veemência desacostumada, é uma espécie de canto profético, apocalíptico, de larga inspiração, na qual se notam os tons, marcadamente subterrâneos, do estribilho:

PROSA ✳ CONFERÊNCIA LITERÁRIA

E o sino canta em lúgubres responsos:
Pobre Alphonsus! Pobre Alphonsus!!

15 – *Escada de Jacó*

Complemento indispensável à obra do solitário das montanhas, *Escada de Jacó* explica mais que nenhuma outra obra a personalidade extraordinária de Alphonsus, desenterrando as raízes do seu pensamento, ou, pelo menos, reproduzindo o que dele brotara em primaveras anteriores, com uma pujança imprevisível, contaminada de seiva nova e ressumante. Por certo a forma – todo ele é vazado em alexandrinos caudalosos – contribui para arrastar-nos à emoção desta beleza como que augusta e que, por sugestão bizarra, faz ressurgir aos nossos olhos evocadores o vulto da Aspásia de Bilac, a quem se pôde dizer: "Que sol nos teus cabelos brancos!"

É quase sempre em sentido de concentração, em profundidade e em vigor, como forças convergentes, que se exerce o prestígio desta poesia plena, amadurecida e desesperançada. Cifra-se aí talvez o mistério desta alma. Das três virtudes teologais – fé, esperança e caridade – não lhe sorriu jamais a segunda, e é nesta obra que mais profundamente se faz notar esta desolação. A fé foi sempre o seu brasão de armas, em todos os seus momentos aparece, não radiosa, mas difusa e serenamente, como lâmpada de santuário a velar o seu vale de lágrimas. Houve um dia em que o poeta ascendeu à montanha e levantou nas mãos o facho luminoso de uma certeza deslumbrada:

DEUS
Deus é a luz celestial que os astros unge e veste,
e dessa eterna luz nós todos fomos feitos;
um fulgor de orações brilha nos nossos peitos:
é o reflexo estelar dessa origem celeste.

O homem mais louco e vil, cuja alma ímpia se creste
aos fogos infernais dos mais torpes defeitos,
de vez em quando sente esplendores eleitos,
que tombam nele como o luar sobre um cipreste.

Quem não sentiu no peito a carícia divina,
a enchê-lo de clarões na transparência hialina
de um astro que cintila em pleno azul sem véus?

Tudo é luz na nossa alma, e o mais vil, o mais louco,
bem sabe que esta vida é um sol que dura pouco
e que Deus vive em nós como dentro dos céus...

A caridade, esta flui de seus gestos como bênçãos por todas as coisas do universo, é a clorofila dos seus tecidos, sangue azul de suas veias, cal de seus ossos. Em ternura pelos frágeis, em simpatia pelos enfermos, em compaixão pelos pequeninos, desdobrou seu coração também frágil e enfermo, porém grande por natureza, como pela compreensão de tudo. Eis o seu evangelho de amor:

É necessário amar... Quem não ama na vida?
amar o sol e a lua errante! Amar estrelas,
ou amar alguém que possa em sua alma contê-las,
cintilantes de luz, numa seara florida!

Amar os astros ou na terra as flores. . Vê-las
desabrochando numa ilusão renascida...
Como um branco jardim, dar-lhes na alma guarida,
e todo, todo o nosso amor para aquecê-las...

Ou amar os poentes de ouro ou o luar que morre breve,
ou tudo quanto é som, ou tudo quanto é aroma...
As mortalhas do céu, os sudários de neve!

Amar a aurora, amar os flóreos rosicleres,
e tudo quanto é belo e o sentido nos doma!
Mas, antes disso, amar as crianças e as mulheres...

Mas a esperança está absolutamente ausente da obra do nosso místico. Não se encontra o que há de vir nas suas páginas. É o passado impregnado de nostalgia, ou o presente tolhido de resignação.

PROSA * CONFERÊNCIA LITERÁRIA

O futuro para ele é o vácuo. Pelo menos o futuro imediato. Do outro, pouco fala e vagamente, tendo em vista mais a parte decorativa que aos simples impressiona. Da terra nada espera, a não ser a dor renovada cada dia. Já na *Pastoral* deixara escrito:

Só sabemos que nos espera
no fim da estrada sempre uma cruz.

Dir-se-ia que, como os monges trapistas, tinha sempre nos lábios esta frase: "Pensai na morte, Irmãos". No entanto nenhum desespero se faz sentir através de seus poemas, a não ser em alguns sonetos ansiosos de *Pulvis*. Aliás, é coerente neste pormenor. Só desesperam os que ambicionam o que a vida não pode dar. A cada virtude se opõe o desregramento antagônico. A sua Musa era um anjo triste – não decaído! – ser intermediário entre os seres mais perfeitos que Deus criou e a humanidade, pois, se não possuía a candura dos que nunca pecaram, pelo menos jamais se confinou com as criaturas comuns, esteve sempre acima de interesses mesquinhos. Bem intencionado sempre, se acaso ofendeu a Deus, foi por esquecer às vezes o livre-arbítrio:

Sinto por toda a parte o silêncio do agoiro,
a incerteza do fado, as ânsias dos acasos...

Na primeira parte do livro, "Cavaleiro ferido", requinta-se a galanteria do poeta em curvaturas que traem uma elegância de espírito infelizmente hoje bem rara, no turbilhão da vida modernizada. A sua heráldica faz supor uma ascendência de nobreza que o leva de volta, em nostalgia, ao solar dos Vimaraens... Aliás, o Amor e a Morte, as duas preocupações máximas de Alphonsus, encontram ambiente propício nas idealizações da nobreza que costuma ir à morte pelo amor... A segunda parte do livro, "Caminho do céu", é o momento culminante da sua sensitividade humana e da sua atração pelas coisas divinas, sensitividade e atração decorrentes uma da outra, justificando-se uma à outra num bloco de excepcional e harmoniosa beleza. Mas sempre, à sombra do mistério, a dor sublimada: "A minh'alma é uma cruz enterrada no céu".

Quanto à forma, é nestas páginas o Alphonsus de sempre, cioso da rima rara, das imagens evocativas, da música bem marcada. De uma incurável originalidade, a não ser ele, quem levou a sério a expressão "cidade dos pés juntos", tão do gosto do nosso caboclo desengonçado? Era seu o privilégio de restaurar o comum em matéria poética:

Segues para a imperial cidade dos pés juntos
e dos olhos em paz e dos braços em cruz!

Ainda, a palavra carcaça, que noutros lábios redundaria em escárnio, impõe respeito através de versos seus:

Foi então que tombou, clarão da Eterna Graça
logo desfeito em sol que morre no ocidente,
o teu piedoso olhar sobre a minha carcaça.

Na presença de Alphonsus ninguém ri. Medita-se. Não sufocantemente como junto de Antero de Quental, porém, melancolicamente, e esta meditação tem qualquer coisa de suavidade encantada, como se trouxesse consigo mesma uma doce compensação, que não sabemos onde se acha e que deve estar na substância da própria poesia, de que o homem possui o instinto e consequentemente a necessidade.

16 – *Pulvis*

É o mais triste dos livros do bardo montanhês, o último de sua lavra, que agora vamos folhear: *Pulvis*. De uma tristeza quase sempre mansa, mas profundamente angustiada. A atividade permanente do espírito de Alphonsus associa-se, neste volume, a uma força latente que se dirige para determinado fim, numa curiosidade estranha:

Alquimista da morte, entre retortas
e cadinhos medievos, ando em busca
da essência celestial das coisas mortas.

PROSA ✳ CONFERÊNCIA LITERÁRIA

É em vão que ele tenta, com os conhecimentos da vida, formar uma concepção do universo, uma sistematização do todo. O poeta sobrepuja o filósofo e resolve em imagens líricas os mais graves problemas. Ainda bem! Mas a impossibilidade de tudo definir, de chegar ao conhecimento organizado, oprime-o. E surge então um novo estado da alma, cada vez diferente, acrescido de desengano, mas com nuanças tão sutis que só uma atenção acurada percebe.

A poesia, como a filosofia, é perene. Para o nosso místico, além de perene foi amarga desde a adolescência. A poeira dos dias, acumulada ao longo da peregrinação, aumentou o lastro desta amargura, quando a noite baixou. Veio o tédio infalível. A moléstia de chumbo. Não pesam mais as grilhetas nos pés dos encarcerados. E ele se torna enigmático:

> Ai! mísero de quem procura a origem
> dos seus males em outra selva escura
> que não a sua própria desventura,
> sol mergulhado em túrbida caligem...
>
> Os risos vão-se em breve e a dor perdura.
> Espectros maus os passos nos dirigem,
> num vórtice perene de vertigem
> para o ocaso final da sepultura.
>
> É falso o estio, é falsa a primavera,
> e cercada de seres, vive no ermo
> a alma que a luz de outra alma em vão espera...
>
> Ai! mísero de ti que em outra face
> vês a causa do teu pesar enfermo
> quando é de ti que toda a mágoa nasce...

Rareia o ar para Alphonsus. Respira dificilmente. A morte que ele agora encara de frente é a sua. Fala por vezes de si mesmo como de quem já morreu. Bendiz por vezes a morte que se aproxima, como a libertadora. Outras, ao sentir o seu ósculo frio, apavora-se: "Que será de mim?" Agora, já o mistério se desvendou para ele. Porém, a sua preocupação metafísica ressuscita nos netos. Perguntava há dias ao pai um pequenino de seis anos que está aprendendo a contar: "Depois do último número, qual é que vem?"...

Mas a vida não sabe responder.

17 – A lição de Alphonsus

Talvez o tenha compreendido Gomes Leite quando disse: "A religião para Alphonsus, tido como o grande místico entre os nossos poetas, não foi uma transformadora, foi quando muito uma consoladora, auxiliando-o a suavizar a impressão pessimista que o mundo lhe dava". Mas quem sabe lá? É possível que o desejo de aperfeiçoamento moral, revelado em *Kiriale*, o tenha pouco a pouco elevado das contingências da terra a um grau de serenidade relativa, que se nota em *Pastoral*, despreocupado dos problemas do bem e do mal, atingindo neste momento a altura máxima da linha curva projetada pelo seu espírito, logo um tanto mais abatido em *Escada de Jacó*, para tombar finalmente em *Pulvis*, numa depressão que é mais de pensamento, mais filosófica do que sentimental, como no ponto de partida. Em *Escada de Jacó* não revelou os dramas cruciantes da alma senão acidentalmente, em peças como: "No caminho da perdição", "Soneto de um proscrito" e "Súplica", tempestades passageiras de verão em meio à calma dos horizontes fugidios, cujos segredos se espraiam além do outro lado do mundo...

Ao contrário de Afonso Arinos, que costumava ir ao Velho Mundo, segundo parece, para melhor sentir, através da distância e da saudade, o apego à Pátria, pois que de cada vez que regressava trazia mais acentuado o cunho de brasilidades, o poeta enraizou-se à gleba natal para saturar-se da nostalgia de terras impossíveis, que a sua imaginação em fuga delineava. Demonstrou Mário Matos no "Último bandeirante" que Arinos não foi um inquieto, apesar do espírito aventureiro que o impeliu a viajar durante toda a existência. O contrário se pode dizer de Alphonsus: apesar da passividade em que viveu, foi um inquieto. Poder-se-ia dizer que a sua imaginação foi europeia, ou melhor, asiática, se não se encontrassem nela os vincos do caráter universal que irmana os homens de todas as raças e de todos os países, os estigmas da inquietação que tem origem no próprio ser humano, criado à imagem e semelhança de Deus e fadado, todavia, ao exílio. O poeta viveu sempre longe de si mesmo, como de tudo quanto pudera ser a razão de sua existência. Entretanto, suas atitudes em face da vida são absolutamente serenas. Teve sempre gestos sóbrios, voz apagada, na vida e na obra. Nunca revelou ambições, ardores, exigências, deslumbramentos, sede de mando, de gozo e de glória. Nunca teve aspirações, poder-se-ia dizer. Como, pois, um inquieto?... No âmago da alma, sedimentado no fundo de sua estrutura espiritual, é que se acha o elemento tumultuoso, vencido, subjugado, tornado subterrâneo por duas forças poderosas: uma desesperança infinita, força negativa, de atavismos seculares, que lhe ditou como padrão de existência a contemplação e a imobilidade, e a outra, um grande poder de autocrítica, força positiva, lucidez de inteligência, que lhe deu como norma de conduta a contenção voluntária ou o propósito de limitação. Talvez tivesse como lema a divisa de Gandhi: "Se queres ser grande, limita-te."

Resolveu-se o problema interior pela certeza de que não haveria solução possível. Conflito exterminado pelas próprias causas. Paradoxo supremo, o da vida de Alphonsus, tão harmoniosamente vivida, sob todos os aspectos, no pacto fundido entre o homem e o artista! A desesperança tornou-o de certo modo inativo pela clarividência da inanidade de todas as coisas...

O conhecimento de si mesmo vedou-lhe agitações estéreis, fadigas inúteis, rebeliões caóticas, pela certeza de que nada o satisfaria na terra. Forrado da tessitura individual em que se enrijou a fibra de São Jerônimo, o qual, no momento culminante de sua vida, exclamou: "Roma ou o deserto!", decidiu-se sem hesitar pelo deserto, que é o polo divergente das tendências humanas, desde o pecado original. Nessa transmutação de valores, o orgulho tomou forma extremada de timidez, que na arte se fez discrição. O sensualismo desfez-se em abstração da matéria, tornada na arte lirismo puro. Nenhuma sombra se nota de inveja na obra do grande solitário! Entretanto, costuma o humorismo, que caracteriza não apenas o prosador como também o poeta nas suas imagens tragicômicas, trair o desejo de decepcionar, o que pode ser uma faceta daquele vício capital... Em suma, o egoísmo transubstanciou-se em mansuetude triste.

A água não desborda do cântaro pleno, senão aos movimentos deste. Alphonsus evitou quanto pôde os choques da realidade, como um asceta, por vocação, quer dizer, por índole e por necessidade. Foi neste sentido um forte, respondendo com tremenda ironia às múltiplas solicitações de sua natureza de sonhador, que o teria, se algo lhe cedesse, arrastado à dispersão, ao diletantismo, à descontinuidade, à disparidade, à desordem multiforme, à dissolução que, além do mais, repugnaria sem dúvida ao seu caráter unitário, dirigido sempre por uma sede de harmonia, de equivalência, de uniformidade rítmica. A inquietação profunda, ele a sublimou, restringindo-se ao mínimo de movimentação, estratificando-se, se assim posso exprimir-me. Fidalgo em desterro, sim, que não se conformou jamais com a precariedade das coisas efêmeras, que soube conservar na pobreza toda a dignidade de uma estirpe régia, que nunca baixou ao nível dos burgueses, os quais o devem ter olhado com ares de piedade ou de ironia... Ainda que a vida o tivesse cumulado de mimos, e os bons ventos o quisessem transportar a douradas regiões, Alphonsus nada quereria a não ser que ainda lá pudesse ter silêncio e sombra para sonhar, tão grande era a sua ambição e tão perfeito o seu ideal...

Evoco a figura de Alphonsus a pervagar na Terra, esguio e pálido, os longos braços tombados ao longo do corpo, olhos perdidos num ponto fixo, adiante, o passo incerto e tardo... Lembra-me, por afinidade, sua atitude quase permanentemente extática, a dos sacerdotes do Nirvana que costumam passar dias, meses, anos a fio, numa absoluta concentração de espírito, a lançar pérolas de rosa sobre as águas do Ganges... E penso na sua obra, neste livro sobretudo, *Escada de Jacó*, que só agora vem a lume, vinte e tantos anos após a sua criação! Como foi dura a sua provação! A penúria de intelectual no país embrionário, a necessidade de prover à vida em setor diverso daquele a que aspirava, a dor de ver relegado ao alheamento do mundo o que fora causa de sua existência, como tudo isto o teria aniquilado! O fato de insistir em escrever até o seu último dia de vida, em escrever apenas para cumprir sua destinação, uma vez que lhe faltou o grande público e portanto compreensão, estímulo, recompensa, impressiona pelo testemunho que oferece de um vigor inesperado em criatura tão sensível, tão incompatível com as circunstâncias. Em ter sabido resistir à indiferença do meio e do tempo, em ter sido constante, fiel a si próprio, é que reside toda a sua energia máscula, o seu heroísmo integral de homem. Só aqueles que desconhecem a forma da vocação – energia viva que se identifica com a essência do ser – e que é como a fé capaz de remover montanhas, procurariam mais longe a alavanca propulsora que susteve o valor de Alphonsus.

A outra virtude do nosso grande morto, que deveria nesta hora de cartazes violentamente coloridos, pairar como um pálio sobre aqueles que trabalham intelectualmente, é a sua modéstia. Nunca buscou notoriedade ou fama, viveu singelamente como qualquer mortal, e, nem mesmo junto aos mais humildes, tinha aquela atitude de ser superior com que costumam distanciar os seus semelhantes, os que da Providência receberam dons excepcionais. Sua humildade, como a da terra, exposta ao sol e à chuva, preparou-o para a germinação espiritual da divina semente. Para conhecer os segredos do inefável, ouvir a voz do mistério, transmitir à posteridade o sonho acumulado das gerações precedentes, mister se faz um conjunto de qualidades que dignifiquem a criatura humana, tornando-a apta para ser o receptáculo das auras celestiais. Com que respeito as figuras veneráveis do Antigo Testamento se aproximavam do Santo dos Santos! Assim deveria viver o Poeta, o eleito do Senhor, à aproximação, sempre iminente, do momento da inspiração. Não me sirvo apenas de metáforas e nem sou eu que o digo, mas o poeta, em todos os tempos, foi considerado como ser extraordinário, dotado, pela intuição, de dons divinatórios. Vivesse ainda hoje acima da vida, e a crise de poesia de que todos se lamentam não teria razão de ser.

18 – Conclusão

Se é inegável a influência exercida por Alphonsus nos nossos meios literários, influência difusa, de espiritualidade, subjetivismo, valor essencial, quando não dos próprios métodos estéticos, muito menor teria sido a sua projeção em toda a literatura brasileira, se a sua obra não tivesse ficado até hoje incompletamente conhecida. Obra aristocrática por natureza, denotando uma finura de sentimentos, uma elevação de espírito invulgares, já por este motivo pouco acessível ao gosto comum, que é sempre o da maioria, guardada ficou também do contato do grande público, pela razão de terem tido os primeiros livros edição limitada, e de terem os últimos permanecido inéditos. É certo que, na sua mocidade, ao ensejo do aparecimento das primeiras produções, alcançou Alphonsus notável sucesso entre seus pares, criando em torno de seu nome uma auréola glorificadora a cuja sombra se abrigaram muitos acólitos. Teve durante toda a existência o culto de almas devotadas à beleza e, por certo, foi ele mesmo, com seu alheamento às coisas passageiras, todo voltado para o mundo interior, no desejo incoercível de isolamento, que foi a sua delibada volúpia, foi ele mesmo que afastou do seu caminho as possibilidades de uma irradiação mais vasta e mais intensa, muito embora a sua melancolia derivasse provavelmente da falta desta irradiação que estava no seu direito desejar, mas que ao seu temperamento fora vedado buscar.

Um grande crítico teria resolvido a situação. Cruz e Sousa encontrou Nestor Vítor. Mas Alphonsus ficou só. Até hoje, muito embora vários dentre os nossos escritores lhe tenham dedicado artigos e conferências, nenhum lhe estudou a obra de modo completo, como ele merecera. José Veríssimo, Medeiros e Albuquerque, Gomes Leite, Agripa Vasconcelos, José Eduardo da Fonseca, José Osvaldo de Araújo, Da Costa e Silva, Euricles de Matos, Agripino Grieco, José Oiticica, Murilo Mendes, Afonso Arinos, Heli Menegale, Mário Matos, Ciro dos Anjos, Guilhermino César, Vulmar Coelho, e tantos mais ocuparam-se, porém parcialmente, do nosso poeta. Quero falar de modo especial de Basílio de Magalhães, que, com o brilho peculiar ao seu espírito, tem realizado conferências sobre a personalidade de Alphonsus, sem contudo nos haver dado um trabalho escrito, em que perdurassem as suas impressões. O mesmo acontece com Freitas Vale que, em São Paulo, na sua Vila Kirial, tem falado longa e comovidamente do seu amigo.

A quem cabe a culpa dessa dívida insolvida, senão a circunstâncias múltiplas de precariedade! Aníbal Matos e Lindolfo Gomes bem propuseram certa vez à Academia Mineira de Letras, para que fizesse editar a obra completa daquele que tanto fulgor emprestara à companhia ilustre... Mas a semente não vingou... A mesma Academia realizara, a 21 de agosto de 1921, no Salão do Conselho Deliberativo, uma sessão em homenagem a Alphonsus de Guimaraens, e a Pedro Lessa, falecidos na mesma época. Presidiu à solenidade o então presidente Mário de Lima. E, como orador oficial do Instituto, José Eduardo da Fonseca falou, com eloquência, dos dois grandes mortos, particularmente do nosso Místico. Pouco depois, eleito para substituir a vaga da Academia Mineira, Agripa Vasconcelos fazia, numa oração de incontestável finura, o elogio de Alphonsus. Alguns anos depois do seu passamento, alguém escrevia: "O tempo, como sói acontecer aos bafejados do Gênio, vai fazendo seu nome maior". Podia ser uma clara verdade, mas é engano. O simples motivo de ser este nome citado por meio mundo letrado, quando de sua obra um ou outro fragmento se conhece, não importa em condição de crescimento. No entanto, agora, parece que vai ressurgir pelo milagre eterno da beleza, a glória do autor de *Pastoral*. Uma geração compreensiva se dessedenta nas fontes da sua poesia. Há pouco dizia Ciro dos Anjos: "O descobrimento de Alphonsus marcou uma época na nossa vida. Para nós, líricos de 1923, Alphonsus era o único poeta possível. Só Alphonsus nos proporcionava os imponderáveis poéticos de que nossa substância espiritual necessitava". E Guilhermino César, dirigindo-se ao poeta: "Foste sempre contemporâneo, atual. Na geografia poética do Brasil tu serás sempre um acidente único, porque foste o equilíbrio da nossa terra mediterrânea". Quanto a mim, o que tentei realizar neste trabalho está, sem dúvida, acima das forças de que disponho. O que não cheguei a atingir será por certo alcançado por Emílio Moura, no seu prometido ensaio, e por João Alphonsus no estudo biográfico em preparo. Se não correspondi à expectativa do Exmo. Sr. Ministro da Educação, que tanto me desvaneceu com a sua confiança, minha consciência diz que nada poupei para trazer um trabalho à altura das circunstâncias. Neste momento, quero louvar, e o faço por todos aqueles que têm alma neste imenso Brasil, o gesto fidalgo e patriótico do Exmo. Sr. Dr. Gustavo Capanema, ao mandar editar pelo Ministério da Educação, a obra completa daquele que tanto elevou nos meios cultos da nação o nome de Minas Gerais.

19 – Confidência

Antes de terminar, permiti que vos faça uma confidência: no dia em que Alphonsus morreu foi que a poesia nasceu, verdadeiramente, em mim. Desde cedo atraída pelos livros, já havia lido os clássicos franceses, portugueses e brasileiros, como, em parte, os românticos. Estava em França com François Coppée e Sully Prudhomme. No Brasil, com os três infalíveis: Bilac, Raimundo Correia e Alberto de Oliveira. Faltava-me alguma coisa. À notícia, úmida de lágrimas, que o cronista do *Diário de Minas* escreveu sobre a morte do poeta, seguiu-se a publicação de seus últimos versos. Estranhamente vibrou meu coração menino, a este contato espiritual. Foi como se uma clareira verde se abrisse aos meus olhos. Momento extático de iniciação. Havia ainda aquilo! Aquilo, que eu pressentia confusamente, ressonância da alma, secretas afinidades entre o real e o inefável, laço invisível entre a terra e o céu. Foi o primeiro que me falou na linguagem dos anjos, foi o meu primeiro poeta, aquele que se ama na adolescência e que nunca se abandona. Quinze anos passados, a grande emoção transbordou neste poema:

EM TEU LOUVOR, ALPHONSUS
Naquela madrugada fria
quando teus olhos se fecharam
cansados de esperar a luz do dia,
– de joelhos no adro das montanhas
as neblinas rasgaram
brancos véus.
Assim, nas igrejas estranhas
onde não penetrou o azul dos céus,

as virgens choram em silêncio
os noivos que partiram para sempre...

Naquela madrugada branca
em que emudeceram teus lábios
cansados de cantar o canto
que te elevou à altura dos sábios,
– nas amplidões serenas
por onde erras,
a estrela que em teus poemas
amava o lírio da terra,
também a fronte pendia...

Naquela madrugada branca e fria
à hora em que tuas mãos como
galhos floridos de cinamomo
se entrelaçaram numa cruz, dir-se-ia
que a tua inspiração celeste,
sonhando místicos esponsais,
contigo iria
sob a cortina dos ciprestes
dormir o sono do nunca mais...

Porém, depois daquele transe de agonia
que por desígnio obscuro
fora apenas o início
de novos haustos,
mais dúlcida ficou tua poesia!
ficou teu sonho mais puro,
como depois do santo ofício
o cordeiro dos holocaustos.

Ah! Tua vida foi uma Semana Santa
em que junto aos andores,
aos estandartes e aos escudos,
desfilavam os teus motivos de ouro

incrustados na estampa
dos veludos.
Perdido em meio à vaga procissão,
teu amor, carregando a cruz,
procurava nos dias da Paixão
seguir o rastro de Jesus.

Eu te abençoo,
poeta dos pensamentos últimos,
pela delicadeza do teu voo
de pássaro ao crepúsculo...
Pelo evocar do sino que badala
às horas virginais da missa.
E amo-te, pela ternura com que calas
o enlevo e a timidez das primeiras carícias.

Pela paz que derramas sobre as almas,
pelas calmas
solidões em que além dos mundos meus,
tua lira dolente
estreleja e viceja.
Santo Alphonsus! bendito e amado sejas
no coração dos homens e de Deus,
sobre a terra e na glória eternamente!

PROSA ✻ CONFERÊNCIA LITERÁRIA

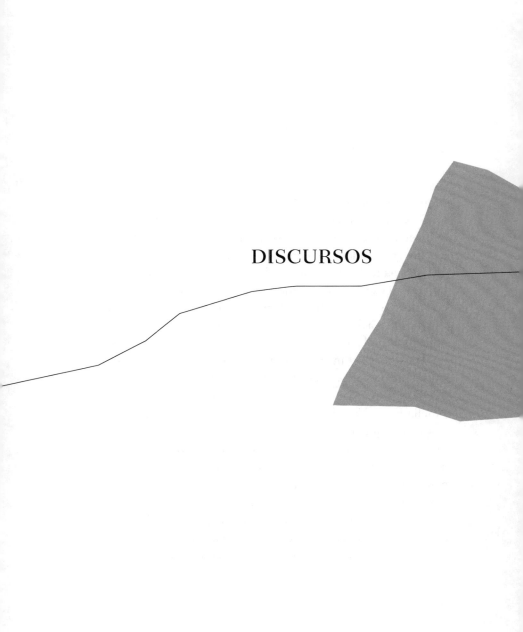

DISCURSOS

POESIA, ESTA MARAVILHOSA DEIDADE A QUE VOTEI TODA UMA EXISTÊNCIA[1]

Meu instrumento de trabalho e de vida nunca foi outro senão a palavra. Madruguei na afinação da palavra para apurar-lhe o timbre, cultivei-a nos campos da poesia e da prosa para colhê-la como flor e fruto, sob sua lâmpada entardeço e anoiteço.

Todavia receio manejar a palavra neste momento em que recebo, de uma só vez, o testemunho do carinho de duas entidades a que prezo e a que pertenço de pleno coração: a Sociedade Amigas da Cultura e a Academia Mineira de Letras, ambas representativas, no mais alto plano, da inteligência e do espírito de Minas Gerais.

Transborda o mar de minhas emoções com o fato de haver sido saudada por pessoas da minha admiração e da minha estima, detentoras que são de extraordinárias qualidades humanas: Anna Amélia Faria, Vivaldi Moreira e Fábio Lucas. Intérpretes dos grupos sociais que ora se confraternizam para a evocação do cinquentenário poético que me pesa nos ombros, atribuem-me generosamente, à maneira de consolo, as virtudes da própria poesia, esta maravilhosa deidade a que votei não apenas cinco décadas mas toda uma existência, a espreitá-la desde tenros anos.

Nesse longo convívio que considero de privilégio, apesar dos entraves de circunstância e de espécie, pude concluir que o mundo necessita de poesia, mais do que a poesia necessita do mundo.

---

[1] Discurso de Henriqueta Lisboa por ocasião de homenagem das Amigas da Cultura e da Academia Mineira de Letras, em 29 de setembro de 1979.

Em verdade, o mundo moderno, prodigioso de inventos mecânicos, energias nucleares e métodos científicos de exemplar precisão, ainda não soube assegurar seus alicerces em termos de normalidade. O corpo foi mais veloz na caminhada para conquistas materiais do que o espírito, sem embargo dotado da faculdade de voo.

Tudo isso é estranho à vocação do homem, e de tal forma que, em represália a si mesmo, por seus próprios erros de perspectiva e embustes alheios, ele se torna cada dia mais agressivo, cruel e amargo. Onde fica a doutrina moral capaz de fortalecer o caráter e amenizar os sentimentos? Onde se defrontam as linhas divisórias entre o bem e o mal? Onde o acervo dos valores perenes?...

É bem de ver que se esforçam alguns, com amor e clarividência, com desprendimento e espírito aberto, os da sofrida minoria, para que seja dado ao ser humano o ensejo de cumprir seu destino de transcendência.

Do meu solitário recanto entrevejo, às vezes, uma lucilação que me ofusca, anunciadoramente. Chego a crer que a poesia, na sua genuína essência, poderá contribuir, com uma parcela ponderável, para a restauração do edifício que oscila.

Se foram rompidas as leis da harmonia indispensável ao equilíbrio do universo, cumpre-nos reatá-las, uni-las, solidificá-las. Essa tem sido, no âmbito da história moderna, a ideia constante, não somente de vagos sonhadores, mas de filósofos, sacerdotes, políticos, sociólogos, educadores, artistas e principalmente poetas, os quais, a influxos de sensibilidade mais dolorida, anelam recriar o mundo.

É certo que a poesia, como toda expressão artística, tem finalidade em si mesma, sem outras implicações. Isso não impede que ela seja, conotativamente, penhor de sortilégio e irradiante eficácia. Em especial no decorrer da infância e da juventude, somos todos suscetíveis de influência pela própria delicadeza anímica, pelo desejo de fruir o melhor sabor, o manancial mais puro.

"A qualidade do homem e não uma soma de conhecimentos", diz André Malraux, "é o objeto último de toda cultura, e nossa cultura artística sabe que não pode limitar-se ao requinte mais sutil da sensibilidade; ela aspira à herança da nobreza do homem."

Em convergência de conceitos, outro crítico de arte dos nossos tempos, [Adolf] Behne, preconiza junto aos pintores: "Só pode dominar as cores quem dominar suas leis; mas com essas leis só pode trabalhar quem dominar-se a si mesmo".

Tal pensamento coincide com o de Mário de Andrade, ao confessar: "Toda a minha luta não é senão isso: uma moralização alta do indivíduo através das exigências estéticas. Mais que estéticas, exatamente artísticas".

A Ciência favorece e ilumina a humanidade, sem dúvida; mas ao mesmo passo aperfeiçoa instrumentos de guerra, de violência e rapina. A Arte será talvez mais fecunda de ensinamentos e estímulos, embora tenha participado, sim, da iniquidade e perversão do século. Parece-me, entanto, que nesta hora de cultura intervalar, em que são tão lúcidos os processos de avaliação crítica, poderá prevalecer um movimento que reconheça a Arte como fator eminentemente educativo e formativo. Presumo que a arte verbal, pela sua verticalidade inteligível, sendo prenúncio e coroamento das demais, será mais apta para a liberação e o aprimoramento do ser, com vistas à harmonia pessoal e, por extensão, ao pacto social, de amplitude sempre maior.

Diríamos que a obra é o caminho do criador para sua integração no cosmo, depois de integrado em si mesmo, ao assumir a forma dos próprios sonhos. Há uma reversão da técnica em benefício do impulso e, pois, da vida interior, quando o artista evolui mediante e diante de sua criação. Há um modo de contemplar e utilizar a natureza em grau superior, ainda que ela seja agreste.

Toda vez que o homem se mira no espelho da Arte, da Literatura, do poético, sua imagem transluz. E um novo conhecimento o habita. Assim, uma experiência em larga escala no campo da poesia despertará, nos que dormem e nos que descreem, novas visões à flor de novos horizontes.

Aprendemos que se desenvolve, na ordem seguinte, a marcha natural do espírito: sincrética, analítica, sintética. Talvez assim aconteça ao fluir dos calendários. Se os tempos antigos foram fundados no ecletismo, se em nossos dias prepondera a análise, é de esperar que o futuro reserve ao ser humano a fusão de suas faculdades, numa síntese sem precedentes.

Eis a palavra de esperança, ao manifestar o reconhecimento de minha alma pela dádiva que recebo esta noite, do inesperado para o inolvidável.

ACADEMIA BRASILEIRA DE LETRAS – PRÊMIO MACHADO DE ASSIS[2]

Sinto-me extremamente desvanecida ao receber, da Academia Brasileira de Letras, o prêmio Machado de Assis, pelo conjunto de obra literária. Tanto mais desvanecida pela coincidência, que me apraz assinalar, de que a mesma Academia, em 1930, houve por bem outorgar-me o prêmio Olavo Bilac, com referência às primícias do meu trabalho. Fato significativo, este. Entre a aurora e o crepúsculo de uma vida inteiramente dedicada à vocação das letras, esteve e estará presente a aprovação da mais ilustre intelectualidade do nosso país. Não terá sido inútil, quero crer, a minha opção pela poesia, antes mesmo de avaliar a extensão e profundeza do que se não define a não ser por instantes de transfiguração e entrega a uma força superior.

Ainda que tentássemos elidir, sob o influxo de modernos conceitos, a participação do inefável na experiência poética, o segredo que resta entre a revelação e a intuição é testemunho de que existe algo mais, além do nosso esforço humano.

Entre o impulso que, em parte, se atribui ao subconsciente, e até mesmo ao inconsciente coletivo, e o labor esclarecido e determinado que faz do artista um artesão não existe confronto mas conjunção, congraçamento, harmonia.

---

2 Discurso de Henriqueta Lisboa na solenidade de premiação realizada em 19 de julho de 1984.

Nem sempre se consegue aportar, é evidente, ao estágio de perfeição com que sonha o poeta. Esse é o motivo da nossa humildade a prevalecer sobre o nosso orgulho. O criador não está só, não age com independência total, alimenta-se do ambiente e do tempo em que vive, recolhe espigas de campos pretéritos, recebe a bênção das constelações e o repúdio dos ventos contrários. Ao mesmo passo, escolhe os módulos de seu canto, reconhece o timbre da própria voz, utiliza-se da intuição, delimita e patenteia sua personalidade, encontra-se no estilo, depois de forjá-lo e temperá-lo – metal candente em água fria. Aqui chegamos a um ponto crucial. Eu disse "criador", porém não sei se deveria dizê-lo com relação ao ser humano. Apenas Deus é criador em sentido absoluto. Nós, mortais, esboçamos tentativas tantas vezes frustradas na rebeldia e tantas vezes coroadas de êxito na mansuetude. Rebeldia e mansuetude são os polos do espaço em que gravita o poeta, atraído – e eventualmente traído – por cintilações itinerantes.

Que mistério será este, a manter em suspenso nossos sentidos e nossos corações? Desde que a primeira palavra foi pronunciada, há milênios, por um de nossos antecessores, a trama vocabular começou a reger o universo. Multiplica-se a orquestração vocal. Cada criatura elege sua terminologia para expressar-se de maneira adequada: território sagrado e ao mesmo tempo comunitário a perfazer, juntamente com as culturas de entorno, a linguagem da raça, o acervo de um patrimônio nacional, a defesa do espírito peculiar a cada país. Não em termos de isolamento, mas em sentido de diversidade, especificidade, caráter.

O idioma português, tão belo na sonoridade, tão nobre no fraseado e tão profundo nos escaninhos, nasceu sob o signo da poesia. Em equivalência, todo o fascínio da poesia se fundamenta na língua materna. Há uma impregnação recíproca de valores e matizes entre ambas. Cabe ao poeta discernir tais valores e realçar tais matizes; em síntese, afinar o instrumento que dedilha.

Árdua tarefa que nem sempre logramos cumprir devidamente. De minha parte, para suprir alguma deficiência, fui sempre fiel na luta pela expressão, devotei à poesia e à língua um amor transbordante. A casa de Machado de Assis, defensora primeira da pureza e da grandeza da língua pátria, dignou-se confiar em mim, desde o início, e agora me reconforta com essa láurea consagradora.

Senhores acadêmicos, a Vossas Excelências todo o meu reconhecimento.

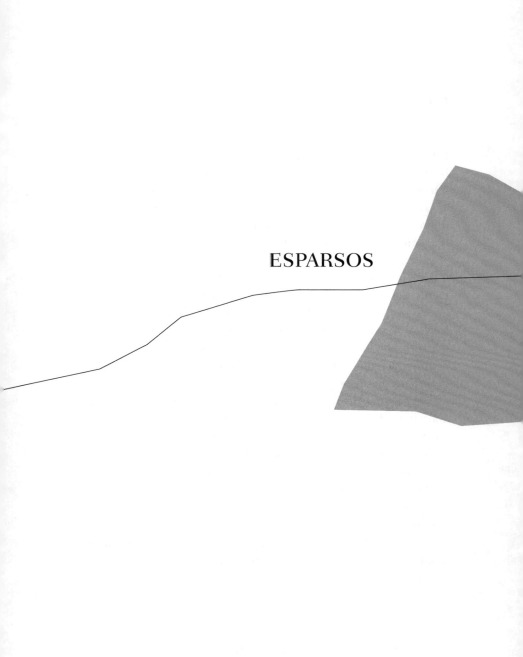

ESPARSOS

LITERATURA ORAL PARA A INFÂNCIA E A JUVENTUDE[1]

Em longo e interessado convívio escolar, sempre me preocupou a falta de material literário com que lutam os professores para tornarem mais atraente e, pois, mais eficaz o ensino da língua.

De outro lado, em constante contato com as letras, sempre me impressionou e encantou a literatura oral, concisa e fecunda no seu realismo, tanto quanto ardente no seu idealismo.

Com a mesma essência universal que caracteriza o fenômeno, o folclore brasileiro é singularmente significativo pela riqueza dos elementos que o compõem. Veiculado através de várias correntes, europeia (principalmente ibérica), ameríndia e africana, o nosso folclore reúne os mais diversos matizes da imaginação, surpreendentes achados da inteligência e intenções civilizadoras, assim como concepções de vida algumas vezes de sabedoria exemplar, dentro de seu tosco primitivismo.

Amálgama de ingenuidade e malícia, como toda literatura anônima, oferece, em variações e minudências de tom peculiar, a expressão psicológica de nossa grei. Uma grei que ainda não se conhece bem a si própria, em virtude do mesmo processo evolutivo de fusionamento racial que a vai modelando.

Preso às mais profundas raízes do ser humano, mantém o folclore na sua cripta uma força de resistência incorruptível, além do que, nas suas incursões pelo planeta, floresce prodigiosa faculdade de adaptação a fatores versáteis: tempo, clima, religião, progresso material, formas de transculturação, processos de sedimentação étnica.

---

1 In: *Literatura oral para a infância e a juventude*: lendas, contos & fábulas populares no Brasil. São Paulo: Cultrix, 1969; 2. ed. São Paulo: Peirópolis, 2002.

Nada representa melhor o homem, na sua unidade e na sua esplêndida variedade, do que o folclore, cujo estudo se faz, por isso mesmo, altamente elucidativo para o conhecimento da continuidade e das reformulações históricas.

Antes, porém, que nos tentem os demônios da erudição, é mister o convívio singelo dos mitos em sua pureza nascente, de acordo com a índole natural tanto do sujeito como do objeto. Esse convívio, que em geral se inicia no berço e cresce à sombra da casa paterna, vai pouco a pouco cedendo lugar a interesses estranhos, diante da civilização cosmopolita que invade o universo. É de notar que, em nosso meio, as amas já não recordam os contos de antigamente, e as mães já não repetem as lendas que ouviram na infância. Cabe, portanto, à escola, apta a reconhecer a importância dos valores tradicionais como forma educativa, o ofício de resguardar e transmitir tal patrimônio. Os livros que leem comumente os meninos de hoje, de aventuras inverossímeis, traduzidos em massa para o vernáculo, excitam a fantasia porém não alimentam a imaginação. A primeira é tão somente um jogo eventual; a segunda, o dom de intuir e inventar novas formas sobre os fundamentos do real e do autêntico.

A escola, que sabe distinguir esses matizes, bem pode, através do folclore, estimular e orientar a imaginação infantil no melhor sentido.

Instrumento mais promissor do que qualquer disciplina, nesta área, o folclore auxiliará, por certo, o florescimento da sensibilidade; despertará os sentidos e a alma da criança diante das cores, das vozes e dos segredos da terra; acomodará sentimentos a interesses vitais e genuínos.

Entretanto, para ressalva do próprio fenômeno, o folclore não deve ser ministrado à infância a feitio de estudo, mas, sim, proporcionado de modo recreativo, espontâneo, sem insistência. O que se define como popular, tradicional e anônimo não lograria viver em clima de imposição; mas pode conservar-se natural em terreno propício, à semelhança do fruto que amadurece fora da árvore, se o condiciona tratamento adequado.

Preserve-se então o lendário, jamais de maneira imperativa, mas sim sub-repticiamente, sem ferir critérios sociológicos. De acordo com a pedagogia, à medida que surgir o ensejo, em aula de história, geografia, ciências ou língua pátria, o motivo folclórico pode ser ponto de partida para o subsídio e coordenação de conhecimentos. Ao serem deparados, por exemplo, certos deslizes gramaticais encontradiços na linguagem oral, torna-se indispensável, a par da achega corretiva, a ponderação da autenticidade psicológica desses supostos "erros", tão exatos na sua força de expressão estilística.

Será sempre valioso para a formação do espírito de precisão e segurança verbal o modo incisivo, direto e prático, a talhe de foice, com que avultam descrições, fatos e personagens, na literatura oral. Esta supõe, geralmente, um estilo sólido, à base da economia vocabular e da justeza. O sentimento estético da criança encontrará no folclore, acima de tudo, um mundo prodigioso de imagens e ritmos, a que raras vezes se superpõe a literatura escrita. Mundo de poesia, aurora primeva, limpidez de fonte. Assim, prolongar uma tradição regional no que ela possa oferecer de fecundo equivale a renovar o momento lúdico e lírico da humanidade; verificar, mais tarde, que essa tradição tem caracteres idênticos ou semelhantes aos de outros povos será recolher uma lição de amor.

Para o adulto, em geral, o estudo do folclore objetiva o conhecimento do homem, de suas reações e atitudes, de seus sonhos e anelos. Propicia, em particular ao professor, valiosa contribuição para a psicologia infantil, dadas as coincidências entre a alma do primitivo, do selvagem e do povo e a alma de pequenos seres ainda imunes de pressões externas.

São estas as razões essenciais da organização de uma antologia da literatura oral corrente no país e que se destina a alcançar as crianças, de preferência por meio de seus educadores.

Composto de numerosas fábulas, contos e lendas, à luz de motivações diversas, o presente trabalho endereça-se tanto ao ensino primário como ao secundário. Depois de consultar a extensa documentação do assunto em revistas e livros, cuja bibliografia se transcreve ao final do volume, procedi a esta escolha, procurando evitar estilizações mitológicas que acaso deturpassem a naturalidade linguística. Ainda assim tive de recorrer a algumas histórias, principalmente lendas, já marcadas pelos torneios da frase escrita.

Há muito que agradecer àqueles que palmilharam os campos da pesquisa e retiveram, dentro de uma possível simplicidade, as construções originais. A obra dos nossos folcloristas e etnólogos é de valor inestimável, acima de toda admiração, seja a dos precursores, seja a dos que lutam nos dias de hoje por este ideal que, felizmente, começa a ser compreendido em nossa terra.

Da primeira parte desta coletânea constam as lendas, nem sempre contidas nos limites de "narrações individualizadas, localizadas, objetos de fé", segundo a acepção geralmente aceita do termo. Tomadas em amplo sentido, aqui abrangem as áreas do mito pela indeterminação do ambiente e do tempo, e pela evocação de uma vaga atmosfera mágica. É o grupo em que predominam as invenções de cunho etiológico.

Figuram na segunda parte, além de velhos contos tradicionais da infância brasileira, algumas narrações menos antigas mas sem dúvida populares e trabalhadas pela imaginação coletiva, dentro de uma concepção pueril do universo.

Prende-se o título da terceira parte, fábulas, à ideia de "narrações alegóricas cujas personagens são animais" e que encerram geralmente uma lição moralizante. O rótulo poderia ser substituído por "contos de bicho" ou "de animais", da preferência de ilustres folcloristas que concebem a fábula mais restritamente como narração em versos, com o mesmo conteúdo. Mas isso é de menos, para o momento.

Quanto ao critério ético, importa que o mundo da sombra, do medo, da irreverência e do mal seja poupado, na medida do possível, a sensibilidades imaturas. Assim, neste volume, demologia mirim, não se apresentam mitos tenebrosos, nem situações que melindrem a saúde mental da infância, breve período de encantamento e abandono.

Simbolizaria o folclore uma árvore com raízes plantadas em gleba comunitária e de cujos ramos pendem, para todos os quadrantes, as mais diversas dádivas frutíferas. Tal como a árvore de Tamoromu, bonita lenda dos índios Vapidiana. Sem desdouro do caráter da espécie, os frutos ora reunidos são, talvez, os mais graciosos desse reino agreste em que o sobrenatural se faz cotidiano.

LITERATURA ORAL E LITERATURA INFANTIL[2]

"No princípio era o mito", disse Max Müller. Talvez não haja contradição entre esta sentença e o conceito dos que dão primazia à palavra. Se o mito provém da interpretação de fenômenos universais, a mesma interpretação se processa através de símbolos ou expressões linguísticas. Além disso, não são apenas os elementos da natureza, o sol, a lua, a terra, as águas e os ares, que condicionam a vida do homem, senão ainda as realidades de ordem intrínseca, pensamento, sentimento e vontade, vale dizer, as realidades de fonte ontológicas, às quais é inerente a palavra, desde os mais íntimos alicerces.

No mundo interior de cada ser, embora rústico ou primitivo, habita uma profusão de luzes e sombras, intuições e pesadelos. As coisas visíveis ou sensíveis, nuvens, estrelas, além de serem para nós o que são de fato, aspectos do cosmos a que pertencemos e no qual nos integramos pelos sentidos, são também as imagens representativas dos nossos conceitos, da nossa sensibilidade, dos nossos pressentimentos sobrenaturais. Ainda que, na origem, a palavra "Zeus" apenas significasse "céu brilhante", e não haja referência nos primeiros cantos dos poetas senão às exterioridades desse céu, é de crer-se que a metáfora tivesse sentido recôndito, a exprimir algo de inefável, no caso um poder de ordem superior a reger o universo. A índole mística, a religiosidade, a percepção

2 In: *Cadernos da PUC-RJ – Literatura Infantil*. Série Letras. Rio de Janeiro, n. 33, p. 29-34, agosto de 1980.

do primado espiritual, isto que confere ao homem cunho de superioridade, sobre os seres criados, está presente, desde o início, na manifestação dos mitos. Eles são, como afirma Jung, "revelações da alma preconsciente". Daí toda a ingenuidade, a graça, a indiscreta malícia, a maravilhosa pureza espontânea do folclore na sua área mais relevante, ou seja, na literatura oral.

Nenhum conhecimento do real será mais lúcido e forte do que a sabedoria coletiva, tão propícia à expressão da poesia. Mesmo depois de lavrado em muitos campos, lavado em muitas águas e fermentado em muitos cadinhos, o conto mitológico tem o dom de conservar sabores primevos, um quê de recém-nascido. É que existe dentro dele uma crença, uma afirmação, uma necessidade vital, um dado de cultura em busca de integração, um valor psíquico em vias de renovar-se, pois que fundamental ao ser humano.

O mito não é capricho da fantasia mas fruto natural da imaginação, mesmo que tenha tido origem nos sonhos, de acordo com certas correntes teóricas, e ainda que tenha vindo da escuridão do inconsciente, como propôs Freud. O mito lastreia uma dose de inteligência lógica a denunciar os impulsos, quer para exaltá-los, quer para denegri-los. Na sua primariedade, ele é uma conceituação de vida. É o marco inicial da faculdade criativa do homem, de uma grei, de uma geração desejosa de permanecer e, ao mesmo tempo, de propagar-se e comunicar suas experiências. É um mundo destinado à sobrevivência pela reiteração da sensibilidade plural; um mundo simbólico que poderá deformar-se e modernizar-se com o tempo, adaptar-se a novas circunstâncias, porém não obscurecer ou obstruir a significação essencial, pelo milagre do sincretismo.

Teremos chegado, nós, habitantes do século XX, tarde demais para o mito? É o caso de fazer tal pergunta. Não nos referimos, evidentemente, aos mitos hodiernos, gerados pela dinâmica da máquina, vertiginosos e alucinantes, aos robôs da era eletrônica, aos aparatos bélicos para a sustentação irônica da paz, nem mesmo à prodigiosa técnica que nos permite assistir, da poltrona caseira, ao descobrimento da lua, tão desmitificada aos nossos olhos adultos. Restam, entretanto, as crianças que, embora vejam o que vemos, têm candidez bastante para abrigarem no coração as sementes da antiga poesia de tribo, sempre inaugural.

PROSA ✳ ESPARSOS

Assim é que o folclore se desdobra em dois estágios definidos: o da inocência e o da experiência. O da inocência para participar e fruir dos dons de criação; o da experiência para recolher, aprofundar, e explicitar a constituição dos símbolos. O legado ancestral identifica-se com as almas simples e deixa-se desvendar pelos espíritos laboriosos.

De um lado a infância e a massa popular, na tangência do primitivo; de outro lado os eruditos, os cientistas, etnólogos, etnógrafos, sociólogos, psicólogos, assim como os folcloristas de laboratório ou de campo. Mas há também uma classe que pode apresentar a síntese dessas duas categorias: já não sendo pueril nem despreparada, conserva no íntimo o encantamento das coisas genuínas; não possuindo inclinação ou capacidade para organizar corpos de doutrina, é todavia indicada para a sustentação da estrutura folclórica. Refiro-me ao poeta. Exatamente por ser um criador de mitos de sua própria invenção, o poeta está fadado a ser recriador de mitos genéricos. É lícito pensar que lhe incumbe a missão de imprimir a alegorias difusas uma forma definitiva, de interpretar o segredo subjacente das mensagens primevas. Conhecedor da realidade humana em dimensões mais profundas que as habituais, o poeta tem correspondido por vezes a tal expectativa, ao longo da história literária. Muitas obras de arte se baseiam na inspiração e nas crenças sobrenaturais dos bárbaros, no seu relacionamento com deuses e heróis, nos seus códigos de honra, nos seus ritos lúdicos. Bastaria lembrar Homero, Virgílio, Ovídio, exemplos perfeitos. Mas evoquemos, ainda, o autor ou autores de *Mil e uma noites*. Façamos vênia a La Fontaine, com seu poder de lapidar diamantes. E a Perrault, que, no século XVII, consagrou o valor dos ensinamentos morais cristãos, salvando do esquecimento os contos tradicionais da ancianidade: "A bela adormecida", "Chapeuzinho vermelho", "O barba azul", "A gata borralheira", "O gato de botas".

Entre nós, contudo, as criações do gênero ainda não correspondem à riqueza das fontes – que vêm sendo desbravadas, pouco a pouco, por indivíduos idealistas e cultos. É certo que a escola modernista, através de escritores notáveis, como Mário de Andrade e Raul Bopp, realizou valiosas experiências neste sentido; e é certo que alguns pós-modernistas têm palmilhado a mesma trilha. Porém o nosso patrimônio folclórico possui esplêndidas reservas ainda intatas.

Assinalem-se os nomes daqueles que abriram as comportas do nosso lendário: Celso Magalhães, Sílvio Romero, Couto de Magalhães, Barbosa Rodrigues, Brandão de Amorim, Amadeu Amaral, Gustavo Barroso, Basílio de Magalhães, Herbert Baldus, Luís da Câmara Cascudo, entre outros dedicados pioneiros. Seja citado entre os estrangeiros, que nem sempre perceberam o valor espiritual indígena, o italiano Stradelli, redator dessa monumental *Leggenda dell'Jurupary*, de fascinante beleza e múltiplas sugestões. Seja louvado o nome de Renato Almeida, lutador de tantas batalhas em prol das tradições americanas ameríndias.

Para além da opulenta seara, sortilégio, comoção e estímulo, há que pensar no que ela pode oferecer a novos prismas. A arte – e consideremos o fabulário, ainda que rude, no âmbito artístico – transcende qualquer objetivo. Nada impede que procuremos utilizar ou desdobrar antigos campos de força em outros centros de irradiação e influência, com vistas à literatura e, consequentemente, à educação. É fora de dúvida: o folclore representa excelente recurso formativo, com base no incentivo poético.

Assim se expressou Joseph Hess, em comunicação ao Congresso Internacional de Folclore, em 1954: "Desde que se estabeleceu que cada povo é a síntese do seu passado, que sua evolução histórica ultrapassa, quanto à formação do comportamento psicológico e moral, a constituição física e anatômica, urge que o educador se aplique a conhecer os estados de alma das gerações anteriores, para dirigir eficazmente a juventude. A história ministra-nos fatos exteriorizados. O folclore, como função da Etnologia e Sociologia, revela os valores e deficiências morais e intelectuais, às vezes submersos, que vêm à tona em tempo oportuno, após períodos de longa letargia; e que ficariam sem explicação nem utilização, caso não existissem os dados indicativos dos elementos ocultos – tanto mais importantes quanto mais primários".

Para que o educador se beneficie de tal convívio, que irá reforçar, consolidar ou reformular seus conhecimentos de psicologia infantil, e possa, mais tarde, transmitir à criança o sentimento das coisas pretéritas em conexão com o presente, duas opções me parecem razoáveis: (Dadas as dificuldades, deficiências e desníveis do meio escolar no Brasil, onde se improvisa, por vezes, o educador, sem biblioteca especializada à disposição, reporto-me a esse mesmo educador mediano).

A primeira opção é recorrer às antologias folclóricas, selecionar os capítulos mais expressivos do nosso lendário, organizá-los como um pequeno todo para leitura em classe. Essa leitura, que não deve ser obrigatória mas dada a título de recreação literária, muito contribuirá para despertar a imaginação e mover a sensibilidade infantil.

Com o desejo de servir a esse objetivo pedagógico, preparei uma coletânea já editada – *Literatura oral para a infância e a juventude* – constituída de lendas, contos e fábulas populares no Brasil. A tarefa não me foi fácil, devido à aspereza de certos enredos encontrados ao longo das pesquisas, os quais poderiam desservir à causa, apesar do interesse adulto.

Mais difícil seria a de reunir, com o mesmo intuito de seleção educativa, a nossa poesia tradicional. De uma investigação junto ao *Romanceiro tradicional do Brasil,* conjunto de textos do século XIX apresentados por Joaquim Ribeiro e Wilson Rodrigues, de acordo com uma doação feita pelo historiador Inácio Barroso, resultaram os seguintes temas, como se vê, nada condizentes com o projeto:

A infanta que pretendeu casar-se com homem casado;
A dama que se fingiu de varão guerreiro;
O pai que pretendeu casar-se com a própria filha;
A mulher que é obrigada a casar-se antes da volta do marido;
A mulher adúltera que é assassinada pelo próprio marido;
As duas irmãs: a escrava e a rainha;
A vingança da mulher desprezada pelo homem que ama.

Estes assuntos não se coadunam com a delicadeza das almas imaturas, que devem ser respeitadas, apesar do realismo dos nossos dias. É de esperar-se, todavia, que um estudo mais amplo venha a ser eficiente.

A segunda opção, que considero viável, é a possibilidade de se criarem imaginações dentro do universo das essências perenes, que é a memória coletiva. A recriação de mitos pelos nossos poetas, aqueles que se achem por índole mais perto da natureza e do cosmo, poderá representar obra perdurável de interpretação de antigos mistérios, ao sopro de uma vida nova e ao calor de uma sensibilidade desperta.

Não se trata, é bem de ver, da colaboração de poetas eruditos a versos anônimos, com a finalidade de reconstruí-los, processo infelizmente usado por Almeida Garrett e José de Alencar. Muito deve o folclore de língua portuguesa a esses dois grandes escritores, mas teria sido preferível que eles houvessem conservado a versão espontânea dos romances que recolheram. O que se pretende é um aproveitamento mais amplo dos motivos tradicionais que se harmonizem com as nossas diretrizes éticas e possam conter um sentido de continuidade sociocultural, mais do que sentimento de fixação no passado. Abeberem-se os poetas nos mais puros mananciais e procurem recriá-los, isso sem preocupação de destinatário, para que, posteriormente, selecionem os educadores o que convém à formação e ilustração do educando.

Seguindo a linha de pensamento de Platão e de Schiller, Herbert Read chegou a esta admirável síntese de ideias: "A arte, amplamente concebida, deveria ser a base fundamental da educação. Pois nenhuma outra matéria pode dar à criança não só uma consciência na qual se acham relacionados e unificados imagem e conceito, sensação e pensamento, senão também, ao mesmo tempo, um conhecimento instintivo das leis do universo e um hábito ou comportamento em harmonia com a natureza".

Assim, tanto o genuíno folclore – manifestação artística em moldes incipientes – como a poesia nele inspirada serão eficazes para proporcionar à infância, pelos sentidos, uma noção de ritmo e correspondência entre os seres e as coisas, mais do que qualquer outro estímulo. Isto, devido à configuração de coisas que já se acham, instintivamente, na proximidade e até na profundidade do nosso ser e que nos integram no mundo comunitário, acordando o sangue que nos corre nas veias. O sentimento do pretérito em conexão com o presente, eis um imperativo para ambientar a criatura humana nesses dias dramáticos. Não é questão de reagir contra a urgência do tempo, que tão prodigiosas revelações nos oferece, mas de assegurar estabilidades às emoções. Do muito que se vai perdendo na caminhada do homem para o devir, algo continua fluindo à sombra dos bosques, como água da fonte. E isto é que nos mantém humanos, liricamente humanos, em meio a tanto cimento armado.

Reitero o que disse há tempos[3]: com a mesma essência universal que caracteriza o fenômeno, o folclore brasileiro é singularmente significativo pela riqueza dos elementos que o compõem. Veiculado através de várias correntes – europeia (principalmente ibérica), ameríndia e africana – o nosso folclore reúne os mais diversos matizes da imaginação, surpreendentes achados da inteligência e intenções civilizadoras, assim como originais concepções de vida, dentro de seu tosco primitivismo. Amálgama de ingenuidade e malícia, como toda literatura anônima, oferece, em variações e peculiares minudências, a expressão psicológica de nossa grei. Uma grei que ainda não se conhece bem a si própria, em virtude do processo evolutivo de fusionamento racial que a vai modelando.

Preso às profundas raízes da criatura, mantém o folclore em sua cripta uma resistência incorruptível; sem embargo, nas suas incursões pelo planeta, demonstra prodigiosa faculdade de adaptação a fatores versáteis: tempo, clima, religião, progresso material, formas de transculturação e processos de sedimentação étnica.

Assim, é mister o convívio singelo dos mitos em sua pureza nascente, de acordo com a índole natural de cada geração e cada povo. Esse convívio que, em geral, se inicia no berço, e cresce ao abrigo do lar, vai pouco a pouco cedendo espaço a interesses estranhos, diante da civilização cosmopolita que invade o universo. Em nosso meio, as amas já não recordam os contos de antigamente; e as mães já não repetem as canções e as lendas que ouviram na infância. Cabe, portanto, à escola, apta a reconhecer os valores educativos da tradição, o ofício de resguardar e transmitir tal pa-

---

3 A autora se refere à introdução à *Literatura oral para a infância e a juventude*: lendas, contos & fábulas populares no Brasil. São Paulo: Cultrix, 1969; 2. ed. São Paulo: Peirópolis, 2002. (N. do E.)

trimônio. Os livros que leem comumente os meninos de hoje, de aventuras inverossímeis, traduzidos em massa para o vernáculo, excitam a fantasia mas não alimentam a imaginação. A primeira é um jogo eventual e ilusório; a segunda, o dom de intuir e inventar novidades, sobre os fundamentos do real e do autêntico.

A escola, que sabe distinguir entretons, pode estimular e orientar a imaginação infantil no melhor sentido, através da literatura oral selecionada. Quanto aos poetas, será desejável que colaborem sempre mais para o enriquecimento de nossas letras sob os aspectos saudáveis e promissores da tradição, criando, com sentido essencial correlato, novas formas independentes, de afirmação e de magia.

ANTOLOGIA POÉTICA PARA A INFÂNCIA E A JUVENTUDE[4]

Ao terminar a organização de uma antologia poética para a infância e a juventude, assalta-me estranha perplexidade. Tarde, porém, para desistir do empreendimento, tarde para recomeçar a tarefa, entrego ao diretor do Instituto Nacional do Livro, Dr. José Renato Santos Pereira, o resultado de minhas pesquisas e meditações.

Destinatário de sensibilidade distante da nossa, torna-se incógnita. Serão acessíveis tais poemas àqueles a quem os endereçamos? Mas quem lograra decifrar o mistério da comunicação artística?... Não é por certo no primeiro momento que percebemos todo o sentido da obra de arte, senão à medida em que a sua fruição nos atinge a natureza.

É a arte, incontestavelmente, um dos esteios fundamentais da educação, pela sua capacidade de aprimorar a sensibilidade, desenvolver os sentidos em direção dignificante, estimular a faculdade intuitiva, imaginativa e criadora, promover a compreensão dos seres e das coisas para além dos reinos da inteligência. Fiel a essa convicção, tentei realizar, através da poesia aqui reunida, algo em favor da educação estética.

Apresenta-se quase sempre ao escolar brasileiro, sob o rótulo de poesia, certo artigo prosaico, naturalmente com muito boas intenções. No caso, o engano redunda em desserviço. O pseudopoema, de versos mecanicamente inflexíveis e substância normativa, à feição de uma flor de papel, desorienta e deforma o gosto natural. A

---

4 In: *Antologia poética para a infância e a juventude*. Rio de Janeiro: Cultrix, 1961.

verdade é que o magistério da poesia está no seu valor: a lição da poesia deriva de sua própria essência.

O problema resulta às vezes da incompleta formação do professor, privado na primeira idade, em virtude de um círculo vicioso, dos cuidados estéticos. Agrava-se com a questão do material, aparentemente escasso. Esse material existe em abundância, porém se encontra disperso. Ao recolhê-lo de cada livro e cada poeta de língua portuguesa, de Camões a Geir Campos, quis também valer-me da literatura universal, em páginas traduzidas para o nosso idioma. Assim procurei alcançar meu objetivo, preferindo a força expressiva ao academismo, sem nenhum preconceito de escolas, tendências, meios ou épocas.

Paralelamente ao critério artístico, busquei atender a imperativos de ordem moral, evitando qualquer motivo de depressão psíquica, languidez, angústia, paixão, desordem: o que pudesse, acaso, ferir a delicadeza de almas imaturas.

Tratam esses poemas de assuntos que interessam de modo peculiar a crianças e adolescentes. Aqui se manifestam sentimentos nobres sem doblez, conceitos de vida naturalmente elevados, gestos graciosos sem afetação, paisagens de agradável colorido (introspectivas ou exteriores), tudo através de uma dicção, tanto quanto possível singela, sem vulgaridade ou balbucio.

Por severos, ou sensuais, ou herméticos, deixam de registrar-se nesta visão de conjunto da poesia universal alguns altos valores, quer do passado, quer do presente.

Dirige-se a primeira parte à idade mais infantil; os jovens encontrarão, na segunda, áreas mais vastas.

Em ambas as divisões, sucedem-se os poetas na ordem seguinte: modernos, simbolistas, parnasianos, românticos. Na segunda parte, constam, ainda, árcades e clássicos.

Quanto às traduções, figuram ao final de cada parte.

No esforço de servir a tão grande causa, é possível que me haja enganado em alguns pontos. Entretanto, posso dizer com sinceridade: é este o livro que eu desejaria ter lido na meninice.

Belo Horizonte, dezembro de 1958
Henriqueta Lisboa

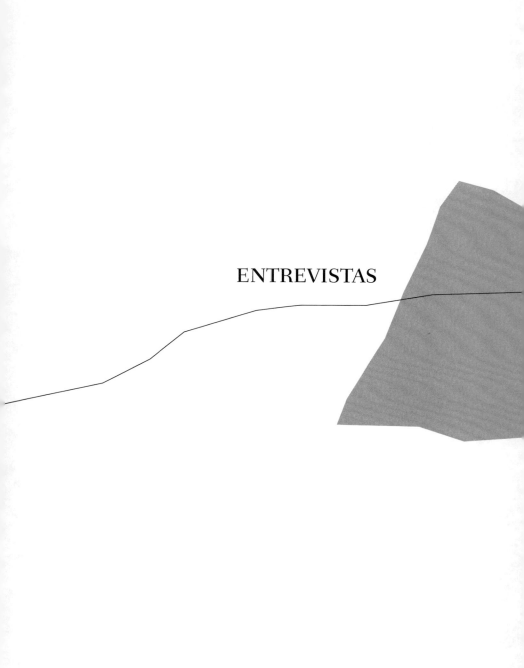

ENTREVISTAS

ENTREVISTA A ANGELO OSWALDO DE ARAÚJO SANTOS[1]
(1968)

Qual a sua posição em face ao panorama atual da literatura mineira?
Na qualidade de vivente e ainda atuante nas letras – com alguns livros inéditos –, presumo que sou parte integrante desse panorama, naturalmente heterogêneo, devido à variedade dos componentes. Que eu saiba, não há problema de gerações, apesar da diversificação de processos literários e pesquisas estéticas. Noto que os mais jovens, como os que formam o grupo da revista *Estória*, encaram a ficção com abrangente sentido crítico. Isso é curioso.

Qual a participação da Academia Mineira de Letras, no momento, na vida literária de Minas? Que representa para você, como mulher, sua presença na Academia?
A Academia participa com seus cursos e concursos, sempre estimulantes, bem como através da atividade de alguns de seus membros mais devotados à literatura, ao magistério e ao jornalismo. São movimentos esparsos, com seu valor próprio. Embora afastada das reuniões por ser eu de índole recolhida, considero um privilégio o fato de pertencer à casa tradicional de Alphonsus de Guimaraens.

---

1 In: *Diário de Minas.* Belo Horizonte, 4 de maio de 1968.

Por que tem preferências por temas infantis em sua poética? Haveria influência da meninice ou são elementos recolhidos da infância em geral? Em contraste com isso, que significa a temática da morte e o aspecto místico de sua poesia?

A infância é uma água cristalina que todo ser humano procura beber, ou na própria fonte, através do espelho evocativo, ou nas fontes que vão nascendo dia a dia. Por analogia, não sei bem quando me refiro ao meu reino encantado, ao mundo infantil de entorno ou àquilo que desponta e é tenro, sem as marcas da servidão. Não vejo contraste entre esse motivo e os outros a que você se reporta, senão sequência. Na ordem seguinte: após a infância, a criatura se vê densamente tomada de mistério – a natureza individual e a natureza cósmica. Então começa a vida interior e, simultaneamente, a de integração no real visível. O ser que reluta em aceitar as coisas como são procura superá-las na mística esperança de uma solução que seria o encontro de Deus. Depois, a ideia da morte, consequência fatal da vida, é o fogo em que nos consumimos minuto a minuto. É preciso dominar esta ideia, transfigurar este sentimento, colher ao menos uma flor à beira da sombria experiência. E, a meu ver, a arte é um ato de respirar.

Quais os livros que já publicou? Pretende alguma publicação para breve? Que trabalhos traduziu?

Os publicados você conhece. Os inéditos, à espera de oportunidade, são: *O alvo humano* – poesia; *Estudos poéticos* – prosa; *Literatura oral para a infância e a juventude:* lendas, contos e fábulas populares no Brasil, com introdução e notas bibliográficas – antologia; *Cantos do Purgatório,* de Dante – tradução; há também *Poemas escolhidos de Gabriela Mistral,* no prelo da Editora Delta, coleção Prêmios Nobel de Literatura. O que mais desejo publicar, no momento, é um volume a que chamo *Nova lírica,* no qual serão incluídas as coletâneas recentes da minha poesia, junto às que fizeram parte da *Lírica,* saída em 1958 e de há muito esgotada.

Qual a sua opinião sobre a poesia concretista?

Embora não a encontre plenamente realizada, acho que é digna de toda a atenção e estímulo, pois já tem sido benéfica pelo exemplo de contenção e valorização da palavra, núcleo vital do poema.

Qual a afinidade que encontra entre a sua e a poesia de Cecília Meireles?
A nostalgia do espiritual, a sensação do efêmero e a intuição de que a forma, reflexo do conteúdo, deve ser devidamente depurada. Por veredas diferentes, ela, com sua linda voz musical, eu, com timbre mais dramático, perseguimos ideais semelhantes.

É muito difícil prender-se um escritor a determinado gênero literário. Quanto a você, que sempre fez poesia e dela saiu apenas para crítica literária, nunca se sentiu inclinada para o conto ou crônica?
Não. Apenas o teatro me tentou, sem resultado prático até hoje.

Você, que estuda e pesquisa Guimarães Rosa e é grande conhecedora da obra dele, acredita venha ter ela duração ou apenas represente, como obra única e de grande inovação, um momento da literatura brasileira, ponte entre o romance da primeira fase modernista e um romance que estaria por surgir?
Com referência ao valor essencial, parece-me que será obra única por mais de um século. Mas, no sentido da descoberta e aproveitamento do poético, penso que abrirá clareiras múltiplas à ficção nacional.

ENTREVISTA A JOSÉ AFRÂNIO MOREIRA DUARTE[2]
(1970)

Por que não se publicou, ainda, a segunda edição de *Lírica*, tão desejada pelos leitores?
Fazem-me com frequência essa pergunta, mesmo de lugares distantes. Acho que ela deveria, com mais propriedade, ser feita a editores e livreiros. O meu *métier* é a luta pela expressão. A luta de prelos e mercados me escapa.

Sua poesia, que já começou ótima, aperfeiçoa-se cada vez mais. Tem algum método especial para conseguir essa incessante evolução?
Se o que diz está certo – muito obrigada pela gentileza! –, devo atribuí-lo ao meu incessante empenho de cristalização artística a novos aspectos diante de novas motivações. Mas nem sempre fico satisfeita.

Por que a frequente presença da morte como tema em seus trabalhos?
A morte é uma realidade inevitável e inenarrável, tanto quanto misteriosa. Por isso mesmo nos instiga a inquiri-la e enfrentá-la superiormente. E quem nunca foi ferido por ela?

2 In: *Diário de Minas*. Belo Horizonte, 5 de julho de 1970.

Além de haver selecionado com êxito textos para a infância e a juventude, em *O menino poeta*, livro para adultos, consegue também encantar as crianças. Sendo assim, pensa em escrever alguma obra de literatura infantil?

Poesia com destinatário não é de meu feitio. Talvez ainda escreva alguns versos com toque infantil, mas por simples coincidência, digamos, de levitação.

Quando teremos oportunidade de ver a peça teatral que pretende escrever tendo por tema o Aleijadinho?

Teatro é uma esfinge que às vezes devora o texto... Assim pensando, encontrei motivo – ou pretexto – para desistir da ideia.

Todos conhecem e admiram Gabriela Mistral poeta. Tendo convivido com ela, o que pensa sobre Gabriela elemento humano?

Gabriela possuía extraordinário valor moral: uma serenidade duramente conquistada, um dom de fraternidade humana acima de preconceitos, certa faculdade de comunicação com o inefável. Tinha grandes distrações, não sabia calcular o tempo, confiava muito nos que a cercavam.

Pretende algum dia divulgar as cartas que Mário de Andrade lhe escreveu?

Não penso em divulgá-las. Serão doadas, algum dia, à mesma entidade que conserva as cartas que lhe foram dirigidas por numerosos correspondentes e continuam inéditas, de acordo com a recomendação de Mário, para serem liberadas mais tarde.

Tem planos para traduzir outros poemas italianos, além de Dante?

Já traduzi, além de Dante ("Furgatório"), vários poemas de Ungaretti e de Cesare Pavese. A tradução de poesia é uma excelente provocação à sensibilidade e capacidade técnica. Vale, pelo menos, como exercício.

Que emoção sentiu ao ver um poema seu traduzido pela primeira vez?
Indefinível emoção, misto de desapontamento e alegria: o poema deixara de ser meu, em parte; porém, transpusera fronteiras.

Que pensa sobre a poesia de vanguarda?
Interessa-me vivamente toda renovação artística. Encontro nessa alguns pontos positivos: depuração, concentração, dinamismo. O tempo se encarregará de atenuar-lhe a agressividade.

Se um jovem poeta lhe pedisse uma orientação para seguir no cultivo da poesia, qual seria seu conselho?
Trabalhar com seriedade e com amor. No trabalho se inclui a leitura de escolha, o estudo da língua, a pesquisa estética, o esforço técnico, a meditação sobre o tempo presente, a contemplação do passado e do futuro, a observação da natureza, a experiência pessoal, e um pormenor importante: a consulta ao dicionário.

ENTREVISTA A EDNALVA GUIMARÃES[3]
(1971)

A propósito de Henriqueta Lisboa, disse Carlos Drummond de Andrade: "A poesia de Henriqueta Lisboa sempre me cativou e continua a fazer-me companhia. Conta-me aquilo que só um poeta muito apurado e liberto de circunstâncias pode e sabe contar. Devo-lhe a penetração de vários segredos, devo-lhe notícias da alma dos homens e da essência do mundo, que essa poesia consegue exprimir como pouquíssimas outras entre nós".
Em Belo Horizonte conversamos com Henriqueta Lisboa. E a conversa aqui vai:

A poesia brasileira ainda existe?
Sim, com muitas angústias e com certo heroísmo. Apesar da crise que se estende pelo mundo, não apenas com referência à poesia mas a todas as estruturas de uma periclitante civilização. O que se nota é a dificuldade de expressão que atinge a todas as artes, nesse período de "cultura intervalar". Diante da rapidez vertiginosa do progresso tecnológico e das transformações básicas, o artista tem procurado retemperar-se para que sua linguagem esteja de acordo não apenas com as provocações externas, mas também, e principalmente, com suas reações interiores. Tal equilíbrio não é fácil. Além disso, nunca foi perdurável historicamente.

---

3 In: *A Cigarra*. São Paulo, outubro de 1971.

O que representa a poesia em sua vida?

A poesia é assim, digamos, como o ar que respiro: minha espontânea maneira de existir. Porém, não sou apenas contemplativa nem na vida nem na arte – ambas representam o meu esforço de sobrevivência espiritual, dentro de uma inelutável vocação para a criação e o estudo.

Por ser a primeira acadêmica mineira, o que acha do veto à mulher na Academia Brasileira de Letras?

Embora não se possa exigir que determinado agrupamento social se constitua de modo a atender pretensões generalizadas, penso que, mais dia, menos dia, a mulher escritora será admitida entre os Imortais por iniciativa da maioria dos acadêmicos, assim como aconteceu na Casa de Alphonsus de Guimaraens. É um problema de espera. E há regulamentos a respeitar.

Quais os prêmios literários que mais a sensibilizaram?

Um deles foi o título de Cidadã Honorária de Belo Horizonte, cidade onde tenho vivido tranquila desde 1935. Outro foi o prêmio Presença da Itália no Brasil, que me permitiu viajar para o exterior em 1970. Ambos inteiramente inesperados.

Quais os poemas que mais a satisfazem na sua própria obra poética?

O volume *Nova lírica*, aparecido há pouco, engloba uma seleção feita por mim, embora nem todos os poemas me satisfaçam plenamente. A verdade é que o artista jamais se contenta: isto, que talvez seja uma forma de orgulho, é que o preserva paradoxalmente da vaidade.

O que diz da nova geração poética?

De modo geral, é uma geração digna de grande apreço, pela coragem com que se lança à aventura em prol do inédito, pela tomada de consciência das obrigações do escritor diante dos múltiplos problemas do homem, pelo devotamento à pesquisa técnica e à cultura. Creio, todavia, que a arte verbal deve manter a palavra como elemento de essência e substância, capaz de agir sobre outra e mais outra palavra com poder catalisador para efeito do poema, sem necessidade de recursos alheios à sua natureza.

Quais os seus planos de publicação? Algum problema?
Ainda sem planos de publicação, tenho livros inéditos: um de ensaios, *Vivência poética*, e dois de poemas: *O alvo humano* e *Miradouro*. Problema difícil de resolver aqui em Minas não é o de editar, já que a Imprensa Oficial prestigia a literatura: é o de distribuir a tiragem pelo país. Isso seria coisa secundária para o escritor se não representasse o sacrifício de sua contribuição ao movimento literário nacional, o que leva alguns jovens a outras paragens, para maior expansão de suas atividades intelectuais.

Viver é tão importante quanto morrer? Por que a fixação na morte?
Parece-me que a fixação na morte está menos na minha poesia do que na impressão do leitor que terá lido, talvez, dois dos meus vários livros. A menos que sejam esses dois os mais lembrados, então se comprova que o motivo da morte nos emociona e envolve a todos nós. A expressão "Flor da morte", segundo penso, é ainda um símbolo de vida para traduzir uma experiência dolorosamente sensível. Morrer só é importante porque faz parte do viver.

ENTREVISTA A EDLA VAN STEEN[4]
(1984)

Você se incomodaria de falar da sua infância em Lambari? Um de seus versos diz "e volta sempre a infância com suas íntimas, fundas amarguras".

A leitura total do poema explicaria o motivo dessa queixa: a morte de uma irmãzinha e a tristeza que invadiu a casa geralmente alegre e barulhenta de uma família numerosa e unida. Apesar de extremamente sensível, tive infância normal. Minha mãe era muito imaginativa e cultivava as três virtudes teologais: fé, esperança e caridade; meu pai, muito inteligente, reunia as quatro virtudes cardeais: justiça, prudência, temperança e fortaleza. Da escola primária conservo preciosas lembranças, principalmente da minha professora Helvina Xavier Moreira, que me despertou o gosto pela poesia, lendo com entusiasmo e fazendo-me decorar Raimundo Correia e Fagundes Varela. A esse tempo, o desenho me fazia vibrar, e o desejo de tocar violino me acalentava. Mas a leitura dos poetas prevalecia. Então comecei a contar sílabas, a buscar rimas, a valorizar o estudo da língua pátria, a rabiscar meus primeiros versos, aí pelos nove anos. Sem a menor pretensão, é claro. Simples exercício.

4 In: *O Estado de S. Paulo*. São Paulo, 5 de maio de 1984.

Que lembranças tem da adolescência em Belo Horizonte? Sabe-se que era muito tímida. O que gostava de ler?
Adolescente, só estive em Belo Horizonte a passeio. Talvez fosse um tanto calada, por temperamento ou hábito adquirido no internato. Na capital mineira, onde passaria a residir mais tarde, fiz algumas amizades, encantei-me com a natureza e com as praças repletas de flores. Dessas impressões resultaram meus primeiros sonetos, publicados por José Osvaldo de Araújo. De modo geral, a adolescência, tempo de esfumaturas e vaguezas, é uma fase difícil, por falta de ajustamento entre o sonho e a realidade. Quando se recebe educação rigorosa, com o fortalecimento do caráter, a sensibilidade se torna mais vulnerável diante do cotidiano. Terminado o curso secundário no Colégio Sion, de Campanha, onde frequentara clássicos portugueses e franceses, passei a ler românticos, parnasianos e simbolistas do Brasil, de Portugal e França. Impressionou-me de maneira especial o nosso Alphonsus de Guimaraens. Em prosa, o livro que mais me calou no espírito foi *Motivos de Proteu*, de J. Enrique Rodó, ensaio habitado de largo sopro poético. Para mim, ele foi o "pensador" de Rodin, mergulhado na vida interior da humanidade.

Quando começou realmente a sentir vocação para a literatura?
Não houve linha divisória nem estalo de Vieira. Fui percebendo, aos poucos, que a criatura humana acusa dupla vocação: a de conhecer-se introspectivamente e a de travar relações com o mundo exterior – a natureza em geral, os semelhantes em particular. Compreendi, paulatinamente, o valor da linguagem, seja no sentido do verbo, seja na sistematização de sinais capazes de revelar o subjetivo. Som, movimento, cor, linha e forma seriam meios de compreensão, interpretação e irradiação de vida, perfazendo música, dança, poema, desenho, pintura e escultura, sob a égide da poesia, considerada elemento essencial e aura propulsora. Então, era prosseguir no rumo que intuitivamente me havia traçado. Concentrei cuidados na área da expressão vocabular, compulsando novos poetas, estudando outros idiomas, consultando dicionários, o que ainda hoje faço, com empenho e proveito.

Depois a família se mudou para o Rio, quando seu pai era deputado federal. Gostaria de falar nisso?
A vida no Rio foi a descoberta dos grandes espetáculos, sobrelevando-se o teatro de Pirandello pela força dramática; a harmonia do balé russo com Serge Lifar; o misticismo da raça negra na voz de Marian Anderson; as conferências na Academia Brasileira de Letras; o curso de literatura francesa de Gustave Lanson; o encontro dos poetas no salão de Ângela Vargas; os recitais de Margarida Lopes de Almeida, incluindo poemas de minha lavra; as recepções de Ana Amélia e Marcos Mendonça; a vizinhança de Basílio de Magalhães, colega e amigo de meu pai, conselheiro de grande erudição, o qual se interessou pelos meus trabalhos, me incentivou o gosto pelo folclore e pela literatura hispano-americana, da qual vim ser professora catedrática na Faculdade de Letras Santa Maria. Naquela ocasião colaborei em revistas e jornais como *O Malho*, *Revista da Semana*, *A Manhã* e *O Jornal*, onde meus textos eram ilustrados por Santa Rosa.

O que significava na época a sua decisão de ser poeta? As mulheres escreviam tão pouco...
Minha decisão de escrever significava tomada de consciência, sempre mais nítida, de que eu tinha uma vocação e que a ela devia corresponder. De fato, o ofício de poetar não era encontradiço entre as mulheres. Tinha havido Francisca Júlia; havia, entre outras, Gilka Machado e Cecília Meireles. A esta conheci pessoalmente no Rio: distinta, graciosa, iluminada, possuidora de sólida cultura. Mais tarde nos tornamos amigas, quando ela veio por duas vezes a Belo Horizonte para fazer conferências sobre literatura infantil, tendo causado brilhante impressão a todo o auditório. Tenho muito carinho pela sua obra e guardo as cartas que me escreveu ao longo de vários anos.

Você foi influenciada por autores estrangeiros? Quais os poetas de que mais gostava?
Influência de autores estrangeiros não sei se a recolhi, embora sinta predileção antiga e renovada por simbolistas franceses, românticos ingleses, místicos espanhóis, medievais portugueses, Dante, Leopardi, Hölderlin, Rilke, Tagore, sem falar nos mais modernos como Ungaretti e Jorge Guillén, com os quais sinto

muita afinidade. Também me foram proveitosas as reflexões de Santo Agostinho, Schiller, Emerson, Alain. Sempre me pareceu que a obra alheia serve de exemplo, porém não de modelo, uma vez que a poesia corresponde a um pulsar de veia, é presença viva de sensibilidade, objeto oriundo de uma intuição individual e determinação intransferível. Mas é claro que todo escritor da nossa dileção nos faculta um ensinamento, um lampejo, uma dádiva.

Seu primeiro livro saiu apenas em 1929. Por quê? Não tinha coragem de publicar?
Embora estimulada, principalmente pela opinião de Augusto de Lima, pensava de preferência em melhorar, em progredir. Além disso, sabia das dificuldades dos jovens colegas, com vistas a editoras, e não me animava a onerar meu pai com despesas extras, o que afinal veio a acontecer devido à sua boa vontade.

Como foi recebida a sua poesia, com tanta renovação pregada pela Semana de 22? Vinicius de Moraes, Augusto F. Schmidt, Mário Quintana e muitos outros continuaram fiéis a si mesmos...
Não imaginava que meus trabalhos pudessem frutificar. Surpreendeu-me a ressonância feliz, com a aprovação da crítica e atribuição do prêmio Olavo Bilac da Academia Brasileira de Letras ao *Enternecimento*. Com a responsabilidade acrescida, passei a observar os aspectos da renovação, preconizada pela Semana de Arte Moderna, seus postulados, suas tendências e manifestações já menos explosivas. Persuadi-me, então, de que "o direito permanente à pesquisa estética" seria a mais bela conquista do escritor. Sem ruptura de convicções já arraigadas e sem deixar de ser fiel a mim mesma, senti que o desenvolvimento de novas experiências nos levaria a uma provável evolução. De fato, o Movimento Modernista superou as normas estabelecidas através do espírito de abertura, tão favorável à criatividade. Fui indo devagar e beneficiei-me de algumas sugestões propostas, ainda hoje vigentes.

Nos idos de 1930 e 40 era muito difícil publicar livros, não era?
Os consagrados logravam o interesse das editoras; os principiantes, como é natural, buscavam lugar ao sol, cada qual à sua maneira,

mais ou menos como nos dias de hoje, preparando tiragens reduzidas, quase sempre fora de comércio. O problema persiste e não é apenas nosso. Basta lembrar um ensaio de Guillermo de Torre, de 1969, "Miseria de los poetas y esplendor de la poesía", no qual se verificam dificuldades idênticas na Espanha, França, Itália e até mesmo nos Estados Unidos. As causas são múltiplas e intrincadas. Não se pode prescrever a renúncia do escritor, nem exigir o desprendimento do editor, nem obrigar a receptividade do leitor.

Azul profundo, publicado em 1956, foi mais uma edição da autora. Sendo tão respeitada e conhecida, por que teve que pagar? As editoras recusavam originais?
Sem disposição para consultar editoras, e com meios próprios disponíveis, fruto do meu trabalho no magistério e no Ministério da Educação e Cultura, tratei de editar *Azul profundo* por minha conta, pequena tiragem para os amigos e bibliotecas públicas. Em 1969, a empresa Xerox do Brasil houve por bem reeditá-lo para ambiente restrito, com um estudo de Ângela Vaz Leão. Já em 1958, a Editora José Olympio, por sugestão de Carlos Drummond, publicara *Lírica*, volume de que constam vários livros meus, alguns incompletos, como *Prisioneira da noite*, *O menino poeta* e *Madrinha lua*; outros, na íntegra, como *A face lívida*, *Flor da morte* e *Azul profundo*. Para mim, foi um acontecimento importante. Em 1963, a Editora Livros de Portugal lançou *Além da imagem*. Em 1971, surgiu *Nova lírica*, resumo e continuidade da *Lírica*, trazendo inéditos e tendo constituído homenagem da Imprensa Oficial de Minas. *Miradouro* foi lançado pela Nova Aguilar em 1976 e reeditado em seguida pela Nova Fronteira, com o ensaio de Maria José de Queiroz. *O alvo humano* saiu pela Editora do Escritor em 1973. Em 1979, foi a vez de a Editora Ática tomar a iniciativa de publicar um livro meu, *Casa de pedra*, coletânea de poemas escolhidos, com um estudo preliminar de Fábio Lucas.

A *face lívida* foi dedicado a Mário de Andrade. Poderia traçar um perfil do autor paulista?
Mário de Andrade foi a maior surpresa que me proporcionou o mundo das letras. Ele reunia na fascinante personalidade uma inteligên-

cia superior, uma sensibilidade privilegiada, uma cultura abrangente, um coração generoso, um espírito aberto a todas as manifestações da arte, da poesia e dos afetos humanos. Tinha alegria e gravidade, a um tempo. Tendo vindo a Belo Horizonte a fim de pronunciar uma conferência, resolveu visitar-me, o que me cativou de imediato. Novamente nos vimos aqui mesmo, no Rio e em São Paulo. E a nossa amizade consolidou-se através da correspondência.

Pretende publicar essa correspondência?
Não penso em publicar suas cartas, que são numerosas e que serão oportunamente doadas a uma instituição cultural de categoria.

Desculpe a indiscrição, mas eu gostaria de saber por que nunca se casou...
Simplesmente por falta de compromisso mútuo à hora certa e na medida exata. Sempre considerei o casamento uma instituição sagrada, a exigir uma base de segurança e devotamento recíproco.

Em *Azul profundo* o tom religioso e místico está muito presente.
Não apenas o *Azul profundo*, assim também o *Velário* e *O alvo humano* representam com intensidade o meu lado místico, proveniente de índole concentrada e de severa formação religiosa; revelam minhas modestas incursões em busca do conhecimento das causas primeiras e dos primeiros princípios; tentam observar o ser enquanto ser, sem a ilusão das aparências. Em escala emocional, é claro.

E o tema da morte foi outra obsessão, parece. A senhora foi chamada, inclusive, de "Poeta da Morte". "À paisagem do morto nada falta de cômodo. / A paisagem do morto é insípida." Hoje, com 80 anos, mudaria a abordagem do tema?
Em certa fase de minha vida, em virtude de dolorosas ocorrências, esse assunto se tornou explosivo. Celebrei-o em *Flor da morte*, depois de abordá-lo em *A face lívida*, texto de angústia e perplexidade, à época em que se alastrava a Segunda Guerra Mundial. Todavia, tenho visado de modo constante a essência do ser, a substância do vital, a ansiedade humana em busca de perfeição e infinito, os mistérios da natureza, o relacionamento

entre a alma e Deus. A cada tempo o seu cuidado. Em cada livro meu predomina um tema, prevalece um clima. *O menino poeta* constitui a revivescência da infância. *Madrinha lua* e *Montanha viva* interpretam e comemoram tradições mineiras. E assim por diante. Hoje, não me sinto propensa a desafiar a ideia ou o sentimento da morte, como fiz em outra época, em termos de mediação entre a fatalidade e a resistência.

Qual dos seus livros prefere? Há autores que gostam mais do primeiro; outros, do último.
Os da maturidade, incluindo-se *O alvo humano*, pelo equilíbrio alcançado entre a dicção e a essência.

Escreve diariamente ou só quando surge uma ideia poética? Parte às vezes de uma imagem para construir em torno o poema ou...
Isso é muito variável. Passo dias sem escrever e, de repente, recomeço a fazê-lo com assiduidade. Habituada ao ofício, estou sempre atenta a impulsos interiores e instigações externas. A qualquer momento posso ser chamada a decifrar o sentido de uma palavra, lembrança ou pressentimento, de alguma ideia vaga, imagem estranha, turbulência ou ritmo condutor. A confusão do início vai cedendo lugar à lucidez, às vezes rápida, às vezes lentamente, até que o texto se complete a desejo.

Antonio Candido, Otto Maria Carpeaux, Carlos Drummond de Andrade, Eduardo Frieiro, Manuel Bandeira e tantos outros escreveram sobre a sua obra, colocando-a sempre como uma das mais perfeitas da poesia brasileira. A senhora se correspondia ou era amiga pessoal de toda essa gente?
Conhecia alguns dos intelectuais citados, outros vim a conhecer posteriormente. São espíritos nobres e espontâneos, os quais admiro de coração, mesmo de longe. Os livros é que perfazem o melhor relacionamento em tais circunstâncias.

Costumava mostrar seus originais para alguém?
Habitualmente, não. Mostrei alguns originais a Mário de Andrade

cujos comentários me foram muito preciosos. Em geral, meu irmão José Carlos, dono de requintada sensibilidade, é meu primeiro leitor.

Muitos críticos enaltecem a sua técnica poética. O que vem a ser técnica poética? Sei que abordou o assunto em *Convívio poético*, mas...
A técnica inclui uma série de especulações, experiências e processos; não é definível nem definitiva, nem mesmo para cada indivíduo; varia de acordo com o tema e com a motivação; arregimenta o vocábulo, o ritmo, a melodia, a harmonia, o timbre, o segmentar do verso e da estrofe; recolhe e fixa a imagem como palpitação de vida; quer o transparente e não deve transparecer; é uma aventura que se renova de cada vez.

Na sua opinião, o que é preciso para se ser um bom poeta?
Vou resumir o que disse no capítulo "Formação do poeta", inserido em *Vigília poética*: o poeta nasce com uma especial intuição; alimenta-se de sensibilidade; caminha pela imaginação; domina o sentimento; aperfeiçoa-se com o artesanato; joga com a inteligência; enriquece com a cultura; e atinge a maturidade através de uma peculiar concepção de vida. Assim é de supor que, na formação do poeta, possuidor de graça intuitiva, se equilibram sensibilidade, imaginação e sentimento, a influxos de artesanato (consciência técnica profissional), inteligência, cultura e personalidade.

Tem acompanhado a poesia brasileira atual?
Parece-me que há, no momento, duas correntes diversificadas: uma, expansionista e vibrátil, voltada para a comunicação de referências e mensagens de cunho social; outra, de linhas enxutas, de ordem introvertida, fechada em círculo, com a expressão por vezes hermética. Ambas as atitudes são válidas. O ideal seria que se complementassem, como acontece ncs poetas mais representativos.

Nunca se interessou por escrever contos ou romances?
Não teria fôlego para aventuras diferentes, nem sinto inclinação para o gênero, embora saiba apreciá-lc e valorizá-lo, seja na espécie de conto ou de romance. Em prosa tenho escrito crônicas e ensaios.

O fato de ter nascido em Minas Gerais de alguma forma a marcou?
Eu só podia ter nascido em Minas. Caso contrário, sairia andando pelo Brasil até encontrar o meu berço, a minha estrutura, o reconhecimento da minha índole, as raízes das minhas possíveis virtudes e prováveis defeitos: Minas, nem sempre estimulante à vida intelectual, no entanto propícia ao necessário recolhimento dos líricos.

Ser mulher poeta foi difícil?
Mulher, além de mineira, escritora aparecida há cinquenta anos, as condições não me seriam favoráveis; e foi preciso perseverança para prosseguir no trabalho, ou melhor, força de vocação. Todavia, tive gratas compensações: a crítica me apoiou desde o início, os colegas de ofício me têm dado apreço, fui a primeira mulher eleita para a Academia Mineira de Letras, tenho sido distinguida com prêmios a nível nacional, como o prêmio Brasília de Literatura para conjunto de obras. Se houve preconceitos, eles já não existem.

Acredita que todo artista deve refletir seu tempo? Que tipo de compromisso o autor deve ter para com a sociedade em que vive?
O compromisso do artista para com o meio em que vive decorre de sua mesma consciência e personalidade. Ao projetar emoções, de acordo com seu foro íntimo e convicções estéticas, ele poderá refletir o estado de espírito de seu tempo e sensibilidade de uma parcela do mundo a que pertence. Mesmo sem referência a interesses globais, sem alusão a circunstâncias e eventos, o poeta se acusa como ser comunitário ao traduzir, com sutileza, certo estado de angústia reinante, o que significa denúncia e repúdio a contingências em foco. Há uma infinita gradação de cores para cada temperamento. Há uma sofrida realidade interior para cada indivíduo, em face da realidade exterior que a todos envolve. O principal é que o poeta não se prenda a modismos, nem limite a liberdade de opção.

Gabriela Mistral foi sua amiga. Já pensou em publicar a sua correspondência? Poderia dar um retrato dessa admirável poeta chilena?
Gabriela Mistral era uma criatura extraordinária, de porte elevado e extrema simplicidade. Sabedoria no modo de expressar-se e candura nos olhos verdes. Como São Francisco, preferia compreender a ser compreendida. Conheci-a no Rio, ao ensejo de uma sessão literária, e logo nos entendemos cordialmente. Era vivo o seu interesse por Minas, pelo interior do Brasil, provinciana sempre, apesar das andanças diplomáticas pelo mundo. Convidei-a sem demora para visitar Belo Horizonte, autorizada pelo então prefeito Juscelino Kubitschek. Ela aqui passou vários dias, cercada de poetas e professores. Pronunciou duas conferências, uma sobre o Chile, outra, para surpresa minha, sobre *O menino poeta*. Mostrou-se contente com as traduções que eu fizera de poemas seus e estimulou-me a publicá-las. Disso incumbiu-se a Editora Delta, através da coleção Prêmios Nobel de Literatura. Suas cartas encontram-se no meu arquivo.

Escreveu algum diário ou livro de memórias?
Nem sequer me ocorreu a ideia de fazê-lo. Embora sinta viva atração pelo gênero, quando se trata de grandes personagens.

Não vai publicar a sua obra completa? A que atribui a ausência de publicações recentes de sua obra?
Não sou a pessoa mais indicada para essa informação. Organizei há tempos, a pedido da Editora Duas Cidades, um volume de que consta quase toda a minha obra poética sob o título de *Poesia geral*. Em 1982 saiu pela Nova Fronteira o *Pousada do ser*, com uma excelente exegese do padre Lauro Palú, profundo conhecedor do assunto. Para surpresa minha, a Crefisul S.A. resolveu adquirir a metade da tiragem com a finalidade de brindar amigos e clientes, iniciativa que me parece auspiciosa nos meios empresariais.

A senhora traduziu Dante, não é?
Convidada por Edoardo Bizzarri, em 1965, para falar em São Paulo sobre a presença de Dante no Brasil, apresentei as traduções que fi-

zera, sob forte emoção, de alguns "Cantos do Purgatório" (mais tarde acrescidas de novos cantos da mesma divisão). O "Purgatório",
a meu ver, é o clímax da *Divina comédia*, toda ela maravilhosa. É
a hora da consciência a refletir-se em translucidez. É a hora da
responsabilidade que dignifica, da justiça que se cumpre, do claro
reconhecimento da destinação humana. É o equilíbrio, a recorrência da história do homem na Terra, entre o bem e o mal.

Valeu a pena ter dedicado sua vida à literatura?
Sem dúvida. A literatura ou, melhor dizendo, a poesia preencheu
minha existência, abrindo-me caminho entre os seres humanos e
indicando-me os caminhos de Deus. Digo poesia no mais amplo
sentido de amor, entendimento, iluminação, premonição, impulso
renovador, continuidade patrimonial, expectativa de que a luz venha a nascer das trevas.

ENTREVISTA A CARMELO VIRGILLO[5]
(1985)

Entre os vários teóricos literários, acho que Octavio Paz é aquele que mais abertamente se tem pronunciado sobre a função generativa da palavra. Para ele, o artista, depois de dar vida e autonomia à sua criação, é capaz de ser ele mesmo controlado por essa sua criação que passa a ter vida própria. Até que ponto a senhora concorda com essa teoria?
A arte possui função autoeducativa, na medida da autenticidade do artista. A questão se relaciona com a maior ou menor capacidade de expressão, a partir da qual a obra pode influir sobre o autor, perceptivo à exteriorização de uma realidade intrínseca que o identifique. Quando a criação poética representa verdadeiramente o íntimo ser do criador, este se reconhece naquela, como em reflexo de espelho; o que deixa de acontecer se a imagem for dúbia ou confusa, por deficiência funcional.

Se não me engano, a senhora declarou numa entrevista que a sua vocação de poeta lhe traçou o rumo que seguiria a vida toda. Acha que o ser humano, de modo geral, escreve o "roteiro" de sua vida quando ele verbaliza a sua própria visão do mundo?
Minha vocação para a poesia foi aos poucos desfazendo brumas e

---

5 In: *Suplemento Literário do Minas Gerais*. Belo Horizonte, 17 de agosto de 1985.

apontando o caminho que eu deveria trilhar, entre influências favoráveis e desfavoráveis, naturais à vida humana. A visão de mundo foi se fazendo mais nítida com o passar do tempo, com experiências gerais, até mesmo com o testemunho da minha própria evolução verbal.

A influência da fé cristã na sua vida é fato reconhecido. A senhora poderia expressar-se sobre os pontos para onde convergem a crença e a estética na sua poesia?
Se o livro *Velário* – dos mais antigos – manifesta de maneira explícita a minha religiosidade, parece-me que *O alvo humano* traduz melhor minha crença e preocupações metafísicas. Aliás, o anelo de realização estética será, talvez, decorrência do anseio de aproximação espiritual com Deus. Nesse caso, não deverei destacar momentos eventuais, mas apenas referendar o clima em que se desenvolvem os poemas.

Escrevi na revista *Books Abroad* que em vários de seus poemas a senhora manifesta uma certa afinidade com a visão humanitarista e até mística de Gabriela Mistral e Pablo Neruda. Referia-me à ternura que expressam por tudo aquilo que for débil, frágil, desamparado, indefeso. Em que sentido foi a senhora influenciada pela mística em geral e pelo misticismo dos dois mestres chilenos?
Presumo que tais manifestações de solidariedade humana provêm do temperamento individual, do exemplo familiar e dos princípios de formação cristã, influências anteriores e prevalecentes às de ordem literária. Quanto às tendências místicas, lembro-me do encantamento com que descobri São João da Cruz e São Francisco de Assis, ambos doadores de impressionantes mensagens líricas. Sempre admirei Gabriela Mistral e Pablo Neruda, tendo sido amiga da poetisa chilena, de quem traduzi numerosos poemas.

Ocorreu-lhe ouvir alguma vez uma interpretação de um poema seu que a deixasse perplexa, já que nunca tivera a intenção de expressar os pensamentos que essa avaliação lhe atribuía? Como explicaria a senhora esse fenômeno em termos da "vontade" artística?

Nem sempre a interpretação dos meus poemas está de acordo com a intenção ou causalidade com que foram escritos; o que não me impede de reconhecer que o intérprete haja elucidado, a novos prismas, alguns aspectos do depoimento verbal. Proponho duas explicações para o fato: 1ª) a vontade artística é coisa relativa, podendo ceder a impulsos desconhecidos (subconscientes) que introduzem imprevistos elementos na obra; 2ª) a inteligência e a sensibilidade do receptor independem de orientação, capazes de elucidar problemas atinentes à natureza humana à revelia do autor, talvez por afinidade, pressentimento ou algo preconcebido.

Lisa Appignanesi opina que o conceito de feminilidade é geralmente entendido mal porque é muito vago (*Femininity & creative imagination*). Baseando-se na tese de Roland Barthes (*Mythologies*), um conceito como "o feminino" representa um "mito", quer dizer, uma afirmação que nada tem a ver com o referente (neste caso a mulher). O que essa palavra "mitificada" evoca é, por outro lado, uma série toda de sugestões ou imagens determinada só por uma certa estrutura social. Daí que por "feminino" entender-se-ia não características sociológicas, como sexo ou gênero, mas fatores constituintes como criatividade, intuição, sensibilidade, sugestividade, ternura etc. Esses traços, afirma Appignanesi, podem encontrar-se tanto em homens quanto em mulheres. A senhora crê que todo artista, particularmente o poeta, há de possuir todas essas características, independentemente do seu gênero?
Acredito que todo artista – homem ou mulher – deve reunir na sua personalidade um conjunto de aptidões que o induzam à criatividade, a começar pelo dom da imaginação, o qual, segundo Coleridge, "é o dom mais alto do ser humano, a faculdade original de toda percepção". Não vejo diferença sensível entre poesia masculina e feminina a não ser na temática e na ambiguidade metafórica, propícia à discrição natural com que a mulher costuma preservar-se.

Com a finalidade de sustentar outra perspectiva que acho particularmente importante e apropriada para uma valorização da sua obra, a senhora opina que existe uma poesia inegavelmente

feminina – uma poesia que "mitifique" o mundo conforme a visão própria da mulher e não àquela do homem?
De acordo com meu ponto de vista acima exposto, não creio que haja diferença radical quanto à visão do mundo, seja masculina ou feminina. Haverá matizes denunciadores de tendências para mitificações. Como as crianças e os selvagens, o poeta – de ambos os sexos – sofre a magia do mito, uma nesga de luz a desvendar os mistérios do mundo.

Nessa mesma linha de pensamento, acha válida a tese que eu propus no estudo "Woman as myth and metaphor in Henriqueta Lisboa's Frutescência"? Como sabe, no meu trabalho afirmo que a senhora bem poderia dizer, com Vicente Huidobro, que em qualidade de poeta é um pequeno Deus. Pois acho que com a magia de sua palavra cria todo um universo povoado de enigmas e governado por forças invisíveis, indecifráveis, complexas, encapsuladas na essência daquilo que superficialmente causa a impressão de ser singelo e frágil. Não é isso mesmo que caracteriza a mulher? Não é a sua uma visão do mundo de mulher que se reconhece a si mesma no processo de criação e criatividade?
– Embora não tivesse propósito definido ao compor o poema "Frutescência", escrito em lance de emoção, estou impressionada com a riqueza da sua análise interpretativa, além de minhas expectativas. A sua tese é fascinante e valoriza singularmente o meu trabalho. É possível que o poema represente uma avaliação da vida, em que se faz realçar o amor-próprio, em luta criativa por sobrevivência ou independência.

Muito tem sido dito sobre o termo "mineiridade". Que a senhora entende por esse termo? Quais seriam, na sua poesia, as coordenadas da própria mineiridade?
Se eu não fosse mineira, buscaria Minas Gerais para identificar-me. No cômputo de defeitos e virtudes que marcam a mineiridade, acredito que o fator equilíbrio seja o mais apreciável, pelo efeito compensador. Deixo por conta disso as coordenadas do fenômeno existentes no meu labor literário, em que persiste uma preocupação de equidade entre aparência e substância.

Passaram mais de cinquenta anos entre a publicação de *Enternecimento* e *Pousada do ser*. A senhora poderia indicar com quais movimentos poéticos se ligou através da sua ininterrupta atividade literária? Errei em classificá-la como pós--modernista num de meus estudos?
Suponho que seja correta a minha classificação dentro do pós-modernismo, se considerarmos que o mesmo não constitui uma escola, porém, sim, um campo de liberação para a criatividade. Sem embargo das sugestões naturais de tempo, lugar e circunstâncias, não me ative a normas que não fossem as da minha convicção. Fui tomando experiência, cada dia, através de enganos e acertos, até o encontro de um estilo pessoal.

Dentro de pouco tempo a sua obra completa vai ser publicada em São Paulo. A senhora ainda tem alguma obra inédita? Que tem projetado para o futuro? Continuará a cultivar o gênero do ensaio crítico?
Encerrei minha carreira literária com a publicação do livro *Pousada do ser* e não pretendo escrever nenhuma obra mais. Essa é uma resolução melancólica para mim, no entanto aceitável como sinal de prudência.

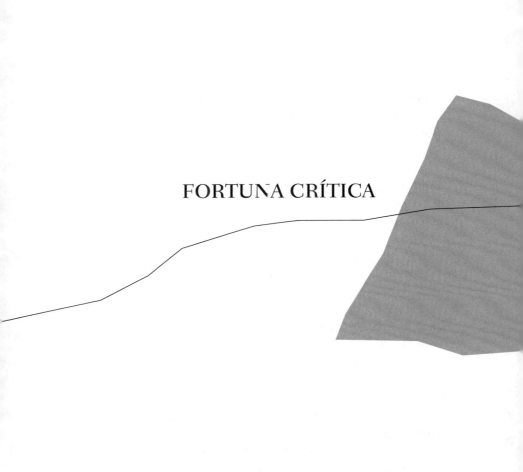

FORTUNA CRÍTICA

A POESIA MANSA, SUAVE E SILENCIOSA
DE HENRIQUETA LISBOA[1]
Affonso Romano de Sant'Anna

Conheci Henriqueta Lisboa. Discretamente. Suavemente, como ela nos permitia. E agora esse livro de Carmelo Virgillo me fez voltar a uns trinta anos atrás. E eu estou vendo Henriqueta Lisboa ora saindo de uma livraria, ora esperando pacatamente por um ônibus numa rua de Belo Horizonte, ora saindo das aulas de literatura que dava na universidade. Ela passava como uma brisa, como um anjo tímido, ela passava por nós com o rumor branco de sua poesia. Era uma parte da poesia modernista retida em Minas. Eu a olhava reverencialmente. A poesia era possível, delicadamente, sem atropelos das modas, liricamente.

Fui agora buscar na estante os livros de Henriqueta. Encontrei-os. Dentro da bela edição de suas poesias completas reencontro algumas amarelecidas onde eu havia anotado coisas para um artigo sobre ela, quando dela recebi autografado o volume *Lírica*. A José Olympio Editora, na década de 1950, estava editando as poesias completas de todos os grandes poetas modernistas. Eles estavam se tornando clássicos, e Henriqueta, sempre lembrada ao lado de Cecília Meireles, não podia faltar.

Olho esses papéis que suportaram mais de trinta anos de exílio, enquanto cá fora transcorria (feroz) a história dos homens e da

---

1 In: VIRGILLO, Carmelo. *Henriqueta Lisboa:* bibliografia analítico-descritiva – 1925-1990. Rio de Janeiro: José Olympio, 1992.

poesia. Recolho dali as anotações feitas ao sabor da leitura: poesia de silêncio, contemplação, religiosidade, versos longos, preces; instrumentos musicais, a música antes de tudo, como nos simbolistas; a infância, o aproveitamento do folclore, onomatopeias; a flor, a morte, a noite, o vento, o mistério, o rio, a persistência dos cabelos soltos, a temática de Ofélia.

Percebo que fui copiando vários de seus versos buscando neles a definição da autora:

> Eu, que nasci para um destino manso
> de cousas suaves, silenciosas, imprecisas...

> ... Amo em silêncio, como as monjas...
> Da penumbra, como os que amam sem esperança...

> ... Eu sou a prisioneira da noite.
> A noite envolveu-me nos seus liames, nos seus musgos...

Chamou-me sempre a atenção o fato de a poesia de Henriqueta não se deixar tumultuar pelas novas tendências e modismos poéticos. Sua poesia, a rigor, não se preocupava nem com a modernidade. O mundo tecnológico com seus objetos e expressões vernaculares não perfurava sua crosta poética. Passava pelo modernismo de raspão. Ela vinha de uma linhagem que, em Minas, passa por Alphonsus de Guimaraens, o simbolista, e por isso estava mais interessada no canto do que nas virtualidades do jogo vocabular.

Em nossa poesia, Henriqueta é dos que mais trataram da temática da morte. E sem aquela morbidez esperada. Dois versos, entre muitos, ficaram-me para sempre na memória:

> A morte é limpa.
> Cruel mas limpa.

Várias vezes eles voltaram à minha cabeça em situações em que a morte me parecia, ao contrário, suja, além de desnecessariamente cruel.

Há mais de trinta anos que carrego a poesia de Henriqueta

comigo, com a delicadeza de quem transporta um frágil segredo. E ao escrever este texto numa tarde cinzenta de inverno, aqui no Rio de Janeiro, reporto-me a Minas. A poesia resiste ao tempo e ao amarelecimento dos papéis e paixões. A poesia está onde sempre esteve.

Essa bibliografia analítico-descritiva da poesia de Henriqueta Lisboa, ao mesmo tempo que mostra a diversidade de sua obra de poeta, tradutora, ensaísta e pedagoga, expõe também a riqueza de sua fortuna crítica, até então dispersa em centenas e centenas de estudos, que Carmelo Virgillo, em boa hora, resumiu e ordenou.

Esse livro passa a ser modelar para outros que deveriam ser feitos sobre nossos grandes autores. E graças a ele a imagem de Henriqueta cresce e ocupa o lugar que merece entre seus contemporâneos.

POEMAS DE HENRIQUETA LISBOA[2]
Ángel Crespo

Dentro de un panorama tan rico – y, en consecuencia, tan complicado – como el de la literatura brasileña contemporánea, la obra de Henriqueta Lisboa muestra poseer gran importancia estética e histórica. En ella hay, sobre todo, una búsqueda del equilibrio: equilibrio entre pensamiento y expresión, entre materia y forma, entre sustancia y accidente. Se trata – como ya ha comprendido el lector – de una obra fundamentalmente intelectual, llena de pudor estético y de contención, encaminada hacia una síntesis formal-emocional. Es, por otra parte, una poesía expectante la que escribe Henriqueta Lisboa. Expectante en un doble sentido: en relación con el mundo del que se nutre y en relación con la técnica de expresión. Podría decirse que todas las inquietudes espirituales y técnicas que recorren el, y caracterizan al, panorama poético brasileño desde el simbolismo hasta la segunda generación modernista, es decir, medio siglo de lírica brasileña, se dan cita en los libros de la poetisa minera. La evolución de su estilo así lo muestra sin necesidad de profundizar demasiado en él. Pues una visión en profundidad del mismo nos confirmaría, no únicamente lo señalado, sino también su pudorosa contención estética ante las incitaciones y los llamados de un mundo al que no acaba nunca de entregarse, tal vez porque comprende que no es sino mero símbolo o, todo lo más, reflejo de un transmundo que, para ella, es la residencia única de la auténtica poesía.

2 In: *Revista de Cultura Brasileña*. Embajada de Brasil, Madrid,n. 28, p. 3-6, marzo de 1969.

Pero conviene precisar ideas. Y empezar por decir que, salvando el brasileñismo – por influencia ambiental y temática – de Henriqueta Lisboa, su obra poética no es una obra "nacionalista". No lo es, porque su problemática fundamental es el lenguaje – en cuanto medio de comunicación – y sus posibilidades de aprehensión de "lo eterno dentro de lo efímero" (*Convívio poético*, p. 14).

No quiere ello decir que la poetisa – de expresión, naturalmente, brasileña – desdeñe las peculiares posibilidades expresivas de su lengua en beneficio de un utópico metalenguaje; me limito a insinuar que Henriqueta Lisboa no se entrega incondicionalmente a ese idioma y trata, por el contrario, de amoldarlo, sin desnaturalizarlo, a los resultados de una experiencia poética occidental. Lo que quizá la hace más nuestra que la propia Cecília Meireles – la otra poetisa contemporánea del Brasil – es su comprensión de los límites occidentales de nuestra poesía, su exploración del idealismo occidental. Lo "eterno" y lo "efímero" no son dos entelequias inaprehensibles en el lenguaje poético de la Lisboa; antes bien, son una tesis y una antítesis capaces de resolverse en múltiples síntesis: lo decible, lo explorable, lo poéticamente creíble. El Arte (véase el poema que lleva este título) es una "verdad entre falsedades", luego la verdad existe. Y el simbolismo – o, mejor, el símbolo – no es, entonces, una mera evanescencia, un camino hacia la enajenación, sino la única posibilidad de síntesis para una poesía idealista en principio.

Dejando aparte el problema de las fuentes orientales – mediorientales – de Platón, no cabe duda de que (abstracción hecha del juicio particular que a cada uno pueda merecer su difícil obra) su sistema representa el polo idealista del pensamiento occidental, un polo que jamás es rebasado por la Lisboa. Ni siquiera incurre en las desviaciones del misticismo neoplatónico. Y ello, de manera consciente: "El perfecto silencio, dice, pertenece a la mística" (*Convívio poético*, p. 18). Nuestra poetisa jamás se entrega a una posición monista, unilateral: siempre laten en ella – laten y se hacen corpóreos – los eternos dualismos occidentales, bases de, por lo menos, otras tantas síntesis. Forma y materia, palabra y silencio, aproximación y distanciamiento...

"La poesía no es copia, sino imagen de la realidad" (*Convívio poético*, p. 83). ¿Y que otra cosa es el símbolo sino imagen, aproximación, objetiva en el fondo, a la esencia de las cosas? De ahí que no estemos muy de acuerdo con la apreciación aristotélica de que los grandes poemas metafísicos de la antiguedad no fueron, en realidad, poesía. De ahí, también nuestro empeño – no sabemos si eficaz – de iluminar, siempre que lo creemos posible, la forma poética con la luz de los sistemas filosóficos occidentales.

No hagamos traición a la poesía de Henriqueta Lisboa situándonos en terrenos de los que voluntariamente se aparta y, antes bien, tratemos de comprenderla partiendo de sus propios presupuestos. Estos, qué duda cabe, han ido haciéndose cada vez más concretos, más definidos. La evolución del estilo ha obedecido a una evolución del pensamiento poético especulativo. Como muestra, examinemos uno de los tópicos de su libro de madurez *Convívio poético* (1955), del que ya hemos extraído algunas citas. Me refiero al que se enfrenta con el concepto de poesía. Distingue nuestra autora seis clases de poesía: a) la racionalista, que busca en la poesía un concepto lógico; b) la hedonista, que procura un motivo de deleite; c) la romántica, que se refiere al sentimiento; d) la utilitaria, que actúa en vista de un interés inmediato; e) la abstraccionista o purista, que se atiene al factor exclusivamente estético, y f) la ideal, que "toma de las actitudes mencionadas lo que poseen de complementario, eximiéndolas, al mismo tiempo, de sus elementos disociativos".

Esta última poesía (ideal) es la perseguida por Henriqueta Lisboa. Amplio abanico de soluciones, vivero de síntesis, motor inagotable de posibilidades y evidencias (Véase *Convívio poético*, p. 21-25). Un haz de síntesis que, al ir cerrándose, al ir estrechando al hecho poético, o, si queremos, a la Poesía, nos la ofrecen, no en una imposible desnudez, sino saturando cada vez más el lenguaje del poema.

* * *

La evolución de Henriqueta Lisboa es movida por esta búsqueda de síntesis (en plural). Parte del simbolismo imitativo de *Enternecimento* (1929), libro puramente juvenil, y se va adensando – sin dejar de serlo – en un simbolismo, ya más humanista que literario, a través de los libros siguientes: *Velário* (1930-1935) y *Prisioneira da noite* (1935-1939). En estos dos poemarios se descubre la influencia del Modernismo brasileño, más del espiritualismo de los años [19]30 que del experimental de los [19]20. No obstante, Henriqueta Lisboa sabe aprovechar, ante que las libertades, las posibilidades formales de la estética modernista.

Al juzgar este período de la poesía de la Lisboa, conviene no caer en la tentación de asimilarla, por sus indudables raíces simbolistas, a la del grupo carioca de la revista *Festa*. Si los poetas agrupados alrededor de esta publicación – entre los que destaca Cecília Meireles – parecen en muchas ocasiones unos nostálgicos del simbolismo histórico – más ingenuamente Murilo Araújo, más elaboradamente Cecília Meireles –, no podemos decir lo mismo de Henriqueta Lisboa. Nuestra poetisa es más afecta, conforme avanza su evolución, al símbolo que al simbolismo, y nos parece que las posibilidades expresivas del simbolismo histórico no ejercen primacía sobre las del modernismo, las del purismo o las de cualquier otra de las poéticas que pretende sintetizar. Es algo sobre lo que vale la pena fijar la atención. Ello explica, además, que tras la contribución al tema histórico minero representado por *Madrinha lua* (1941-1946), y a partir de *A face lívida* (1941-1946, pero publicado después) llegue Henriqueta Lisboa a una madurez libre de prejuicios que le permite meditar los temas del amor y la muerte valiéndose de una técnica sabia, serena, sin estridencias ni sentimentalismos, cuya principal virtud es la de levantar poemas que no son otra cosa que grandes y unitarias imágenes, símbolos eficaces y autosuficientes. Piénsese, por ejemplo, en poemas como "Canoa", "Lluvia", "Arte" (que es una poética claramente formulada) o "Restauradora".

Ya en este terreno de dominio del instrumento expresivo, la gran poetisa minera se permite ironizar, se entrega incluso a juegos verbales que son finalmente olvidados para llegar a la espléndida madurez de *Além da imagem* (1963), libro definitivo y, ciertamente, difícil por la densidad de su dicción, reveladora de ese pudor poético al que antes hemos aludido.

HENRIQUETA LISBOA: EVOLUÇÃO DE UM POETA[3]
Ângela Vaz Leão

> Dizer que o mistério da poesia permanece, nas pegadas do texto poético, não é negar a arte como técnica, mas reafirmá-la como tal.
> (Henriqueta Lisboa, *Convívio poético*, p. 18.)

O esforço crítico, esforço da inteligência, pode explicar facetas múltiplas da poesia de Henriqueta Lisboa, tudo aquilo que nela provém da técnica – e não é pouco. Restará sempre, entretanto, uma zona em que só se consegue penetrar por intuição e simpatia, com humildade. Restará o mistério da sua força lírica.

À explicação desse mistério, de início renunciamos. O nosso objetivo é realizar uma visão de conjunto da sua obra poética, apontando o caminho que percorreu de *Enternecimento* (1929) até *Além da imagem* (1963), obra por obra, em mais de trinta anos de experiência

---

3 Trabalho publicado com o título "Evolução de um poeta" na *Kriterion*: Revista da Faculdade de Filosofia da UFMG, Imprensa da UFMG, Belo Horizonte, v. XVI, n. 63, p. 210-222, 1963. A presente republicação respeita, na íntegra, a redação do texto original de 1963. Segunda edição em *Henriqueta Lisboa: o mistério da criação poética*. Belo Horizonte: Editora PUC-Minas, 2004. p. 25-40.

artística[4]. Deixemos de considerar *Fogo-fátuo* (1925), obra pouco representativa que o próprio poeta não inclui na sua *Lírica*.

Enternecimento recebeu, em 1930, o primeiro prêmio de poesia da Academia Brasileira de Letras. Apesar dessa láurea consagradora, nem de longe nos deixa adivinhar a densidade da carga lírica que nos transmitirá, por exemplo, *Flor da morte*. Poemas sentimentais, os de *Enternecimento* cantam com ingenuidade o amor adolescente ou a ânsia de viver. Já fazem, porém, importante revelação: a de uma sensibilidade delicada, a que não escapam ressonâncias quase imperceptíveis em reflexos os mais tímidos do palpitar da vida.

A técnica adotada oscila entre poemas de forma fixa e composições livres. Certo ritmo pessoal que rejuvenesce o velho molde do soneto faz-nos ressentir que nasce um poeta, capaz de procurar seus próprios caminhos e de desprezar compromissos e preconceitos.

Velário (1936) representa um progresso estético em relação a *Enternecimento*, como, para usar de grosseira comparação, dizemos hoje que o Simbolismo representa uma evolução do estilo e do gosto em relação ao Romantismo.

O misticismo e a religiosidade, a tendência para a meia-luz, para os tons em surdina, para a impressão crepuscular, a adoção confessada de símbolos,

> Sempre serena lâmpada velada,
> símbolo do meu sonho predileto
> ("Humildade", in *Lírica*, p. 11),

---

4 Até a data deste trabalho, Henriqueta Lisboa havia publicado os seguintes livros de poesia: *Enternecimento*. Rio de Janeiro, 1929; *Velário*. Belo Horizonte, 1936; *Prisioneira da noite*. Rio de Janeiro, 1941; *O menino poeta*. Belo Horizonte, 1943; *A face lívida*. Belo Horizonte, 1945; *Flor da morte*. Belo Horizonte, 1949; *Poemas (Flor da morte e A face lívida)*. Belo Horizonte, 1951; *Madrinha lua*. 1. ed., 1952; 2. ed. Rio de Janeiro, 1958; *Azul profundo*. Belo Horizonte, 1956; *Lírica*. Rio de Janeiro, 1958; *Montanha viva*. Belo Horizonte, 1959; *Além da imagem*. Rio de Janeiro, 1963.

a musicalidade, o uso frequente de um vocabulário que evoca a liturgia,

> As nuvens estão carregadas de chumbo
> como os crepes do templo nos dias da Paixão
> ("Tempestade", *ibid.*, p. 23)

– tudo isso nos permite filiar *Velário* à nossa tradição simbolista. Em poemas como "Angelitude" e "Monotonia", a cadência dolente, a expressividade dos sons, principalmente dos nasais, a sensação de tédio e langor evocam o clima de certos versos de Verlaine, como nesta sequência:

> Monotonia dos dias longos, dos dias longos,
> que se prolongam sem ressonância pelas estâncias
> imemoráveis das vidas mornas, sem luz nem cor.
> ("Monotonia", *ibid.*, p. 25)

Observem-se esses três versos. Note-se que a ausência de pausa forte numa sequência de 44 sílabas, monotonamente divididas em nove fragmentos rítmicos de cinco sílabas (contando-se à espanhola), agrupados de três em três por versos, cada fragmento com o acento principal na quarta sílaba, nos dá a impressão de um verso muito longo, que ultrapassa os limites da unidade métrica adotada: "Monotonia / dos dias longos, / dos dias longos, // que se prolongam / sem ressonância / pelas estâncias // imemoráveis / das vidas mornas, / sem luz nem cor". Tal processo, virtualmente expressivo, torna-se de real eficácia pela absoluta adequação ao valor semântico das palavras e sintagmas (ideia de lentidão do tempo, tédio, fadiga, apatia, ausência de som, luz e colorido) e, talvez ainda, pelo valor que uma longa tradição literária conferiu à iteração das vogais nasais.

A *Velário* segue-se *Prisioneira da noite* (1941). Também aqui o poeta não se repete, embora o título conserve caráter simbólico e os poemas continuem a embalar-nos pela musicalidade do ritmo. Com esse livro Henriqueta Lisboa marca mais um passo no seu itinerário para o completo domínio da palavra. A medida do verso ganha cada vez mais liberdade, em função do conteúdo poético.

A par disso, a poesia se torna mais sofrida. Tudo quanto seja amargura pode fornecer a Henriqueta matéria de poesia: a cidade em que todas as crianças morreram, a raiz amarga condenada ao deserto, a haste que verga ao peso do cálice, o martírio da renúncia, Maria Flor de Maio que morre antes de casar, os pés que resvalam quando a carne é fraca. A intervalos, voltam os temas da infância e da morte, ora isolados, ora unidos, como no poema "A cidade mais triste".

Um acento novo se ouve em algumas páginas. Sensível à dor universal, à angústia do mundo que desprezou a paz, o poeta sofre a ausência do Anjo, num poema de tom bíblico – verdadeira parábola da vida – em que a influência do Apocalipse não é pequena:

> Após a noite em que as sete sombras ergueram sete montanhas
> e rasgaram sete abismos
> para impedir a consumação da loucura,
> após a noite em que os relâmpagos chicotearam o corpo da treva
> para libertá-la do monstro,
> após a noite em que o homem esbofeteou o rosto do Anjo e lhe arrebatou
> [a bandeira,
> a madrugada veio fria como a eternidade da estrela,
> fria como o isolamento dos cemitérios,
> fria como o dorso da estátua sob a chuva do inverno.
> ("Ausência do Anjo", *ibid.*, p. 63)

O menino poeta (1943), que o tema da infância anunciara em certos poemas de *Prisioneira da noite*, difere dos nossos livros de versos para crianças. Estes, na sua maioria, querem ensinar. E do que em aparência é qualidade vem o seu grande defeito: sufocam a poesia com a preocupação didática. Em *O menino poeta*, ao contrário, o que há é só poesia. Nenhuma intenção moralizadora, nenhum rebaixamento do poema a veículo de noções que a criança deva aprender. Mergulha-se simplesmente numa atmosfera infantil de encantamento, em que o mundo aparece virgem como nos primeiros dias da criação. E isso já é educativo. A poesia educa na medida em que revela o belo, na medida em que proporciona nova visão do mundo. Ou, então, na medida em que enriquece a sensibilidade infantil, agindo sobre ela como age a música.

A linguagem, em *O menino poeta*, é de extrema sensibilidade. Os ritmos são ora os das cantigas de roda, ora os das parlendas infantis. Recurso à onomatopeia, uso de diminutivos, refrães de cantigas e folguedos, ingenuidade e frescura da expressão – nada falta a esses versos para serem a poesia da própria infância.

Dedicados à memória de Mário de Andrade, os poemas de *A face lívida* (1945) inauguram nova fase na poesia de Henriqueta Lisboa. O tema da morte, que aflorava apenas em algumas páginas de *Prisioneira da noite*, torna-se agora quase constante. A linguagem, que se vinha despojando aos poucos do ornamento, da palavra supérflua, agora é pura, direta, simples.

Graças à forma métrica e estrófica, livre e sempre adequada ao conteúdo, os poemas aparentam grande variedade. Mas o sentimento da solidão, a ânsia de paz, a face lívida (que aparece no título de quatro poemas[5] e no corpo de vários outros) dão unidade às composições desse livro. Alguns poemas conseguem criar um envolvente clima de pureza, quer por símbolos universais como os lírios ou as vestes brancas,

> Certa madrugada fria
> irei de cabelos soltos
> ver como crescem os lírios.
>
> ....
> Antes que o sol apareça
> Neblina rompe neblina
> Com vestes brancas, irei.
> ("Os lírios", *ibid.*, p. 124),

quer pela criação de situações poéticas absolutamente originais e imprevistas:

> Eu hoje vi a inocência.
> ....

---

5 *A face lívida*, em *Lírica*, p. 123, 140, 164, 180.

Não foi nos dentes de leite
de nenhuma criança loura.
Nem na flor de laranjeira
sobre os cabelos da noiva.
Foi exatamente dentro
dos olhos do velho bêbedo.
("Inocência", *ibid.*, p. 139)

Flor da morte (1949) recebe, em 1950, o primeiro prêmio de poesia da Academia Mineira de Letras.

Não é novidade dizer que a morte sempre inspirou poetas de todos os tempos e de todos os povos. De Camões a Carlos Drummond de Andrade, de François Villon a Apollinaire – e isso para só falarmos da poesia em língua portuguesa e em língua francesa – inúmeros poetas têm sido atraídos pelo mistério da morte. Ora, o fascínio que esse tema eterno e inesgotável exerce sobre Henriqueta Lisboa é de natureza bem singular. Não é a morte em si, "tempo de consórcio e de vínculo", que a impressiona: é a serenidade do morto, é a sua libertação, a sua reintegração no todo. O morto é, para o poeta, aquele que se completou:

Tu que estás morto
esgotaste o mistério.

....

Agora estás poderoso
de indiferença, de equilíbrio.
Completo em ti mesmo, forro
de seduções e amarras.
Nada te açula ou tolhe.
És todo e és um, apenas.
A plenitude da água,
da pedra, tens.
E és natural, és puro, és simples como
a água, a pedra.
("O mistério", *ibid.*, p. 188)

Já se tem observado que a unidade temática de *Flor da morte* é caso único nas nossas letras. Todos os poemas têm títulos próprios, estruturas diferenciadas, temas aparentemente distintos, existência independente. Entretanto, sente-se tal unidade de clima poético que se tem a impressão de um poema único, orgânico, em que a presença da morte, objetiva ou subjetivamente, representa a força de coesão. Só uma experiência pessoal, vivida, sofrida, poderia dar origem a poesia tão autêntica. Mas a atitude de reserva e de pudor oculta os dados concretos da experiência, para transformá-la em fonte de mediação sobre a morte, em realização lírica.

A depuração da linguagem, em *Flor da morte*, é ainda maior do que nos poemas anteriores. Ali, nenhum excesso dramático, nenhuma concessão à confidência, escolha rigorosa da palavra, despojamento voluntário, economia verbal, contenção.

Madrinha lua (1952), obra premiada pela Câmara Brasileira do Livro, cristaliza o culto do poeta às nossas tradições, a figuras da história mineira: o Aleijadinho, Chico Rei, Fernão Dias, Bárbara Heliodora, Tiradentes, D. Silvério... Tendo escolhido a forma popular do romance, Henriqueta Lisboa soube renová-la com um tratamento todo pessoal: foi o que mostrou Maria Luiza Ramos num excelente estudo sobre o gênero[6].

É talvez "Vida, paixão e morte do Tiradentes" o poema mais trabalhado e, ao mesmo tempo, o mais belo, de *Madrinha lua*. A liberdade formal e o simbolismo das imagens, que foram também estudados por Maria Luiza Ramos, podem-se ver por alguns versos:

Entre rios e cascalhos
nasceu.

No berço das águas
Cinco estrelas claras.

6 O excelente trabalho de Maria Luiza Ramos, "Aspectos do Romanceiro da Inconfidência", foi publicado na revista *Tendência*, n. 3, p. 43-67.

Ó infante, depressa,
as margaridas te esperam para a ciranda,
madrinha lua te espera para as vigílias.
(*Ibid.*, p. 112)

Esse mergulho na história e nas lendas de Minas traz Henriqueta de volta à vida. Mas é a arte que, em *Azul profundo* (1956), acaba de reconciliar o poeta com a vida. Do ponto de vista da poesia, é pena, pois, fora da paisagem do morto, Henriqueta Lisboa nos parece deslocada. Excetuam-se certos poemas admiráveis, como "Do mutilado", "Do surdo", "Do hipócrita", em que o poeta de novo encontrava o seu clima, o da perda. A não ser no mundo desses vivos sobre os quais a morte já começava a exercer seu império, Henriqueta Lisboa nos dá a impressão de ter sacrificado um pouco a sua força lírica. Entretanto, a uma análise mais atenta, também essa fase se mostra necessária à sua evolução espiritual. Aliás, podia até prever-se, em versos de *Flor da morte*, que já mostravam a perplexidade do poeta diante da vida:

Na morte, não. Na vida.
Está na vida o mistério.
(p. 188)

Não mais o mistério da morte, mas o mistério da vida, atrai então o poeta. Como vencê-lo? Como começar a penetrá-lo? Através da arte. Tomemos o poema "A joia", de *Azul profundo*. Aí o diamante, joia saída das mãos do Criador, é

fogo do eterno, aprisionado
à coação do minuto.
(p. 235)

Ora, é quase com as mesmas palavras que Henriqueta Lisboa define a poesia artística num de seus ensaios publicados em *Convívio poético* (1955): "Não será ela a coação do eterno dentro do efêmero?" (p. 14) Colar ou ânfora, máscara ou canto, dança ou poema, arte enfim[7] – que é isso senão resultado da nostalgia de Deus, a coação do tempo infinito dentro do instante fugidio, a transferência do próprio eterno para o minuto efêmero? A arte, que libera o espírito e cria beleza – "e acaso simplesmente prolonga o ato criador de um deus" ("Do poeta", p. 248) –, satisfaz à ânsia de imortalidade do homem. Essa, a mensagem de *Azul profundo*, que, aliás, só depois da publicação de *Além da imagem*, deixa de parecer--nos uma queda na produção poética de Henriqueta Lisboa, para se nos figurar parada necessária à sua ascensão espiritual posterior.

O volume *Lírica* (1958) contém quase toda a obra poética de Henriqueta Lisboa, até *Azul profundo*.[8] Os poemas foram selecionados pela própria autora, cuja evolução se poderia estudar pelas variantes de estilo, principalmente nas primeiras composições. As correções, embora não muito numerosas, são suficientes para revelar a depuração do gosto e o aperfeiçoamento do instrumental técnico.

Publica-se, em seguida, *Montanha viva* (1959), conjunto de poemas ligados, mais uma vez, a coisas de Minas. O "pequeno mundo grandioso do Caraça", criado pela fé e pela força do irmão Lourenço, é agora recriado pela palavra de Henriqueta. Da "serra que na tela azul recorta a máscara de um homem" – Caraça – brota

---

7 "A joia", "Contemplação", "Máscara", "Ária cigana", "Bailado", "Ariel", eis alguns dos poemas de *Azul profundo* que refletem a preocupação do poeta com o problema da arte, característica dessa fase. São poemas escritos de 1950 a 1955, da mesma época, portanto, que *Convívio poético*. O título do livro, *Azul profundo*, é simbólico. Como deixar de associá-lo, depois da leitura de *Convívio poético*, à "Flor azul" de Novalis? Essa nada mais era que a poesia, símbolo da "nostalgia do homem pelo inexistente, dos seus anseios de perfeição e sobrenatural" ("Definição de poesia", *Convívio poético*, p.12).

8 Acham-se em *Lírica*: 3 poemas de *Enternecimento* (escritos em 1929); 22 poemas de *Velário* (de 1930 a 1935); 26 poemas de *Prisioneira da noite* (de 1935 a 1939); 23 poemas de *O menino poeta* (de 1939 a 1941); 10 poemas de *Madrinha lua* (de 1941 a 1946); os 54 poemas de *A face lívida* (de 1941 a 1945); os 41 poemas de *Flor da morte* (de 1945 a 1949); e os 39 poemas de *Azul profundo* (de 1950 a 1955).

a igreja que se povoa de romeiros, ergue-se o colégio que se enche de meninos, levantam-se vozes que ecoarão na história de Minas. Mas toda essa força não impedirá o poeta de contemplar o "jardim das camélias", de ouvir "os talos de planta crescendo" ou de sentir o "rocio a escorrer em pétalas".

Eis-nos agora diante de *Além da imagem* (1963), o mais recente livro de Henriqueta Lisboa. Parece-nos também o mais importante, pela profundidade no tratamento dos temas e pelo grau de contenção da linguagem. Ao longo exercício da poesia, apurou-se ainda a sensibilidade do poeta. Se antes percebia a simples promessa de ruído, se podia ouvir o silêncio, se vislumbrava o menor reflexo da luz ou da cor, agora vai além: através dos acidentes, chega às essências. O que vemos das coisas são indícios, apenas, da sua realidade essencial. O poeta, ser privilegiado, no matiz cambiante da flor sente a palpitação da seiva, na garganta do pássaro e no gorgolejo das fontes adivinha o timbre, na "perfeita fluência do instante falaz" surpreende o perene.

A busca dessa realidade íntima do ser já inspirava alguns versos de *Azul profundo*. Mas é interessante observar como a inquietação do poeta diante do problema se traía então pela forma interrogativa, às vezes reiterada:

> Em que planície a descoberto
> voltarão a ser plácidas
> essas formas?
> Em que andadura as colherá
> o definitivo? Que antro
> de toda a vista isento
> habitarão para sempre?
> Em que instante, fixadas,
> brilhará, pura, a essência
> de que se agitam e se ofuscam?
> ("As imagens", *ibid.*, p. 236)

Além da imagem é resposta às interrogações ansiosas de *Azul profundo*. As transformações acidentais de ser revelam a sua natureza profunda, em vez de ocultá-la É o que sugerem pelo menos três belos poemas: "Os indícios", "Frutescência", "O timbre". Para o poeta, que é um vidente, tudo é sinal: "No matiz da flor, entre cor e cor [...] palpita às ocultas a colorida seiva".

São inúmeras as palavras situadas nesse âmbito semântico, que se repetem em *Além da imagem*: "indício" (p. 7), "sinete" (p. 13), "senha" (p. 16), "palavra-chave" (p. 24), "insígnia" (p. 28), "sigla" (p. 31), "penhor" (p. 33), "signo" (p. 36), "assinalar" (p. 53), "imagem" (p. 75). E numerosas são também as palavras e sintagmas que denotam a necessidade de ultrapassar a imagem efêmera para atingir a realidade absoluta: "para além dos âmbitos" (p. 7), "o perene" (p. 8), "pelo diadema completo" (p. 9), "ao longo da sua essência" (p. 16), "no absoluto" (p. 24), "acima da contingência" (p. 30), "nas origens" (p. 35), "do princípio e do fim" (p. 43), "do transcendente, do inefável, do absoluto" (p. 43), "para além da esfera" (p. 53), "desde séculos pelos séculos" (p. 60), "infinito e plenitude" (p. 63), "o reino absoluto" (p. 63), "anseia por inenarráveis esferas" (p. 71), "além da imagem" (p. 75), "trama do inefável" (p. 75).

O tema da morte – que a partir de *Prisioneira da noite* fora invadindo a obra de Henriqueta Lisboa, através de *A face lívida*, para dominar completamente em *Flor da morte* – também aparece em *Além da imagem*. Em certos poemas, porém, eleva-se a uma meditação lírica sobre a condição humana:

> Fecham-se, pois, os reposteiros
> do princípio e do fim.
> Cessam as vibrações orquestrais
> do transcendente, do inefável, do absoluto.
> Longe, no vale, junto à essência da vida,
> jazem os profundos anelos.
>
> ("Condição", *Além da imagem*, p. 43)

Foi a contemplação da obra de arte (*Azul profundo*) que, desprendendo o poeta da visão obsessiva da morte – a face do morto, a residência do morto, o silêncio do morto, a paisagem do morto, a ilha do morto (*Flor da morte*) – conduziu-o à serena aceitação da condição humana, à tranquila busca do essencial através do acidental. Não são os estados – vida ou morte – que impressionam agora a inteligência e a sensibilidade do poeta: é a própria essência do ser, humano ou não. Leia-se, por exemplo, no belo poema "Árvore", a primeira estrofe. Sem um verbo sequer em modo finito, usando apenas sintagmas nominais em discurso direto, o poema celebra tudo aquilo que é a marca da árvore – raízes fixas no chão, corpo ereto no ar, folhas em liberdade ao sabor do vento:

Árvore, teu sinete:
Tua força na terra, as fundas garras.
Teu pensamento no alto, ereto o corpo.
Tua alegria ao vento, as folhas soltas.
("Árvore", *ibid.*, p. 13-14)

Assim, a aventura interior iniciada com *A face lívida* progride ininterruptamente através de *Flor da morte* e de *Azul profundo*, para culminar em *Além da imagem*, que assinala a fase maior da poesia de Henriqueta Lisboa. E não apenas pelo itinerário espiritual percorrido, mas ainda pelas conquistas técnicas que não cessou de fazer.

A narrativa lírica, em que já compusera obras-primas, está representada por alguns poemas desse último livro. Aí a frase discursiva cede lugar a um processo de simples sugestão verbal, que envolve o leitor numa atmosfera encantatória, propícia ao pressentimento dos dramas. Não fora essa a técnica de "Vida, paixão e morte do Tiradentes", em *Madrinha lua*? Henriqueta Lisboa dá-nos agora, em *Além da imagem*, uma bela biografia estilizada, "Poema de Anchieta", em que a narração se torna tão livre a ponto de prescindir absolutamente do elemento narrativo por excelência, que é o verbo em modo finito. Não há um sequer, nos 53 versos. Quando aparecem verbos, acham-se em uma das formas nominais. São gerúndios, que descrevem a vida do santo numa sucessão de presentes, desenrolando-se aos nossos olhos: "chorando", "construindo", "escrevendo", "perfilando". Ou, na última estrofe, após o enterro, são particípios passados, que, funcionando como adjetivos, ajudam a formar sintagmas nominais evocadores de fatos consumados para a eternidade, na permanência da morte:

Corpo preservado
qual planta de cheiro.
Nuvens debruçadas,
numa chuva lenta.
("Poema de Anchieta", *ibid.*, p. 69)

O verso é a tradicional redondilha menor. E as estrofes vão crescendo irregularmente até atingir, na cena final do longo enterro – "léguas e mais léguas o caixão sem peso" –, a extensão maior, de nove versos. Outra bela narrativa lírica é "Teu filho", em que os temas da maternidade, da separação, do sofrimento, da luta entre o bem e o mal são subordinados a um tema primeiro: o da condição humana. Entre parênteses, o poeta introduz, como novo elemento dramático, a fala do coro. Enquanto se sucedem as cenas em que a vida separa pouco a pouco os dois elos da corrente – mãe e filho –, o coro, em fala parentética, vai simbolizando o drama, em imagens de rara beleza:

(O bosque, o antigo bosque
cerrado está na sombra de si mesmo
com seus acúleos entre liames)
("Teu filho", *ibid.*, p. 49)

Não se pode deixar de encarecer, em *Além da imagem*, o valor dos elementos musical e pictural. As imagens criadas pelos sons expressivos, assonâncias e aliterações, bem como alternância entre metros pares e ímpares, as ondulações do ritmo dão-nos a impressão de ouvir verdadeiras cantigas. É o que acontece em "Cantiga de Vila Bela" (p. 17-18), em que a música se associa à visão de um quadro rico de vida e colorido.

Tais qualidades fazem de *Além da imagem* um dos momentos mais altos da história da nossa poesia. Os poemas valem não só pelo que dizem, mas também, e antes de tudo, pelo que sugerem ou calam.

Para concluir esse itinerário que seguimos ao longo da obra poética de Henriqueta, gostaria de ressaltar, mais uma vez, em *Além da imagem*, não só algumas qualidades formais como a palavra contida, a riqueza rítmica dos versos, a originalidade técnica dos poemas narrativos, mas também certos valores do conteúdo, como a transformação do tema da morte em meditação lírica sobre a condição humana, o tratamento de verdades particulares através de símbolos universais e, acima de tudo, a procura insistente da essência que subjaz à aparência dos seres.

Cremos que *Além da imagem* representa um progresso no itinerário do poeta. Em três décadas e meia de trabalho com a palavra, a partir de *Enternecimento*, Henriqueta Lisboa foi criando e aprimorando o seu estilo, numa constante busca de autossuperação.

A MINEIRIDADE EM *MADRINHA LUA*[9]
Antônio Sérgio Bueno

A sugestão de estudar a mineiridade em *Madrinha lua*[10] parte de três fontes: a primeira, a leitura de artigo de Guilhermino César sobre a autora, onde afirma que "ninguém [é] mais mineiro que Henriqueta Lisboa. Denuncia sua origem pela inflexão da linguagem, no som e no tom, nas metáforas, no temário, no equilíbrio interior. E mesmo nos seus deslumbramentos de mulher"[11].

A segunda decorre de depoimento da própria autora:

> A terra natal, por seu turno, sempre me foi um manancial de sortilégios. Ainda nos bancos escolares me debruçava sobre *Histórias da terra mineira*, de Carlos Góes, com enlevo maior do que sobre contos de fadas e de príncipes. *Madrinha lua* encerra os tópicos desse envolvimento e carinho. Veio mais tarde *Montanha viva – Caraça*, tentativa de narração, descrição e principalmente interpretação desse pequeno mundo grandioso – monumento, santuário, fonte de cultura, campo de formação espiritual – de notória influência em nossa sociedade. *Belo Horizonte bem querer*, com

---

9 In: LISBOA, Henriqueta. *Madrinha lua*. Belo Horizonte: Coordenadoria de Cultura de Minas Gerais, 1980. p. 7-17.

10 LISBOA, Henriqueta. *Madrinha lua*. Rio de Janeiro: Hipocampo, 1952. As citações que fizemos referem-se à *Lírica*. Rio de Janeiro: José Olympio, 1958.

11 CÉSAR, Guilhermino. *Suplemento Literário do Minas Gerais*, Belo Horizonte, 22 e 29 de dezembro de 1979, n. 690 e 691.

flagrantes e mosaicos evocativos dos primeiros tempos, fecha o tríptico da minha mineiridade.[12]

A terceira resulta de minha própria e sempre insatisfeita busca do que seja essa substância da alma mineira, mesmo sabendo da impossibilidade de abordá-la satisfatoriamente a nível conceitual. Guardo diante desse tema – da mineiridade – uma prudência bem mineira por saber quão controvertido ele é e por não ignorar o alcance apenas relativo dos estereótipos que se formaram em torno dele. Vendo-os com reserva, prefiro estudar a mineiridade em *Madrinha lua* em termos de uma comoção singular da autora diante das matrizes culturais que personalizam a terra mineira. Talvez a afinação tão profunda, digo mesmo *identidade*, entre o poeta e seus motivos, explique-se por sua própria concepção do que seja *motivo* em Literatura: "O motivo é decorrência da têmpera do poeta, espécie de identidade. [...] O motivo é o pulsar das veias, o itinerário da mente, a espreita da alma, a densidade do corpo"[13].

É em *Madrinha lua* que a alma mineira de Henriqueta Lisboa se compraz sobre os fatos, personagens históricas, lendas que compõem a fisionomia incipiente de Minas e a "crispação de sua sensibilidade ferida" colore a notação de eventos.

Dentre os fluidos-limites da mineiridade, encontro, neste livro, a capacidade de ligar o local ao universal, de possibilitar o convívio do recato e da comoção, da ordem contida e do grito de liberdade. A limpidez de sua fala – em sua dicção subjaz um preconsciente coletivo – não exclui a noção de *aura*, uma espécie de véu sacralizador que unge e dignifica o texto, recordando a origem ritual, mágica ou religiosa das mais antigas obras de arte. Temos em *Madrinha lua* um rito de iniciação mineira, onde as águas lustrais da modernidade conservam os "sabores primevos" que sua sensibilidade decantou da remota leitura do livro de Carlos Góes.

12 LISBOA, Henriqueta. *Vivência poética*. Belo Horizonte: São Vicente, 1979. p. 20.
13 *Ibid.*, p. 15.

Mas já é tempo de *subir* aos textos de *Madrinha lua* sem esquecer-me, entretanto, da seguinte advertência da própria autora:

> Indivíduo com raízes no grupo social, representativo de uma parcela social, o poeta fala em nome da mesma parcela, mas fala antes de tudo em nome da criatura humana que é, impossibilitado, por certo, de captar todas as veemências do mundo; fala à sua maneira particular, atendendo ao foro íntimo e de acordo com suas convicções estéticas, sem demais compromissos e modismos.[14]

Apesar do evidente comprometimento emocional da autora com seus motivos – as raízes mineiras são as primícias de sua própria individualidade – essa emoção se contém em forma discreta e disciplinada, fixando um novo traço do registro mineiro de *Madrinha lua*.

Recordo, enfim, com a autora, a admirável lição de Jung em *Psicología y poesía*: "Todo homem criador é uma dualidade... Por um lado é um processo humano-pessoal; por outro, um processo impessoal-criador"[15]. Pensando essa dualidade a nível de um estilo artístico como o *Barroco*, sob cujo signo nasceu a mineiridade, os textos que estou lendo emitem curiosas reverberações.

Ouro Preto, resistência ao efêmero

A formação social de Minas tem suas raízes indelevelmente presas a Ouro Preto e, consequentemente, ao Barroco. Para Affonso Ávila, "nenhuma cidade colonial mineira, entre maiores e menores, logrou manter com tamanha integridade e coerência a sua inteira imagem setecentista como manteve e mantém Ouro Preto"[16].

---

14 LISBOA, Henriqueta. *Vivência poética*. p. 18.
15 *Ibid.*, p. 16.
16 ÁVILA, Affonso. Revista *Barroco*, n. 7, 1975. Belo Horizonte, UFMG.

O conceito de Poesia que Henriqueta Lisboa chegou timidamente a esboçar – "coação do eterno dentro do efêmero"[17] – aponta para o Barroco e pode ser metaforizado em Ouro Preto, cidade da continuidade. Não posso imaginar conceito de poesia mais mineiro. Alceu Amoroso Lima reconhece como primeiro traço fundamental da sociologia mineira essa *continuidade*.[18]

"Poesia de Ouro Preto" se reconhece na permanência, na estabilidade, na dignidade serena do legítimo colonial. A sensibilidade da autora acomoda-se à maravilha, à atmosfera ouro-pretana, onde lhe é possível

> Em cada arranco do solo,
> batida de pedra e cal
> ver a eternidade em paz. (p. 117)

Anoto mais alguns versos indicadores da ideia de continuidade: "vendo a vida que não anda", "baú onde criam mofo / cartas velhas e retrato / de um ingrato namorado", "cofre-forte com segredo!", "em cada beco ver sombras / que já desapareceram", etc. Aqui não se trata exatamente de memória, mas de uma identificação que presentifica os vultos de Marília, Felipe dos Santos, Cláudio Manuel, Aleijadinho, etc. O poeta quer "ter os olhos de Marília / para cismar e cismar" e o galope do cavalo bravo que arrastou Felipe dos Santos faz-se ouvir na própria cadência de seus versos. Ouçam-no:

> (risca fogo, bate casco
> nas calçadas, a galope
> sem destino, sem descanso). (p. 116)

É curioso notar, enfim, nessa leitura de Ouro Preto, que a Estesia supera o próprio Misticismo, em mineiríssima linhagem alphonsina. Por exemplo:

---

17 LISBOA, Henriqueta. *Vivência poética*, p. 12.
18 LIMA, Alceu Amoroso. *Voz de Minas*. Rio de Janeiro: Agir, 1945. p. 104.

Depois, de manhã bem cedo
ir à igreja das Mercês,
das Mercês e dos Perdões,
ficar ajoelhada no adro
na contemplação feliz
das volutas e dos frisos
e, embora sem ter rezado,
voltar para casa leve,
coração de passarinho
navegando com delícia
os rios de ar da montanha. (p.116)

Henriqueta Lisboa sorve docemente "os ares da noite de Vila Rica" e, atenta a seus segredos, anuncia deslumbrada o "Romance do Cavaleiro de Prata".

O primeiro verso já situa o herói em um espaço afetivo do poeta: "Meu Cavalheiro de Prata". Os "tempos fidalgos" remetem o leitor a todo um código de "Cavaleiro cavalheiro" do mundo medieval, embora o texto defina a época do fato lendário: "Já se passou mais de século". O corcel, os jaezes de prata, o vulto esgalgo, os trajes de veludo e seda, a altaneira postura, a salvaguarda da honra feminina, diante de marginais, à custa do próprio sangue, são traços típicos da cavalaria andante, da nobreza medieval.

Essa "nobreza intimorata" de seu cavaleiro é mais um exemplo da destinação para o alto que Henriqueta sempre projeta no homem. A necessidade que ela tem de desbanalizar o real, de conferir-lhe uma dimensão de sacralidade, faz com que seu Cavaleiro-
-Peregrino traga a auréola de estrangeiro: "De leves louros cabelos / recém-chegado da França".

Da pátria de Carlos Magno, chega à paisagem mineira "em missão de Protetor / de criaturas indefesas". Proteção aclimatada ao novo espaço, pois não se trata de nenhuma donzela loura a debater-
-se "contra sanhas celeradas", mas de uma jovem negra escrava.

Mineira até nos seus deslumbramentos de mulher, como diz Guilhermino César, Henriqueta Lisboa traz para as noites de Ouro Preto, sob "um pálio de névoas", o Cavaleiro da Ronda, mescla de anjo da guarda, príncipe encantado e fidalgo medieval.

Duas sombras pairam sobre Ouro Preto

Para Carlos Drummond de Andrade, "Tiradentes preside à concepção mineira da liberdade"[19] e Jaime Cortesão vê no Aleijadinho "as virtualidades atávicas e as sociais para traduzir na arte o espírito novo, autonomista e antioficial da sociedade em que viveu"[20]. O primeiro sonhou com a independência política, o segundo preparou a independência artística.

Henriqueta Lisboa transfere para seus personagens sua capacidade de ver e sentir. Cinge-se de alguma forma a eles, especialmente diante do momento exemplar da morte. O aproveitamento do dado biográfico ajuda a intimização do tratamento poético. O componente social, saliente nas citações de Drummond e Cortesão, encontra-se aqui esmaecido.

Os delírios barrocos do Aleijadinho traduzem-se na dualidade mar-floresta, onde o primeiro termo é o arquétipo da liberdade e o segundo, prefiguração dos infernos e recordação de limites. Essa dualidade desdobra-se, por um lado, na súplica dolorosa pelos filtros de cardina, estupefaciente enérgico que provoca sensações luminosas, coloridas e, por outro, na impossibilidade de amar e ser amado em plenitude, devido à repulsão provocada por sua enfermidade.

A agonia, um estado de alma "excessivo", corresponde ao espírito barroquizante – o Barroco é um estilo de arte também "excessivo" – que perpassa o texto.

O Tiradentes é apresentado como o cordeiro predestinado ao holocausto. Loucura e santidade desenham seu perfil. Leio, neste texto de Henriqueta, a loucura como o dado desapercebido da ordem. Na fala de Tiradentes, a derradeira consciência de sua condição de instrumento de uma sabedoria apenas intuída, só agora revelada. Sua loucura traz no rosto a verdade oculta da razão. A revolução,

---

19 ANDRADE, Carlos Drummond de. *Obra completa*. Rio de Janeiro: Aguilar, 1967. p. 656.
20 *Ibid.*, p. 657.

para ele, insere-se na velha certeza mineira de que a liberdade é condição para uma ordem verdadeira. Desatino? Destino.

Os profetas e Daniel

Parto novamente de um confronto entre duas visões mineiras dos profetas: a de Carlos Drummond de Andrade e a de Henriqueta Lisboa.

O autor de *Alguma poesia* vê na confabulação dos profetas, no adro do Santuário de Bom Jesus, uma conspiração eterna pela liberdade, "encarnando algo de nossa condição de povo em luta contra os tiranos"[21].

Por seu turno, a autora de *Madrinha lua* os vê apaziguados e serenos na paisagem de Congonhas do Campo. Os "vulcões acesos pelos ares" pendentes de seus gestos e palavras de fogo recuam para as "estradas bíblicas" e o conteúdo fortemente dramático neles impresso pelo Aleijadinho ameniza-se na "serenidade perfeita / dos acontecidos destinos."

Em "Visão dos profetas", os índices de brandura espalham-se pela natureza: a tarde está perturbada; o horizonte, esquivo; os luares, nostálgicos. Mesmo as raras palmeiras, comparadas a guerreiros, perdem qualquer agressividade ao erguer "com elegância os finos torsos" para amparar o firmamento. Os profetas, em função da paisagem interior do poeta, não aparecem no calor de sua luta, mas no retorno dela para a placidez definitiva.

Nos "vagares do pouso / de Congonhas do Campo", a atenção do poeta é maior para Daniel. É o profeta que melhor encarna a nobreza de espírito, as "sobrançarias" do cismar e o "donaire de porte". Ele e Jonas foram os únicos talhados em um só bloco pelo Aleijadinho. Seu filactério registra a intervenção do próprio Deus para salvar-lhe a vida: "Encerrado, por mandado do rei, na cova dos leões, escapou são e salvo, pelo auxílio de Deus" (Daniel, cap. 6).

---

21 ANDRADE, Carlos Drummond de. *op. cit.*, p. 656.

Não apenas o Aleijadinho o amou de forma especial; a autora também trai essa preferência. Não tem ela atenção especial para o braço estendido de Abdias, a erguer para o céu o dedo justiceiro; nem para o braço de Ezequiel, a recolher toda a cólera de Deus para distribuí-la em sementes de maldição; muito menos para a violência do gesto de Habacuc. Por que o poeta não descansou seus olhos em Jonas que, segundo G. Bazin, é a mais genial figura dos profetas? [22]

A autora mineira prefere recordar o "cavalheiro perfeito" que salvou Suzana. "Decifrador de enigmas", sua sabedoria esplende na "pensativa cabeça sem orgulho". Eis aqui outro signo legítimo de mineiridade que, em termos de hoje, atualiza-se nos ideais de prudência ilustrada, de confiança na reflexão e na cultura como agentes de formação do homem e, até, de solução de problemas sociais.

Presença negra

Em "História de Chico Rei", Henriqueta Lisboa trabalha sobre a personagem Francisco, rei africano, cujas dimensões limitam-se entre a lenda e a realidade. Manuel Bandeira, em seu *Guia de Ouro Preto*, anota:

> Francisco, rei africano, foi aprisionado e vendido para escravo com toda a sua tribo. A mulher e todos os filhos, menos um, morreram na travessia do Atlântico. Os sobreviventes foram encaminhados às minas de Ouro Preto. Homem inteligente e enérgico, Chico Rei trabalhou e forrou o filho; em seguida, os dois trabalharam para forrar um patrício; e assim sucessivamente se forrou toda a tribo, que passou a forrar os outros vizinhos da mesma nação.[23]

22 BAZIN, Germain. *O Aleijadinho e a escultura barroca no Brasil*. Rio de Janeiro, São Paulo: [s. n.], 1971. p. 283.

23 BANDEIRA, Manuel. *Guia de Ouro Preto*. Rio de Janeiro: [s. n.], 1952.

Henriqueta, em seu admirável registro lírico, elege, da vida do rei-escravo, a dimensão heroica de seu caráter e a nobreza de seu comportamento, valorizando o mesmo polo da ordem e da viabilidade pacífica de ascensão social que deve ter ficado em seu espírito desde a remota leitura do já citado livro de Carlos Góes.

Apesar das nítidas divisões fundamentais da sociedade mineradora – nobres portugueses, comerciantes abastados, mulatos livres, crioulos forros ou não e africanos escravos – é ponto pacífico que, em Minas, houve uma flexibilidade e uma mobilidade maiores entre os estratos sociais. Henriqueta exalta a determinação do escravo ex-soberano de reviver sua antiga glória, recorda a pompa das cerimônias de 6 de janeiro na Igreja de Santa Ifigênia, que "era pobre, pobre, pobre" e "ficou rica, rica, rica".

A fé no trabalho silencioso e perseverante como na forma de luta e liberação muito mais eficaz que a rebelião pelas armas é mais um vestígio de mineiridade, presente neste poema.

Pode parecer estranha a aproximação de um poema como "Viagem de Dom Silvério" à "História de Chico Rei", mas posso justificá-la nos seguintes termos: se o périplo do Rei africano inclui uma trajetória descendente (no plano material), seguida de uma ascendência, incluindo a travessia do Oceano, o primeiro Arcebispo de Mariana também realiza uma travessia. A viagem do título não se refere apenas ao regional trajeto de Congonhas a Mariana, passando por Brumado, Matozinhos, etc. Um percurso maior subjaz ao título: "De aprendiz de sapateiro" a "mais do que bispo, Arcebispo".

Outros pontos comuns entre as duas personagens: a negritude e a ocupação de um trono. Do fundo do poço, onde o menino negro procura seu próprio rosto, surge o brilho diamante, metáfora de si mesmo. Paralelamente, o rei banto concretiza no novo espaço físico a autoimagem de altivez e realeza que trouxera da África.

Réquiem para nossos índios

Dois poemas de *Madrinha lua* tematizam o desaparecimento dos índios nas Minas Gerais: "Lendas das pedras verdes" e "Lenda da Acaiaca".

No primeiro, a Uiara apresenta uma ambiguidade fundamental: metáfora da sedução, seus cabelos brilham "com viva luz de esmeraldas", mas o verde de seus braços vem das turmalinas. O bandeirante dormirá para sempre embalado pelo engano, mas a Uiara não poderá mais prosseguir seu "sono igual ao da pedra". O paraíso está perdido.

Uma cadeia metonímica magistral acaba por indicar a identidade das pedras verdes com a própria vida da tribo:

– Fernão Dias, Fernão Dias,
deixa a Uiara dormir!
A vida da tribo está
no grande sono da Uiara.
O grande sono da Uiara
reside nos seus cabelos.
Seus cabelos eram de água,
tornaram-se em pedras verdes. (p. 105)

Mas o apelo índio não é ouvido pelo bandeirante: "Voz de raça moribunda / Fernão Dias não escuta".

A "Lenda da Acaiaca" narra o fim da tribo dos Puris no arraial do Tejuco. Agora o vínculo da vida dos guerreiros dá-se com a árvore sagrada, "presa a raízes de nobreza". A revelação desse segredo aos estrangeiros representa a condenação da tribo. O clima apocalíptico que o poeta imprime ao texto culmina com o rito da morte do Pajé abraçado à árvore. Vejo este poema como uma leitura elegíaca moderna do mesmo tema trabalhado por Gonçalves Dias em "O canto do Piaga".

Ó dor! Ó numes! Ó tremendo
instante em que se desintegram
as esperanças de uma raça! (p. 119)

Sinfronismo feminino

Talvez pelo fato de a protagonista ter sido mulher e poeta, o "Drama de Bárbara Heliodora" tenha recebido de Henriqueta Lisboa um tratamento tão soberbo. A verticalidade brutal da "queda" da heroína, a terrível precariedade da ventura, chegam ao paroxismo nos versos do poeta:

Chora Bárbara Heliodora
Guilhermina da Silveira.
E em suas artérias corre
o sangue de Amador Bueno!
Chora, porém já sem lágrimas. (p. 103)

O nome próprio completo é índice de nobreza, ampliado pela referência ao sangue do bandeirante. Sua estirpe a situa no *alto* para que mais fragoroso se mostre o declínio, em cujo termo está a alienação mental:

pobre mulher desvairada
de olhos que olham mas não veem.
....
Seu busto cai sobre os joelhos:
flores que de trepadeiras
pendem murchas para o solo. (p. 103)

Henriqueta Lisboa confere ao drama de Bárbara Heliodora a dimensão trágica cerrada que só encontramos na mais alta tragédia grega. Somente quando nos sentimos atingidos nas profundas camadas do nosso ser é que experimentamos o trágico. Bárbara Heliodora e Alvarenga Peixoto nos comovem por representarem o grande tema da vulnerabilidade da existência humana, tão caro ao Barroco e ao Arcadismo. Temos aqui a queda de um mundo ilusório de segurança e felicidade para o abismo da desgraça ineludível. A constante ameaça a tudo que é feliz e sublime, a considerável altura da queda são ingredientes básicos da ação trágica, transfigurados no lirismo de *Madrinha lua*.

Outra vez o local universaliza-se para recordar uma inquestionável sombra grega sobre a cultura mineira. Apolo e Dionísio reencontram-se nas montanhas. O tenho dito final da inteligência parece testemunhar a primazia do primeiro, mas o segundo emite sua voz dissonante em todos os delírios, sonhos, paixões, loucuras e nos gritos doídos de liberdade.

Nas considerações que fiz sobre os textos, esqueci-me várias vezes de que minha proposta inicial era limitar-me ao estudo da mineiridade em *Madrinha lua*. Mas a mineiridade é múltipla e a dispersão nem sempre foi estranha ao tema básico.

Este é um livro escrito com profunda adesão amorosa. Trata-se de uma muito bem sucedida leitura lírica da história da comunidade mineira através de uma escrita com espessura própria, mas atenta ao que está fora dela. *Madrinha lua* integra-se feliz nos discursos correntes da sociedade mineira porque não tira sua substância vital apenas de seus códigos mais secretos, mas fala por todos nós, recupera um sentido comunitário perdido, lembrando nosso próprio endereço. Re(cor)dar as raízes mineiras é, etimologicamente, repô--las no coração do leitor.

Equidistante da linguagem-quadro a que se refere Foucault e do autismo selvagem que só sabe dizer de sua própria forma, Henriqueta realiza, em *Madrinha lua*, a função básica do poeta, na opinião de Valéry: *"Un poète n'a pas pour fonction de ressentir l'état poétique: ceci est une affaire privée. Il a pour fonction de le créer chez les autres".*[24]

A sociedade mineira, caracterizada por Pedro Nava, em seu *Baú de ossos*, como cheia de hierarquia, de polidez, de religião, cerimônia, Latim e Polícia, encontra neste livro de Henriqueta Lisboa a Minas geratriz, a do ouro e do diamante, com seus heróis primordiais vivendo duplamente: ao nível das reminiscências históricas e lendárias e no registro de uma das mais originais e poderosas vozes líricas da poesia contemporânea.

24 VALÉRY, Paul. Poésie et pensée abstraite. In: _____. *Oeuvres I.* [s. n. t.], p. 1321.

APRESENTAÇÃO DE *LUZ DA LUA*[25]
Bartolomeu Campos de Queirós

O privilégio de ter convivido com Henriqueta Lisboa me levou a suspeitar da origem de seu intenso ofício poético. Duas atitudes distintas me surpreendiam, além de sua maneira refinada de estar diante do "tênue fio" da existência. Uma primeira supunha vir de sua capacidade purificada de não se indignar diante dos mistérios que envolvem o ser humano e que jamais se revelam. Uma segunda residia em seu constante exercício de deslocar-se de sua intimidade reflexiva para estar com o outro, tomando a poesia como matéria maior para inaugurar o diálogo.

Por ser assim, toda a produção de Henriqueta Lisboa é um convite insistente para que não deixemos passar despercebido nenhum dos elementos que nos rodeiam e nos espiam. Mas para tanto é necessário nomeá-los com palavras justas e escolhidas como fez a poeta.

Todos os elementos buscados por ela, como objetos de trabalho, foram adjetivados com elegância e ganharam encantamento. Sua poesia, como me afirmava, não possuía destinatário por reconhecer que a beleza é propícia a todos. Como conhecedora da poesia construída ao longo da história da literatura, Henriqueta Lisboa nos presenteou com uma construção impecável em forma e em essência.

Não há, pois, que negar aos mais jovens a oportunidade de adentrar-se na obra de Henriqueta Lisboa. Por afirmar a vida como um único e "tênue fio", a poeta sempre confirmou a infância como o lugar primordial da poesia.

25 In: LISBOA, Henriqueta. *Luz da lua*. São Paulo: Moderna, 2006.

A MORTE[26]
Blanca Lobo Filho

O tema da morte é o de maior importância na obra de Henriqueta Lisboa. Conhecida no Brasil como "o poeta da morte" (crítica de Jorge Ramos) e sua poesia mencionada por Aires da Mata Machado como "poesia lúcida da morte", seu tratamento da matéria é único por seu misteriosamente íntimo conhecimento com ela. Seu ponto de vista, entretanto, não é um só: atravessa um desenvolvimento gradual até atingir o que aparece como a solução final no ciclo "Azul profundo".

A primeira aparição significativa do tema da morte na *Lírica*, correspondendo ao primeiro período do poeta, é no ciclo "Prisioneira da noite". Seu primeiro poema serve como prelúdio para o tema. Foi uma época deprimente para Henriqueta Lisboa, nos dias que antecederam a primeira guerra mundial, e sua depressão era nessa época mais filosófica e impessoal: as faces que lamentava eram vagas e estranhas. Essa é a grande diferença entre os poemas desse ciclo e os de "Flor da morte".

Os acontecimentos que mais profundo efeito tiveram sobre Henriqueta Lisboa foram as mortes, em rápida sucessão, dos seus pais e dos íntimos amigos. Deram-lhe o conhecimento com que ela escreve sobre a morte e, eventualmente, a coragem de enfrentá-la.

---

26 In: *Interpretação da lírica de Henriqueta Lisboa*. Belo Horizonte: Imprensa Oficial, 1965.

Nos anos que imediatamente se seguiram, retirou grande consolo de sua arte, e a poesia que escreveu nessa época é mais pungente e cuidadosamente trabalhada do que a de *Prisioneira da noite*.

É aqui em *Flor da morte* que o tema encontra sua maior expressão. Como conjunto, a obra representa a jornada do homem da vida para a morte. É a claridade e confiança com que Henriqueta Lisboa descreve ambos esses mundos e sua relação de um para com o outro que tornam suas vistas sobre eles tão próprias e singulares.

Como, por exemplo, neste poema "A paisagem do morto":

A paisagem do morto é sem limites.
Desdobra-se por vales e montes.
Vales de paina sob o torpor do crepúsculo,
montes de pouca elevação.

O poema é uma vívida descrição da terra do morto, de um efeito autêntico e real, embora um tanto surrealista. As flores estão adormecidas: parecem possuir determinado tipo de vida especial, etérea, silente, inconsciente existência. Mas, além de descrevê-la, o poeta retira também da contemplação da paisagem do morto um julgamento sólido de grande audácia: se na morte não há desconforto, não existe também nenhum sabor:

À paisagem do morto nada falta
de cômodo.

A paisagem do morto é insípida.

Embora Henriqueta Lisboa, em tais poemas, tenha alcançado um alto grau de aceitação da morte, não se tornou tão poucoindiferente à vida. Permanece mesmo em *Flor da morte* dedicada à vida quando afirma:

Na morte, não. Na vida.
Está na vida o mistério.

Ou:

Tu que estás morto
esgotaste o mistério.

Mesmo em "Vem, doce morte" Henriqueta Lisboa não reflete um desejo de morte imediata, mas apenas proclama sua cordialidade com a morte: a morte como que se transformou num amante que virá sem dúvida algum dia. É essa uma atitude semelhante à de vários outros artistas, no confundir o amor e a morte, o êxtase e a agonia, encontrada já na própria *Lírica* através do poema em que o amor se descreve como espada de dois gumes.

O tema da morte em Henriqueta Lisboa, pois, passa através de três etapas: inocência, experiência, reconciliação. Depois de escrever em *Prisioneira da noite* sobre a morte da única maneira que lhe era então possível – a objetiva –, mergulhou em *Flor da morte* num período de desespero, de oscilação espiritual entre a vida e a morte, numa situação sem outra saída que não sua própria arte. Gradualmente, a terapia de seu verso trouxe-a da crise para a reconciliação, da luta para a vitória.

Desse breve relato é possível isolar pontos em que os críticos geralmente são concordes. Esses seriam, por exemplo, o lirismo de Henriqueta Lisboa, sua fraseologia compacta, sua "pureza e perfeição de estilo", e sua visão de morte.

A poesia de Henriqueta Lisboa é profunda, frequentemente não compreendida à primeira vista, mas imediatamente é possível entrar em contato com suas qualidades místicas, aéreas, encantadas, que transmitem uma sensação de beleza e despertam o desejo de relê-la. Somente leituras sucessivas podem revelar a beleza total e delicada e a profundidade de pensamento residente em seus poemas: atingem emoção e imaginação rapidamente, mas exigem um esforço por parte do leitor para adquirir a total apreensão de sua arte.

O objetivo de Henriqueta Lisboa não é divertir, mas enriquecer a humanidade: consequentemente, reluta ela em admitir que seu verso seja de algum modo didático: sugestivo, e não insistente, atinge audiência por vias indiretas. De acordo com essas sérias intenções é o fato de que qualquer forma de ironia ou sátira está quase inteiramente ausente de sua poesia: nunca é sutilmente agressiva, nunca fará mais do que apontar um possível objeto de ridículo, deixando ao leitor tirar suas próprias conclusões.

A própria Henriqueta Lisboa resume sua filosofia estética do seguinte modo: "Desejo que através de minha poesia ninguém encontre um motivo de desespero ou depressão moral, mas também não quero ser um exemplo didático, não tenho preocupação didática. A arte não tem obrigação: eu, como artista, não me sinto obrigada a edificar, mas, como criatura humana, procuro evitar o resultado deprimente que pudesse advir da minha obra".

Depois de analisar seu trabalho, e de ouvir a crítica de seus contemporâneos, depois de estudar sua poesia nas várias fases de crescimento, pode-se encontrar em Henriqueta Lisboa uma beleza, uma intensidade de pensamento que ganha expressão ao ser criada com admirável perfeição e harmonia. Tomou ela o melhor de cada escola literária, que, numa época ou noutra, a influenciou, combinando num estilo único os elementos do Simbolismo e do Classicismo com os dos românticos e parnasianos. Nessa síntese, transcendeu qualquer escola e tornou-se um poeta moderno, que cabe ao mesmo tempo em todas as categorias e em nenhuma delas.

HENRIQUETA LISBOA: UM POETA
CONTA-NOS DA MORTE[27]
Carlos Drummond de Andrade

Flor da morte, de Henriqueta Lisboa, é dos raros casos, na poesia brasileira, de um livro de versos que constitui, organicamente, um só poema. E o constitui, sem recorrer ao mero expediente formal de agenciar todos os versos numa composição de amplos limites, dividida em cantos regulares. Suas páginas abrigam aparentemente as produções mais variadas, cada uma delas com título próprio, e com estrutura diferenciada, dentro da rítmica peculiar à autora nesta sua fase. Os "temas", a julgar pela maioria dos títulos, parecem ainda distintos uns dos outros; o pássaro de fogo, as jaulas, o véu, a rosa príncipe negro, Nossa Senhora da Pedra Fria. E, contudo, uma só é a matéria do livro, como é única a sua essência, a inspiração que o ditou, o clima espiritual em que foi elaborado, única a preocupação de quem o escreveu, ou, melhor dito, de quem o viveu. O livro de Henriqueta Lisboa é uma persistente, ondulante e apaixonada meditação sobre a morte. Quase que o poderíamos chamar: tratado poético da morte.

A ideia de morte, lembra o poeta Valéry, representa a mola das leis, a mãe das religiões, o agente secreto ou terrivelmente manifesto da política, o excitante essencial da glória e dos grandes amores, a origem de uma infinidade de pesquisas e de meditações.

---

27 In: *Passeios na ilha*. Rio de Janeiro: Simões, 1952. p. 195-199.

"Nossa vida organizada", frisa o autor de *La jeune parque,* "tem necessidade das singulares propriedades da ideia de morte." Daí a sua poderosa vitalidade.

Não o ignoram os poetas, que, desde as eras mais recuadas até os dias presentes, outra coisa não fazem – se merecem realmente o nome de poeta – senão aproximar-se de seus obscuros domínios para interpretar-lhes o mistério. Mesmo celebrando a vida e suas manifestações mais exuberantes, não perdem de vista a fabulosa riqueza de sugestões que jaz no interior da ideia de morte, e não raro a confundem com a ideia de vida, atentos à secreta identidade que afinal as reúne e converte em dupla face de uma só medalha. Soube exprimi-lo admiravelmente o nosso Machado de Assis, ao falar de uma "criatura antiga e formidável", de olhar ao mesmo tempo "acerbo e mavioso", que

Ama de igual amor o poluto e o impoluto;
Começa e recomeça uma perpétua lida,
E sorrindo obedece ao divino estatuto.
Tu dirás que é a Morte; eu direi que é a Vida.

Henriqueta Lisboa deteve-se a contemplar a face sombria da medalha. Uma experiência pessoal, evidentemente, está na origem de sua contemplação. Mas como, em seu pudor, soube esfumar os contornos dessa experiência, de tal sorte que todos nós, leitores, também já experimentados ou ainda não, nos sentimos igualmente solicitados a participar desse puro e doloroso ato poético que é o seu livro! Das dores individuais, mesmo quando nos despertem solidariedade, sentimo-nos afastados pela estreiteza natural dos limites do indivíduo físico. Neste poema, contudo, a dor da pessoa oculta-se sob os véus mais finos e ao mesmo tempo mais indevassáveis. Devemos isto à linguagem alusiva, depurada, rigorosa – e límpida – que é a linguagem poética da autora. A sequência de seus livros mostra a aquisição desse precioso instrumento, que Henriqueta Lisboa maneja hoje com a severidade e, sem embargo, a doçura que os ascetas sabem pôr no manejo de seus cilícios.

Tome-se, por exemplo, o poema "Retorno", em que o mais exigente cultor da arte pura não acharia ganga de reminiscência histórica, geográfica ou pessoal. Tudo aí vale, artisticamente, como vocabulário, ritmo e atmosfera de poesia. Entretanto, não serei indiscreto se indicar que a autora deixou nessa página breve nada menos que a exata biografia de alguém que para sempre ficou presente à sua memória. Num registro jornalístico, os dados que aí se dissolvem em achados poéticos, recursos plásticos e magia verbal, se tornariam perceptíveis ao leitor comum, sem perda de um só.

Ficou dito que este livro, de alta concentração espiritual e artística, poderia ser visto como um tratado da morte em termos poéticos, e não julgo incidir em pecado de exagero. Henriqueta Lisboa muito aprendeu dessas verdades subterrâneas que a morte, em sua avareza, esconde aos que simplesmente a temem, ou diante dela se abandonam ao puro desespero. Dando título ao livro, a autora nos conta como pressentiu, na madrugada, o nascimento daquela a que chama de "flor da morte". Seus ouvidos captam

> ... um estalo de brotos,
> de luz atingindo caules.
> Difere do rumor da chuva nas lisas pedras,
> difere do suspiro do vento nas grades.
> É como se a alma se desprendesse da matéria.

A hipersensibilidade que essas anotações denunciam irá servi-la no trato contínuo com os segredos de que sua poesia nos dará a chave, sem lhes expor a intimidade. Ei-la que descreve a postura dos mortos, com "um tênue véu sobre o rosto":

> Nenhuma força os protege
> senão esse véu no rosto.
> Nenhuma ponte os separa
> dos vivos, nenhum sinal
> os distingue mais que o véu
> baixado ao longo do rosto.
> ....
> Dos inumeráveis véus

que os vivos rompem ou aceitam,
resta para o morto, apenas,
um véu aderido ao rosto.
Entre a vida e a morte, um véu.

Segue-se a descoberta de um dos muitos mistérios: o de que na vida, e não na morte, é que o mistério existe. Os mortos já o esgotaram. Por isso, pode-se dizer a um morto:

Agora estás poderoso
de indiferença, de equilíbrio.
Completo em ti mesmo, forro
De seduções e amarras.

A paisagem do morto, conta-nos outro poema, é sem limites. E apresenta-nos a descrição de suas águas e coxilhas, de uma realidade minuciosa e fantástica. Fala-nos na residência do morto, na ilha dos mortos, no particular silêncio da morte, na cor dos olhos da morte, que serão talvez garços. Se vê um saltimbanco desenvolver no picadeiro suas proezas geométricas, logo identifica esse brinquedo com a morte. Se encontra Ofélia a deslizar pela correnteza, sabe que ela se vai eternizando, enquanto os olhos que a contemplam, estes, sim, desaparecem para Ofélia. Sabe também que, pela morte, voltamos aos dias da infância. Tudo são jaulas: a primeira delas é o berço, pela vida afora nos conservamos prisioneiros, e natural é o apelo: "Vem, doce morte. Quando queiras". Há um supremo e desconsolado consolo nesta meditação que culmina o livro:

Na morte nos encontraremos.
Sim, na morte.
Tempo de consórcio e de vínculo.
....
Braços um dia decepados
voltando ao torso a que pertencem.

Fios cortados ao nascer,
no reajustamento dos nós.

Esta grave anunciação não corrige qualquer pessimismo exagerado do poeta, que pessimismo não há em sua atitude sóbria e decorosa diante do sofrimento. Henriqueta Lisboa destila poesia, servindo-se da matéria-prima em que outros saberiam encontrar apenas aniquilamento ou desespero. Por isso tal poesia é tão confortadora, na sua especial dolência; quase diria: na sua morbidez. E por isso nos comove tanto, sem recorrer a qualquer artifício sentimental. Sentimos que seus versos são a secreção de uma vida, e não apenas um devaneio caprichoso. Não haverá, em nosso acervo poético, instantes mais altos que os atingidos por esse tímido e esquivo poeta, que a seu modo, e sem qualquer repetição de atitude estética ou rigorosa, se inscreve na tradição de Alphonsus de Guimaraens.

A DIALÉTICA DO IMPRESCINDÍVEL – UM POEMA DE HENRIQUETA LISBOA[28]
Carmelo Virgillo

Ao examinar um certo número de obras representativas da crítica sobre a poesia de Henriqueta Lisboa, Lívia Paulini acha que não existe um verdadeiro consenso de opiniões com respeito à temática.[29] Blanca Lobo Filho, por exemplo, coloca o amor em primeiro lugar, enquanto Lauro Palú acredita que esse lugar pertence realmente à própria vida. João Gaspar Simões crê que o interesse fundamental de Lisboa é a morte – opinião que divide com numerosos críticos que apelidaram a escritora mineira de "o poeta da morte", principalmente em consequência da publicação do volume *Flor da morte*, em 1949.

Finalmente, Fábio Lucas nota que, do ponto de vista temático, Lisboa responde à tendência do ser humano para os extremos. Destacando a proverbial polarização da problemática existencial, o mesmo crítico observa que a poética de Lisboa se fundamenta em toda uma série de oposições jogadas para a perquirição do ser e do não ser. Isto fica patente no fato de os motivos condutores

---

28 In: CARVALHO, Abigail de Oliveira; SOUZA, Eneida Maria de; MIRANDA, Wander Melo (org.). *Presença de Henriqueta*. Rio de Janeiro: José Olympio, 1992. p. 29-44.

29 PAULINI, Lívia. *Henriqueta Lisboa e a sua mensagem universal*. Belo Horizonte: Imprensa Oficial, 1984.

levitarem entre a fé cristã e o medo, a carne e o espírito, o céu e a terra, a vida e a morte.[30]

Todas estas observações, por mais distintas que sejam, podem ser aplicadas ao poema "Do supérfluo", da coletânea *Pousada do ser*, livro que, do ponto de vista conceptual e técnico, constitui, sem dúvida, a obra mais madura e representativa da escritora mineira. Este poema será objeto de uma análise pormenorizada, cuja finalidade é demonstrar que o tema do amor é utilizado na composição como síntese da visão do mundo e da profissão de fé de Lisboa. Ao longo deste trabalho, se revelará uma construção poética, minuciosamente elaborada, para induzir o leitor a reconhecer o amor como a totalidade dicótoma e contraditória da vida. Mais especificamente, se constatará que o amor vem sendo representado como uma força imperceptível e, no entanto, indizivelmente poderosa. De acordo com a visão do poeta, é precisamente esta força que confere coesão e significado à existência. O poema sugere, de fato, que até o aparentemente insignificante constitui realmente uma peça imprescindível do mosaico que é a criação.[31]

DO SUPÉRFLUO
Também as cousas participam
de nossa vida. Um livro. Uma rosa.
Um trecho musical que nos devolve
a horas inaugurais. O crepúsculo
acaso visto num país

---

30 PAULINI, Lívia, *op. cit.*, p. 23.

31 Fábio Lucas observa que a tensão dramática gerada pelas várias oposições que caracterizam os textos de Lisboa decorre da sua cosmovisão inconformista – visão que faz com que ela transmude a realidade convencional numa concepção altamente pessoal. Afirma o crítico: "Sob o ponto de vista conteudístico, podemos dizer que Henriqueta Lisboa se esmera na contemplação intimista do mundo interior: transforma objetos, lembranças, pronunciamentos em facetas de uma sensibilidade oposta ao universo", em "A poesia de Henriqueta Lisboa", *Suplemento Literário do Minas Gerais*, Belo Horizonte, n. 30, 1985, p. 14.

que não sendo da terra
evoca apenas a lembrança
de outra lembrança mais longínqua.
O esboço tão somente de um gesto
de ferina intenção. A graça
de um retalho de lua
a pervagar num reposteiro.
A mesa sobre a qual me debruço
cada dia mais temorosa
de meus próprios dizeres.
Tais cousas de íntimo domínio
talvez sejam supérfluas.
                    No entanto
que tenho a ver contigo
se não leste o livro que li
se não viste a rosa que plantei
nem contemplaste o pôr do sol
à hora em que o amor se foi?
Que tens a ver comigo
se dentro em ti não prevalecem
as cousas – todavia supérfluas –
do meu intransferível patrimônio?[32]

O poema consta de duas estâncias dialeticamente vinculadas. Na primeira, a mais longa, o pronome pessoal "nós" indica que a persona poética está falando por conta própria, bem como em benefício de outros.[33] Essa voz lembra ao leitor que mesmo os elementos

---

32 LISBOA, Henriqueta. *Pousada do ser*. Rio de Janeiro: Nova Fronteira, 1982. p. 49-50.

33 É importante sublinhar aqui que o texto, funcionando não como mero ato discursivo, senão como artefato literário, instala uma situação comunicativa ambígua que se desenvolve em um contexto imaginário, no qual a voz poética "nós" representa uma totalidade humana/social anônima. Levando em conta o costume de Lisboa de transmudar o objetivo e específico em experiências

não humanos do dia a dia desempenham um papel importante em nossa vida. E o texto identifica, arbitrariamente, alguns deles: "um livro", "uma rosa", "o pôr do sol numa terra longínqua", "a mera sugestão de um gesto ameaçador", "uma melodia matutina", "um raio de lua que flutua sobre uma cortina" e, finalmente, a "escrivaninha do poeta". A esta altura da composição, ocorre uma repentina mudança de ordem referencial: a voz poética coletiva "nós" das primeiras doze linhas cede lugar à primeira pessoa singular "eu" que, por sua vez, dominará até a penúltima linha da estrofe. Da mesma forma, o texto alude ao relacionamento íntimo entre o poeta e a mesinha de trabalho. Na qualidade de destinatários extratextuais, nós leitores somos introduzidos na composição para participar das dificuldades que o poeta enfrenta. Percebemos, efetivamente, que para o poeta a escrivaninha é uma espécie de "testemunha silenciosa", sempre presente quando ele põe por escrito tudo quanto jamais ousaria confessar a outro ser. A seguir, num *volte-face* imprevisto, a voz poética insinua que as coisas recém-mencionadas talvez sejam desnecessárias – supérfluas –, apesar de nos afetar profundamente. Perante tal afirmação, aparentemente ilógica, o leitor permanece na incômoda posição de extrapolar o porquê da suposta sem-razão.

Se o final da primeira unidade estrutural do poema apresenta uma oposição que deixa o leitor perplexo, a parte conclusiva – a segunda estância – registra um andamento ainda mais imprevisto e surpreendente, que anuncia uma nova direção para a composição; a partir da forma adverbial "No entanto", a estrofe revela sua função: servir como oposição à inteira primeira parte. A voz poética, em primeira pessoa singular, interpela e repreende

---

puramente estéticas de alcance universal, dever-se-ia supor que o mencionado "nós" lírico pode incluir a própria pessoa do poeta, mas não necessariamente. Da mesma forma, o interlocutor do falante poético também constitui uma incógnita para o leitor. Para um estudo pormenorizado da técnica referencial, ver "*Hablantes poéticos / Oyentes poéticos*", em Eliana Rivero, "*Reflexiones para una nueva poética: la lírica hispanoamericana y su estudio*", *Actas del Sexto Congreso Internacional de Hispanistas*, Toronto, University of Toronto, 1980, p. 601-605.

um destinatário intratextual anônimo, identificado apenas pelo apelativo pronominal "tu". Pelo visto, este destinatário não quis compartilhar com o falante – presumivelmente o poeta mesmo – experiências relacionadas com algumas das coisas indicadas no começo, sendo estas fundamentais para o poeta. Mediante uma série de perguntas, à guisa de briga de namorados, o falante acusa seu interlocutor de não ter participado com ele da leitura de um certo livro, do plantar de uma determinada rosa e da contemplação de um dado pôr do sol, no final de seu suposto romance. A composição se encerra com o "eu" lírico que renega o antagonista/ex-amante, este que não soube valorizar coisas tão preciosas a ela e tão desnecessárias a outros.

Nesta linha de pensamento, a indicação mais importante para uma compreensão do plano metafórico é proporcionada pela declaração inicial: "Também as cousas participam de nossa vida". O advérbio "também" estabelece uma narração, *in medias res*, que visa a existência de ainda outra dimensão ao assunto que está sendo tratado – dimensão supostamente já revelada. Perante o dilema de ter que justificar o título, aparentemente incoerente e dúbio, que indicaria, a seguir, um comentário sobre coisas inconsequentes, o leitor é obrigado a supor que a dimensão ausente, por mais importante que possa ser considerada, foi omitida, justamente por ser "supérflua". Pelo contrário, somos levados a deduzir que o poema abraça assuntos que, de modo geral, podem ser considerados irrelevantes. Contudo, tais assuntos são imprescindíveis. Cientes do jogo urdido com a palavra "supérfluo", temos que examinar a estrutura dualista e as inferências simbólicas que a lógica autônoma, de tal estrutura, faz pressupor.

A primeira estância compreende dois períodos que, colocados em cada extremo, dão a impressão de formar um bastidor que enquadra, de modo direto, sete orações subordinadas à declaração inicial ("Também as cousas participam / de nossa vida") e, de modo indireto, dependentes da declaração final ("Tais cousas de íntimo domínio / talvez sejam supérfluas"). Uma avaliação minuciosa das construções subordinadas indica que estas constam dos substantivos "livro" e "rosa", acompanhados apenas pelos respectivos modificadores, os artigos definidos "um" e "uma".

"Livro" e "rosa" atuam, simultaneamente, como signos e símbolos. Como tais, no plano mais superficial, as duas palavras se referem a percepções sensoriais: ao prazer da leitura e à reação agradável provocada pela contemplação e fragrância de uma linda flor. Ao mesmo tempo, atuando na sua capacidade elíptica, ou seja, como verdadeiras orações independentes, os substantivos "livro" e "rosa" assumiriam proporções simbólicas que abririam caminho para novas interpretações. Revelariam, em consequência disso, subsequentes dimensões do poema.

Antes de analisar as implicações metafóricas das palavras "livro" e "rosa", mister se faz considerar os vários contextos em que as restantes cinco orações subordinadas vêm sendo empregadas. A suposição de que "livro" e "rosa" servem textualmente para sugerir percepções sensoriais é comprovada, ao reconhecer a imagem auditiva, gerada pelo sintagma "trecho musical", ao identificar a representação visual criada pela palavra "crepúsculo" e ao captar o quadro evocado pela frase "esboço tão somente de um gesto de ferina intenção". A sucessão de imagens sensoriais é encerrada por mais duas frases: "retalho de lua" e "a mesa sobre a qual me debruço". Estas frases engendram representações mentais do tipo visual e tátil, respectivamente. Avaliada em sua totalidade, essa imagética representa a tentativa do texto de fazer com que o leitor consiga uma apreciação mais profunda do mundo fenomenológico.

Tendo captado uma noção geral do segmento central desta primeira estância, à força de apenas uma avaliação breve da imagética, cabe agora dirigir a atenção à segunda frase, oração independente que serve de margem externa ou "bastidor" da estrofe. É nesta afirmação final que se deve buscar, com mais cuidado ainda, para perceber as dimensões menos acessíveis da estância. A última frase ("Tais cousas de íntimo domínio / talvez sejam supérfluas") pareceria, à primeira vista, um perfeito complemento da frase inicial ("Também as cousas participam / de nossa vida"). Visto estruturalmente, isto é verdade, já que esta última frase complementa e completa a declaração no princípio da estrofe. Contudo, há bastantes variantes de considerável relevo. As principais são representadas pelos seguintes elementos: o acrescimento dos qualificativos "de íntimo domínio" e "supérfluas", que modificam "cousas"; a substituição do advérbio "talvez" por "também"; e, finalmente, a mudança do modo indicativo para o subjuntivo. Tais discrepâncias tornam imprescindível uma nova avaliação dos significados gerados na estrutura profunda deste segmento da composição.

O ponto de partida para um aprofundamento é a palavra "supérflua", mencionada pela primeira vez no título do poema e agora reiterada de forma mais definitiva. Recordando o contexto lúdico no qual esta palavra apareceu inicialmente e levando logo em conta a aplicação do modificador "de íntimo domínio" à lista das coisas mencionadas pela voz poética, ela dissipa, afinal, a aparente incongruência do título e suas implicações em relação ao poema todo. A razão é que este acréscimo comprova nossa suposição original acerca da existência de duas dimensões no assunto tratado pelo poema: uma visível, outra invisível ou intangível, ambas igualmente válidas. Vemos aqui que o texto alude a uma dessas dimensões chamando atenção para o lado subjetivo ou espiritual do ser humano, denominando aquele como "nosso íntimo domínio". Logo após, usando o advérbio "talvez" para atenuar o adjetivo "supérfluo", que descreve nossa perspectiva espiritual do mundo, o poema esclarece ironicamente, com sua ambiguidade, a estrutura dualista da inteira composição. O quadro resultante oferece clara evidência de que as coisas indicadas pelo falante poético são reais e verdadeiras, além de elas desempenharem, de maneira objetiva e tangível, um papel ativo em nossa vida. Esta noção, comunicada pelo presente do indicativo "participam", também intenta demonstrar que as mesmas coisas têm outro aspecto bem diferente. Paralelamente, é através do presente do subjuntivo "sejam" que o poema se propõe investigar essa outra dimensão. Desta forma, podemos entender que "supérfluo" significa tudo aquilo que transcende o âmbito dos sentidos. Ao mesmo tempo, podemos inferir que o texto utiliza algumas das experiências sensoriais mais comuns com a finalidade de traduzi-las em realidade expressivo-artística.

Voltando a avaliar as palavras 'livro" e "rosa", primeiro na qualidade de entidades simples e logo como construções elípticas revestidas das características e prerrogativas próprias das orações convencionais, percebe-se, em seguida, que essas palavras representam conceitos diametralmente opostos e, ao mesmo tempo, perfeitamente complementares. Para conscientizar o leitor a este respeito, o texto se serve, no começo, de algumas noções básicas sobre dois elementos que representam pontos opostos do espectro humano. A parte racional vem simbolizada pelo livro, e a intuitiva, pela rosa. A seguir, o texto transcende as conotações comuns, das duas palavras, para permitir que sejam engendrados novos significados. Embora os livros sejam reconhecidos, ordinariamente, como depósitos de conhecimentos consagrados, não se enfatiza o conteúdo, senão a transcendência desses mesmos livros.

Esta mesma postura animista, que indicaria que os livros cobram vida própria dentro de nós, é refletida também na atitude do poema frente à rosa. Nesta composição, a rosa – símbolo tradicional do intrinsecamente lindo e lamentavelmente efêmero – funciona como participante ativa da vida humana. O poema alude novamente ao nosso relacionamento íntimo e intranscendente com esta flor tão frágil. Servindo-se simbolicamente desse relacionamento, que confere à rosa certo poder sobre nós, o texto põe em relevo o próprio caráter da experiência estética. Esta pode ser entendida agora como a interação do admirador com a obra de arte.

Esta metáfora sutil, que retrata os seres humanos como amantes controlados e, ao mesmo tempo, motivados pela sua vinculação com o mundo externo, é repetida em cada uma das imagens criadas, individual e coletivamente, pelo resto das orações subordinadas da estrofe. Ao propor que até uma simples melodia, ouvida por acaso de madrugada, é capaz de alterar visivelmente o nosso dia, a primeira construção sintática, "Um trecho musical que nos devolve / a horas inaugurais", engendra toda uma série de implicações simbólicas de vasto alcance.

Interpretadas em conjunto com o sintagma "horas inaugurais", a palavra "música", que se refere tradicionalmente a essa expressão auditiva da matéria e do espírito, vem significar, nesta ambiência, a função seminal, regenerativa e onipotente da arte. Da mesma forma que a música desperta o potencial latente (ou "adormecido") dentro de nós, o texto insinua que nosso envolvimento com a obra de arte é uma experiência capaz de nos devolver à idade da inocência, da beleza e verdade e ao nosso ponto de origem. Além disso, a arte é representada na qualidade de força que começa como comunicação física e externa e que conduz invariavelmente a incalculável enriquecimento espiritual.

É possível encontrar afirmações análogas sobre o impacto imediato e derradeiro da experiência estética na oração que segue: "... O crepúsculo / acaso visto num país / que não sendo da terra / evoca apenas a lembrança / de outra lembrança mais longínqua". O texto se aproveita da carga semântica acarretada pela imagem do pôr do sol e logo adiciona um toque próprio. O poema acrescenta uma nova dimensão através da fusão de tristeza e prazer – emoção tradicionalmente ligada com nossa reação ao espetáculo que a natureza nos proporciona no final do dia. A partir desta perspectiva, a composição insinua que, ainda que não se possa evitar sentir uma certa nostalgia, as recordações evocadas por esse espetáculo adquirem outro significado. Pois trata-se de aproximações da coisa autêntica – aproximações das reminiscências da nossa própria terra.

A oração subordinada que se segue, "O esboço tão somente de um gesto / de ferina intenção", introduz uma variante importante no bem-conhecido padrão. O estímulo externo, essa fonte da impressão profunda e memorável aqui indicada, contém indícios de algo nitidamente sinistro: nada menos do que um gesto de agressão brutal. Contudo, o choque experimentado à primeira vista, em consequência desta repentina e inesperada ruptura com as prévias imagens da composição, desaparece em seguida. Isso acontece quando, ao examinar com mais cuidado os traços discursivos do texto, se reconhece o jogo que este continua tramando para o leitor. Nota-se, por exemplo, que não se trata de uma situação concreta, como pareceria a princípio, senão de uma falsa aparência. Atuando nas suas ambiências sintáticas, as formas individuais produzem imagens que, ainda que sugestivas pelo seu efeito visual/tátil, são, na melhor das hipóteses, tênues.

No núcleo deste segmento da composição, a alusão à agressão brutal é subvertida ainda mais e, praticamente, invalidada por dois elementos adicionais: "esboço" – entendido como "insinuação" ou "sugestão" – e "tão somente", que ameniza até a aparência do ato agressivo. Tais estratagemas criam uma transparência que provoca uma leitura transcendental. Longe de destoar da avaliação anterior sobre as primeiras quatro orações subordinadas, a leitura reforça aquela interpretação e contribui com novos significados.

Se levarmos em conta a estrutura dualista do poema, com seu esquema de coordenadas, esta interrupção na sucessão de imagens claras e tranquilizantes deve ser considerada como oposição legítima e lógica. Sua função no âmbito metafórico do segmento é representar o outro extremo do espectro da reação humana à experiência fenomenológica. O poema perscruta esse extremo desde uma perspectiva irônica. Percebida desta maneira, a ideia tratada aqui do grave dano, talvez até da morte, não entrechoca com prévias alusões à sabedoria, à beleza e à esperança. Antes funciona como contraponto. A esta altura, o que se apresenta seria o outro lado da realidade. Concebida em uma estrutura meticulosamente orquestrada, confere-se forma artística à totalidade contraditória e incompreensível da vida. No poema, esta realidade está concebida como um "diálogo" íntimo e afetuoso entre o ser humano e o mundo externo. O poema comenta a vida e suas contradições que afetam e modelam o ser humano.

A partir de uma leitura inicial, "esboço" pode ser interpretado, de modo superficial e instintivo, como "gesto" ou "sugestão". No entanto, essa palavra aparece aqui desapossada de suas conotações convencionais e devolvida a seu significado original. Daí, abre caminho para inúmeras interpretações. Entendida essencialmente como "bosquejo", o "desenho" passaria agora a significar o ato de criação artística – ato de amor, concebido por seu criador. Para dissipar as próprias preocupações, compartindo-as com o leitor. Segundo evidencia o impacto que resulta do nosso envolvimento pessoal com o texto, a composição reafirma a natureza redentora da poesia. Portanto, a poesia revela-se como uma força capaz de enobrecer até a violência e a morte. A força que transmuda a efemeridade da vida em permanência espiritual e expressiva.

O próximo segmento, que abraça a oração "... A graça / de um retalho de lua / a pervagar num reposteiro", perpetua o jogo de oposições e ambiguidades. Porém, o texto com seu esquema de constantes e variantes continua despertando, através de sua atuação, a curiosidade do leitor. O jogo inicial com imagens claras e escuras vem reiterado e reforçado pela injeção de efeitos novos e surpreendentes. Em marcado contraste com a imagética impactante da oração anterior, a nova representação de uma experiência, capaz de exercer em nós uma emoção profunda e duradoura, repousa sobre uma imagem tênue e delicada: a dos reflexos de um raio de lua que transparece uma cortina.[34] Mais superficialmente, esta imagem, que depende da percepção do efeito tranquilizante dos raios da lua para criar o impacto, também conta com o simbolismo tradicional. As duas alusões, a mítica e a comum, servem como ponto de partida para elaborar uma série de referências de tipo transcendental. Daí, a escuridão da noite tem a função, inicialmente, de representar o universo e seus mistérios, enquanto a luz lunar atua como antídoto mágico. Este com o poder de desvendar todos os enigmas e aquietar o medo do desconhecido. Ao penetrar o texto, além desta representação tradicional, encontramos, por outro lado, imagens novas e importantes. Estas se destinam a elaborar ainda mais as duas premissas fundamentais do poema: que dentro de toda criatura existe uma imperceptível e tácita conexão afetiva que permite ao ser humano comunicar-se e relacionar-se com o próximo, bem como com os outros componentes do universo; e que a arte constitui a expressão mais alta desse vínculo.

34 Nossa percepção da postura animista patente no texto de "Do supérfluo" é confirmada por Fábio Lucas. Na opinião dele, ao longo da maior parte do acervo poético de Lisboa, "uma joia, uma ânfora, o mármore, a rosa, objetos de escala menor, transportáveis ou simplesmente ao alcance de qualquer manipulação, tornam-se foco de uma operação metafísica, ante os olhos de Henriqueta Lisboa" (*A poesia de Henriqueta Lisboa*, p. 14). É o caso de palavras como "reposteiro", que o poeta usa com regularidade devidamente calculada e na qualidade de formas apositivas. Como em "Do supérfluo", duas outras composições poéticas, "Depois da opção" (*Miradouro e outros poemas*) e "Condição" (*Além da imagem*), mostram a palavra "reposteiro" funcionando como "marcador" ou signo que aponta para o lado escuro, oblíquo, feio da vida. Mais especificamente, este objeto simboliza, no código poético de Lisboa, a frustração da humanidade perante a impossibilidade de aproveitar todo o esplendor e a beleza da vida.

Cabe ressaltar, ainda, a imagem que o texto projeta para retratar a realidade revestida de todas as suas pretensões e inconsistências: é a representação visual duma cortina ondulante, cuja função no quarto da casa é meramente ornamental. Ainda mais notável é a insinuação criada pela palavra-chave "graça". Avaliada em conjunto com coordenadas como "rosa", "trecho musical" e "crepúsculo", sendo estas os índices mais diretos do comentário que o poema faz sobre a estética, em geral, e, sobre esta composição, em particular, esta palavra aludiria ao próprio ato criativo.

A sétima e última oração subordinada, "A mesa sobre a qual me debruço / cada dia mais temerosa / de meus próprios dizeres", manifesta traços formais e conceptuais que a separam das outras. A variante mais óbvia é de ordem referencial e consta da mudança na voz poética. O coletivo "nós", utilizado apenas minimamente a partir da abertura da composição ("nossa vida" / "nos devolve"), é trocado pelo pronome "eu" individual. Daí depreende-se que a persona poética, que até o momento tinha ficado no último plano, expressando interesses comuns e universais, resolve agora, por razões próprias, abandonar o anonimato e expor uma determinada convicção. Supostamente, esta afirmação constitui os pensamentos pessoais e íntimos do poeta, expressados por meio de sua criação – o "eu" lírico que confessa estar preocupado pelas coisas que se atreve a contar em verso.

Tendo assinalado as características mais conspícuas desta última oração, cabe identificar agora os níveis de interpretação menos óbvios, mas nem por isso menos importantes. Novamente, buscaremos as projeções metafóricas nos espaços poéticos, quer dizer, nas ambiguidades e nos paradoxos que caracterizam a inteira composição.

O indício fundamental é proporcionado pela ruptura que a imagética deste segmento apresenta em relação às imagens indagadas anteriormente. Com efeito, em oposição às imagens cada vez mais diáfanas e sugestivas – típicas das primeiras seis orações paralelas –, o texto exibe agora um quadro bem concreto e definido. À luz da mudança abrupta de voz poética, as novas imagens contrastantes não podem se justificar de maneira convencional. Só podem ser compreendidas em função da lógica interna e autônoma da composição. Aquela pressupõe uma leitura não literal do texto. Portanto, transcendendo as imagens plásticas produzidas por uma linguagem cristalina, devemos extrapolar a mensagem fundamental das primeiras impressões. Claro, sempre cientes do poder mitificador do poema. A esta altura, a infração da continuidade convencional deveria deixar de causar perplexidade ao leitor. Pelo contrário, deveria funcionar como a trilha que conduz ao descobrimento de uma dimensão arquetípica. No âmbito dessa dimensão, percebe-se que a persona poética se transforma na figura sobrenatural do poeta. Este vem apresentando-se como um ser preeminente na ordem cósmica. Tendo permanecido implícita até agora, esta identidade aparece, finalmente, identificada. Seu papel é consagrado pelas características referenciais da oração. Estas são exemplificadas pela voz da primeira pessoa do singular, "eu" – o modo mais arbitrário, direto e subjetivo de falar a alguém.

Dentro deste esquema, aflora toda uma série de inferências simbólicas. Por sua vez, estas ressaltam uma sucessão de oposições que confirmam e conferem coesão ao sistema binário que rege a estância. Pode-se captar, finalmente, além do dualismo que contrasta a persona poética intratextual com a figura universal do poeta, a interação do "eu" subentendido com o elemento atuante "mesa". Os dois entes funcionam reciprocamente e incorporam a perfeita comunhão e identificação do poeta com sua missão. Da mesma maneira, a forma verbal "me debruço" articula o caráter dialético do ato criativo. O retrato do artista é realizado de tal modo que representa uma pessoa, por um lado, fatigada, e, por outro, sustentada pelo seu trabalho. Através do poder mitificador do texto, o artista assume uma tarefa que realiza com amor. Por sua vez, a palavra "dizeres", interagindo com seu modificador "meus próprios", traduz-se em duas noções básicas. Essa palavra assinalaria aqueles segredos muito pessoais que deveriam se guardar só para si mesmo. Contudo, no caso dos poetas, é seu árduo dever revelá-los. A mesma palavra também aludiria à visão heterodoxa do poeta. A frase "cada dia mais temerosa" descreve o "eu" lírico, assim como a imagem universal do poeta, de um modo que abrange, ao mesmo tempo, a pessoa do artista e a natureza da sua arte. A saber, a poesia é representada como um processo contínuo que é paralelo à vida. Da mesma forma, o poeta aparece na qualidade de um ser cada vez mais ciente de sua custosa missão e de suas limitações humanas. Dessa condição existencial, surgiria o crescente receio de sentir-se obrigado a expressar o indizível, traduzindo-o em palavras.

Conforme se sublinhou nas afirmações introdutórias, a segunda estância introduz uma metamorfose que muda o andamento do poema, encaminhando-o para outro sentido.

A estrofe final consiste numa única pergunta retórica dividida em duas partes, cuja resposta lógica é "nada". Na primeira parte da pergunta, composta por uma oração independente – "que tenho a ver contigo" – e por três construções paralelas, todas subordinadas a ela, o sujeito é o "eu" lírico. O sujeito da outra pergunta é, por outro lado, a segunda pessoa singular "tu". Essa divisão faz com que o leitor suspeite que a segunda parte do poema esteja relacionada com a primeira, por meio do desdobramento da primeira pessoa plural "nós" – no início da composição – em seus componentes originais, isto é, "eu"/"tu". Se a persona poética, no começo, falava por conta própria e também por conta de um interlocutor anônimo, somos levados a depreender disto que ela agora está revelando a identidade do destinatário de seu discurso. Presumivelmente, trata-se de algum amante a quem o falante poético está se dirigindo, pela primeira vez, direta e unicamente para rejeitá-lo. A causa desta rejeição é a incompatibilidade. A seguir, as orações paralelas apresentam, de modo individual e coletivo, os vários motivos que causaram a dissensão e a subsequente rejeição.

A pergunta "que tenho a ver contigo" mostra claramente que a persona poética se distancia não apenas de seu interlocutor intratextual, senão também de todos aqueles que não compartilhem com ela o amor pelo estudo e sua paixão por apreender a essência de tudo quanto fizer parte da criação divina. Inferências adicionais trazem à mente e reforçam a ideia de que o verdadeiro juízo só se atinge mediante a união espiritual com tudo quanto nos cerca. Até com as coisas que parecem insignificantes. Erigindo um claro silogismo, o texto nos induz a concluir que os poetas são indivíduos extraordinários, precisamente, por possuir a rara dádiva que é essa sabedoria. Estes estão capacitados para captar o âmago das coisas além de poderem se relacionar com elas como nenhuma outra pessoa. Outro silogismo traz à tona o vínculo poesia-amor. Se por amor entendemos a capacidade de o ser humano se identificar profundamente com alguém ou algo e, daí, estabelecer um diálogo íntimo com estes, os poetas devem ser os únicos amantes perfeitos do mundo.

Podemos derivar conclusões semelhantes da segunda oração paralela que reza: "não viste a rosa que plantei". Obviamente, aqui o poeta está acusando seu antagonista de não ter compartilhado com ele o prazer de plantar uma linda flor e de preferir fugir antes de poder apreciar sua beleza e fragrância. Devido ao contexto metafórico engendrado pela interpretação da primeira estrofe, podemos afirmar, com certeza, que, em função de coordenada, a rosa da segunda estância vem agora epitomar a sensibilidade insólita do poeta perante a beleza. Da mesma forma, a rosa representaria também a própria obra de arte – fruto da "aventura amorosa" do artista com a vida. A imagem dele plantando uma rosa fornece uma variante que acarreta notável simbolismo. Com efeito, ao considerar o poeta fazendo as vezes de um jardineiro, que planta a flor como maneira de renovar e prolongar, assim, sua breve existência, a alusão fica clara. Como todo jardineiro, o artista também pede emprestado à natureza aquilo que, de outro modo, o tempo destruiria implacavelmente. O artista dá uma nova vida conferindo àquilo permanência. No poema, a analogia serve para apresentar a criação artística como trabalho executado com sacrifício e, ao mesmo tempo, carinho.

Desde que a frase "não viste" opõe, ao poder criativo do poeta, a insensibilidade de seu antagonista (locutor intratextual), ela oferece um contraponto ideal para a metáfora "a rosa que plantei". Por outro lado, as afirmações do falante lírico estariam dirigidas, extratextualmente, a todos aqueles incapazes de apreciar a criação artística e que a consideram sem importância ou "supérflua".

O pôr do sol, com suas imagens agridoces, é empregado, neste caso, para projetar uma sucessão de conceitos que conduzem à apreensão do tema principal do poema. Mais uma vez, o amor aparece como força dialética e onipotente. Tal representação destaca, por sua vez, várias oposições. A primeira é a fusão espiritual do mundo humano com o não humano: vinculação improvável, se bem que artisticamente viável. Definida como "amor", esta união é igualada à própria vida e oposta à morte. Vê-se logo o artista retratado como o amante ideal e colocado em oposição a pessoa comum.

A composição se encerra com mais uma oposição. Encontra-se na segunda parte da pergunta retórica: "Que tens a ver comigo / se dentro em ti não prevalecem / as cousas – todavia supérfluas – / do meu intransferível patrimônio?" Esta oração constitui uma reiteração do pensamento fundamental do poema. Completa, outrossim, a mensagem total, reunindo em si os vários planos semânticos. No plano mais superficial, o poema contrasta, a esta altura, a visão ecumênica e animista da persona poética com a atitude algo mesquinha de seu interlocutor na suposta briga amorosa. Tal como no resto da composição, a chave que nos permite entrada na estrutura profunda repousa no esquema de variantes e nas ambiguidades geradas pelos espaços poéticos. Avaliando a informação, proporcionada nesta última parte do poema, à luz do resto da composição, observa-se um fenômeno que confirma, de novo, a integridade estrutural do poema. Com exceção de quatro variantes, o segmento final é um complemento adequado para a conclusão da estância inicial, tanto assim para o princípio da segunda e da última estrofe.

As variantes, que enfocaremos para acessar o plano metafórico desta parte conclusiva da composição, constam dos seguintes elementos:

1) Substituição do artigo definido "as" ("as cousas") pelo pronome demonstrativo "tais" ("tais cousas") que repercute sobre todos os outros artigos definidos usados anteriormente para indicar as "coisas preferidas" pelo falante poético.

2) Reposição do modificador "talvez" pela forma, também adverbial, "todavia".

3) O sintagma "intransferível patrimônio" em lugar do qualificativo "de íntimo domínio" – este último aludindo à inestimável riqueza que o falante guarda.

4) Troca de voz poética da primeira pessoa singular "eu" ("que tenho a ver contigo") pela segunda familiar "tu" ("que tens a ver comigo").

A conclusão mais óbvia a deduzir das primeiras duas observações é que o poema tem se deslocado do geral e vago para o específico e concreto. Este fenômeno, avaliado à luz da prévia evidência textual, aponta a mudança que o poeta efetua ao trocar a posição inicial de *humildade* e subjetividade por uma postura de disputada *autoridade*, fundamentada em *convicções firmes*. Desse modo, o texto pronuncia a posição dualista e paradoxal do artista – ser que possui todas essas prerrogativas de encarar a vida. Afinal de contas, a arte pode tratar os assuntos mais comuns sem ser descabida, pois nada é de pouca importância para o artista. Contudo, o poema sugere que o poeta, como todo artista, não tem nenhuma obrigação de ver e expressar a realidade de um modo "aceitável". Nem por isso deve transigir. Pelo visto, este postulado está fundamentado numa tradição transmitida de uma geração para outra. Eis aqui o "intransferível patrimônio" do poeta, a sua herança inalienável. O falante da composição que atua como porta-voz do poeta nos diz que, se o que ele sente e trata de comunicar não faz sentido a alguma pessoa – representada no poema pelo seu locutor silencioso –, existe, para isso, uma razão. A arte não é imitação da vida, nem pretende se comunicar com todo mundo. Pelo contrário, o artista procura entender o enigma da existência, ao passo que se propõe transmitir sua cosmovisão a quem quiser participar com ele dessa tentativa.

Em conclusão, esta composição demonstra que a poesia, igual ao amor, é um processo de identificação, comunicação e coparticipação. Segundo a própria vida, da qual o amor é a manifestação fundamental, a obra de arte está apresentada, através do exemplo deste poema, em função de ato bilateral que comporta prazer e sofrimento por parte do criador e do contemplador. Como leitores, sugere este poema, devemos nos envolver no processo criativo para compreender a mensagem encerrada na obra e torná-la parte integral de nossa vida. Tendo provocado sua eminente capacidade de desafiar-nos com seu texto, o poema "Do supérfluo" continuará deleitando-nos com cada esforço que façamos para decifrar sua estrutura linguística e integrar à nossa própria vivência cotidiana a mensagem de amor e de sacrifício que a autora nos oferece.

DRUMMOND E HENRIQUETA, AFETO E ADMIRAÇÃO[35]
Constância Lima Duarte

Em meio ao riquíssimo espólio intelectual de Henriqueta Lisboa (1901-1985), zelosamente resguardado em sua Sala, no Acervo de Escritores Mineiros da UFMG, composto de preciosa biblioteca, dezenas de livros autografados, recortes de jornais, quadros, fotografias, os móveis e inúmeros objetos pessoais, encontra-se ainda grande parte dos milhares de cartas que a poeta recebeu ao longo da vida – de familiares, de ilustres desconhecidos e, naturalmente, de inúmeros escritores nacionais e estrangeiros. Dentre os primeiros, lembro Cecília Meireles, num total de quarenta e cinco cartas, de 1931 a 1963; Alphonsus de Guimaraens Filho, trinta e três cartas, de 1947 a 1969; Mário de Andrade, trinta e sete cartas, de 1940 a 1945; Manuel Bandeira, sete cartas, de 1950 a 1963; e Stella Leonardos, vinte cartas, de 1969 a 1984, entre muitos outros. Todas, com exceção das de Mário de Andrade, permanecem inéditas.

Também se encontram, em meio a esta farta correspondência, vinte e sete cartas assinadas por Carlos Drummond de Andrade (1902-1987), algumas manuscritas, outras datiloscritas, em fino papel de seda ou em cartões oficiais do Ministério. Não se trata, com certeza, do conjunto completo da correspondência que Henriqueta recebeu do poeta mineiro. As grandes lacunas entre as

---

35 In: *Remate de Males*. Revista do Departamento de Teoria Literária do Instituto de Estudos da Linguagem da Unicamp, Campinas, n. 23, 2003.

datas e a falta de continuidade dos assuntos tratados, por exemplo, revelam que muitas outras existiram e se perderam.

Da mesma forma, a correspondência assinada por Henriqueta Lisboa e recebida por Carlos Drummond de Andrade. Essa, em número um pouco maior – trinta e quatro cartas –, encontra-se depositada nos arquivos da Casa de Rui Barbosa, no Rio de Janeiro. Curiosamente, tanto a primeira como a última destas cartas foram escritas no mês de janeiro, de 1938 e 1983, respectivamente, perfazendo quarenta e cinco anos de convívio literário, cujas marcas encontram-se profundas nas cartas que trocaram.

Há um pouco de tudo nestas missivas. Desde notícias sobre a saúde, os pêsames por um falecimento, o agradecimento por um favor, até a apresentação de um novo poeta ou comentários sobre algum fato mais relevante. Mas, principalmente, estas cartas respiram vida literária e apontam para o relacionamento cordial que se criou entre eles. À medida que trocavam livros entre si, os poetas escreviam para acusar o recebimento de uma obra e muitas vezes para tecer comentários que são verdadeiros pequenos ensaios sobre a literatura e a poesia. Em algumas, estabelece-se, em meio a conversas mais íntimas de amizade, um diálogo de alto nível, que vem a ser, nos dias de hoje, valioso documento da nossa história intelectual. Nestes momentos, para além da comunicação entre dois amigos, temos, antes, uma espécie de fórum de discussão sobre a criação poética.

Cito alguns desses momentos. Primeiro, um trecho de uma carta de Carlos Drummond, datada de 6 de março de 1944, em que o poeta agradece os comentários que Henriqueta fez, em outra carta, aos poemas de *Confissões de Minas*:

> Eu não podia receber melhor palavra sobre meu poema do que a sua. Nunca me esqueço do poeta cada dia mais concentrado, mais essencial que você é. Entre sua poesia e seu material de expressão já não há nenhum espaço vazio. Para cada conceito você encontrou a palavra justa, e essa palavra, como o conceito, é de uma fluidez e de uma pureza definitiva.

Um outro é de uma carta de 18 de janeiro de 1966, em que o poeta elogia e admira a tradução realizada por Henriqueta Lisboa da *Divina comédia*:

> Você nos proporcionou a todos uma nobre emoção, ao comentar e traduzir Dante da maneira como o fez. Que arte segura, sensível às mais sutis criações do pensamento poético original, e engenhosa no achar-lhe peregrina correspondência vernácula! É de deixar a gente morrendo de inveja, uma feliz e santa inveja, que traduz o máximo de admiração.

E, por fim, cito as palavras de Henriqueta que se encontram em uma longa e interessante carta datada de 28 de outubro de 1940, a propósito do livro que ele acaba de lançar:

> Depois de ler e reler, com singular interesse, o *Sentimento do mundo*, quero manifestar-lhe a impressão que me causou esse livro estranhamente sofrido, intensamente realizado. Não conheço, na poesia brasileira, livro mais grave do que esse; nem mais sóbrio na sua plenitude artística, nem mais triste, na sua substância anímica. Do absoluto real, e só dele, se alimenta a sua poesia: grave, pois, pela força do elemento humano. Sóbrio pela concentração dessa força nos limites de uma arte impressiva, talhada a golpes firmes e fundos. E triste pela obstinação que o leva a refletir unicamente o lado cruel da existência.

Ter acesso à correspondência trocada por escritores do quilate de Drummond e Henriqueta, justamente quando comemoramos seus centenários de nascimento, reveste-se de um significado ainda mais especial. Significa, a meu ver, a oportunidade de conhecê-los um pouco mais, assim como de vislumbrar as particularidades da amizade que os unia, feita de carinho, confiança e respeito intelectual. À medida que as cartas se tornam frequentes e os anos passam, elas vão deixando transparecer uma valiosa dimensão confessional. Aqui e ali, são revelados inúmeros pormenores biográficos, em tom coloquial e íntimo. Através da carta, o emissor se expõe muitas vezes como não faria na presença física do receptor, e as opiniões parecem surgir mais sinceras e espontâneas. E o autor se coloca aparentemente por inteiro, sem maiores cuidados intelectuais, com a pura intenção de conversar com um interlocutor ausente, mas sempre presente de forma implícita.

Como neste pequeno fragmento de carta que Henriqueta, ao agradecer o envio do livro *Cadeira de balanço*, escreveu:

> O seu livro chegou nos primeiros dias do inverno. Eu estava com uma gripe miúda, mas implacável – que até hoje me persegue. Instalada na minha cadeira de balanço, fui lendo a que você me enviou. Além do suave devaneio, tive o conforto de conhecer, devagar e detidamente, o balanço de um grande coração. Como pode ele transitir tranquilamente, para lá, para cá, entre o viver cotidiano e as coisas inefáveis? (20/6/1966)

Nas cartas de Carlos Drummond, o tom não é diferente:

> Agradeço-lhe a boa palavra que me mandou – e a que quis juntar um de seus mais belos e profundos poemas. Não sei (infelizmente nada sei) se a morte será esse ponto final de comunhão, que os seus versos fixaram de uma maneira alusiva tão extraordinária. Mas gostaria que fosse. E é grande consolo que a sua poesia me dá, com essa concepção alta de um encontro de "simplicidade suprema". (21/2/1949)

Por esta amostra, é possível verificar como a correspondência de um escritor pode se tornar em um precioso documento da biografia, quase uma autobiografia fragmentada, que ele vai expondo, até mesmo sem se dar conta disso. Muitas informações, que encontramos de forma despreocupada nas cartas, podem iluminar aspectos obscuros ou pouco conhecidos da história intelectual e pessoal do escritor e da própria história de sua época. E, na correspondência, quanto maior a confiança e a cumplicidade entre os interlocutores, mais próximo da "verdade" parece estar o discurso, pois vem despojado de "enfeites" e de superficialidades.

Conhecer esta correspondência significa, enfim, perceber que nenhum estudo da obra de Carlos Drummond de Andrade e de Henriqueta Lisboa estará completo se não for realizada, também, a análise das cartas que cultivaram ao longo de suas vidas.

Antonio Candido afirmou certa vez, a propósito de Mário de Andrade, que as cartas eram peça-chave na biobibliografia do escritor, pois elas esclarecem pontos e revelam facetas muito mais do que o conjunto de obras que ele publicou[36]. Através de fragmentos da correspondência (os biografemas, de Barthes), é possível reconstruir não só a história de vida, mas principalmente a trajetória de seu discurso literário.

A correspondência trocada por Henriqueta Lisboa e Carlos Drummond de Andrade, a nosso ver, deve ser, portanto, pesquisada e analisada também como documentação literária e autobiográfica importante para a compreensão da obra dos escritores e como testemunho de um momento cultural brasileiro, uma vez que muitas cartas contêm um registro pessoal acerca dos acontecimentos. O conjunto das cartas ultrapassa a vida íntima e intelectual e desvenda parte do processo de criação e da poética de cada um, configurando-se também como um documento da história intelectual do país.

Se considerarmos o zelo e a organização com que Henriqueta Lisboa conservou os inúmeros bilhetes, cartas e cartões recebidos ao longo de sua vida, podemos quase concluir que ela parecia desejar que sua correspondência fosse lida por outros e revelasse como a experiência de vida está ligada à escrita da obra e mesmo à história da literatura. E no estudo das trajetórias individuais, quando o indivíduo desempenha o papel de mediador entre diferentes experiências, como parece ter sido o caso de Carlos Drummond, a divulgação da correspondência se impõe, para que possa também ser apreendida sua subjetividade, enfim.

---

36 CANDIDO, Antonio. *Literatura e sociedade*: estudos de teoria e história literária. São Paulo: Nacional, 1985.

ALÉM DA IMAGEM DAS COISAS[37]
Darcy Damasceno

A poesia brasileira da década de 1930-40 viu estranhamente coincidirem duas tendências: uma, decorrente da renovação modernista, superava por essa época o equívoco de se elevar o pitoresco a categoria poética e procurava conciliar lirismo e modernidade; outra, engrossada por numerosos autores de recente passado neossimbolista, combinava às novas conquistas formais certa modalidade temática de inspiração europeia, se a buscamos em suas origens mais fundas.

À segunda tendência pertenceram vozes das mais altas já surgidas em nosso lirismo. Calaram-se algumas; outras, como Henriqueta Lisboa, foram num crescendo de purificação, despojando-se de traços comuns, mas guardando, em sua individualidade, o essencial daquela feição primeira.

A exteriorização da monotonia, a religiosidade, o tom brumoso a que servia um vocabulário típico; o verso livre, ora arrítmico, ora resultante de justaposições métricas; a carga sintática posta na construção da estrofe – eis alguns dos aspectos da proveniência neossimbolística de Henriqueta Lisboa, evidentes em *Velário* ou em *A prisioneira da noite*, por exemplo. Posteriormente, esse lastro se projetará em *A face lívida* ou em *Flor da morte*, marcado sobretudo pelo verso

---

37 In: LISBOA, Henriqueta. *Nova lírica*: poemas selecionados. Belo Horizonte: Imprensa Oficial, 1971.

arrítmico e pela reiteração de certos motivos, como a religião ou a morte. A evolução formal – utilização do ritmo breve em combinações assimétricas – e o alargamento da visão poética são os pontos mais altos a que forçosamente deveria ascender poesia de tão nobre estirpe: *Azul profundo* é sua melhor expressão. Alcança esse livro, mais que qualquer outro, o sinete da universalidade, caracterizando-se pelo desdobramento da temática, que transcende o íntimo do poeta, supera seus motivos restritos e chega enfim ao descortino do mundo.

Atingida essa visão circular do universo, debruça-se então o poeta sobre as coisas, fixa-se nos objetos, busca-lhes a causa por trás da imagem e o ritmo que os governa. Por trás da seiva o matiz, a energia oceânica por trás do fluxo e refluxo das águas, por trás dos indícios amorosos o sentimento do amor.

Seria preciso remontar a estágios anteriores de sua poesia para ver-se como a visão que do universo tem Henriqueta Lisboa se distingue por uma constante perscrutação dos objetos, procurando vê-los, por dentro, em escondido e ininterrupto labor. Em "Rosa Príncipe Negro" de *Flor da morte*:

> Que anjos de moura estirpe resguardaram
> tuas formas no escuro?
> Que Saara adensou
> tua seiva?
> Que coluna susteve
> teu longo talhe débil contra os ventos
> para que teu resplendor de súmula
> fosse – ancestral – de treva ao sol?

Em "Contemplação" (*Azul profundo*), onde a forma tangível de uma ânfora é ponto de partida para uma sequência de oito indagações:

> Mas ó donaire,
> caçoila rara, flor de lua,
> que segredo insuflou
> teu assomo, que sonho
> nas tuas curvas paira,
> ....?

A mente inquisidora está em "Rosas" ("Ó surpresa! Ó rosas! / De que reino viestes? / De que vívida aurora / transparente e secreta, / vos nasceram no talo / uma por uma as pétalas, / ....?"), está em "As imagens" e chega finalmente àquele raro momento de criação poética em língua portuguesa, que é "A joia" ("De que neve nasceu, à luz / de que lua polar, de que polidas / superfícies da morte?").

Esse debruçar-se sobre as coisas, o ver a vida em segredo, a ânsia de apreensão do ritmo latente haveriam de constituir a essência de *Além da imagem* não lhe valesse o título. O comportamento está nas peças mais significativas do livro, já quanto ao tema (a sondagem, o mergulho vertical), já quanto à técnica inquisitiva, em que o espírito avança, sôfrego, insatisfeito, arritmicamente. A ânsia de conhecer, de encontrar respostas reflete-se na própria estrutura do verso, que se fragmenta, encurta ou se alonga, conformando aquela estrofe, típica de Henriqueta Lisboa, que aparenta um constante debater-se – a mobilidade de um bicho:

Que matiz sobre tela, que madeira
com seus nobres entalhes, ou que pedra
lavrada a escopro conservara
pelas efluências da beleza
o puro ato materno?

À observação da autora não escapa, obviamente, o ser humano. Uma série de estudos começados em *Azul profundo* com "Do idiota", "Do mutilado", "Do cego" ("Para mim o mais triste / não é ver-te nos olhos / esse toldo de névoa / que te veda o espetáculo. / Porém a tua inépcia, a inépcia / com que descuras o espetáculo"), "Do surdo", "Do hipócrita" ("... é um gato / contornando porcelanas. É um elfo / esquivando-se à esgrima."), "Do louco", "Do poeta", arremata-se, em *Além da imagem*, com "Assim é o medo" ("Da sombra espreita / à espera de algo / que o alente. / Não age: tenta / porém recua / a qualquer bulha.")

Tema que aprofunda raízes nos primeiros livros é o do voto à perfeição, que se constitui, afinal, numa profissão de fé. Alia-se, em Henriqueta Lisboa, à renúncia e à solidão, tendo exemplos em "Plenitude" (*Azul profundo*):

A coroa. A rosa.
A palavra amor.
Tudo o que de belo,
suave e forte, fere
o espírito, os sentidos
e o coração. Perfeito.

E em "Opção" (*Além da imagem*):

Pelo diadema completo:
pela rosa e pelo orvalho.

De coração ledo e pronto
por esse reino carrego
peso de pedra nos ombros.

A ideia (ou sentimento, se o queremos) da condição do poeta cifra-se, misto de orgulho e timidez, na aspiração a um destino marcado: o sinete, o destino e o fastígio da árvore ("Condição", "Árvore", etc.).

A fruição sonora (veja-se especialmente a primeira estrofe de "As coleções") oscila às vezes para o ludismo linguístico, que, se não imprime relevo maior à poética de Henriqueta Lisboa, nem por isso deixa de ser um dos traços por se estudar na personalidade da autora. Efeitos sonoros e visuais de puro jogo, o gosto do improviso estão em peças como "Adeus à lua", "Cantiga de Vila Bela", "O timbre", "Os anjos negros"...

Acrescente-se por fim a essa poesia certo prosaísmo intencional, espécie de escudo da sensibilidade de Henriqueta Lisboa, que está já em palavras, já em frases. Aquelas chegam a quebrar repentinamente um complexo lírico:

De espinhos (ou da própria ardência)
brotou o sangue dessa rosa
que os escarros orvalham.

Sintaticamente, o maior exemplo é o final de "Condição", onde, no arrastado rítmico, interfere de súbito o enunciado prosaico do penúltimo verso:

de acervo assim com sombras confuso
trabalhas o mapa de uma viagem sem rumo
ou seja – e mais acintosamente –
um doce tálamo para a morte.

Interferência gramatical, na expressão explicativa ("ou seja") e psicológica, na consciente escolha do advérbio intensificado ("mais acintosamente"). É como se a força criadora do poeta se sobrepusesse à própria e agressiva timidez, a estrofe se resolve liricamente, num eneassílabo que flui, como que perpetuamente:

num doce tálamo para a morte.

AS PALAVRAS COMO POUSADA DO SER[38]
Donaldo Schüler

Os versos de Henriqueta Lisboa (*Pousada do ser*, Nova Fronteira, 1982) envolvem como um suave canto de sereias, insistente, irresistível e que, à maneira das homéricas, põe em risco a vida dos navegantes porque arranca os incautos do seguro andar cotidiano, sacudindo-os pelas bases.

A perigosa sedução abriga-se já no título. Que desejamos mais do que o conforto da pousada, carregada de nostálgica evocação de tempos menos competitivos do que os nossos? Se o título nos leva a sonhar com o repouso, este esfacela-se no poema de abertura. A poeta define a pousada como um contorno fluido sem piso, nem teto, nem esquadrias. Quem viu acenos do repouso, sofreu sedução de miragem. Como os horizontes, a bem-aventurança recua, deixando insaciada a sede.

Desde o primeiro contato, o título me evoca as reflexões de Heidegger sobre a palavra poética, apresentada como a casa do ser, sendo o poeta, em bucólica retenção, o seu pastor. Na vizinhança das considerações do filósofo, os versos de Henriqueta abrem-se como pousada. É neles que os entes se manifestam e a poeta, cultivando os versos, estende o afeto também às coisas que neles se abrigam. Mas pousada e casa não são o mesmo. A casa mostra o

---

38 In: *Suplemento Literário do Minas Gerais*. Belo Horizonte, 21 de julho de 1984, n. 929, p. 10.

estável, a pousada desperta a inquietação da jornada. A inquietação ganha força com o piso, o teto e as esquadrias negados. Os versos de Henriqueta arrastam para a marcha, a historicidade, a falta de repouso. A menina tonta, que busca desatinadamente o arco-íris, converte-se em símbolo da espécie humana com a intensidade dos anseios. " – Eu sonho por não poder / ter aquilo que mais quero: / quero aquilo que não tenho / ainda que não valha nada / por não poder alcançá-lo. / Se o pudesse não quisera / nem sonhara." (p. 74).

Sendo assim, o homem só é concebível em movimento, arremessado a sempre um mais além. O fim, entretanto, não o seduz ao ponto de anular o mundo como acontece na experiência mística. Henriqueta Lisboa lembra antes o navegador grego para quem a procura do lar dá ensejo ao desdobramento de um mundo fantástico e variado. O mundo comum por onde navegamos, nosso e dos outros, não permite que nos enclausuremos, pois que os objetos de nossa percepção são experimentados por outros. Os objetos que se entregam a todos os que os observam fazem os homens comungar, isto é, criam elos que ligam uns aos outros (p. 50).

As palavras, pousada do ser, armam-se poderosas, tecendo um universo verbal que inapelavelmente nos aprisiona. Elas não indicam apenas o que está além delas, o que se recolhe à ausência. Elas guardam cor e fragrância, amor e ódio em si mesmas. Elas sabem falar de si e por si. Subsistem como universo, mesmo que o universo exterior se aniquile ou se esconda (p. 25-27).

Já que a vida se compõe na trajetória e o bem que se busca recua para além dos horizontes, o sentido não apresenta a solidez das pedras. Ao orientar a vida, guarda a fragilidade dos tecidos prestes a romper: "O sentido da vida está por um fio" (p. 30).

O convívio com os seres não se processa em cândidas conjunções. O drama, desencadeado pela insegurança, espreita em todas as aproximações: "Século de assombro – este século. / De violência em progresso. / E os outros séculos? / Cada ser ao sentir o peso do mundo / não terá dito: século de assombro?" (p. 31).

Em que reside a força do lirismo de Henriqueta Lisboa? Precisamente no risco sedutor de que falamos no início. E nisto distingue-se o lirismo dela do lirismo epidérmico que se arrasta, em geral, pela poesia brasileira. Desde Casimiro de Abreu, habituamo-nos a cultivar o fácil, mantendo-nos na obviedade dos lugares frequentados por todos. Procedendo assim, perdemo-nos a nós mesmos como também abandonamos à face do lobo as ovelhas que pastoreamos. Descaracterizamos o lirismo, quando o entendemos como o sentimento que anula todos os compromissos em benefício de uma entrega cega ao outro. Conhecemos muito bem, nos dias que correm, o malogro quando um tal lirismo afeta o mundo dos negócios. Mas esta, embora importante, não é a única área das nossas obrigações. Henriqueta sabe agarrar o homem inteiro. Continuamente ameaçados pela fragmentação, os versos de Henriqueta soam como uma chamada para a reaproximação no arriscado caminho que se estende em direção a nós mesmos, aos outros e aos demais seres que destruímos por termos esquecido o que significam.

A DONA AUSENTE[39]
Eneida Maria de Souza

Eu sempre afirmo que a literatura brasileira só principiou escrevendo realmente cartas, com o movimento modernista. Antes, com alguma rara exceção, os escritores brasileiros só faziam "estilo epistolar", oh primores de estilo! Mas cartas com assunto, falando mal dos outros, xingando, contando coisas, dizendo palavrões, discutindo problemas estéticos e sociais, cartas de pijama, onde as vidas se vivem, sem mandar respeitos à excelentíssima esposa do próximo nem descrever crepúsculos, sem dançar minuetos sobre eleições acadêmicas e doenças do fígado: só mesmo com o modernismo se tornaram uma forma espiritual de vida em nossa literatura.

Mário de Andrade

Com a abertura da correspondência pertencente ao espólio de Mário de Andrade – cinquenta anos após a sua morte, ocorrida em 1945 – uma destinatária se destaca entre a enorme quantidade de cartas enviadas para a rua Lopes Chaves: Henriqueta Lisboa. O ofício obsessivo de escrever cartas tornava público o dever do inte-

---

39 Publicado como *A pedra mágica do discurso*. Belo Horizonte: Editora UFMG, 1999. Posteriormente incluído em SOUZA, Eneida Maria de (org.). *Correspondência Mário de Andrade & Henriqueta Lisboa*. São Paulo: Edusp e Peirópolis, 2010.

lectual de não só cultivar amizades que ia fazendo ao longo da vida, como de orientar literariamente o trabalho dos jovens escritores que pretendiam seguir carreira. A poetisa mineira, com o primeiro livro de poemas publicado em 1925 (*Fogo-fátuo*), ao conhecer pessoalmente Mário de Andrade em 1939, já se notabilizava como escritora e se posicionava esteticamente a favor de uma poesia universalizante e "pura". Não é de estranhar que a convivência epistolar entre os dois poetas tenha contribuído para o aprimoramento estético da autora de *A prisioneira da noite*, ao serem sugeridos reparos e correções que resultaram em ganho poético. Considerada, pelo escritor, como "fora das correntes gerais que interessam atualmente à crítica nacional", por fugir das tendências modernistas e realizar uma obra que se situa dentro dos parâmetros religiosos e universais, Henriqueta Lisboa pôde sentir que as sensatas opiniões de Mário de Andrade confirmavam o privilégio de se ter um especial leitor de poesia.

Dos 63 documentos arquivados no Instituto de Estudos Brasileiros da USP, entre cartas, telegramas, postais e bilhetes, o leitor se depara com um material de importância biográfica e estética, e em condições de ser finalmente cotejado à correspondência ativa. Se antes tínhamos acesso à voz do outro, ao monólogo epistolar e ao silêncio dos destinatários, hoje torna-se possível resgatar o diálogo de cinquenta anos atrás, documento fascinante e revelador de antigas dúvidas e de instigantes vazios. As cartas se abrem e provocam o tardio encontro entre duas escritas sequestradas pelo tempo, graças ao desejo expresso de Mário de Andrade em lacrá-las, evitando-se, por algum período, a sua exposição pública, pois "ao sol / carta é farol". No entanto, a correspondência ativa foi sendo gradativamente publicada, ainda que sob a censura de alguns destinatários, o que propiciou não só o reconhecimento do autor de *Macunaíma* como o grande intelectual de sua geração, mas a construção de uma parcela da historiografia literária brasileira da época. As outras vozes, silenciadas e guardadas a sete chaves, poderiam ter rompido o lacre e se integrado ao diálogo com o remetente, sem muito prejuízo para a compreensão da vida literária do momento e sem o adiamento do encontro, motivo de decepção ou de júbilo.

Lições de poesia e transfiguração metafórica compõem este texto epistolar, espaço imaginário no qual são discutidos, com a mesma naturalidade, questões estéticas e assuntos do cotidiano. Envolta numa privacidade jamais rompida do princípio ao fim do convívio epistolar, a poetisa é tratada pelo amigo de forma idealizada, pouso tranquilo para seu espírito sempre inquieto e atormentado pelas "forças do mal". A constante associação da figura de Henriqueta a espaços utópicos e isolados – "rincão de paz, ilha de sombra" – reforça a preferência do poeta pelo aspecto telúrico e aquático do imaginário feminino, comum aos temas do cancioneiro popular.

O tema da mulher idealizada, presente no cancioneiro popular ibérico – e transportado para o Brasil com a colonização portuguesa –, é bastante explorado no texto de Mário de Andrade, "O sequestro da Dona Ausente", conferência proferida em Belo Horizonte, em 1939, e publicada, em 1943, na revista *Atlântico*. Este texto se abre com a explicação do autor sobre a atualidade do tema e pela coincidência do título – referente ao populário luso-brasileiro sobre um complexo marítimo – com a tendência poética da época em explorar o motivo das "mulheres ausentes":

> Com certos poetas de valor e seus imitadores, a literatura brasileira andou se enchendo ultimamente de "mulheres ausentes", "amadas ausentes", que as mais das vezes eram também "impossíveis". Mas não é disso que vou tratar, nem tenho culpa que o meu título, imaginado há mais de dez anos, coincida com um estado de sensibilidade dos nossos poetas eruditos de agora. O que pretendo é contar aos leitores portugueses alguns resultados que já alcancei nas minhas pesquisas, através do populário luso-brasileiro, sobre um complexo marítimo. Complexo inicialmente marítimo, porém que, no Brasil, tornou-se terrestre também.[40]

40 ANDRADE, Mário de. A dona ausente. *Atlântico*. Revista Luso-Brasileira: Lisboa, Secretariado da Propaganda Nacional; Rio de Janeiro, Departamento de Imprensa e Propaganda, n. 3, p. 9, 1943, Telê Ancona Lopez, em *Mário de Andrade: ramais e caminho*, realiza um interessante estudo do tema do sequestro nas pesquisas de Mário. Cf. LOPEZ, Telê Ancona. *Mário de Andrade*: ramais e caminho. São Paulo: Livraria Duas Cidades, 1972.

Por não ter podido comparecer à conferência do escritor, Henriqueta irá se valer desse motivo para enviar-lhe uma carta, na qual promete estar presente na outra palestra, além de convidá-lo a uma visita à sua casa. O tema da dona ausente irá, curiosamente, abrir a correspondência entre os dois, o que permite estabelecer uma rede de relações a partir da própria coincidência apontada por Mário de Andrade na conferência. Ao desculpar-se pela ausência, a poetisa dialoga, literariamente, com o texto de Mário de Andrade:

> Um compromisso anterior com a União Universitária Feminina me impediu de admirar de perto, ontem, seu fascinante espírito. Enquanto o Sr. falava em Dona Ausente, eu estava sendo sequestrada na Faculdade de Direito (de Direito, imagine!). Aguardo, porém, o ensejo de assistir à sua segunda conferência e, mesmo, de vê-lo antes, caso me dê a honra de uma visita, o que me causaria extraordinária satisfação.
> Permita-me dizer-lhe, desde já, que o seu devotamento às causas da inteligência e da sensibilidade é um dos mais impressionantes e mais belos exemplos que me tem sido dado apreciar.[41]

Antecipando o sentido que a relação de ambos irá adquirir – o convívio poético suplementando o encontro amoroso – Henriqueta se incorpora, em razão de sua ausência, às personagens citadas na conferência, presentificadas no diálogo iniciado pelo signo do vazio e da falta. Configura-se, pela natureza simbólica da linguagem, o sequestro da dona ausente, graças à condensação entre a causa real e a metafórica do desencontro. Ao se desculpar pela falta, a mulher impõe sua escrita, valendo-se de artifícios ficcionais que dramatizam a experiência e produzem o distanciamento estético. Ainda na qualidade de membro de uma organização universitária feminina, a ausência poderia se justi-

---

41 Carta de Henriqueta Lisboa a Mário de Andrade, datada de 12/11/1939 (Arquivo Mário de Andrade – IEB/USP). Na transcrição dos fragmentos das cartas, procedeu-se à atualização da ortografia.

ficar pelo então tímido compromisso da mulher pela emancipação, uma das possíveis leituras a serem feitas quanto à atitude de Henriqueta diante do convidado ilustre. Numa época marcada pela hegemonia do discurso masculino quanto ao direito de seduzir a mulher, é ela quem, através de uma dicção pessoal e irônica, inicia a conversa com o escritor.

A trama ficcional e o jogo amoroso sugeridos pela leitura dessa correspondência remetem à encenação da dona ausente, tal como ela foi enunciada e anunciada nessa primeira carta a Mário de Andrade. As discussões sobre arte e poesia, a necessidade de se ter um leitor sincero e rigoroso para os poemas, a espera ansiosa de notícias e palavras do amigo concorrem para o entendimento da função simbólica da correspondência. No lugar da presença material do parceiro, constrói-se a imagem do interlocutor nascido das palavras articuladas umas às outras, das relações entre perguntas e respostas e do suprimento da falta pela alegria de receber o envelope sobrescritado pela mão de quem se admira e gosta. Os presentes enviados – poemas, livros – servem ainda para aproximar e incentivar o diálogo, pois a leitura da obra do outro conduz ao desejo de posse, pela transformação do texto em simulação de um possível encontro.

Mário e Henriqueta mantêm um vínculo mais epistolar do que fruto da convivência, tendo-se encontrado algumas vezes, ora quando a escritora viaja para o Rio de Janeiro e São Paulo, ora quando Mário visita Belo Horizonte, por quinze dias, em 1944. Sempre lembrado com o sentimento de inesquecível felicidade e de forma bastante idealizada, o pouco tempo passado juntos alimentava ainda mais a amizade e incitava a continuidade da correspondência:

> Quando me lembro que você é um dos maiores dos que pensam no Brasil, quando me lembro que nos vimos apenas três vezes! Depois de todas essas cartas sinceras, *"sans arière pensée"*, creio que vou sentir-me perfeitamente provinciana ao encontrá-lo em pessoa. E isto não tardará. Dentro de alguns dias aí estarei. O Rio sempre me interessou muito. [...] Há também o meu livro que desejo mandar editar (Prisioneira da noite

como título, acha que fica bem? Sem princesa e sem menestrel...) Além de tudo há você agora no Rio.[42]

Mas o medo ou talvez o receio pelo contato mais próximo com a amiga se revelava diante da possibilidade de um *"tête-à-tête"* que ultrapassasse um período determinado. O trabalho, os afazeres cotidianos, os compromissos com os artigos para jornal tornavam a vida de Mário atribulada e de pouca disponibilidade para o encontro com os amigos. Henriqueta, pelo seu temperamento e pelo estilo de vida recatado, próprio de uma intelectual daquela época, não poderia frequentar o grupo de amigos que, no Rio, sempre se reunia com o escritor:

> Vou lhe escrever uma cartinha rápida, conversaremos mais quando você estiver aqui. Mas si você chegar logo como diz na sua carta de ontem, não sei como será pra nos vermos muitas vezes como quero. Por todo este mês devo procurar apartamento novo ou casa, e talvez encaixotar a metade do que tenho aqui e mandar pra São Paulo, pois pretendo ir pra pouso menor.[43]

Tanto a figura feminina quanto a masculina se incorporam, no universo das cartas, à pessoa ausente, a qual se presentifica pela comunicação escrita e através dela transforma-se no encontro imaginário, reativado pela força da memória. A distância física aproxima, reiterando o desejo pelo inalcançável e o prazer pela posse da palavra do outro, ao invés de sua posse real. Em confissão feita ao amigo a respeito de seu temperamento teimoso e de sua atitude discreta nos momentos de emoção, Henriqueta irá revelar, de forma inconsciente, o ato de sublimação a que se submete no ato de querer, em que o sentido de posse vale pelo que se deseja, pelo que não se tem. Importa mais a experiência do impossível, que fortalece a vontade pessoal e dilui o objeto da demanda:

---

42 Carta de Henriqueta Lisboa a Mário de Andrade, datada de 4/6/1940 (Arquivo Mário de Andrade – IEB/USP).

43 ANDRADE, Mário de. *Querida Henriqueta*, p. 18. (Carta de 8/6/1940)

Penso agora na minha existenciazinha...Quando eu era pequena, Mário, e alguém me dizia que não tinha qualquer coisa que eu queria, costumava bater o pé: "Mas eu quero sem ter!" A frase ficou célebre na família, ainda hoje caçoam comigo. Talvez não saibam que, mesmo sem bater o pé, continuo a ser aquela teimosa do impossível. Não é "bem do impossível, mas do ideal..." Tenho medo de desencantá-lo se lhe disser que, o que você chama o meu equilíbrio, é menos espontâneo que procurado. Procurado não como artifício, ao contrário, como expressão de justa medida, como compensação à intensidade – algo dramática – da minha vida subjetiva.[44]

"E ainda não te li, Prisioneira da Noite...". Com este título, Henriqueta publica, em 1941, o livro de poemas que envia a Mário de Andrade à espera de sua leitura e apreciação. Por um deslocamento metonímico, o texto qualifica a autora e o poeta brinca com as palavras, criando-se um "diálogo em sequestro", ao ser o livro corporificado na pessoa da amiga, pela ampliação do sentido da leitura. A condensação da dona ausente e da prisioneira da noite pode ser facilmente percebida, pelo sentido de afastamento da mulher do convívio com o homem, motivo pelo qual o cancioneiro popular irá se valer da idealização da amada, pela sua ausência. Ela torna-se muito mais desejada quanto mais inacessível e distante, pois a sua presença quebraria a construção fantasmática, que é sempre causada pelo que não se tem. Henriqueta, na espera de uma palavra de Mário sobre o livro, responde com um apelo metafórico, à feição do verso emitido na carta pelo poeta: "Mas, por favor, não demore mais a retirar a *Prisioneira* dessa fria torre de livros empilhados aí na sua mesa!"[45]

A leitura libertaria a prisioneira da condição de palavra fria, transformando-a em companheira, pelo convívio poético e pelo pacto amoroso instaurado na troca de bens e de ideias. Nessa linha associativa, a prisioneira da torre encarna o papel da donzela

44 Carta de Henriqueta Lisboa a Mário de Andrade, datada de 15/9/1940 (Arquivo Mário de Andrade – IEB/USP).

45 Carta de Henriqueta Lisboa a Mário de Andrade, datada de 5/6/1941 (Arquivo Mário de Andrade – IEB/USP).

indefesa à espera do cavalheiro que a salve da prisão. A imagem medieval nascida das cantigas populares evoca o estereótipo da mulher frágil, por muito tempo uma construção do imaginário poético masculino. Persiste, contudo, como na primeira carta, a ousadia da palavra sedutora vinda da mulher, sequestrada entre vários outros livros e prisioneira das páginas do volume, à espera da leitura. Poesia que estava sendo enredada pela prática epistolar, que, nas palavras de Mário, seria "o nosso poema de colaboração", capaz de traduzir o "grave e profundo carinho" que os unia. Um exemplar exercício de poética modernista, pela transformação da vida em arte e do gênero epistolar em literatura.

A crítica do escritor à poética "neocondoreira" dos autores novos (Augusto F. Schmidt, Alphonsus de Guimaraens Filho, Jorge de Lima), anunciada no texto "A dona ausente" e detalhadamente apresentada no artigo "A volta do condor", dirigia-se contra a imagística eloquente, adjetivosa e "esfomeada de profundeza e dos grandes assuntos humanos". Pela recorrência dos temas, seguidos de adjetivos indicadores de estados psíquicos, esta literatura representava a volta ao passado, pela vertente religiosa, essencialista e universalizante de sua linhagem.

Semelhante cuidado irá ter ao apontar deslizes na poesia de Henriqueta, que, embora inclinada pela estética simbolista, aos poucos se aprimorava e se desviava dessa tendência. Graças à sensibilidade de Mário de Andrade, foi possível promover tanto a crítica à sua poesia quanto a apropriação da simbologia literária comum aos seus escritos, e dialogar, modernamente, com sua lírica. Retirar o ranço de eloquência da linguagem, despindo as imagens de um sentido elevado e essencialista, reside aí o trabalho do amigo e conselheiro. Ainda que partisse em defesa de um dos princípios mais revolucionários do modernismo, a estética do cotidiano, apontava lucidamente o caminho sentimental, grandiloquente e retrógado da arte de alguns dos poetas pós-modernistas. Em carta a Henriqueta, exprime a necessidade da poesia de se afastar do conceito de universal, associado à religiosidade, pela escolha do cotidiano como material literário e do humor como saída para o sofrimento:

É preciso não esquecer que essa visão universal, essa transfiguração lírica do pessoal no humano não se dá apenas porque de um pecado eu faço a Culpa, de um namoro sofrido eu faço a Noiva Ausente e de uma gripe eu faço a Morte. A mesma transfiguração existe quando de uma topada eu faço a pedra no meio do caminho, de uma janela de nenhuma vista eu faço o Beco, do Manuel Bandeira, etc.[46]

O projeto estético de Mário de Andrade, amadurecido e divulgado não apenas pela sua obra como pelas discussões em artigos, livros e cartas, persistiu até a sua morte, como pode-se comprovar por uma das cartas endereçadas a Henriqueta em 1944. Na realidade, o nacionalismo que presidia esse projeto não impedia o olhar para fora; ao contrário, se construía a partir da articulação entre os dois polos. Por ocasião da guerra, ao projeto estético se acrescenta a ideologia política, o que irá tornar o intelectual mais empenhado na defesa de uma literatura de combate.

Essas inquietações serão transmitidas à amiga de Minas, através das observações aos poemas contidos em O menino poeta, de 1943. Henriqueta defende-se da acusação de que o seu texto estivesse dotado de função moralizante, ao utilizar conceitos e conselhos que prejudicariam, segundo o escritor, a "coerência lírica da poesia". Ao responder, de forma contundente ao teor da carta de Mário, pôde revelar, ao leitor dos nossos dias, um dos traços de sua proposta poética, o que contribui para a melhor compreensão de sua obra:

> Você diz que não pertenço às linhas gerais da crítica da poesia nossa, nem dos seus problemas e intenções. Pois é isso. Os meus problemas são até muito humanos, são meus como de todos aqueles que apelam para as forças morais em face da esfinge, quando não logram decifrá-la. Sinto-me criatura de Deus antes de tudo, muito antes de ser brasileira. E com isso não sei se haverá metal brasileiro na minha poesia. Estarei no meio da raça como estrangeira? Já fiz uma pergunta semelhante, há muito tempo,

---

46 ANDRADE, Mário de, *op. cit.*, p. 19. Carta de 8/6/1940.

num poema sobre o Carnaval, que tanto me desgosta; mais tarde voltou a preocupação – ampliada – naquele poema em que me dirijo a Irmãos, meus Irmãos: – "Sou uma de vós, reconhecei-me!" Mas não será por falta de amor que a minha poesia talvez não tenha pátria.[47]

A maneira pela qual a poetisa responde à pecha de universalista recai no imaginário cristão, atitude logo contestada pelo missivista, ao apontar as razões políticas dessa postura como traço próprio do espírito conformista da classe dominante. O que, à primeira vista, soaria como atitude descompromissada é devidamente colocado em seu lugar, como expressão de conduta de um determinado segmento social. O universalismo religioso, portanto, não se articula esteticamente de maneira pura e nem se desvincula de objetivos morais. O caráter político da escolha atua de forma evidente, embora não percebido pela autora: "Si você observar milhor a lição de Cristo, eu creio que você vai perceber que esse processo de consolo é muito mais político, é muito mais 'classe dominante' que exatamente bíblico e especialmente cristão".48

Este esboço do diálogo travado entre Mário de Andrade e Henriqueta Lisboa se fecha retornando ao tema do sequestro da dona ausente, evocado na primeira carta enviada ao escritor paulista e retomada nesta de 1944. Ao se considerar estrangeira na própria terra da poesia, a causa do mal-estar se explicaria pelo distinto lugar que ocupa na literatura brasileira do momento. A explicação centrada no argumento lírico funciona como o desejo de definir o não lugar de sua literatura, tornada essencial pela presença do sentimento amoroso, a verdadeira pátria. Por se expressar como reduto do imaginário, da fantasia e do impossível, o texto poético de Henriqueta se projeta na correspondência com Mário de Andrade, na qual é legítimo construir romances e viver esteticamente a experiência com o outro. O sequestro lírico torna estrangeira qualquer

---

47   Carta de Henriqueta Lisboa a Mário de Andrade, datada de 20/2/1944 (Arquivo Mário de Andrade – IEB/USP).

48   ANDRADE, Mário de, *op. cit.*, p. 148. Carta de 5/3/1944.

palavra, se esta é movida pelo impulso da falta e pela separação inevitável com o objeto.

Se o Brasil é pouco refletido na sua poesia[49], esta é uma das aberturas estéticas que Mário de Andrade ainda não conseguia prever nas manifestações literárias e artísticas da época, a maioria tocada pelo apelo à abstração e pela gradativa diluição do aspecto figurativo na construção dos emblemas da pátria. Pela defesa da bandeira do nacionalismo em arte e do contorno, embora difuso, da sua representação plástica, o escritor recebia com ressalvas outras poéticas que fugiam desse ideal. Henriqueta, consciente de suas limitações quanto aos apelos sociais da literatura do momento, soube muito bem reconhecer o papel que lhe estava reservado. E Mário, certamente, entendeu a opção da poetisa pelos temas do amor, da ausência e da morte, por reconhecer que se tratava de uma "concepção muito amadurecida de poesia".

Na condição de escritora vivendo no meio intelectual ainda dominado por homens, a sua posição firme e audaciosa soube romper barreiras e responder de forma lúcida às críticas à sua poesia. Sem se entregar intelectualmente à causa social, Henriqueta dialoga com Mário utilizando-se de uma expressão de Antonio Candido, "à mulher só é acessível o tom menor", acrescentando, contudo, a possibilidade de se ter uma terceira modalidade poética, "em que o tom menor aprisione motivos que interessem mais diretamente à coletividade". Torna-se necessário ampliar o sentido presente

---

49 "[...] você é tão nacional como todos somos nacionais, e basta. Suas condições naturais de educação, de mulher, de profissionalismo público, de concepção muito amadurecida de poesia (e muito legítima) levam você necessariamente (e de católica, me esqueci) a uma universalidade de temática e mesmo de concepção e expressão dessa temática, em que o Brasil objetivamente se reflete pouco. Aliás, bastou a sua temática se voltar para o menino-poeta pra que o Brasil se refletisse objetivamente com insistência na sua poesia. Questão de mais-Brasil menos-Brasil não tem a menor importância num caso como o de você e não se preocupe com isso." ANDRADE, Mário de. *Querida Henriqueta*, p. 149. Carta de 5/3/1944.

no "tom menor", à luz do distanciamento que a sua obra alcança diante da vertente "condoreira" e altissonante, ao se abandonar a exploração de temas em tom maiúsculo. O universalismo eloquente assumido pelos poetas da geração de 1940 afastava-se cada vez mais do lirismo conciso e sofisticado da autora de *O menino poeta*.

Ao manter com a imagem da dona ausente uma relação simbólica marcada pela presença sempre adiada e pela sublimação da perda através da poesia, o encontro poético/amoroso de Henriqueta Lisboa com Mário de Andrade, realizado através da troca de palavras e da amizade, não se esgota nesta primeira leitura das cartas. A abertura do texto epistolar ao conhecimento público motivará não só a revisão de sua poesia como a compreensão mais aguda dos caminhos trilhados pela literatura brasileira até se chegar à sua atual configuração.

A POÉTICA DE HENRIQUETA LISBOA[50]
Fábio Lucas

Casa de pedra pode ser considerada uma fonte cultural erigida em documento, são quarenta e oito anos de prática da poesia organizados num painel: deixa transparecer uma época e uma personalidade.

Todos os poemas de Henriqueta Lisboa foram escritos sob o triunfo do Modernismo e, como peças históricas, trazem ao mesmo tempo as ressonâncias do passado e o timbre da renovação.

No centro, a projeção pessoal e intransferível da própria autora, uma das mais fortes individualidades que compõem a moderna poesia brasileira.

Com a leitura do livro, podemos observar a lenta caminhada formal de Henriqueta Lisboa e a translação temática a cada nova obra, descortinada segundo uma visão do mundo que se amplia gradativamente, sem perder a fidelidade a certos tópicos recorrentes que, reunidos, desenham uma imutável expressão dramática. Toda a coletânea não se desgarra de um fundo confessional, distribuído irregularmente de acordo com a passagem dos estímulos externos para a câmara íntima. Esboça-se a oposição do "eu" *versus* o mundo.

A emergência do Modernismo nos anos 1930 se deu na linha cruzada do Parnasianismo com o Simbolismo e as duas forças "passadas"

---

50 In: LISBOA, Henriqueta. *Casa de pedra*. São Paulo: Ática; Brasília: INL, 1980. Edição em convênio com o extinto Instituto Nacional do Livro, do Ministério da Educação e Cultura.

jamais deixaram de lançar influência sobre a produção libertária de quase todos os poetas da ocasião. O Parnasianismo, como espírito, ressuscitou em 1945 e o Simbolismo prolonga-se nas aliterações, na musicalidade, no jogo de palavras e no "estranhamento" de hoje.

Em Henriqueta Lisboa, como em Cecília Meireles e todo o grupo Festa, o Simbolismo marcou fundo sua presença, quer no preparo da imagem acústica do poema, quer no misticismo que impregna a visão do mundo, no esbatimento impressionista da paisagem descrita e no paralelismo entre a transcendência e a poesia.

Já a atitude parnasiana se revela na sacralização da palavra: ela se torna cada vez mais essencial, forte e solitária à medida que o discurso poético de Henriqueta Lisboa se desdobra no tempo.

Curioso o jogo entre a sedução da liberdade e o fascínio da norma na escritura mineira. Neste caso, forma e conteúdo, som e sentido, expressão e ideia, imagem acústica e projeção conceitual participam da mesma tensão antagônica.

Quando, na leitura de um dos mais recuados poemas de Henriqueta Lisboa, "Crianças no jardim", nos deparamos com o efeito da liberdade e a expansão da natureza, sentimos, logo a seguir, a violência do controle, "o jardineiro que não dorme".

E, assim, poderemos colecionar ameaças sucessivas às aberturas da espontaneidade. Adiante, já não mais as crianças, mas a canoa que é advertida da ameaça: "não sabe o que a espera" ("Canoa"). E, em "Sibila", poema inolvidável pelo seu tom profético, seu envolvimento com os mistérios da vida, "a mensagem / tem cifra e as sete trombetas / de em torno são aquelas mesmas / profusas destoantes e estrídulas / do Apocalipse. Basta escutá-las / – junto ao desmonte das ladeiras – / e mergulhar no abismo".

O grande agente libertador é, sem dúvida, a imaginação criadora, em que simbolicamente adquirem asas as solicitações da carne e do espírito. "Os quatro ventos" representam as forças libertas de qualquer restrição, a própria fantasia.

Mesmo a concepção de "Arte": "Cavalgas o abismo / não sei com que freios". "As imagens" registram tanto o esplendor das formas quanto o borbulhar do desejo.

O aspecto dramático da poesia de Henriqueta Lisboa está na consciência dos limites. "Opção" é bem significativo:

De coração ledo e pronto
por esse reino carrego
peso de pedra nos ombros.

A imaginação transcende o mundo, procura a união com Deus, mas é domada pela contingência histórica e pela situação biográfica limitada pela morte. "Lareira", que terrível confissão de impotência:

Paz de lareira.
Não para mim.

A presença do social na poesia de Henriqueta Lisboa é indicada pelo "coração ferido" e alguns anéis temáticos como a carícia incompleta, a difícil entrega etc. Pressões externas e autobloqueio. "Do idiota" anuncia a problemática presença do outro, entre desejada e recusada:

As mãos ignoram que profundas
garras possui a carícia.
Como pesaria uma pluma
sobre o espírito!

Ainda:

A que imprevisíveis mundos
poderá conduzir,
pássaro nas grades, a tua
música para víboras!

A poesia e a aspiração de Deus ora se confundem, ora se afastam. E o Cristo tantas vezes celebrado na poesia de Henriqueta Lisboa tem muito do Cristo de Santa Teresa de Jesus, representação dos sentidos. "Procissão" é um bom exemplo.

A busca da tradição e das raízes faz parte do modernismo da poetisa. Quer a herança histórica, gravada principalmente nos poemas de *Madrinha lua* e *Montanha viva*, quer as marcas do sangue e o peso da cena familiar. Daí um poema-síntese como "Casa de pedra", com o mesmo espírito da casa de Emílio Moura ou da mesa de Carlos Drummond de Andrade. Mas de realização diferente.

Ali fala a mística de Henriqueta Lisboa, a fronteira indefinida, a tentativa sempre repetida de alcançar o indizível, de definir o indefinível, de ir além da palavra, de tocar a essência da poesia e da divindade, de transcender a matéria perecível, a partir de um quadro datado, de uma vivência, de um ponto de encontro das forças humanas. Por isso também a titulação de "Casa de pedra" para o memorialismo poético, mais forte que a era da inocência (a infância onipresente na autora de *O menino poeta*), que a intimidade com Deus e comparável à presença terrificante e obsessiva da morte.

> E era (longe ou perto?) uma flauta
> — aquela ovelha desgarrada
> pelos noturnos do infinito.

> Que amor pudera esse infinito
> colmar — de anelos que exigiam
> existência além do existente?

"Contemplação" é outro modo de refletir sobre a perenidade da obra de arte, "infecunda" e "eterna".

Mas a força máxima de temporalização da poesia situa-se na morte. Flor da morte foi apenas um momento de concentração temática na obra de Henriqueta Lisboa. A situação-limite, por isso, preside a elaboração dramática dos poemas mais ousados da autora de "Casa de pedra". Está em "Espacial": "Um deslize de esteio / tão somente / e eis o mergulho". Além dessa ameaça, fica o "toque de recolher em círculo", do poema "Na morte".

Infância, morte, imaginação, realidade, Deus e as dores do mundo: em torno disso Henriqueta Lisboa tece a sua arte poética. Uma fusão de mito e poesia. Uma busca insofrida do *splendore* para a celebração do transcendente e eterno, mas também uma redução do voo imagético pela contingência existencial.

A consciência da morte é nascimento do drama. Há uma tensão entre a sacralidade e a profanação. O Modernismo talvez entre na poesia de Henriqueta Lisboa como a invasão profana no culto das formas sublimes. Ela instaura a contemplação inquieta. Dá a essência poética às limitações existenciais e ao inescrutável verbo divino. E, para tal, assiste-se a uma lenta caminhada em busca do supremo decoro poético, num permanente jogo conceitual do ainda e do não-mais.

"Casa de pedra" retrata a luta da impetuosidade *versus* a contenção, do arrebatamento *versus* o controle técnico, da espontaneidade *versus* o artesanato, da confissão *versus* o pudor, do desejo *versus* o interdito. Mas o que singulariza Henriqueta Lisboa é o seu poder pessoal de armar um discurso altamente denso em torno de tais antagonismos, deixando transbordar sentimentos poderosos sem perder o controle da palavra, ativada poeticamente depois de rigorosa escolha. Por isso, graças ao requintado domínio de sua arte, pode ela roçar por muitas vezes a fímbria do indizível, a franja do inaudito:

Àquele momento as cousas
se dispersavam pelas auras
do descuido.

DIMENSÕES DA LÍRICA DE HENRIQUETA LISBOA[51]
Fábio Lucas

Não foi fácil realizar a seleção dos melhores poemas de Henriqueta Lisboa. O volume de composições que integra a sua obra completa traz ao compilador certo grau de hesitação e insegurança. Como determinar os melhores? Para nos desincumbir da tarefa, elegemos o seguinte roteiro: primeiramente, compulsamos as diversas coletâneas organizadas pela própria autora. A poetisa, aplicada analista do fenômeno poético, de certa forma revelou preferências no arranjo de algumas obras. Em seguida propusemo-nos colecionar o que nos pareceu significativo para uma visão mais ampla de sua capacidade artística. Por fim, procuramos agregar ao conjunto algumas peças de nossa predileção, muito embora não constassem das reuniões feitas pela autora. Prevaleceu, então, o nosso gosto pessoal, pois uma das formas de dar sentido à produção de um escritor consiste justamente na leitura ao mesmo tempo analítica e agregadora dos conhecimentos anteriores à apreensão do texto.

Cada poeta traz consigo, na atividade criativa, os impulsos da imitação associados aos da ruptura. No primeiro caso, ajusta-se artesanalmente à tradição do gênero. No segundo, desvia-se do procedimento conservador e manifesta o toque pessoal de expressão, que alguns denominam *estilo* e outros *originalidade*.

---

51 In: *Henriqueta Lisboa:* melhores poemas. São Paulo: Global, 2001.

No auge da produção de Henriqueta Lisboa – início do século XX –, as correntes consagradas da Europa exportavam atitudes contestadoras da tradição sob a forma das *vanguardas*. Deste modo, a poesia de Henriqueta Lisboa pode ser lida como o estuário de duas tendências: a *simbolista* e a *modernista*. Infere-se que seu processo de formação incorpora efusiva convivência com o repertório dos "poetas malditos" da França, assim como os seus ecos no Brasil, recolhidos especialmente na obra de Alphonsus de Guimaraens, sobre quem, aliás, veio a escrever um ensaio de interpretação.

Diga-se, de passagem, que Henriqueta Lisboa percorreu um caminho paralelo ao de Cecília Meireles, ambas nascidas em 1901. Singulariza-as do mesmo modo o empenho na implantação de uma Literatura direcionada às crianças. Enquanto Cecília Meireles se tornou a primeira brasileira a criar uma biblioteca para o público infantil, Henriqueta Lisboa se fez pioneira na escrita de poemas para crianças fora da tradição moralista ou de cunho meramente pedagógico. Concebeu poemas de feição lúdica, como é o caso de "O menino poeta" e outros da mesma coleção, nos quais predomina o jogo de palavras. Deste modo, a composição se estrutura em torno da própria mensagem. O processo de comunicação não se destina à circulação da mensagem do emissor para o receptor, mas enfatiza a substancialidade da mensagem, começa e se esgota nessa, como numa *função poética*, nos termos da proposta de Roman Jakobson. Assim, os poemas de *O menino poeta* iniciam uma prática de poetização em que se explora de preferência o *estrato fônico*, relegando-se a segundo plano o *estrato das representações* ou as camadas de expressão emotiva ou referencial. Os exemplos de *O menino poeta* apontam precisamente para o prazer do texto, para a manifestação sonora e lúdica de cada poema.

Quando se utiliza uma antologia, o leitor deve ter oportunidade de tanto exercer uma observação sincrônica quanto uma análise diacrônica. Procedimentos paradigmáticos e sintagmáticos se conjugam na análise intratextual, enquanto características evolutivas somente se apreendem na temporalidade. A diacronia se torna matéria-prima da História. Os arredores contextuais e o envolvimento cultural ajudam a penetrar uma coletânea de poemas, pois o conhecimento do metatexto auxilia a explicação de aspectos genéticos, relacionais e funcionais do texto. A análise intrínseca se torna um momento da análise interpretativa, assim como a análise extrínseca completa o projeto de investigação global, que aspira a oferecer luzes à visão da totalidade da obra.

O leitor não deve assustar-se com o repertório precioso de Henriqueta Lisboa. Antes, precisa explorá-lo à exaustão, a fim de colher o maneirismo dramático da poeta, que associa a tradição setecentista mineira, meio barroca, meio clássica, eminentemente rococó, com a tonalidade musical do Simbolismo. Repetem-se vocabulários da têmpera simbolista: reposteiro, vergel, lua, orvalho, asas, lírio, arco-íris, zéfiro, elfo, nácar, luz, musa, lágrima, nardo, pomba, paz, etc... Observam-se, entretanto, algumas soluções que lhe são intransferíveis. Por exemplo, certos cortes que isolam palavras e sintagmas, rebarbarizando a expressão, tornando-a forte, original e poética. Exemplo: "... Talvez. / Aleluia por esse talvez. Aleluia" (poema 4 de "Os estágios" de *O alvo humano*). Ainda: "Na morte, não. Na vida. / Está na vida o mistério" (poema "O mistério" de *Flor da morte*). Mais? Veja-se: // Flor. A inacessível. / Do caos, da escarpa, da salsugem, / da luxúria, dos vermes, das gavetas / do asco, do cuspo, da vergonha. // Flor. A inefável. / A companheira do anjo", etc. (poema II de "Flor da morte", de *Flor da morte*). Também: "Sinal de loucura. Sinal dos tempos. / Sinal, apenas" (poema "Sinal" de *Flor da morte*).

Mais outro aspecto do modo autônomo de poetar de Henriqueta Lisboa: o jogo ora feroz, ora pungente, entre o "sim" e o "não". A dialética da representação do mundo e da vida. Já chamamos a atenção para essa característica da poeta. O número incontável de poemas iniciados pela negativa. Modo acumulativo de acentuar o contraste, ou seja, a afirmação final do conteúdo lírico, geralmente de cunho elegíaco. O eu lírico, no relato emocional, vai registrando as modalidades repelidas na enunciação, aquilo que se recusa. Depois do processo cumulativo, invertendo o seu sentido, o enunciado lírico se concentra naquilo que a poeta deseja enfatizar como efeito construído buscado desde o início. Curiosamente, em determinado poema, Henriqueta Lisboa inicia a composição assim: "Eu ia dizer sim, disse não" (poema "Poder obscuro" de *Azul profundo*). Dialetas da Escola de Frankfurt, especialmente Theodor

W. Adorno, chamaram a atenção para a positividade da negação, núcleo do processo cognoscitivo. E alguns linguistas trouxeram à evidência o jogo contrastivo como fundamento da linguagem. Em Henriqueta Lisboa, podemos considerar a negação como premissa de um silogismo de epifania lírica. Veja-se o início de "A face lívida": "Não a face dos mortos. / Nem a face / dos que não coram / aos açoites / da vida. / Porém a face / lívida / dos que resistem / pelo espanto". Veja-se também o desdobrar de "O espelho" de *O alvo humano*: o processo é duplo. Primeiramente, temos "o julgamento sem réplica. / Não diante da plateia", etc. "Porém diante do puro / espelho..." E, logo a seguir: "... Não o tíbio / vitral movível da consciência", etc. Adiante: "... Não este aço", seguindo-se especificações, para acrescentar: "Nem ainda o de Lúcifer – tão belo / no seu orgulho de anjo". E, logo a seguir: "Sim / o refletor de nenhum gesto, / lâmina sem a mínima flor / sorriso ou lágrima...". Seguem especificações dos "sim" do espelho.

A busca do ser, em Henriqueta Lisboa, se confunde com a busca da verdade poética. Há, no conjunto de seus poemas, várias ocasiões em que a metalinguagem é utilizada para exprimir a essência da poesia. No poema "Arte", de *A face lívida*, confundem-se Arte e Verdade. E o poema conclui: "Verdades se arrasam / por ti, Verdadeira". Mais grave será o conceito que subjaz ao poema "A joia", de reflexão sobre algo de enormemente precioso, submetido à "coação do minuto". Algo que se prolonga em "Contemplação", que vincula a poesia ao objeto de experiência visual: a ânfora.

Alguém que associasse esses poemas a "Estudo" teria uma poética de alto relevo. Realizaria um estudo admirável dos disfarces em que o discurso poético se transfigura. Apreenderia o inefável na voz de uma das mais autorizadas poetas do país. O poema "Disciplina" de *Montanha viva* é ambíguo. Sugere tanto a caprichosa mortificação de um missionário quanto o esforço artesanal rumo à perfeição. Elogia o trabalho dirigido. Para quê? No fim, "Então, brilhai", conclama o poema. Como se, após ingente sacrifício, fosse dado ao poeta colher o fruto da glória. Da mesma beleza, no mesmo livro, *Montanha viva*, fala "O órgão", instrumento do êxtase artístico. E "Cigarra" satiriza o "ouvido mouco", ou seja, a insensibilidade. Mas o poema culminante, nessa linha, constitui "O ser absurdo" de *Miradouro*, algo de divinizado e ascendente, aquele ser que "toma o carro do sol". Em contrapartida, Henriqueta Lisboa sabe desdenhar, com certa graça, o mundo das aparências em "Do supérfluo" de *Pousada do ser*.

Podemos integrar aqui a contribuição do Modernismo à poesia de Henriqueta Lisboa. Ou, de outro modo, a contribuição de Henriqueta Lisboa à poesia modernista. Tal como Emílio Moura, a poeta não embarcou na revolução literária do lado de seu aspecto mais caricato e desafiador, que foi a prática do poema prosaico ou simplesmente anedótico. O Modernismo de Henriqueta Lisboa cifra-se pela compostura. Mas o seu verso livre, ponto de honra da nova escola, é tão fluido e natural que se pode admitir lhe seja imanente, um modo peculiar de manifestar-se de modo poético.

Henriqueta Lisboa foi a personalidade feminina a quem Mário de Andrade endereçou o seu mais delicado diálogo. A correspondência entre ambos o atesta. Curiosamente, Mário de Andrade elegeu duas mineiras para expandir-se em áreas de seu variado interesse artístico. De poesia falou com Henriqueta; de música e pesquisa folclórica entendeu-se com Oneida Alvarenga, que acabou organizando a parte mais abundante de seu acervo de pesquisador.

Assim, recomendamos ao leitor interessado em investigar as várias faces da poesia de Henriqueta Lisboa que perfaça o seguinte caminho: em primeiro lugar, analise o *estrato fônico*, para apurar a herança simbolista e a extrema fusão da musicalidade à expressão poética. Poderá igualmente surpreender o seu engenho inventivo posto a serviço da poesia para crianças, dando-lhe um teor lúdico e mnemônico diferente da poesia moralista e didática que até então se oferecia aos pequenos leitores. Além do mais, alcançar-se-á em Henriqueta Lisboa um culto generalizado das palavras. Tomando a palavra como ponto de apoio, dialoga com as outras artes, cultiva a correspondência entre elas.

A seguir, explorar-se-á o *estrato morfossintático* para se ter a visão dos cortes extremamente originais da poeta, na busca da essencialidade das palavras, da rebarbarização de vocábulos e sintagmas, a fim de devolvê-los ao nascedouro da poesia.

Após uma investigação demorada do *estrato das representações* estudaria a temática de Henriqueta Lisboa, que se organiza, em primeira instância, em torno do eterno conflito entre a vida e a morte. Jogo tenso que leva a poeta a escalar alguns dos seus veios poéticos preferidos. Um deles, Deus, e, em segundo plano, a Religião. Ver-se-á que Deus e Religião se apresentam mais como problemas do que como solução. E o estudo de tensão conceitual se eleva à medida que a obra da autora avança no tempo. Daí se tornar tão importante um acompanhamento diacrônico da produção de Henriqueta Lisboa.

A discrepância entre a vida e a morte se acirra com a descrição do desejo e a exaltação erótica, em contraste com sentimentos de abandono e solidão. O amor constitui outro alicerce temático da poeta. Por vezes, adota o aspecto de uma prisão desejada, como em "As algemas" de *Azul profundo*. Aliás, é frequente que o mundo se apresente a Henriqueta Lisboa como uma prisão. É o que se vê em "Jaulas" de *Flor da morte*.

O amor não correspondido ou a versão do amado ausente levam a poeta a extremos de solidão. Solidão sentida e, por vezes, aspirada, emblema ora de paz e renúncia, ora de inconformidade.

"Repouso" de *Prisioneira da noite* é sintomático, assim como na mesma obra "A mais suave", que tece o elogio da fragilidade. Tudo isso contrasta com a dança dos desejos em "Noturno". E a paz, tantas vezes perseguida, é negada em "Lareira".

As pressões sociais, a solidão, a paz ameaçada tornam frágil o "eu poético" que, por vezes, se rebela. É o caso de "Orgulho".

A poeta se defende também com o amor idealizado. Uma espécie de sacralização do eterno em "Azul profundo", poema da obra do mesmo título (sintagma que, coincidentemente, integra o arsenal de Mário de Andrade). Amor que se concretiza na voz do amado (ou no silêncio) como em "Amor" de *Miradouro*: "Um nome pode dizer tudo / se teus lábios o calam".

A fragilidade em Henriqueta Lisboa se torna frequentemente fortaleza. Ela mistura a sensação amorosa ao orgulho e, no poema "Confronto" de *Miradouro*, reporta-se à "astúcia dos tímidos". Não é apenas o amor que a poeta defende nos seus arcanos, mas também a infância, tantas vezes referida como perda irreparável. E às vezes como fonte de sofrimento. Mas sempre uma infância evocada sem nenhum tributo à passividade.

Tudo isso sem contar a onipresença da morte na temática de Henriqueta Lisboa. Não se trata de uma visão pacífica da consciência de que somos mortais. Mas uma atitude desafiadora e inconformada. O carinho com que celebrou o destino final levou-a até a traçar os contornos do além da vida, a paisagem do morto. A tensão dramática, à beira do trágico, pode ser colhida em "Os lírios" e "Dama de rosto velado". E "Condição", além de trazer dados biográficos, aponta para a espera da morte. Os biografemas da poeta não olvidam jamais as cores instintivas do desejo e o obsessivo temor da morte, cujo espetáculo se nutre até mesmo do espanto, como em "Assombro" de *Pousada do ser*. Tudo isso sem mencionar que *A face lívida* e *Flor da morte* reúnem o que há de mais substancial ao confronto da vida com a morte.

A última faceta da análise que recomendamos: a penetração do *estrato das qualidades metafísicas*. Um pouco de seu estudo está no *estrato morfossintático*, assim como no *das representações*. Aliás, em todos os estratos, pois a obra artística é polissêmica e povoa todas as camadas da percepção do leitor. O aspecto sinfônico de cada poema implica igualmente a diversidade de modos de captação da mensagem lírica. Nenhuma categoria se apresenta em estado puro. Elas são utilizadas de modo didático, a fim de se organizar o discurso interpretativo e auxiliar o leitor a penetrar na grande selva dos significados.

Henriqueta Lisboa fecunda de modo especial a exploração de sua particular Ontologia. Já se disse que toda filosofia (que, como a Religião e a Mitologia, esteve associada inicialmente à Poesia) deve apresentar uma teoria do ser (Ontologia) e uma teoria do conhecimento (Gnosiologia). A poeta não faz um tratado de Filosofia, mas incorpora ao texto poético reflexões sucessivas sobre a natureza do ser. Seu último livro, talvez bafejado pelo clima de opinião proveniente de Heidegger, intitula-se *Pousada do ser*. Antes já havia publicado extenso poema intitulado "Celebração dos elementos – água, ar, fogo, terra" (1977), de cunho investigativo das origens. Como quer que seja, Henriqueta Lisboa utiliza o procedimento poético para acercar-se mais e mais da verdade. De tal sorte que, por vezes, prefere contornar o mistério, fazendo aquilo que Maria José de Queiroz denomina "poética do sigilo", pois a poeta enfrenta o enigma sem decifrá-lo (cf. "Henriqueta Lisboa: do real ao inefável", prefácio a *Miradouro e outros poemas*, Rio, Nova Fronteira/MEC, 1976). Já aludimos à prática de metalinguagem na poeta, que torna a poesia o principal canal de acesso à verdade.

Em conclusão: os múltiplos poderes da poesia de Henriqueta Lisboa haverão de alimentar a crítica em todos os tempos. Deixamos de mencionar a sua atividade de tradutora e as homenagens culturais que ela faz ao longo da obra. Dante, no entanto, recebe tributo em "Herança" de *Montanha viva* e o pintor flamengo está em "Vincent (Van Gogh)" de *Além da imagem*. Com o ensaio, Henriqueta Lisboa adotou outra estratégia de acercar-se da poesia. Especial relevo deve ser dado à conferência "Poesia: minha profissão de fé", incluída na obra *Vivência poética*: rara lição de encantamento e consciência crítica diante da expressão lírica.

DOIS UNIVERSOS[52]
Ferreira Gullar

A revolução poética do modernismo brasileiro consistiu, como em todos os fenômenos desse tipo, num retorno à linguagem coloquial. Os poetas modernistas sacudiram fora, como imprestáveis, as palavras preciosas e a retórica rebuscada dos simbolistas e parnasianos. E com elas se foi também uma visão de mundo melancólica ou "literária", que nada tinha a ver com os modernos tempos do automóvel e do avião. Em lugar de lírios, zéfiros e cinamomos, a poesia passou a falar de "cinema poeira", fábricas, bondes e "sabiá com certidão de idade". A partir dessa linguagem banal construiu-se uma nova linguagem literária, que, mesmo quando teve que indagar pelo permanente, evitou afastar-se das palavras correntes e do tom prosaico.

Dentro dessa perspectiva, a poesia de Henriqueta Lisboa aparece como um caso especial, conforme evidencia a leitura deste volume, onde se encontram poemas de hoje e de seus livros anteriores, à exceção dos três primeiros: *Fogo-fátuo* (1925), *Enternecimento* (1929) e *Velário* (1936). A poesia de Henriqueta Lisboa não tem suas raízes na renovação literária de 1922 e, no fundamental, pouco ou nada aproveita dela. Suas raízes estão no simbolismo que se prolonga através da poetisa mineira, renovado em alguns aspectos de sua linguagem, por influência talvez dos modernistas. A filiação

---

52 In: Revista *Veja*, São Paulo, p. 96-97, 1º de março de 1978.

simbolista de Henriqueta está assinalada no prefácio de Maria José de Queiroz, que a aproxima de Mallarmé e Valéry, mas não menciona Alphonsus de Guimaraens, bem mais próximo de nós e da poetisa brasileira.

A herança simbolista se manifesta em seu vocabulário: topázios / lírios / lívidas / violácea / nácar / vestes brancas / verônica / virginal odor / névoas / nostalgia / ébano / ouro / etéreo, etc., etc. Mas não só nas palavras e expressões: é "simbolista" a sua maneira de ver e sentir o mundo. E daí porque a sua poesia parece feita de costas para a história, alheia a ela, na tentativa de captação de um tempo essencial que se traduz em silêncio e solidão. Aqui e ali percebe-se alguma coisa da realidade objetiva, mas logo os liames se rompem e o poema se abisma nessa busca do impalpável, do indizível: a linguagem se ritualiza e se converte numa rede de palavras-símbolos. É inevitável que isso aconteça, porque, se o discurso se afasta das referências concretas, determinadas palavras aparecem como signos ou símbolos da realidade impronunciável. Por isso mesmo, enquanto a linguagem poética nascida do modernismo manteve-se aberta (é imprecisa a fronteira entre a linguagem literária e a fala comum), a linguagem de Henriqueta Lisboa restabelece os limites claros entre os dois universos.

Essa observação é bem mais pertinente à última fase de sua obra, quando se verifica também uma redução do sentimento simbólico em favor da elaboração mais intelectual. Ilustram bem essa diferença o poema "Miradouro", da última fase, e "Os lírios", da fase anterior. No primeiro, a elaboração se faz, por assim dizer, de fora, enquanto no segundo a experiência poética se manifesta como aspiração a uma aventura pessoal: "Certa madrugada fria / irei de cabelos soltos / ver como crescem os lírios". Exemplo de fidelidade a si mesma e de dedicação ao trabalho poético, a obra de Henriqueta Lisboa realiza a passagem e o vínculo entre duas épocas da poesia brasileira.

O MENINO POETA DE HENRIQUETA LISBOA[53]
Gabriela Mistral

A poesia de crianças ou sobre crianças oferece, como todos sabeis, as maiores dificuldades, escasseando por isso, em nossa América crioula, onde se querem musas mais fáceis de menos riscos.

E como não havia de ser difícil fazer falar a uma criança? Esta poesia exige nada menos do que o milagre: um pouco de balbucio na fala, uma tal brincadeira alada e índole de humildade, pois não se trata de brilhar nem de arrebatar. Porém o mais necessário é que, por esta poesia, corra, do começo ao fim, uma água, um retouço, um cosquilhar de graça pura.

Lendo *O menino poeta,* fiquei sabendo que o português se presta, muito mais do que as línguas famosas, à poesia infantil. Tendes vós outros um idioma mais leve e mais terno também. Nem no inglês ou no francês, nem mesmo no castelhano, existe a ternura do vosso idioma, inefável favor que só com o italiano ele reparte.

O menino poeta, como todo livro, é ao mesmo tempo um miúdo e rico panorama. Dizendo miúdo, quer dizer-se que não é vasto nem basto. Assim, a miniatura e a aquarela: uma tal quantidade de temas, uma série de acidentes. Não é fácil conter dez ou vinte

---

53 In: *Mensagem,* Belo Horizonte, 30 de outubro de 1944. Ensaio incluído na reedição de *O menino poeta,* realizada pela Secretaria de Estado da Educação de Minas Gerais, em 1975, com o título "A poesia infantil de Henriqueta Lisboa" e tradução de José Lourenço de Oliveira.

assuntos dentro de tão pouco espaço; mas o livro de Henriqueta logrou o milagre dos cartões chineses – a concentração sem peso. Abre-se ele com a apresentação do Menino, de corpo inteiro. Que donosos os primeiros versos:

> O menino poeta
> não sei onde está.

Apresenta assim o filho da imaginação, realíssimo para ela, mas que deve comprovar, em contas claras, para os que não veem visões. Mais longe, confessa que ainda o não viu. Dá-lhe um vizinho notícias dele; também lhe dá um romeiro. De repente ela o vê, mas não lhe dura a certeza:

> Ai! que esse menino
> será, não será?...
> Procuro daqui
> procuro de lá.

E acrescenta, porque se vai enchendo de dúvidas:

> O menino poeta
> quero ver de perto.

Se o procura é para que ele dê notícias "do céu e do mar".

Parece que lá para o final está a confissão: nossa poetisa, como todo poeta autêntico, anda em busca de sua infância; quer revivê--la tornando a entrar na gruta onde esteve dez anos, cercada de maravilhas. Essa volta à infância, ao país perdido, ela vai empreender como seus grandes irmãos – Tagore, Romain Rolland, Philipp ou Carroll. Um grande pudor, a repugnância da vaidade, fazem-na escrever o poema em terceira pessoa, quando o poderia fazer na primeira, pois liberdade e capricho estão concedidos ao poeta.

Na "Cantiga de neném" não sabemos se Henriqueta, sempre escondida no impessoal, como em mata espessa, nina o menino poeta ou se ele se nina a si mesmo. Tenho visto peraltas, que cantam sua cantiga de ninar, para fingir que vão dormir. Henriqueta possui toda a brandura de voz que se quer numa canção de berço; fará surpresas, se se puser a escrever mais, e muitas, para as mamães mineiras.

É bonito o "Cavalinho de pau", que galopa deveras e nos leva na garupa, porque não se resiste ao ritmo e todos corremos com ele, para ir matar a Lampião, e até damos um suspiro de alívio ao apearmos. Ouçam-no e digam se podem ficar quietos, sem vontade nenhuma de saltar à garupa do cavalo.

É da magia de ritmo, feitiçaria, poder e malícia. E ainda que isso pareça mal aos futuristas, que encomendam ao diabo os ritmos clássicos, digam se não é verdade que o poeta é um bailarino, uma roda de moinho giradora, um tombo de onda, ou esse golpe que, dado em uma lasca de pau, a manda voando sobre o cavalo mais veraz que nunca se viu galopar.

Ao ritmo poético, que não lhe toquem, que nô-lo deixem; é o joguete do Verbo e, assim, parte da alegria terrestre.

O "Segredo" que a andorinha colheu no fio e levou como recado aos sinos, que se apressaram em espalhá-lo, parece-me, em sua realização brevíssima, uma façanha. Em onze linhas que não pesam o que pesa uma de outros poetas, Henriqueta conseguiu quanto queria. É uma história quase sem palavras, com sinais e gestos. A poetisa também é criança, pela rapidez com que conta. Em seus admiráveis *Elogios*, fala-nos Maragall de uma menina que lhe disse três palavras cortadas, apontando três coisas. E assegura que a linguagem foi suficiente. Achamos banais as crianças. Que hão de fazer? A verborreia culta ainda não as contaminou; falam com um substantivo, um verbo solto, uma interjeição ou um grito, e nisso fazem caber todo o sentido, como no caso da menina de Maragall.

A "Corrente de formiguinhas" vê-se, vê-se! Cabecinhas de alfinete, cinturinhas fininhas, subindo o morro e carregando folhas mortas, que são os andores da procissão do Senhor dos Passos. As correntes de formigas, que em minha casa persigo cada semana e não consigo vencer; e as daquelas outras mais atrevidas, que me entram pela porta, me sobem pelos armários, me invadem os potes de mel, que enegrecem nuns momentos, não são mais verdadeiras que as do poema. O ritmo foi outra vez bem achado: não há galope e sim o arrastado silencioso dos passos, sigilo hipócrita, no constante acabar e recomeçar das pessoinhas infatigáveis.

"Tempestade" tem diálogo. Henriqueta disputa o menino ao vento e à chuva:

Olha a chuva lá na serra,
olha como vem o vento!

Mas o menino defende seu prazer:

– Ah! como a chuva é bonita
e como o vento é valente!

Eu ainda não havia topado com esse apelativo tão justo e tão simples do vento: valente. Melhor do que chamá-lo de louco é chamá-lo apenas de valente. A poetisa não persegue adjetivos, como quem caça faisão, pelo gosto do exótico. Aqui está um epíteto comum, de todo dia, que se casou bem com o objeto: vento valente.

A irmã mais velha falhou, com seu desvelo: os dois últimos versos, não o dizendo, nos fazem ver o menino lá fora, de cabeça ao vento e à chuva. Entre as sabedorias de Henriqueta está esta de sugerir, com aquele tino do aquarelista chinês que acaba sem acabar demais.

O menino, sendo menino, é andejo, travesso, novidadeiro e fantasista. Agora, ronda uma lagoa de patos. Vê chegar o bando, vê os patos nadarem com seus flocos de paina, rompendo os céus da água. Os leitores também os olhamos, com o menino, curiosos como ele, e até rimos, adivinhando as patas velhas, alarmadas com o risco da estreia delas na água.

Henriqueta, quando escreve, dá-nos o melhor do contador: o tato das coisas; dar as cores não lhe basta. Essa lagoa de patos é um êxito completo. Estivemos à sua margem. Quando nos abeirarmos de alguma outra, de verdade, voltar-nos-á esta à memória, porquanto assim acontece quando a arte trabalhou tão bem que nos confunde o corpo com seu fantasma.

Vai outra vez atrás dele a guardiã do menino poeta, quase a tocar-lhe os calcanhares, na poesia "Pomar". Ele, descalço, tem mais coragem do que os meninos calçados. Vai de galho em galho, imprudente e ansioso, o ladrãozinho. Ela grita por ele, assobia-lhe, enquanto, junto à árvore, quase o vê perder pé e cair.

Que belo remate – "passarinho comeu..."! O figo melhor, o figo maduro, talvez já rachado, não foi para seu dono, porque foi do passarinho.

Gosto muito de "Os quatro ventos". Em refega desabalada, os quatro frenéticos pediram que o poeta deixasse a rima, para maior desafogo. (Deixasse a rima, em verso branco e não verso livre, pois, graças a Deus, aqui também o ritmo se conserva.) Os meninos veem, como num fresco de aeródromo, veem os bufadores, os quatro loucos do céu a passar, a passar. Como quem arranca ao mundo a sua casca e o lança no espaço.

Grande assombro é o vento, na infância: perturba, excita e convida. Tivemos todos vontade de ir com ele, arrebatados por ele. E o condutor de polens, tomando-nos os cabelos em remoinho, deixou-nos férteis, com a boca seca, mas ébrios das chicotadas.

Belíssimo o final do poema, magistralmente infantil:

Cavalos sem dono
cavalos sem pátria
cavalos ciganos,
 sem lei nem rei.
Quatro cavalos em pelo.

Esse êxito, alcançado à margem da rima açucarada, está provando que ela não faz a poesia – como acreditavam nossos avós – mas tão somente a aduba e polvilha, com sua calda pegajosa. É possível que "Os quatro ventos" sejam dos que mais vão atrair a clientela mirim. Trautearão um dia suas estrofes todas as bocas dos meninos mineiros.

Os ventos correram desatinados, mas a "Estrelinha do mar", que segue, tem virtude oposta; é quieta como um ser búdico, preciosa e preciosista. Henriqueta lavrou-a como uma joia; viu-a e faz-nos vê-la. O primor é de mão portuguesa, lavradora de prata e rendilhas; a habilidade recorda Eugénio de Castro. Mas é tudo feminil, quando não angélico, nessa minha irmã. E aperfeiçoa o esmalte da estrela marinha, contando que dormiu no regaço da sereia.

Grande acerto o dos joelhos vermelhos. Talvez não sejam verdes se não escarlates as carnes das sereias que tanto incenderam nautas gregos e fenícios.

Admiro, como velha mestra, tenha Henriqueta vencido a fatalidade pedagógica, no poema "Colégio". São lindos, meninos soltos, à vontade; vai-se-lhes, porém, todo o donaire quando se põem em fila, quando se assentam em bancos de pequenos delinquentes. Salva-os, no entanto, até na pedagogia, a nossa contadora milagrosa:

Dois a dois
dois a dois

A fila parece um barco
elástico
movido
por inúmeros
remos.

Que triunfo tornar em barco de regatas um esquadrão escolar! Outros poetas que o tentaram (e eu com eles) jamais conseguimos transfigurar a imagem odiosa do pelotão que se move da sala de aula, ou para a sala de aula.

Admiro tanto que quase lhe invejo os "Castelos" de areia e os tenho por um dos primores do livro. Henriqueta gosta de areia, gosta do ar e do floco de paina, como do vapor da névoa, porque essas matérias são as de sua alma e também de seu corpo. Todos nós vamos empós daquilo que se parece conosco e às vezes o encontramos com facilidade, como Henriqueta, parenta da areia.

Saboreando os "castelos", repetimos com gosto a velha definição das Preceptivas: fundo e forma são a mesma coisa quando o poeta se identificou deveras com o assunto, quando se deixou dele embeber como uma esponja. Não há poeta e tema aqui: há uma mulher transformada em areia e essa areia se diz a si mesma com língua desfiada em grãos.

"Mamãezinha" é um poema bem crioulo. Por fim, com ele, a mãe pobre (a mãe feia, por cansada) sobe aos cristais da poesia, até onde estamos acostumados a ver apenas mães burguesas. Vai o menino, como todos os meninos do mundo, agarrado à barra da saia materna, pela casa e pelo pátio cobrando de sua mãe a estória que lhe prometeu. Esta, porém, primeiro está ao fogão, que não pode desamparar;

daí passará ao tanque, onde não pode deixar um monte de roupa; vinda a noite, cairá na cama, com um sono de pedra que lhe não deixará contar coisa alguma. Dormirá com a estória na garganta e o filho dormirá ao lado, com a boca entreaberta, na sede dessa estória.

Bem puderam os poetas proletarizantes contar a pobreza-miséria como Henriqueta Lisboa, sem gritos nem agruras, e, sem embargo, com um tão sombrio e amargo sedimento de convicção.

A irmã mais velha do menino, essa mestra que o ajuda a ver o que não vê e a dizer o que não diz, agora lhe fala do Tempo. Chama-o de "fio", folclórica e classicamente, sem medo do lugar-comum, pois fugir sempre deste costuma dar em grande pedantismo.

Nem tudo neste livro é jogo, sol e frutas: aqui está a melancolia e seu montículo de cinza. Nunca aparece libertada dela o sangue português. Mas que distância entre a lição catedrática sobre o valor do Tempo, ditada por Franklin, e este suspiro sobre o fio do Tempo, que o vento vai levando.

O menino poeta vive entre um bando de outros como ele; de outros e de outras, pois de repente Henriqueta nos apresenta duas meninas, e de corpo inteiro. São dois ângulos opostos: talvez vão ser, quando crescerem, Maria Prudência e Maria Loucura. O poeta continua, já o sabemos, o seu processo de alusões, sem declarações, não nos dizendo o que têm essas meninas com o menino poeta. Será que são ribeiras opostas, entre as quais navegará o coitado, quando cresça e tenha músculos e buço? "Morena e Clara"! Por qual vai ele padecer ou em qual vai colher a ventura, como um ramalhete de lilases? Quem nos dirá o que vai acontecer aos sete aninhos, quando alcance a medida de Adão – o pobre Adão que nunca foi menino? Não o quis que soubéssemos a sua mãe, Henriqueta Lisboa, com o seu gosto de vaguice e mistério, redondo inimigo da pedra de cantos quadrados – que é o relato completo. Contentemo-nos só com a suspeita e com as nossas conjecturas. Em todo o caso, o poeta já nos adianta muito: duas meninas taludas, duas corsas pequenas, sem cornos que ataquem ou firam. Morena e Clara devem ser amigas do menino que as olha intranquilo, vendo-as tão opostas, a do "cabelo de doce de leite" e a "de música brusca como arranha-céus".

Henriqueta criou-se numa região de rios. Em que lugar do Brasil não haverá pelo menos um rio maior do que todos os nossos rios chilenos juntos? Esta terra não se chama de sol tão somente, mas também de águas; será por isso que seu habitante não se torna frenético e vive isento do calor excessivo. A poetisa devia contar os rios a seu menino, assim vivos, para que ele os veja e ouça e lhes aprenda as margens e lhes siga o curso e lhes descubra o segredo com que fogem.

O poema "Os rios" é dos melhores do livro. Várias vezes o li para que também eu ouvisse passar esse rio maior, de águas pesadas, velho rio carregado com as experiências do seu leito e das circunstâncias da margem; rio que, gritado, não ouve e, com desdém de herói, corre em busca de sua morte; não nos conta seu segredo, talvez porque seja, não de vida, mas de morte. O menino brasileiro e poeta não podia ficar sem esse corno líquido de abundância, quer se chame Paraibuna ou São Francisco, o das maravilhas.

Ao menino poeta e a mim faziam falta os "Pirilampos" no poema uno e plural. Aqui assomam eles, em cem nós de rede voadora, no seu verde de folhas noturnas, de folhas caídas de uma árvore de fogo que só existe à noite e se apaga antes que venha o sol. É outro poema dos mais acabados, sobeja prova de que Henriqueta vê bem o diurno e o noturno e sabe encantar as três idades.

É bem verdade que o poeta é um retribuidor dos regalos da luz; não deixa de devolver, como fazem esquecidos e ingratos. Quando estiver longe, em terras frias por onde não se acendam à noite os pirilampos, tomarei comigo estes daqui de Minas, que me passem de novo junto ao rosto, por sobre os ombros, com seu estranho silêncio de sinais ocultos.

Henriqueta faz também ironia, quando quer. A ironia costuma ser como uva em agraço; não chega a desgostar e evita o fastio do racimo sazonado. Como lhe fica bem essa ironia àquela que é quase sempre terna! Não, ninguém morreu na selva, nem houve incêndio e nem passou o jaguar rompendo matagais. Como nas revoluções crioulas, toda aquela algazarra era de um grito e três mil ecos.

Lindas casas sabe você fazer, minha irmã mineira:

CASA
Casa no mar
no fundo do mar.
Casa de madrepérola

com balanços de água,
caracóis de espuma
e delícia muita
para brincar.

Casa no céu
no topo do céu.
Casa de luzes
com trapézio de nuvens,
a trombeta dos anjos
e muitíssimo ânimo
para brincar.

Casa na terra
num canto ou noutro.
Casa de tijolo
para morar.

Anseia pela do mar, como mulher do interior; quererá a do céu, porque é feita de materiais inefáveis, os mesmos da sua poesia; a da terra, que é de tijolos, você a quer por ser a de sua mãe e não a deixa em segundo plano nem depois de ter visto a da água e a do ar.

Mas, crendo você viver somente nela, vive juntamente em todas três. Entrega-lhe o desejo a do mar e a fome do Eterno lhe antecipa a do céu. Como nas figuras cubistas ou nas bonecas russas, as três casas se penetram e acomodam, uma dentro da outra. E sua poesia, Henriqueta Lisboa, você a faz, sem o saber, dentro das três, debaixo do zodíaco, da maré e do tijolo espesso. Por isso, ao mesmo tempo, ela nos faz tocar a altura, a profundidade e o rés da terra.

Nessa fantástica casa tríplice me fez você entrar, como hóspede. Acabando o livro, parece que saio dela, mas na verdade permaneço nela, como no interior dos forros que envolvem a granada.

Desta vez, receber será agradecer e segurar bem com as mãos fechadas, para que não escorregue o tesouro e nem caia nunca ao chão.

HENRIQUETA LISBOA – ENTRE A MÚSICA E O SILÊNCIO
Ivan Junqueira[54]

Apesar de altíssima poetisa e de estar completando agora meio século (mais, se computarmos *Fogo-fátuo*, que é de 1925) de pertinaz e sempre renovado convívio com o verso, Henriqueta Lisboa permanece ainda como uma autora relativamente pouco conhecida do grande público leitor brasileiro. Uma injustiça entre tantas, talvez medida apenas pela grandeza de seu talento e pela devoção quase monástica com que desde sempre se consagrou a seu ofício. Mas a melhor crítica (desde Mário de Andrade) e até mesmo os círculos acadêmicos cedo lhe prestaram o devido tributo: a autora foi por duas vezes premiada (1929 e 1948) pela Academia Brasileira de Letras e, em 1952, a Câmara Brasileira do Livro rendeu-lhe homenagem. É tudo muito pouco, entretanto, para alguém que nos legou pelo menos três coletâneas antológicas: *Prisioneira da noite* (1941), *A face lívida* (1945) e *Flor da morte* (1949), este último uma das mais inteiriças e dramáticas experiências já realizadas entre nós no que se refere ao desenvolvimento poético de um tema único. É assim de todo oportuno o lançamento, pela Editora Ática, desta *Casa de pedra*, que nos regala, ainda que de forma avara, os *selected poems* de Henriqueta Lisboa, valorizados, aliás, por uma introdução de Fábio Lucas sobre a poética da autora, da qual e sobre quem se fornece ainda, ao fim do volume, uma cuidada (e sempre valiosa) bibliografia.

---

54   In: *À sombra de Orfeu*: ensaios. Rio de Janeiro: Editorial Nórdica; Brasília: INL, 1984. p. 149-151.

Tendo estreado quando mais iconoclasta e contagiante se revelava o Modernismo, Henriqueta Lisboa pouco sofreu na época o influxo das novas ideias e doutrinas estético-formais. Como Cecília Meireles, a autora de *Madrinha lua* nasceu sob o signo do Simbolismo e da "moderação" revolucionária dos que se reuniam em torno da revista *Festa*, sem dúvida a facção menos radical de todo o movimento modernista. E a técnica simbolista haveria de marcar-lhe fundamente toda a arte poética, mesmo depois da insurreição irrompida (e, mais tarde, não raro interrompida) a partir de *Flor da morte*. É muito importante, para a compreensão dos estágios evolutivos de sua arte e do próprio pensamento da autora, reconhecer-se não apenas a existência pregressa dessas raízes, mas também a irredutível persistência das mesmas ao longo dos tempos. Para um poeta de pouco talento ou mesmo de recursos apenas medianos, esse vínculo poderia tornar-se catastrófico. Para Henriqueta Lisboa, não. E só isso já nos dá um nítido perfil de sua grandeza. É que a autora de *Além da imagem* extraiu do Simbolismo (e mesmo do Parnasianismo) apenas aquilo que, a despeito do triunfo modernista, iria persistir dentro da categoria dos valores eternos da poesia, como agudamente observa Fábio Lucas: a musicalidade das "imagens acústicas", o debuxo e evanescente das paisagens descritas, o cultivo (pertinente, no caso) de uma linguagem afim do léxico litúrgico e um certo "paralelismo entre a transcendência e a poesia". E tais procedimentos – é bom que se advirta – lardeiam a parte poética de Henriqueta Lisboa.

Outro aspecto de crucial relevância na poesia da autora – e que mereceu de Maria José de Queiroz ("Introdução" a *Miradouro e outros poemas*, 2ª ed., Nova Fronteira, 1976) um lucidíssimo *approach* – caberia ao papel que nela desempenha o silêncio, ou seja, o agente responsável pelo passo do "real ao inefável", pois "é do silêncio, o silêncio sentido, ou sofrido, que se nutre a poesia".

Essa herança mallarmaica, já antecipada *tout court* por Rimbaud e depois retomada *in extenso* por Valéry, constitui sem dúvida uma das principais matrizes subjacentes da poética de Henriqueta Lisboa, uma verdadeira poética do silêncio, da ausência, em que as pausas, hiatos, zeugmas, elipses, ambiguidades e reticências instrumentam, para além e aquém do âmbito específico da música, a partitura de uma linguagem que desde sempre se soube e se quis musical. Ou, como assevera Maria José de Queiroz: "o verso, à míngua", dos recursos da música, "vale-se do silêncio para prestigiar a palavra". Ou sua ausência. Em outras palavras: para prestigiar aquele vazio que, como um liquor intersticial, intera e ilumina as palavras entre as quais em silêncio ele circula.

A musicalidade e o inegável da dicção poética de Henriqueta Lisboa devem quase tudo a este diáfano demiurgo: o silêncio. E muitas de suas outras virtudes – em particular as da limpidez formal e da austeridade expressiva – parecem advir de sua ladina e invisível ação, tanto assim que a própria autora o confessa quando se refere ao "suborno das silenciosas palavras", ou à "mudez que precede ao balbucio do pensamento". Por isso mesmo, sua poesia confunde-se com o afã de tangenciar o indizível, de ultrapassar os limites léxico-semânticos da palavra e, afinal, como queria Rilke, de penetrar a essência da poesia, cujo limbo escatológico estaria assim para além das palavras. É esta a ótica através da qual Henriqueta Lisboa nos desvela, em seu estilo sempre confessional e como que em surdina, os núcleos mais recônditos de sua temática, debruçando-se sobre a infância, a realidade, a floração do imaginário, o dualismo entre o divino e o profano e, acima de tudo, a morte, que lhe dramatiza a dicção e que, como obsidiante espinho, lhe fez purgar aquela *Flor da morte*, ápice poético de toda a sua obra.

A presente (e reduzidíssima, mas superlativamente seleta) coletânea exclui apenas os poemas de *Fogo-fátuo*, seu primeiro livro, conquanto nos acrescenta o texto inédito de uma admirável tetralogia empedocliana intitulada *Celebração dos elementos – Água, ar, fogo, terra,* que ratifica e até mesmo amplia as altas conquistas anteriores. Mas de repente me dou conta de que ficou o leitor sem uma única prova de afiançar-me o palavrório. Pois, em se tratando de quem, ou seja, Henriqueta, creio haver ainda tempo (e espaço) para recuperar minha credibilidade junto ao leitor dela transcrevendo apenas esta soberba e solene "Comunhão", paradigma virtuosístico e virtualístico de sua arte de dizer o indizível:

Ângulos e curvas se ajustam
formando um volume, um todo:
somos uma cousa única,
eu e a lembrança do morto.

Nada de excêntrico ou de incerto
para a alma nem para o corpo:
união natural e completa
como a de líquidos num copo.

A solidão perdeu aos poucos
a rispidez. E foi a chave.
Eu e a lembrança do morto
em comum, temos vida própria
– não excessivamente grave.

HENRIQUETA LISBOA: PRESENÇA E LUZ[55]
Lívia Paulini

Ser tradutora da poesia de Henriqueta Lisboa significa em primeiro lugar entrar no seu ambiente particular, visitá-la naqueles pomares ricos e vivos onde ela semeou e colheu seus ramos de flores poéticos, onde a sua vida, inspirada na sabedoria sublime da esperança e temores humanos, se equilibrou na sua convicção filosófica que antes de tudo era e é humana. Henriqueta estava sempre intimamente ligada ao Eterno Homem e a Deus. Nesse mergulho no tempo infinito escolheu os seus *leitmotivs* para as suas obras, onde reconciliou e diminuiu a distância entre – às vezes – decepcionante realidade e aquilo que poderia existir na sua imaginação.

No seu estilo lírico-romântico foi capaz de medir as suas próprias emoções com a pureza que foi a essência da sua formação ética. O poema que nos mostra claramente essa evidência é

IMPERFEIÇÃO
Aqui neste verde planalto
de onde se vê de perto a aurora
romper sem névoa, apenas falta
certo sutil penhor de outrora.

---

55 In: *Henriqueta Lisboa*: presença e luz. Ensaio trilíngue: português, inglês e húngaro. Belo Horizonte: Edição da Autora, 2001.

Ressente-se a magna estrutura
de evanescência que a defina,
de talvez uma flor que, impura,
só desabroche dentre ruínas.

O poema acontece em dois episódios, mostrando uma visão humana, crítica e frustrante na qual o valor de algo não depende do seu tamanho, nem da sua importância deslumbrante, pois cada ser carrega em si ou em seu redor elementos reais ou virtuais aparentemente insignificantes. Porém, passando o texto para o húngaro a visão se clareia. A palavra "talvez", a incerteza, em outra língua, torna-se um desafio e um ligeiro descuido acelera o desabrochar da flor exata. Um gesto imperceptível, embora simples, converte-se em componente essencial do poema. Esta condição é compreendida e aceita, pois nós todos somos esperançosamente flor e fruto, em qualquer circunstância. Henriqueta obviamente não negava que o ser ou o não ser deve ser analisado em dois aspectos: o científico e o espiritual. Ela dava a entender que o científico é inevitável pela curiosidade humana, enquanto a poesia, junto com todas as artes, é a expressão do espírito ilimitado. O simples fato de que este poema satisfaz a alma individual, passando pela purificação e elevação de si mesmo, é a justificativa completa e desejada. A era moderna mesma está apoiando a minha tese, pois até os arquitetos aplicam certos detalhes ásperos em suas obras mais elaboradas, confirmando o provérbio *"per aspera ad astra"*.

Conversando com Henriqueta nunca passaria despercebida sua característica mineira. Certa vez comentei com ela que não foi "Minas" que ela me revelou por meio de sua verve poética, mas uma "Minas só sua", tão integrada foi sempre com as belezas de sua terra. A sua percepção global não constava apenas de imagens visuais, mas das criadas por sua imaginação. Os seus esforços na busca de expressões líricas do seu mundo exclusivo testemunharam o quanto o seu ser era e continua a ser mineiro e quantas peculiaridades admiráveis o seu estilo natural revela na sua investigação sincera da essência da Verdade. É uma verdadeira "terra de ouro" – se alguém quiser atribuir valor às preciosidades oferecidas por ela aos leitores.

Mas para mim este mapa possui ainda interrogações. Somente durante as traduções da sua poesia, o que significava para mim um refúgio belo e sedutor, cheguei mais perto do cerne das suas obras. Tendo passado na minha vida por várias guerras que perturbavam o espírito, me ancorei nas suas obras literárias como se descobrisse um oásis no deserto. Algumas citações e referências feitas por ela me privaram de permanecer impassível em face de seu encantador, terno e sobretudo digno diálogo poético e pessoal. Entendia que nenhuma linha, nem expressão de seus sentimentos poderiam ser mudadas ou descuidadas nos textos.

Nutrindo uma admiração natural pela sua poesia, decidi contribuir para a divulgação das suas obras no exterior, a meu modo, traduzindo-as nas línguas húngara e inglesa, com o que ela havia concordado. A experiência foi gratificante. O professor I. Bencze, a respeito das "Pérolas de Minas", escreveu: "... em três versões deliciamos as obras" – e referente ao poema "Anjo da paz" de Henriqueta ele acrescentou mais um comentário: "Ecos e pássaros fogem juntos e reproduzem o perfil do anjo".

O primeiro poema de Henriqueta vertido por mim para o inglês na década de 1980, nos EE.UU., foi o

AZUL PROFUNDO
Azul profundo, ó bela
noite inefável dos
pensamentos de amor!

Ó estrela perfeita
sobre o espesso horizonte!

Ó ternura dos lagos
refletindo montanhas!

Ó virginal odor
da primavera derradeira!

Ó tesouro desconhecido
por toda a eternidade!

Ó luz da solidão,
ó nostalgia , ó Deus!

Esta ladainha, por ser ladainha na versão húngara, penetra fundo no coração. É uma proposição envolvendo a simplicidade do Universo, que não corresponde à simplicidade de um mecanismo, mas à sinceridade de uma oração.

Depois da sua apresentação no "Women's Club" (Springfield, EE.UU.) ocorreu um episódio que vale a pena mencionar. Um membro, confirmando ser ela também poeta, me perguntou: "De acordo com os críticos, Stendhal era apaixonado pelo natural tanto quanto alguns imperadores romanos amavam o impossível. Que tipo de amor caracteriza a poeta Henriqueta? O impossível? A força dos sonhos? A natureza?"

Demorei com a resposta, mas disse: "Sua habilidade de expressar seus pensamentos e emoções fala por si. Seu estilo está na altura da sua personalidade. Suas ideias não são triviais mas correspondem aos seus sonhos. Eu não chamaria natural, nem impossível a sua paixão pelo transcendente. Conforme o seu espírito, ela não quer dissolver o céu no azul profundo, mas como um artista quer retocá-lo. Procura o nobre dentro do valioso".

Foi, talvez, ali que nasceu a minha ideia de pintar o quadro intitulado *Azul profundo*. A obra reflete as expressões de Henriqueta desde a primavera derradeira até a luz fraca da solidão, onde coloquei a sua estrela favorita. Nela simbolizei o começo e o fim das ondas, das impressões confusas, dos intrigantes relâmpagos secretos, impregnados nas variadas camadas azul-claras e a figura leve e transparente que simboliza a eterna poeta como revelação da cena. No seu espírito encontrei harmonia e equilíbrio, onde reina o universo profundamente azul e esperançoso. Simbolizei, nos traços da figura, a ascensão e o retorno ao exterior humano. Procurei expressar a poeta-profeta que seguia a fé, nem antecedendo, nem desprezando, sempre elevando-a. Tentei representar, de alguma forma, a espiritualidade no significado do quadro, mostrando os caminhos da emoção na claridade até à escuridão e na saída dessa escuridão de novo para a natureza.

Henriqueta, quando viu o quadro, disse: "É preciso mesmo sempre retornar à elevação dos pensamentos e ressaltar o ser humano. A figura emergente das ondas deve simbolizar as ideias". Mais tarde, depois de outra conversa com ela, interpretei as suas palavras assim: "Não somos homens completos, pois jamais poderíamos viver a espiritualidade ideal; nem somos onipotentes, nem significativamente superiores aos outros, por falta de integridade. Temos que voltar às nossas origens para alcançarmos unidos uma proposta maior".

Ponderando suas palavras, aventurei-me a mencionar o significado da cor azul na Europa, referente às famílias tradicionais nobres, dizendo-lhe: "A aristocracia festejaria a verdadeira nobreza neste poema". Ela, como sempre, achava a resposta certa: "A fé vivida na Europa vem de outra cultura, outra civilização, porém é respeitada aqui".

Ser tradutora, especialmente de Henriqueta, significa também ter a capacidade de criar um ambiente propício à compreensão da sua poesia inédita, preservar e transmitir os seus valores na sua originalidade para leitores de outras terras que não dominam a língua portuguesa. Foi esta a minha ideia e o meu objetivo. Não foi ideia! Foi um receio de perecimento das suas obras e textos que testemunham a sua vigilância sobre a sociedade humana e seus valores transcendentais. "Sua vigília, seu desígnio", disse certa vez, "é a liderança poética." E nasceu a tradução do poema

O PASTOR
Sou um simples pastor
de sandália e estamenha,
meu cajado é bem tosco.
Porém dói na minha alma
cada espinho na carne
delicada da ovelha.

Dói-me saber que a doce lã
da minha ovelha se emaranha
nos carrascais espessos.
Dói-me saber que a alvura
pela eucaristia – tão sua –
cobriu-se de cinza e poeira.

Busco-a de recanto em recanto
através de todos os tempos.
Descubro às vezes o seu rastro
numa rósea gota de sangue.
Mas ela foge ao meu encalço
como se me desconhecesse.

Busco-a, no entanto, somente
para revesti-la de lírios
– a que minhas cãs imitam;
para a sede mitigar-lhe
na mais límpida fonte
(a que se juntam minhas lágrimas);
para levá-la nos ombros
aonde se encontra a vida;
para morrer – como pastor –
depois de havê-la no redil.

Nesta bela parábola, a tenra ovelha branca de Henriqueta é a *poesia* de que ela cuidou, cultivou de corpo e alma, junto com a defesa da língua materna de que passou a ser a pastora. Neste caso, o tom e o ritmo personificam a sua identidade com a de pastor. Esta arte viva é um gesto estimulante que se estende pelo texto inteiro e assegura para nós os recursos que caracterizam, figurativamente, o bom líder. Na versão húngara atribuo certa ênfase à simplicidade desta figura por ter conhecido os pastores da minha terra natal.

Em certos poemas ela é capaz de valorizar ideias trágicas, como a morte, e vesti-las de formas românticas, enquanto fecha o círculo em si por força de lucidez nos laços que nos unem na irmandade da morte. Esta igualdade de destino para ela não traz nenhuma contradição. Libertado da morte, se percebe a vida. Esta é a Verdade do Homem.

Henriqueta curtia esta terra fértil, onde suas plantas criaram raízes e, conforme seu instinto profundo e humano, nos presenteou com a mais respeitosa lei, a mais livre de associações corriqueiras. A lei que valoriza a morte, que não significa um drama incoerente e cruel, mas consiste em uma filosofia ligada com o real.

Um belo exemplo da ligação profunda de Henriqueta com a mais pura comoção humana transparece no poema intitulado:

SOFRIMENTO
No oceano integra-se (bem pouco)
uma pedra de sal.

Ficou o espírito, mais livre
que o corpo.

A música, muito além
do instrumento.

Da alavanca,
sua razão de ser: o impulso.

Ficou o selo, o remate
da obra.

A luz que sobrevive à estrela
e é sua coroa.

O maravilhoso. O imortal.

O que se perdeu foi pouco.

Mas era o que eu mais amava.

Em termos cênicos temos aqui três componentes: (a) o poeta, como observador mortal e imortal ao mesmo tempo, (b) o mundo inanimado e (c) o espírito que reina acima de tudo. Os três surgem da necessidade de equilíbrio em sutil contato com o infinito, que tanto preocupava Henriqueta. Segue-se a ordem da natureza no seu desvendar dos segredos ou mitos do Universo, quando se refere muito mais à natureza humana que à natureza do mundo, por ter mais relações com aquela e partiremos de um ponto filosófico egocêntrico, colocando o homem no centro do meio ambiente.

FORTUNA CRÍTICA * LÍVIA PAULINI

Ela não é uma simples e superficial pensadora que procura razões generalizadas ou descarta fatos subordinados. Neste cenário vivo, entre o mundo inanimado e o animado, ela nos confessa a sua afetiva relação com o perecimento, quando diz ... "o que se perdeu foi pouco. Mas era o que eu mais amava".

Por ter escrito esta frase, Henriqueta, na minha opinião, já recebeu a mais alta condecoração do mundo ao qual ela agora pertence. Com firmeza e atenção ela consegue distinguir e limitar as emoções humanas fundamentais. Outros autores poderiam ter errado por excesso de dramatização dos sentimentos, do seu valor ou das sombras.

Na apresentação do texto inglês acrescentei o seguinte: a ideia de Henriqueta surgiu provavelmente da avaliação da natureza, quando contemplou a decadência dos valores humanos. Será que esta era a sua intenção, ou insinuava a prioridade da natureza humana antes da natureza do Universo?

No texto húngaro, porém, me lembrei de um professor universitário da nossa época juvenil, que atribuiu alma mesmo às pedras que formam os mais variados cristais suntuosos. Conforme aquele pensador, a alma do cristal recria o mesmo tipo de cristal, porque o âmago é o mesmo, portanto é imortal. Neste caso, o "sofrimento" de Henriqueta poderia ser atribuído à temporalidade da relação do seu amor com o ser/objeto amado.

Assim recebemos este poema de Henriqueta como herança intelectual, em que ela nos avisa dos sobressaltos inesperados, das surpresas dolorosas no caminho da vida.

A sua preocupação espiritual aliada a uma belíssima e característica expressão, numa harmonia única, revela o segredo do sucesso das suas obras, que é a "emoção". O filósofo Lacretelle chama a isto a "quarta dimensão", eu o chamaria de o "pão de cada dia" de Henriqueta que ela não comungou só, mas dividiu conosco. Toda e qualquer fração desse pão mostra os poderes do ser humano que, enquanto se curva a um destino superior, reflete na alma o encantamento da beneficência. Por mim, foi esta a emoção vivida e dividida que assegurou a globalidade da sua poesia e a imortalidade da sua alma criadora. A emoção que agora ressoa dentro de nós, depois de ter ouvido as suas palavras musicais, evocará o nosso entusiasmo pela sua poesia, a fim de que, traduzindo-a, se estabeleça uma linha direta para outro público, em outros símbolos, porém puramente henriqueteanos.

"Poeta com toque de escritor clássico", escreveu Fábio Lucas, "repete-se em Henriqueta Lisboa o gosto das miniaturas, a descrição de objetos ornamentais, assim a manifestação de sentimentos sutis do espírito." Eu acrescento: celebrando nela as grandes obras líricas, devemos dar graças a Deus por podermos ler, exaltar e nutrir em seus poemas a face angélica da criação. Andar por esta cidade que ela tanto amava, procurar a sua feição na herança que ela nos deixou, entrar na sua imortalidade pelo portão que ela abriu, acreditar no reencontro com ela no destino incontestável das Letras Mineiras, enfim, participar com ela na Criação do Belo, configuram seu majestoso vulto e delicadíssima alma.

O poema que mais chamou a minha atenção, como tradutora, foi

O ANJO DA PAZ
Por vereda obscura
um dia se foi.
No rosto levava
o estigma da injúria.
Das alvas sandálias
sacudia o impuro.

Sem que o conhecêssemos,
vida cotidiana
partilhou conosco.
Sentava-se à mesa,
mais simples que todos
repartia o pão.

Ninguém perguntava
qual a sua origem.
Nem mistério havia
no seu vulto cândido.
Nada mais que um anjo
nos evocaria.

Sob a sua sombra
– talvez fossem asas –
mar de sofrimento
se tornava manso
como acariciado
por gestos amantes.

Na sua presença
cada qual podia
guardar o silêncio
sem nenhum desprezo:
que eram luz de espelho
os olhos nos olhos.

Hoje que se foi
por mundos ignotos
deixando-nos trevas
e ranger de dentes,
só hoje que as águas
do rio se abriram
repudiando, odientas,
corpos trucidados,
só hoje sabemos
que era o anjo da paz.

Na quarta estância encontra-se uma dúvida poética: "Sob a sua sombra – talvez fossem asas – ..." permite algumas divagações. O duplo significado é um detalhe que não considerei como paradoxo, mas uma ideia, uma compreensão humana. A sombra é uma restrição, uma demarcação, uma limitação em volta do objeto, enquanto a asa é algo aberto, que voa, que nos leva para outras bandas. Eu julgo as duas ideias completamente harmoniosas dentro do contexto de abrigo, pois a percepção humana é inquieta, não para mesmo pressionada, pois ela flui na eternidade, enquanto cada atitude tende a se mover pela prioridade no tempo e no espaço até os nossos dias. Todo o poema se desenrola neste tempo flutuante que – com seu anjo – procura se limitar ao presente, mas que segue o ritmo de movimento da nossa compreensão humana.

Um escritor húngaro chamou este fenômeno o "charme irresistível da vida". Pois bem, o anjo de Henriqueta possui o irresistível charme da ilusão da vida, em cada instante em que ele "sentava-se à mesa".

A tradução de outro poema novamente desperta a intenção de descobrir novas metáforas e chegar mais perto das raízes que Henriqueta criou. Eis o texto:

O SILÊNCIO

E só depois da terceira noite
no recesso das nuvens
ao abrigo de torrentes e burburinhos,
principiareis a ouvir o silêncio.
Não o rumor de insetos contra os vidros do ar,
nem o dos talos da planta crescendo.
Nem mesmo a bulha mínima
de rocio a escorrer em pétalas.
Mas leve aragem da mudez que precede
ao balbucio do pensamento.
Obscura nostalgia de acorde
em fios tensos de violino
antes de feri-los o arco.
Um apenas prenúncio de passos
de amorosos passos divinos
caminhando no tempo sobre impalpáveis areias
e musgos tácitos
e brancas pedras votivas.
Um como fugir do sangue
à hora da almejada entrevista.
O abandono do corpo – não à atração telúrica –
à transcendência da natureza.
E o coração da criatura pulsando uníssono
de encontro ao vivo coração do Criador.

A emoção poética é estimulada pelos impulsos que entram simultaneamente pelos sensores na mente, dominando-a. Assim fiquei intrigada e tomada pela "... terceira noite" do "Silêncio", quando cessam as ondas sonoras e o espaço mental é ocupado pelas ondas intelectuais e emocionais. Seria um tipo de meditação. Uma busca da Verdade.

Os poetas clássicos húngaros preconizavam três elementos necessários para a completa visão poética: a religião, a metafísica e a poesia. Não sei se hoje, no século XXI, isto pode ser válido, mas enquanto traduzia este poema e durante a apreciação das palavras, imaginando os episódios e circunstâncias nas quais elas surgiram em Henriqueta, observando as suas interações, assim o lado interpretativo do emocional, algumas ideias se fixaram na minha mente. Vendo a oportunidade, tirei a primeira estrofe e reformulei em outros termos, noutras línguas. Tendo observado a variação caleidoscópica de emoções, pude anunciar calmamente: "Agora, sim!" Contei para Henriqueta a minha observação e ela comentou: "Quem sabe, um dia chegaremos às altas esferas".

Não me lembro do resto da nossa conversa, mas algo tinha acontecido comigo, pois desde então, quando escrevo sobre Henriqueta, vejo nas minhas anotações a palavra "luz". No seu mundo, que conheci, apareciam ideias, que ainda hoje dominam, dividem, fluem, movimentam, solidificam, acendem, modificam o nosso meio. Agem como divisores do tempo: antes ou depois dela.

A minha tendência é de aceitar a tese de que ela possuía uma reserva de sentimentos poderosos que desabrochavam por impulsos intuitivos. No evento transferido do interior para o mundo externo descobrimos que em suas concepções não havia nada indefinido, o que seria um fenômeno raro, desde que sabemos que os deuses da mitologia grega cultivavam muitas virtudes das quais brotaram as artes diversas. Foi registrado que suas melhores ideias vieram de um curto momento de iluminação, por um vago sentimento, que precisava de encorajamento antes de ter certeza da ideia definida. Psicólogos afirmam que este sentimento antecede a sabedoria. No caso de Henriqueta observamos a capacidade especial e única de receber a ideia iluminada já definida, prolongá-la na sua alma e depois refleti-la para o mundo afora na sua poesia.

Toda vez que o leitor descobre e acompanha a autora neste processo de criação, não só entende a sua mensagem, mas desfruta tudo o que é sublime e profundo na arte poética. Isto justifica o título do meu ensaio: *Henriqueta Lisboa: presença e luz*.

HENRIQUETA LISBOA: DO REAL AO INEFÁVEL[56]
Maria José de Queiroz

O grande paradoxo da criação poética – intenção, concepção e expressão – consiste na tentativa de apreender o inefável. Cabe portanto ao poeta traduzir em realidade expressiva a realidade silenciosa do mundo sensível. E ainda: na lábil transição do silêncio à emoção e da emoção à palavra deve ele reintegrar ao poema (forma e conteúdo) a inefabilidade do silêncio. Porque é de silêncio, o silêncio sentido, ou sofrido, que se nutre a poesia. Mais que a música, e mais, muito mais que as outras artes vinculadas ao som, ao ritmo e à voz, a poesia tem no silêncio a sua matéria.

Expliquemo-nos: as ambiguidades, elipses e reticências, os símbolos, imagens, comparações, metáforas, são figuras que se resolvem fora do texto, na economia íntima do ouvinte ou leitor. Em silêncio. Na música, dentro da pauta, as pausas interrompem a linha melódica, descansam o som impedindo-lhe o prolongamento fora dos limites exatos de tempo e compasso. Elas têm existência física e respondem, tanto quanto as demais figuras, às exigências do metrônomo e ao movimento da batuta do maestro. Na poesia,[57] não. São

56 In: LISBOA, Henriqueta. *Miradouro e outros poemas*. 2. ed. Rio de Janeiro: Nova Fronteira, 1976. p. 9-15.

57 Apesar de a Mitologia identificá-la com a música e atribuir-lhe origem comum, a poesia, depois dos gregos e dos latinos, se tem distanciado do ritmo musical. Guardou contudo, na terminologia da prosódia e da versificação, tona-

as palavras que povoam o silêncio, num constante desafio ao tempo, numa tenaz tentativa de ocupação do espaço (métrico ou verbivoco-visual, segundo a poética moderna). Na música, o som ora alarga-se, ora reduz-se, graças aos pontos, fermatas, quiálteras, ornamentos. As comas e semicomas colorem, realçando-as, as distâncias mínimas que separam os tons e semitons. O verso, à míngua desses recursos, vale-se do silêncio para prestigiar a palavra. Silêncio físico, e expressivo, da pontuação, e silêncio sentido de mudez emotiva. O absoluto vivo, dessarte, além, sempre além, na ausência da palavra ou no instante em que dela resta, apenas, a emoção. Cumpre ao leitor, e ao seu silêncio, reinventar a poesia ou dar prosseguimento ao estado poético sugerido pelo poema. É nesse eco ou ressonância, de emergência pessoal e intuitiva, que a obra de arte se revela e se entrega.

Em termos de história literária, somente a partir de Mallarmé o silêncio recupera, definitivamente, a sua importância poética. O ideal do grande poeta simbolista – o absoluto do gozo estético – vive de ausência. O silêncio, *"l'avare silence"*, é mais musical que o canto. Esteta do silêncio, Mallarmé procurou assimilar à poética da palavra a poética do silêncio, isto é, a poética da ausência sofrida. Se o que há de mais belo no bosque é o espaço entre as árvores, o que há de mais admirável no verso é o silêncio entre as palavras. Por isso, o autor de *L'après-midi d'un faune*, na busca ansiada da *"parole sous la figure de silence"*, chegou um dia à confissão desalentadora – *"Mon art est une impasse"*.[58] Contudo, ficou-nos a sua lição. E lição permanente,

---

lidades e cadências que lembram o perdido parentesco. Dos modos de alterar o número das sílabas pouco se fala hoje em dia. Já Castilho os desaconselhava "pois que o nome de figura nestes casos é máscara lustrosa, com que se pretende encobrir um defeito muito real" (*Apud* BILAC, Olavo, PASSOS, Guimarães. *Tratado de versificação*. Rio de Janeiro: Livraria Francisco Alves, 1918. p. 45).

58 A abdicação de Rimbaud, que aos 18 anos abandona a literatura para dedicar-se ao comércio no Sudão e na Etiópia, não se prevalece dessa mesma consciência estética de fracasso. A sua renúncia deve-se, antes, à fé na ação, única forma legítima por ele encontrada de assumir a condição humana. Para Hölderlin, porém, tanto quanto para Rilke, a tentação do silêncio traduzia a

atual, transmitida pela agudez crítica, fina sensibilidade e entendimento do seu discípulo dileto, Paul Valéry. A ele coube solucionar o conflito que nem chegara a merecer a consideração de Mallarmé: o da experiência poética do mundo. No entretanto, a levar adiante as nossas divagações, perderíamos de vista o nosso poeta apesar da sua vocação mallarmeana ao silêncio e da sua inquieta indagação acerca da natureza das coisas. Isso posto, passemos.

Nos dois grandes poetas franceses, Mallarmé e Valéry, encontramos excelente *background* para o estudo e compreensão da *Lírica* (1958), da *Nova lírica* (1971) e do *Miradouro* de Henriqueta Lisboa. Cientes de que a evolução poética, do simbolismo a Valéry,[59] se fez no sentido da artistificação do mundo e não no da vulgarização da arte, será ainda mais fácil acompanhá-la nas suas invenções e no seu sonho de recriação do sensível.

Da estética do silêncio, "silêncio – maior que o verbo",[60] ficou-lhe o sentimento da inutilidade da palavra, pois "toda revelação é inócua".[61] Assim, grande virtude é a de quem conhece e silencia[62] e fina malícia a que "dissolve entre os dentes / a palavra que palpitou / na língua / mas que ao silêncio volta / para não melindrar".[63]

---

exigência coercitiva do ideal que via no mutismo poético a excelência da palavra. Leia-se, a propósito, de George Steiner, *Langage et silence* (Paris: Seuil, 1967).

59 Contrariamente a Mallarmé, que nos alerta a respeito da *"insensibilité de l'azur et des pierres"*, Valéry, atento à miúda poesia das coisas, responde ao apelo da natureza integrando-a à sua temática. Em *Le cimetière marin* dirige o olhar a toda a condição terrena: descobre, então, que *"le don de vivre a passé dans les fleurs"*, pois no constante jogo entre a vida e a morte *"Les cris aigus des filles chatouillées, / les yeux, les dents, les paupières mouillées, / le sein charmant qui joue avec le feu, / le sang qui brille aux lèvres que se rendent, / les derniers dons, les doigts qui les défendent / tout va sous terre et rentre dans le jeu!"*

60 "Casa de pedra", *Azul profundo*.

61 *Ibid.*

62 "Momento no tanque grande", *Montanha viva*

63 "Pérola", *A face lívida*.

No culto do silêncio, admite-se o "suborno das silenciosas palavras"[64] e encarece-se "a mudez que precede ao balbucio do pensamento".[65] O desamor do ruído e do vozerio, o horror ao escândalo e à ostentação lhe vêm, é certo, do "pudor pelas cousas que se oferecem à claridade".[66] Os meios-tons, a surdina, os véus, *la nuance, toujours la nuance*", denunciam na lírica de Henriqueta Lisboa a herança simbolista. Simbolismo à Mallarmé, em véspera de Valéry, mas que guarda do mestre privilegiado a insaciável, e insaciada, aspiração ao absoluto. Daí, a constante fuga para o além, "além da imagem", "além das fronteiras", "além da implacável distância", "muito além do instrumento", "além dos seus domínios" onde se situa o seu "alvo humano".

Na poética da ausência inicia-nos o poeta no segredo das coisas ocultas a que procura surpreender. Busca por isso o avesso da lua,[67] o mistério da árvore,[68] a senha da frutescência,[69] a intimidade da camélia,[70] o cárcere dos diamantes.[71] O assombro, "o sobressalto / de tocar o vazio, a insustentável / flor da inocência"[72] – eis a emoção frequente de quem se desvela por atingir a "intacta / essência que jamais se viu / exposta ao ar do século".[73] No pressentimento curioso e angustiado do "secreto encontro"[74] observa, contempla, sai pela "madrugada fria / irei de cabelos soltos / ver como crescem os lírios".[75] Engana-se porém quem veja nesse infatigável aprendizado

64 "O mistério", *Flor da morte*.

65 "O silêncio", *Montanha viva*.

66 "Idílio", *Velário*.

67 "Adeus à lua", *Além da imagem*.

68 "Árvore", *ibid*.

69 "Frutescência", *ibid*.

70 "Camélia", *Montanha viva*.

71 "Os estágios, 1", *O alvo humano*.

72 "O alvo humano", *ibid*.

73 "O espelho", *ibid*.

74 "Os estágios, 3", *ibid*.

75 "Os lírios", *A face lívida*.

da surpresa o desejo do encontro ou do descobrimento: persiste, sempre, "do atirador para o alvo / o terror de acertar".[76] Na brilhante claridade do óbvio, no escândalo da evidência – o fim de toda ansiedade, o termo do sortilégio em que se compraz a imaginação criadora, obstinadamente atenta ao mistério e cega à incoerente realidade do concreto. "No momento mesmo em que as ondas / lançam seus segredos à praia" dolorosamente expira o "abscôndito"[77] e com ele expira, também, o próprio interesse dessa poética.

A revelação pronta e decisiva, de frio e lúcido entendimento, evidenciaria o ocluso, o vedado, roubando ao enigma a coerência que reside no núcleo, inviolado. Assim como o "ninho / que se fecha sobre si mesmo – completo",[78] "o bosque / cerrado [...] na sombra de si mesmo"[79] resguarda a velada intimidade dos olhares devassadores. Assim, quer o poeta a natureza: defendida, pela forma, de toda a curiosidade do "circo [...] bulhento" que pugna pela "maravilha, o frêmito".[80] Foge, então, ao "deslinde / ainda que claro",[81] e busca "na esfera de cada ser / o subterfúgio".[82] O coração que conhece e desconhece, "oscila vacila / de um para outro lado / contorna os enigmas / do bem e do mal / – nunca os decifra".[83] Esse, para Henriqueta, o dom mágico: o de contornar os enigmas sem, jamais, decifrá-los. Solicitada pelo mistério, intrigada pelo desconhecido, excitada pelo sigilo, vive a tentação do fruto mas as mãos tem atadas para colhê-lo. Ou, se o colhe, prefere imaginar-lhe a frutescência[84] velando, discretamente, pela sua Inviolabilidade. Temor? Timidez? Que receio lhe paralisa o gesto, que recato lhe

76 "O alvo humano", *O alvo humano.*
77 "Casa de pedra", *Azul profundo.*
78 "Camélia", *Montanha viva.*
79 "Teu filho", *Além da imagem.*
80 "Adeus à lua", *ibid.*
81 "O alvo humano", *O alvo humano.*
82 "Do círculo", *ibid.*
83 "Coração", *ibid.*
84 "Frutescência", *Além da imagem.*

emudece a voz diante do possível milagre da revelação? Por que se detém, emudecida, ante o objeto e os seus preceitos de exílio?[85]

Socorra-nos Bachelard a fim de que se justifique a inibição do poeta ao defrontar-se com a inocente evidência das coisas, sempre encobertas com véus, sempre a guardar no recesso "o nardo, a música", a fábula.[86] Na chamada *"rêverie cosmique"* de que trata o escritor francês na sua *Poética do sonho*,[87] *"rien n'est inerte, ni le monde ni le rêveur; tout vit d'une vie secrète, donc tout parle sincèrement. Le poète écoute et répète. La voix du poète est une voix du monde"*.[88] No sonho em que se perde, sonho criador, o poeta vislumbra e pressente o absoluto sem, todavia, obrigar-se à responsabilidade de exame ou verificação. O seu mundo vale por si. Mundo criado, imaginado à sua imagem e semelhança, alheio à realidade do contorno visível das coisas. Para Julien Green, *"est une bizarre disposition de mon esprit ne croire à une chose que si je l'ai rêvée"*.[89] Eis, por conseguinte, a chave do mistério: o sonho certifica o autor da existência do imaginado. Por que então instalar-se na realidade pedestre se, além da imagem, figuras e paisagens lhe acenam com a forma ideal? Aliás, é bem sabido que o mundo se magnifica mercê da nossa capacidade de admirar. *"Admire d'abord"*, aconselha Bachelard, *"tu comprendras ensuite."*[90] O simbolismo aberto? Ei-lo no fruto a arredondar-se na retina de quem o contempla. Ou no perfume da flor que desabrocha no poema, como queria Vicente Huidobro.[91]

O sonhador, ou fingidor, na sua paz silenciosa, reinventa o universo. Se déssemos ouvidos à psicanálise, talvez definíssemos a poesia como lapso da palavra. Certo. Da inibição, do silêncio, da elipse

---

85 "Do círculo", *O alvo humano*.

86 "Adeus à lua", *Além da imagem*.

87 BACHELARD, Gaston. *La poétique de la rêverie*. 4. ed. Paris: PUF, 1968.

88 *Ibid*, p. 162.

89 *Ibid*, p. 138.

90 *Ibid*, p.163.

91 Poeta chileno, criador e divulgador do *Creacionismo*, para quem o artista, *pequeño dios*, jamais deveria descrever a rosa mas fazê-la florescer no seu poema.

e do subentendido fabrica-se arte. Quando falha a palavra, faz-se poesia. O ato falhado, o certo *non so che*, seria, portanto, ato poético. Pode ser que sim. Pode ser que não. Se a poesia se alimenta de silêncio... Mas entenda-se: o poeta recorre ao silêncio, ao silêncio sentido, sofrido, povoado de símbolos, emoções e sensações. E o silêncio só existe para que nele se faça a palavra e para que nela se consagre a inefabilidade de todo sentir humano que traz em germe a vocação da eternidade. Nesse sentido, a palavra *"ne se borne pas à exprimer des idées ou des sensations, mais qui tente d'avoir un avenir"*.[92] Num estágio futuro, esteticamente realizada, a palavra inaugura, em plenitude, livre dos laços do tempo, a poética do silêncio. O poeta, responsável pela criação, projeta na obra *"des hypothèses de vies qui élargissent notre vie en nous mettant en confiance dans l'univers"*.[93] Essas hipóteses de vida constituem talvez o "novo reino / para muito além das fronteiras / do mineral, do vegetal, do animal. / Talvez a desaguar do oceano / salpicada de primevas espumas / outra aurora se faça. Talvez. / Aleluia por esse talvez. Aleluia".[94]

Viver nesse reino, para além do reino seria levar ao extremo o jogo imaginário da existência. Com assombro e sobressalto Henriqueta Lisboa nos aponta o caminho. Basta seguir-lhe os passos.

Em *Miradouro*, seu último livro, o poeta, vedor ou mirador, considera o mundo com a mesma tensão emocional. Qual a relação entre o seu olhar perscrutador e as coisas? Em que dimensão as reproduz? Se todo homem vê, olha, apalpa e sente, que faz o poeta? Se aceitamos, como Sartre,[95] que o ser de cada coisa surge ao poeta como um projeto ou um esforço no sentido da expressão, da expressão de certa espécie de silêncio, de espanto, de generosidade, de imobilidade, podemos descobrir nos versos de "Miradouro" o delicado equilíbrio entre a ruptura do silêncio que envolve o mundo das coisas e o aparecimento da palavra criadora

---

92 BACHELARD, Gaston, *op. cit.*, p. 3.

93 *Ibid.*, p. 7.

94 "Os estágios, 4", *O alvo humano*.

95 "L'homme et les choses", In: *Situations I*. Paris: Gallimard, 1944.

que lhes assegura a existência dentro do sensível. E, assim que o poeta se identifica à circunstância, dá-lhe forma e expressão poética e a assimila à sua realidade. Mas, ainda aqui, vedor e mirador, reconhece que há "gestos que se abrem e se fecham / pelo engodo da sombra" e apenas se resolvem no "contorno exato da insolvência", pois há uma "infinitude do aspirar" que se detém "às barreiras do conhecer".[96] E o pássaro, constante na sua poesia, agora "anônimo", enuncia "no seu entono / em desalento / a inexistência / de outro pássaro".[97]

Um "ar de sigilo"[98] continua pois a percorrer as páginas de *Miradouro* onde aparece versátil e volátil arco-íris, onde se fala do "incolor do inodoro / do informe do inacabado / do interrompido às raias / do que o homem roubou à natureza / em diamante e verdor".[99] Na impossibilidade de definição, à míngua do conceito exato, claro, que nos certifique da presença real do sensível, refugia-se o poeta em divagações provisórias tecendo, à maneira de Ponge, intricada rede de significados. Assim, no belíssimo poema "Amor" em que o nome que os lábios calam é esse o nome que "pode dizer tudo".

Na noite do logos, a que se refere Jacques Garelli,[100] realiza-se a transcendência do "real para o inefável"[101] – suprema tentação a que não se furta Henriqueta para chegar ao "quase nada sim / de quinta-essência".[102] Então, talvez se possa dizer que o próprio criador se insere na realidade exterior, surpreendendo-lhe a intimidade na tentativa de apreensão da sua essência inapreensível (paradoxo a que já nos referimos), mercê de "esse dom de prever /

---

96 "Miradouro", *Miradouro*.
97 "Pássaro, II", *ibid*.
98 "Átrio", *ibid*.
99 "Essa chuva", *ibid*.
100 *La gravitation poétique*. Paris: Mercure de France, 1966.
101 "Musical, 4", *Miradouro*.
102 *Ibid*.

o imprevisível de uma / certa forma nenhuma".[103] Evidencia-se, pois, que ela, poeta e pequeno deus, acaba por existir com maior força de presença na obra criada cue na própria biografia, fruto do acaso e da necessidade. Quem queira, portanto, conhecê-la, na sua "maneira particular de ver as coisas, no seu discreto testemunho do mundo e na sua extasiada contemplação da entressonhada beleza, procure desvendar na sua poesia os seus biografemas"[104] – traços ou rasgos de vida que se podem colher na imensa dispersão de seu legado de voz e silêncio, do real ao inefável.

103 "O dom", *ibid.*
104 BARTHES, Roland. *Sade, Fourier, Loyola*, "Preface". Paris: Seuil, 1971.

O RITMO ELEGÍACO[105]
Maria Luiza Ramos

Há um poema de Henriqueta Lisboa, "Sofrimento", que sempre nos impressionou pelo seu extraordinário poder expressivo. Está em *Flor da morte* (1945-1949), esse livro que é um dos melhores, se não o melhor, da poetisa mineira.

Eis-nos diante de um poema que se desenrola em dísticos, para terminar em uns poucos versos independentes. Os dísticos não têm aí metro fixo, mas se apresentam, quase todos, com o primeiro verso mais longo que o segundo e lembram, assim, o dístico elegíaco dos antigos, formado pela combinação de um hexâmetro e um pentâmetro. Teria sido proposital a escolha do dístico de feição clássica para a composição de um poema que se nos afigura desde logo uma elegia? Cremos mais numa coincidência. E, nesse caso, a forma do dístico seria realmente a mais apropriada à expressão da dor: ritmo entrecortado de pausas próximas, dificuldade de comunicação, clima fortemente emocional.

A contenção do ritmo, neste poema de Henriqueta Lisboa, é gradativa: após seis dísticos, três versos independentes. E, além das pausas de fim de verso, há as pausas internas, caracterizadas por vírgulas, parênteses, dois-pontos e mesmo um ponto-final. A expressão é difícil, vem a custo e, mais para o fim, sai quase aos arrancos. Nada da fluência das longas estâncias, em que o poeta se espraia livremente.

---

105 In: *Fenomenologia da obra literária*. Rio de Janeiro: Forense, 1969. p. 135-138.

A mesma contenção que nos revela a análise de sentido. Poema substantivo por excelência, omite por cinco vezes o predicado da oração. Observe-se a zeugma no terceiro dístico:

A música, muito além
do instrumento.

No quarto dístico:

Da alavanca,
sua razão de ser: o impulso.

Também no sexto:

A luz que sobrevive à estrela

E no primeiro verso solto:

O maravilhoso. O imortal.

Quanto à adjetivação, percebe-se a mesma economia: um só qualificativo – livre – porque os outros dois que há no texto estão substantivados pelo artigo. Interessante que, apesar da contenção vocabular, encontram-se no texto quatro advérbios. São todos, porém, advérbios de intensidade e concorrem para aumentar a força expressiva do poema: *bem* pouco, *mais* livre, *muito* além, *mais* amava.

Mas, se as palavras são poucas, as conotações por elas sugeridas são muitas. Estamos, de início, diante de símbolos, como no primeiro dístico, por exemplo:

No oceano integra-se (bem pouco)
uma pedra de sal.

Que não podemos tomar aí *oceano* e *pedra de sal* no seu aspecto puramente denotativo mostra-nos o segundo dístico, de sentido unívoco:

> Ficou o espírito, mais livre
> que o corpo.

A palavra *oceano* ganha, pois, as proporções da pura essência, do eterno incomensurável, do espírito a que retorna o ser humano por efeito da morte.

O sal se integra no oceano porque é feito da mesma substância deste, provém do mar e ganha a contingência de pedra, uma configuração própria que o individualiza temporariamente. Voltando ao oceano, dilui-se nele, perde a forma, mas continua a viver na imensidão das águas, sempre sal, apesar de não mais ser pedra.

Segue-se como que uma argumentação em que se valoriza o elemento abstrato em relação ao concreto: a música é válida pela liberdade de propagação em ondas sucessivas, independente já do instrumento; a alavanca se justifica pelo movimento; a ideia de perfeição se destaca da obra acabada e a estrela pode até extinguir--se, que a luz por ela emitida lhe sobrevive no espaço. O que importa é, pois, o elemento abstrato, o "maravilhoso", o sobrenatural e transcendente.

A primeira parte do poema termina, então, com um verso que é uma proposição – perfeita sentença conclusiva de uma operação lógica, em que a autora raciocina sobre a dualidade da vida humana, lembrada de início –

> Ficou o espírito, mais livre
> que o corpo.

e conclui pela supremacia da essência, pela quase nenhuma importância da existência:

> O que se perdeu foi pouco.

Não fosse o ritmo, primeiramente, e o sentido simbólico do primeiro dístico, e estaríamos fora do âmbito poético, tal a insistência do fator racional, da argumentação e da atitude dialética.

O poema tem, entretanto, uma segunda parte, que é formada pelo verso final.

O conectivo que aí aparece nos lança, de repente, no plano oposto àquele em que estávamos: "Mas..." e essa adversativa nos situa no outro lado do problema: à razão se opõe a emoção: às considerações objetivas sobre a morte, à impessoalidade da argumentação se opõe o fator pessoal, com a brusca intromissão do "eu" no verso final. Eis-nos agora diante de uma situação puramente lírica, em que a ação de amar proclama a primazia da matéria sobre o espírito, contra toda a aceitação racional anterior.

Como o amor é próprio do corpo e é com os sentidos que se ama, com essa insignificância perecível e transitória, esse "bem pouco", o último verso se faz um grito de revolta e nos transmite conflito e sofrimento.

É interessante observar a importância do ritmo neste poema. É a contenção da linguagem que assegura o *tonus* estético do princípio ao fim dos versos. São as pausas frequentes que nos falam de um estado emocional intenso, de um sofrimento consciente e irremediável.

Teria sido funcional a escolha do dístico para os poemas fúnebres que acabaram por caracterizar a elegia grega? Teria surgido, como parece ter sido no caso do poema de Henriqueta Lisboa, de uma imposição do próprio tema? É certo que os gregos utilizaram também outros metros na composição do canto fúnebre. E qualquer leitor poderá observar que a autora de *Flor da morte* se vale do dístico para criar poemas que não podem ser considerados propriamente elegíacos. Mas isto não é suficiente para invalidar a tese, ou a hipótese, que ora levantamos, da funcionalidade rítmica desse metro clássico.

SOBRE *O ALVO HUMANO*[106]
Nogueira Moutinho

Desde *Além da imagem,* publicado em 1963, a poetisa Henriqueta Lisboa silenciara. Sua força criadora durante quase uma década se canalizou a outras modalidades que não a pura elaboração de uma linguagem poética, embora se mantivesse invariavelmente circunscrita aos limites desse território lírico em que é hoje, no Brasil, uma das primeiras vozes. Em 1968 publica o volume de ensaios denominado *Vigília poética,* que, ao lado de *Convívio poético* (1955), constitui uma rara meditação sobre a fenomenologia criadora. Nas páginas desses dois volumes, que compõem um harmonioso díptico, articulam-se *theoria* e *praxis* com surpreendente naturalidade, não obstante se espere sempre do poeta facilidade de elocução ao tratar do seu objeto de escolha. Sucede que poucos são os criadores dotados também para conceituar racionalmente a *poiesis*.

Esses dois textos em prosa, essencialmente "metapoéticos", oferecem espetáculo altamente singular em nossa literatura: neles ouve-se o poeta falando de poesia, mas não apenas da própria, antes, de teoria poética, de estética criadora. A questão naturalmente coloca-se de saber-se em que medida essa prosa persiste em seu "prosaísmo", em que medida o transcende para transfigurar-se como linguagem puramente poética. É o problema que analogamente nos propõe um Octavio Paz, em *El arco y la lira*; um Maurice Blanchot,

---

106 In: LISBOA, Henriqueta. *O alvo humano.* São Paulo: Editora do Escritor, 1973.

em *L'espace littéraire*; um Paul Celan, em *Le méridien*; um Saint-John Perse, no discurso do Nobel de 1960.

Em 1970, Henriqueta Lisboa edita as suas recriações do "Purgatório", sob o título de "Cantos de Dante" (Instituto Cultural Ítalo-Brasileiro, São Paulo). O que de início impressiona nessas manifestações da poetisa é a profundeza de seu trato com a linguagem, sua circulação constante nos veios subterrâneos da palavra, o acendrado rigor do seu "convívio poético". Suas versões de Dante são resultante de longuíssimo coabitar espiritual nas mesmas esferas palmilhadas pelo Florentino. Distinguem-se nessa operação três momentos. Em primeiro lugar, a poetisa mergulha na *Divina comédia* como Dante mergulhou na *Eneida*: literalmente deixa-se embeber pela onipotência verbal do vate, incorpora-se a seu universo teológico-poético, para, num segundo momento, extrair da massa monolítica dos tercetos de bronze os extratos que mais conaturalmente despertam em sua consciência criadora correspondências afetivas, musicais, rítmicas, teológicas, linguísticas, líricas, ou, resumidamente, poéticas *latu sensu*, em latíssima escala.

Nesse longo labor decantatório, a poetisa elege seu limite: o "Purgatório". O seu Dante é esse; "o Purgatório é a casa do poeta" dirá ela, formulando, mais do que um conceito estético, uma proposição de raízes e frutos teológicos. Instalada nesse âmbito, vai permitir-se, no terceiro momento, no momento que é o corolário do teorema, recriar em sua língua, suprema ambição de medir-se com o absoluto, os cantos que incorporou *par coeur*, que se repete em silêncio, que assimilou "de cor" à sua íntima substância.

Essas ilações sobre a gravidade com que Henriqueta Lisboa encara o problema da linguagem, ou antes, assume a sua missão poética, ocorrem-me agora ao meditar sobre *O alvo humano* e o *Quarteto nostalgitália*[107], volumes inéditos dos quais extraiu alguns poemas para incluir nas páginas de seu último livro, *Nova lírica* (Imprensa Oficial, Belo Horizonte, 1971).

---

107 Nunca publicado como volume independente, tendo seus poemas sido incluídos em antologias organizadas pela autora. (N. do E.)

A exemplo do que fizera em 1958, editando a *Lírica,* antologia de toda a sua obra até aquela data, a poetisa agora seleciona, para enfeixar num só volume, poemas de *Velário* (1936), *Prisioneira da noite* (1941), *O menino poeta* (1943), *A face lívida* (1945), *Flor da morte* (1949), *Madrinha lua* (1952), *Azul profundo* (1955), *Montanha viva* (1959), *Além da imagem* (1963), e dos dois volumes inéditos a que me referi, *O alvo humano* e *Quarteto nostalgitália.*

Como todas as antologias, principalmente como todas as antologias "pessoais", esta peca pelo que omite, pelas ausências. Parece-me intolerável a exclusão em *Montanha viva,* para citar apenas um exemplo, dos tercetos "A Virgílio", que, a meu ver, constituem um dos produtos mais nobres, melodiosos, graves, indispensáveis, da moderna poesia brasileira. Obra gerada pela "melhor" Henriqueta Lisboa, o poema, excluído da *Nova lírica,* empobrece irremediavelmente o volume, amputa-o, impede que novos leitores se acerquem de um momento de acabada perfeição. Reedita-se, assim, o drama habitualmente articulado por toda ambição selecionadora: os critérios naturalmente são variáveis, o rigor do poeta consigo mesmo é excessivo, as escolhas são discutíveis em sua totalidade. O ideal, naturalmente, é editar-se, de poetas como Henriqueta Lisboa, a obra completa, o canto inconsútil. Dessa forma, o leitor, segundo as flutuações momentâneas de sua sensibilidade, ou obediente às imposições de seu gosto, poderia compor, ao sabor do tempo, a antologia, as mil antologias que lhe aprouvesse imaginar. Toda seleção impiedosamente decreta sejam condenadas às trevas exteriores páginas que, paradoxalmente, poderiam compor uma outra antologia, ao encontro da sensibilidade e do gosto de inimagináveis amadores do falar poético.

Na impossibilidade, porém, de dispor do volume em que esteja estampada a *opera omnia* da poetisa de Belo Horizonte, cumpre-nos fruir das peças incluídas em *Nova lírica,* sobretudo as pertencentes ao livro inédito *O alvo humano.*

Nesses poemas sentimos a artista no centro de um círculo, em cuja periferia as coisas, os seres, o entrelaçar-se imponderável das circunstâncias, os trabalhos e os dias, oferecem-se como espetáculo.

Alguns desses fenômenos convergem gravemente à consciência da criadora, que os acolhe, transmudando-lhes a essência em verbo. Assim se compõe o poema no qual as palavras justapõem-se segundo a música secreta dirigida

à alma que consente
no maior silêncio

em guardá-lo dentro
de penumbra ardente

sem esquecimento
nunca para sempre

doloridamente.

Tome-se, por exemplo, o poema "Púrpura". Nada diz-se nele sobre as circunstâncias da cena, mais sugerida do que descrita. Sente-se, porém, que a poetisa tem sob os olhos uma manhã triunfal da Antiguidade: algum atleta de Píndaro levado esplendorosamente pelo estádio, Alexandre adorado na Índia como um deus, César vencedor das Gálias entrando em Roma. Tudo, entretanto, se cala: utilizando uma metonímia, tropo que designa situação ideal através da evocação de objeto que com ela mantém relação de todo a parte, a poetisa alude tão somente ao manto purpúreo que envolve a figura gloriosa. Sabemo-nos assim diante de um Triunfo, mas não é a convencional descrição epidérmica e acadêmica da cena faustosa que o poema nos oferece. A poetisa, antes, elabora uma meditação sobre a fugacidade das coisas humanas, o halo perecível que envolve até mesmo os seres tocados pelo divino.

Não nos preparemos ao desfiar de conceitos, de tópicos retóricos, que seriam de rigor se a poetisa se votasse à exumação dos grandes lamentos que o Barroco soube exalar sobre *la brevedad enganosa de la vida*. O que se nos oferece nos versos desse poema é a visão plástica, viva, instantânea, da púrpura desenrolando-se sobre os ombros em que se estadeia gloriosa

pelos membros abaixo
em queda
de meteoro

até os limites da cauda

a alongar-se no chão de rastos
por um vislumbre de centelhas
— não mais púrpura! —

Colocando ante nossos olhos, concomitantemente, o apogeu do manto cingindo o tórax do herói e seu humilde rastejar pelo chão,

toda poeira de em torno
às próprias fímbrias afeiçoa,

suscita elipticamente um paralelo: a lição de que o lapso de tempo em que a glória humana vige é fugaz, em nada se assemelha à eternidade. E de tal forma é precário que pode resumir-se mesmo num dado instante, num mesmo lugar, a sua trajetória fulminante. O conceito, implícito, inscreve-se em filigrana no poema. Evidentemente, sua decodificação é função das infinitas variantes, das leituras inumeráveis que se fizerem. Ao contrário do poeta clássico, que indicava ao leitor estreito leque de conotações possíveis, restringindo a gama dos significados; ou do poeta romântico, cuja produção contém projeções pessoais evidentes; o poeta moderno converge ao metapoético, alegoria de si mesmo, palavra que tende à sua própria pureza. Na medida em que se afasta do "assunto", em que se autonomiza do "tema", mais decididamente busca sua essência propriamente verbal. Mas quanto mais se libera das amarras que lhe são exteriores, mais possibilita a pluralidade de "leituras": quem conhece de fato a natureza alegórica do cão que em abril, *the cruellest month,* desenterra um cadáver no jardim do poeta? "Púrpura" é assim um poema que faculta deduções, ou, para utilizar talvez abusivamente um de seus versos mais belos, os

conluios de uma fábula em plúmulas.

Entre *Além da imagem*, último livro de Henriqueta Lisboa, e *O alvo humano*, não há o que se possa designar como uma mudança ou uma inflexão. Sentimos, todavia, que a poetisa encontra-se mais chegada agora ao núcleo ideal a que todos os seus livros acenam, mas que se esquiva em todos eles.

Despojamento? A palavra não me agrada por suas implicações de reducionismo formal *outrancier*. Aprofundamento? Igualmente não me agrada por fazer supor que haveria relativa superficialidade nos livros anteriores. Ora, *A face lívida* e *Flor da morte*, ambos dos anos de Quarenta, são dos mais profundos livros do Modernismo brasileiro. Ampliação de domínio técnico sobre a linguagem? Poderia afirmá-lo, se não me parecesse inadequado a uma artista que sempre feriu todos os registros por ela ambicionados (isto é, os pianíssimos, os tons esbatidos) como poucos entre os contemporâneos, suscitando, quando lhe apraz. tonalidades verbais de absoluta originalidade.

Discorrer sobre o predomínio das paroxítonas em seus versos é praticar absurdo privilegiamento, quando se trata de ouvir uma alta palavra poética, e não discorrer sobre virtuosidades estilísticas. Diz Heidegger que "o que é criador não é explicável". O inexplicável, a meu ver, é a densidade quase inefável de "O espelho", de "Meridiano", de "A luta com o anjo", de "Os estágios".

Sobre este último poema do livro, porém, gostaria de tentar algumas reflexões, mesmo que sejam breves e insuficientes. Seus versos contêm uma meditação antropológica de inacreditável beleza. Poeticamente repelem a definição do homem como mero *animal rationale* e definem o estar aqui como "exercício de ser para ainda ser". A poetisa atinge nesse passo o limiar metafísico unicamente mediado pelas palavras. Ora, as palavras são nossa essência, somos feitos de palavras, somos seres de linguagem. E a poesia existe para testemunhar sobre isto.

CONHECIMENTO DE HENRIQUETA LISBOA[108]
Padre Lauro Palú, CM

Há três caminhos para conhecer Henriqueta Lisboa:

Sua poesia, sopro de brisa alevantando os véus, moedas de prata, rosas de luz, lua cativa, lâmpada votiva, coração suspenso, voz nítida na sombra, apascentando os verbos, comoção, susto diante da vida imensa, orgulho de ser humano, espiral de incenso, oração subindo para Deus em transcendência.

Seus ensaios, índice sistemático e remissivo de suas sintonias, preferências e ressonâncias: Cruz e Sousa, Alphonsus, Severiano de Rezende, Emílio Moura, Drummond, Murilo Mendes, Guimarães Rosa, Mário de Andrade, Dante, Ungaretti, Camilo Pessanha, Mário de Sá-Carneiro, Jorge Guillén, Gabriela Mistral, Huidobro, etc. Na análise de suas obras, Henriqueta Lisboa ressalta o que os fez artistas e onde, por isso, se realizaram humanos, como pessoalmente aspira realizar-se.

Seus ensaios autoexegéticos, que constituem a 1ª parte de *Convívio poético* (perquirições sobre a poesia, a beleza, a arte, o corpo e a alma das palavras, a poesia pura), os dois primeiros textos de *Vigília poética* ("Formação do poeta", "Expressão e comunicação") e, sobretudo, o depoimento inicial de *Vivência poética* ("Poesia: minha profissão de fé").

Para Henriqueta Lisboa a Poesia foi sempre isto:

Profissão de fé enquanto súmula das crenças na força da palavra, e também índice de temas, código dos rumos, vértice de sua lucidez.

E profissão de fé enquanto ofício de vida, enfrentado com fé no instrumento da palavra e fé no homem que se torna capaz de falar essa palavra extraordinária.

Três caminhos para conhecer e amar Henriqueta Lisboa.

---

108 In: LISBOA, Henriqueta. *Vivência poética*. Belo Horizonte: São Vicente, 1979.

HENRIQUETA LISBOA E O TEMA DA MORTE – PERSPECTIVAS FILOSÓFICAS[109]
Paschoal Rangel

Henriqueta Lisboa não se conformava em ser transformada na "poeta da morte". "Não me considero tal", escreveu ela em "Poesia: minha profissão de fé". "Reconheço que o tema da morte me tem sido constante, como na obra de inúmeros poetas de todo o mundo, pois infinitamente sugestivo, aberto a hipóteses e voos incalculáveis." Concordava que "em determinada fase de minha vida, esse assunto se tornou explosivo, em virtude de dolorosas circunstâncias. Celebrei-o no volume *Flor da morte*, e já o abordara em composições de *A face lívida*, livro de angústia, temor e repulsa, ao tempo em que se alastrava a 2ª guerra universal (*sic*)". A poeta faz questão de notar que sua poesia esteve sempre envolvida com uma ampla temática metafísica, "tanto antes como depois [da fase de *A face lívida* e de *Flor da morte*] tenho visado, de modo pertinaz e intensivo, a essência do ser, a substância do que é vital, a ansiedade da criatura em busca da perfeição e do infinito, os mistérios da natureza, o próprio mistério do processo poético, o relacionamento entre a alma e Deus, a caminhada da alma à procura de Deus". E exemplifica: "Meus livros *Velário, Azul profundo, Além da imagem*

---

109 In: RANGEL, Paschoal; CARVALHO, Abigail de Oliveira; SOUZA, Eneida Maria de; MIRANDA, Wander Melo (org.). *Presença de Henriqueta*. Rio de Janeiro: José Olympio, 1992. p. 85-91.

e *O alvo humano* podem testemunhar essa concentração de índole metafísica ou ontológica". E logo pede desculpas pela grave solenidade dos termos metafísica e ontologia.[110]

Apesar disso, e até por causa dessa constante preocupação metafísica, a morte – talvez a mais filosófica das situações humanas – é uma das marcas mais inapagáveis da poesia de Henriqueta. E, se não me engano, abre-se aí, para os críticos, inéditas e provocantes perspectivas. O que já se escreveu sobre o assunto não passa muito da superfície. Haveria vários registros a considerar, desde o linguístico ou estilístico até o psicanalítico, ideológico ou mitológico. Deixando isto aos mais competentes, pretendo ao menos indicar algumas pistas para uma análise, digamos, filosófica – que está mais dentro de minha formação específica – da temática da morte em Henriqueta Lisboa.

Não é possível, aqui, fazer nem mesmo uma leve pesquisa sobre o que a filosofia tem falado, ao longo da sua história, sobre a morte. Nem é o que interessa no momento. Vamos apenas tomar como ponto de partida um filósofo contemporâneo, talvez o maior filósofo contemporâneo, Martin Heidegger. Como nos diz Henriqueta Lisboa no poema "Mistério", tirado do livro *Flor da morte*:

Na morte, não. Na vida.
Está na vida o mistério.

Henriqueta tem razão. Como notara Heidegger em sua análise fenomenológico-existenciária, em *O ser e o tempo*[111]: a morte faz

---

110 LISBOA, Henriqueta. *Vivência poética*. Belo Horizonte: Imprensa Oficial, 1979. p. 18-19.

111 HEIDEGGER, Martin. Sein und Zeit. Halle (Alemanha), no *Jahrbuch für Philosophie und phänomenologische Forschung*, vol. III. Tradução francesa de R. Boehm e A. de Waelhens, Gallimard, 1964; tradução em espanhol de José Gaos, México, Fondo de Cultura Económica, 1951; acaba de sair uma edição brasileira pela Vozes de Petrópolis, tradução de Emanuel Carneiro Leão. Os parágrafos em que o filósofo estuda especificamente a morte vão do 46 ao 53.

aparecer o cadáver, o fim do ente enquanto *Dasein*, isto é, enquanto o ser humano é ser-no-mundo, no meio das coisas, disponível, à mão: *Zuhandenes*. O cadáver está ali, *ob-jecto*, posto diante de nós, *Vorhandenes*, mas inexplicável por si mesmo. Não é mais uma "existência humana": o homem não *está* mais *aí*, a não ser como memória. Memória de uma vida. O cadáver refere-se a uma biografia. Não é uma "coisa" morta. É uma biografia absolutamente única, indevassável no que tem de mais íntimo, sobretudo no que se refere ao seu ser-para-a-morte.

Há uma maneira exclusiva, intransmissível de um *Dasein*, de um ser-aí, portanto, de um ser-no-mundo, que é o homem, se relacionar com a *sua* morte. Não há "a" morte, como se todas as mortes fossem a mesma coisa, ou como se esta morte pudesse ser de qualquer um. É impossível *morrer* por alguém. "Não posso deixar *meu* morrer para outro", diz Heidegger. (Aliás, em outro grande filósofo contemporâneo, Gabriel Marcel, há uma importante meditação sobre "meu" corpo, que parece ecoar um pouco este "meu" morrer, de Heidegger.)[112]

Claro que alguém pode *oferecer-se* por outro, sacrificar-se e ir até à morte por outro. Mas o *morrer* dele nunca será o *morrer* do outro. A morte de cada um é um processo, um ir-se fazendo, um ir-se totalizando de cada ser-aí, de cada "existência humana".

Neste sentido, a morte é impenetrável. Como é impenetrável a vida. Porque é impenetrável a vida. Uma experiência intransferível.

A tradução de Boehm e Waelhens (pelo menos a que eu possuo) não chega a esses parágrafos. Mas encontra-se uma tradução dessa parte em francês no volume *Qu'est-ce que la métaphysique*, Gallimard, 1938, p. 63 e ss., em tradução de H. Corbin. Gostaríamos de observar que o vocábulo "existenciário" é uma sugestão de José Gaos, para transpor menos mal a diferença entre *existentiel* (que traduziríamos por *existencial*, o que se refere aos entes, ao ôntico) e *existential* (existenciário), que se refere ao ontológico, ao Ser, ao que é constitutivo do ser.

112 MARCEL, Gabriel. *Le mystère de l'être*. Paris : Aubier, 1951. p.109-113. Ver também TROISFONTAINES, Roger. *De l'existence à l'être: la philosophie de Gabriel Marcel*. Louvain: Nauwelaerts; Paris: Béatrice-Nauwelaerts, 1968, t. I, p. 235-236. (As frases de Heidegger citadas foram traduzidas livremente.)

Heidegger, como filósofo, não sabe se a morte é um totalizar-se do ser-aí. Ele não sabe metódica, cientificamente se a morte é o fim, o completar-se. Aliás, do *Dasein* é impossível retirar a sua constitutiva "não totalidade". "O ser-aí existe, em cada caso, justamente de tal maneira, que sempre lhe *cabe* seu *ainda-não*" (grifos no original), isto é, sempre lhe falta alguma coisa – ser necessariamente inconcluso.

A morte poderia significar o fim do *Dasein*, na medida em que ele deixa de ser um ser-no-mundo, um ser-junto-às coisas, aos outros. Mas será o fim, no sentido de deixar de ser? Numa análise biográfico-biológica, sim, no sentido de deixar de ser. Numa análise ontológica, não. O ser-aí, a "existência humana", é um ser-para-a-morte, mas essa morte não se reduz aos fenômenos fisiobiológicos, visíveis, experimentáveis, que estão sob nossos olhos. A morte não é um fenômeno deste tipo. A morte é uma iminência. Não porém como se diz que está iminente uma tempestade, quando o céu se turva de nuvens carregadas e negras. Esta iminência é uma contingência. A morte, não. A morte é iminente no sentido de que o ser humano é – permanentemente, constitutivamente, ontologicamente – um ser-para-a-morte; no sentido que a morte é um "poder ser" inseparável do ser-aí.

Por tudo isso, não é a morte exatamente o mistério. Mistério é a vida. A vida que carrega esse "poder morrer" a cada instante.

A poesia de Henriqueta está impregnada desses conceitos, imagens, sentimentos.

> Na morte, não. Na vida.
> Está na vida o mistério.

Um mistério indesligável do viver, do ser-no-mundo. Nada mais é banal ou cotidiano, porque tudo está marcado pela iminência da morte:

> Em cada afirmação ou
> abstinência.
> Na malícia
> das plausíveis revelações,
> no suborno
> das silenciosas palavras.

O mistério se fecha no morto. Enclausura-se. Incomunica-se. Como repetir a experiência da morte de alguém? O homem morre. E o mistério se esgota nele:

Tu que estás morto
esgotaste o mistério.

Um mistério feito de vida, de aproximações e recuos:

Ora a distância perseguias,
ora recuavas.

Mas o que essas idas e vindas significavam?

Era o apogeu ou o nirvana
que tateando buscavas?

Quem sabe, interroga-se Henriqueta, o homem assim já estava buscando a morte? "Ah! talvez fosse a morte."

O processo misterioso do ser-no-mundo, incontornavelmente marcado como ser-para-a-morte, sempre à procura do que lhe falta e sempre inconcluído, é um construir-se de enigmas acumulados, às vezes de fugas e quedas:

Não se sabia quando vinhas
nem quando partias. Eras
o Esperado e o Inesperado.

Uma das características desse mistério é a "gratuidade" de tudo o que acontece com o *Dasein*. Uma gratuidade que pode ser autêntica ou inautêntica, um dom ou uma fuga, um divertimento. De qualquer maneira, o *Dasein* é gratuito. Não a necessidade, não o *Fatum*, mas uma "difícil liberdade", um não ter aparentemente causas:

Grandes navios viajavas
com a mesma estranha gratuidade
com que ao planalto descias

por uma escada de nuvens.
Belo de inconstância e arrojo
com teu lastro de intuições,
a um apelo da noite
todo te entregavas, trêmulo
entre carícias e tempestades.

Observem esse aparente sem sentido do homem, o ser-aí: as coisas se passam entre a beleza do arrojo e da inconstância não guiadas pela razão, mas pela gratuidade e as intuições, diante dos apelos da noite, isto é, da treva, do não-saber. E, não obstante, o ser-aí se entrega inteiro, "trêmulo entre carícias e tempestades". Um verso, aliás, magnífico.

Há em tudo isso uma descrição poética da inconsequência com que o homem se deixa arrastar – por causa de sua impotência face ao mistério da morte (e da vida) – pela banalidade do cotidiano. Daquilo que Heidegger descreve tão fortemente em *O ser e o tempo* como a queda, a caída do ser-aí, quer dizer, do ser-no-meio-das-coisas que o envolvem e atraem na "cotidianidade" do trivial, na "tagarelice", na "avidez das novidades", na "ambiguidade", caso ele não seja capaz de se autointerpretar, de encontrar-se e compreender a si e ao mundo.[113]

Então, o homem se torna um "fugitivo" de seu próprio ser; busca encobrir, mascarar, negar o seu ser-para-a-morte. Mas, no meio dessa fuga, pergunta Henriqueta, e apesar do fugitivo que foge de si mesmo, "Que mundo vinha nascendo?" E responde: "Ah! talvez fosse a morte".

E ela persegue o fugitivo e o fotografa:

Conheceste os suspiros,
o lento disfarce do sangue,
as rosas do espírito, as secas
rosas nos dedos trituradas.
Por uma solução ansiavas...

113 HEIDEGGER, Martin. *O ser e o tempo*, parágrafos 29 a 38.

Ah! talvez fosse a morte.

E quando afinal a morte chega, indesviável, o ser-no-mundo, este homem misterioso, que se aproxima e foge, que volta e torna a partir, inconsequente entre arrojado e inconstante, quando a morte afinal se descobre para ele, ineludível, ele começa a ser ele mesmo, existente, existência autêntica:

> Agora estás poderoso
> de indiferença, de equilíbrio.
> Completo em ti mesmo, forro
> de seduções e amarras.
> Nada te açula ou tolhe.
> És todo e és um, apenas.
> A plenitude da água,
> da pedra, tens.
> E és natural, és puro, és simples como
> a água, a pedra.

O poeta acaba sabendo mais do que o filósofo. O que o filósofo não pode dizer "pensando", o poeta diz "poetizando". Escreveria o próprio Heidegger mais tarde: "Entre o pensamento e a poesia reina um parentesco enormemente distante, porque ambos se dão ao serviço da linguagem e se entregam por ela". Só que este serviço do "mesmo" é um serviço diferente, que acaba por colocar poesia e filosofia em caminhos diversos: "O que diz o poeta e o que diz o pensador não é jamais idêntico; apesar de eles poderem dizer o Mesmo, dizem-no de maneira diferente".[114]

A poesia pode ser vanguardeira. Pode antecipar "sabedoria". A filosofia precisa respeitar o método, os limites de seu caminhar. Por isso, Henriqueta "sabe" o que Heidegger se abstém de "saber".

---

114 HEIDEGGER, Martin. Qu' est-ce que la philosophie? In: ___. *Questions II*. Paris: Gallimard, 1968. p. 37. *Id.,* Que veut dire penser? In: ___. *Essais et conférences*. Paris: Gallimard, 1958. p.167.

Ele pode até suspeitar, mas não pode saber. Henriqueta, na verdade, tinha por si aquilo que Heidegger chamava "a antropologia desenvolvida pela teologia cristã".[115]

Fique, de qualquer maneira, este esboço singelo e limitadíssimo de análise filosófica do tema da morte em Henriqueta Lisboa, como convite aos críticos e filósofos para uma abordagem mais ampla e profunda. Já que a poesia e a filosofia são maneiras diversas, mas aparentadas e privilegiadas de *dizer*. E este fato é uma provocação – com que nos acenava o próprio Heidegger – a "situar" a relação entre elas.

Henriqueta – sempre fascinada pelos temas metafísicos – é um dos poetas que oferecem vasto campo para este trabalho de aproximação ou comparação.[116]

---

115 HEIDEGGER, Martin. *Sein und Zeit*. Parágrafo 49, nota no fim do parágrafo.
116 Gostaríamos de observar que tomamos aqui para análise apenas o poema "O mistério" de *Flor da morte*. A análise seria imensamente mais rica se o tempo e o espaço de que dispúnhamos tivessem permitido ampliar o estudo.

FLOR DA MORTE[117]
Sérgio Buarque de Holanda

Relendo agora suas obras antecedentes, do ponto privilegiado a que esta *(Flor da morte)* nos transporta, a voz da poeta chega-nos mais unida e harmonizada. E, assim, seu último livro não vale apenas pelo que é, mas ainda pelo valor que empresta ao conjunto de uma criação artística admiravelmente coerente.

Há mais um aspecto que ajuda, talvez, a bem situar a obra de Henriqueta Lisboa em nossa paisagem literária. Vinda de uma geração de poetas que queriam, em sua generalidade, mais excitante o espetáculo da vida presente, colorindo-a ou deformando-a a poder de artifícios, essa obra, embora se dirija ao mesmo auditório, responde nitidamente a uma solicitação espiritual diferente. No mundo visível ela não atenta especialmente para o contraste ora mágico, ora repulsivo, ora tedioso, ou simplesmente absurdo das luzes e das sombras, das tintas e dos sons, como para algum remoto apelo que lhe vem de certos aspectos da realidade cotidiana: aquela inocência que se traduz nos olhos do velho bêbedo.

> Azul do céu, limpidez
> de lírios amanhecentes,

117 In: *Diário Carioca*. Rio de Janeiro, 10 de setembro de 1950. Letras & Artes, p. 5.

a lua distante, que pode ver, sem corar, o turbilhão terreno, o segredo insondável da infância, a singela pureza de um cântaro:

> Como podes ser puro e suave,
> cântaro
> – corpo de barro?

E se a constante demanda do eterno através do anedótico e do temporal separa-a dos autores confessadamente profanos, não a separa menos daquela religião "regional", que tanto inquietava Mário de Andrade diante de algumas produções de um Murilo Mendes, onde Nossa Senhora acaba falando inglês e Deus Todo-Poderoso vai jogar nas corridas de cavalos. A sua é uma catolicidade que se quer manter fiel ao sentido originário da palavra "católico", isto é, universal – direi quase cosmogônica. Falta-lhe, talvez, a essa catolicidade, para ser plena e perfeita, aquele sentimento, que não faltou ao franciscanismo, nem sequer ao jesuitismo ou mesmo a alguns misticismos, sentimento de que a existência temporal é amável e digna de viver-se enquanto parábola da eternidade, criação celeste ou caminho para a glória divina. Em seu universalismo, a vida terrena e mortal não encontra guarida possível, salvo como uma contingência melancólica: "O desgosto e a necessidade da vida".

A plenitude, que forma aqui um alvo constante e uma impaciente aspiração, constitui a imagem invertida de todos aqueles insidiosos tumultos humanos. Há de ter em si a cristalina limpidez da água e a rijeza e indiferença da pedra, é "sombra sem matéria", "silêncio de antes da gênese", e paz – a "paz dos cristais no silêncio sem nenhuma ideia de som", a "paz acima de qualquer sopro humano – ou mácula" e também

> a que nos tempos não se encontra,
> a que foi desejo de Deus.

O pensamento da morte, tema constante da poeta, sobretudo no último livro, tem lugar definido nessa cosmogonia. Não a morte erigida em experiência prolongadora e enriquecedora, como em um Whitman. Não, como em Baudelaire, a libertadora do tédio de viver, transição para o diferente e o desconhecido. Nem, e ainda menos, a morte individual e "própria" a cada homem, de Rainer Maria Rilke. Volta ao regaço perene e imutável, recuperação da pátria comum, que hoje perdura tal como no instante da gênesis, ela é em essência despersonalizadora, e enquanto não signifique inquieto e ditoso abandono pode significar quando muito participação emotiva.

Poucos, entre nossos autores modernos, puderam chegar em realidade a uma expressão tão tensa de emotividade como o que escreveu "Acalanto do morto", onde uma ressonância voluntária de outro grande poeta não impede que seja criação admiravelmente pessoal e única:

> Viverá comigo
> tua morte. Dorme.
> Guardarei impávida
> tua morte. Dorme.
> Tua morte é minha,
> não a sofras. Dorme.

Foi enfim a morte, não apenas remate de vida, mas restauração da Vida, que inspirou as linhas onde, melhor do que qualquer análise intelectual, se contém e resume a inspiração central desta poeta:

> Com seus aventais de linho
> – fâmula – esfrega as vidraças.

> Tem punhos ágeis e esponjas.
> Abre as janelas, o ar precipita-se
> inaugural para dentro das salas.
> Havia impressões digitais nos móveis,
> grãos de poeira no interstício das fechaduras.

> Porém tudo voltou a ser como antes da carne
> e sua desordem.

COMENTÁRIOS

Pela profundeza do pensamento; pelo poder de captação do sentido íntimo de seres e coisas; pela economia verbal; pelo tratamento meticuloso oferecido à linguagem (a regra, hoje, é a concessão sem limites a tudo quanto é errado e até antipoético); pela severa compreensão da poesia e da arte de compô-la; pela disciplina métrica, ainda quando usados os *nuneri lege soluti*; pelo cauteloso, pelo sábio aproveitamento da liberdade; pela indiferença em face de maneirismos e modismos; pela "ordem" das suas composições, que jamais cedem a certas modernidades encontradiças até em poetas importantes e ainda pelo que paira de inefável e misterioso em sua obra, Henriqueta Lisboa é um dos grandes nomes da poesia em língua portuguesa.

Abgar Renault | *Obras completas* (1985)

Na ânsia de paz, de solidão protegida, no gosto da inocência e da pureza, visível até na preferência de imagens sugeridas pelo cristal, revela-se a feminilidade, cujo estudo seduz na obra de Henriqueta Lisboa pela inconfundível autencidade que lhe confere.

Aires da Mata Machado Filho | *Obras completas* (1985)

Atingiu-se o momento em que a poesia, cristalizada, se oferece, direta e simples, mas de uma simplicidade que significa paradoxalmente maior complexidade e maior riqueza interior.

Alphonsus de Guimaraens Filho | *Obras completas* (1985)

Henriqueta Lisboa realizou, na tradução de alguns cantos do "Purgatório", uma verdadeira proeza. Setecentos anos de distância tornam qualquer tradução, já de si difícil, um verdadeiro desafio. A língua italiana nascente, balbuciante, sofrendo a concorrência de numerosíssimos dialetos, é a fôrma de que cumpre tirar o poema, para recriá-lo na fôrma da língua portuguesa do século XX, e do Brasil. Salto temporal de gigante, modelagem artesanal de fada! E o "Purgatório" ressurge, recriado, como mais um fragmento daquele espelho partido do qual fala Henriqueta Lisboa, fragmento que não perdeu a limpidez nem a capacidade refletora de sua matriz secular. Tudo é possível, no reino da Poesia!

Ângela Vaz Leão | *Presença de Henriqueta* (1992)

A não ser em alguns versos do Sr. Manuel Bandeira e da Sra. Cecília Meireles, não sei de outra poesia brasileira moderna que seja mais fluida e mais etérea do que a da Sra. Henriqueta Lisboa. É uma delícia a perfeição com que sugere e descreve.

Antonio Candido | *Obras completas* (1985)

Henriqueta não é poeta diluída em eventos, mas visa, segundo ela própria, "de modo pertinaz e intensivo, à essência do ser, a substância do que é vital, a ansiedade da criatura em busca de perfeição e do infinito, os mistérios da natureza, o próprio mistério do processo poético". Sua poesia não está de costas para a História, como já se afirmou, pois a crispação de sua sensibilidade ferida pelas veemências do mundo, "sem compromissos nem modismos", liga-a ainda mais inexoravelmente à própria História. Só que a suas imagens tocam as tramas secretas das possibilidades.

Antônio Sérgio Bueno | *Casa de pedra: a edificação de uma escrita* (1984)

Miradouro e outros poemas pode ser encarado, agora, como a soma positiva de toda uma vida dedicada à poesia – o visor, o miradouro do poeta, que está acima das coisas e dos homens, para marcá-los com a sua palavra, bela e contundente.

Assis Brasil | *Dois poetas* (1977)

Recolhida em suas montanhas mineiras, de longe, no entanto, exerce o fascínio dos seus poemas encantadores. Há um reconhecimento público que a coloca na categoria superior dos poetas contemporâneos do Brasil. Irmã legítima de Carlos Drummond de Andrade. Os seus versos não são secretos nem misteriosos. Abrem-se como as flores, têm perfume e colorido. Irmã também de

Alphonsus de Guimaraens, do suave misticismo dos seus poemas. Nada é artificial ou exótico e quanto mais trabalha mais aperfeiçoa. Romântica, simbolista, parnasiana, todos os ritmos e metros compõem os requintes de sua arte que representa a oferta de sua vida gloriosa, inteiramente dedicada à poesia.

Austregésilo de Athayde | *Meio século glorioso* (1979)

Henriqueta Lisboa, além de poeta, nos deixou significativos ensaios sobre as diversas funções da literatura, como se debruçou sobre outros poetas para traduzi-los, com o desejo de nos aproximar de novas formas de linguagem e encantamento. Sua presença na cultura brasileira é definitiva, tanto pela qualidade de sua produção quanto pela amplitude de sua obra.

Bartolomeu Campos de Queirós | *Revista do TCE* – MG (2010)

Na sua intensidade, na sua simplicidade ilusória, na sua harmonia orgânica, são comparáveis os poemas de Henriqueta Lisboa aos de Emily Dickinson. A poesia americana tomou por muitos outros caminhos diferentes daqueles que Emily Dickinson tão delicadamente, e contudo tão claramente, traçou. A poesia brasileira avançará também por muitas outras estradas. Mas Henriqueta Lisboa, como Emily Dickinson, servirá de guia, e se não de guia, então como padrão de excelência poética com o qual os próprios poetas poderão medir-se.

Blanca Lobo Filho | *A poesia de Henriqueta Lisboa* (1966)

Agora o vento me traz de Belo Horizonte uma notícia poética. Alguém faz 50 anos de exercício de poesia, e esse alguém é saudado com carinho pela cidade, através de sua melhor gente pensante e sensível. Refiro-me a Henriqueta Lisboa, a nossa delicada flor de um jardim mental. Jardim em cujo interior ela vai apurando o seu viver e a transparência de seus versos. [...] Como nós, mineiros, amamos Henriqueta Lisboa, de agradecido e enlevado amor! É nosso diamante, nossa riqueza particular e maior. [...] Mas estou celebrando Henriqueta como valor mineiro, prenda mineira, joia e flor das montanhas. Eu devia dizer, e agora digo, é que Henriqueta é nossa discreta, escondida, mas indiscutível flor nacional, joia nacional.

Carlos Drummond de Andrade | *Jornal do Brasil* (1979)

Henriqueta Lisboa poderia bem afirmar a sua "santidade" ao criar através do texto de "Frutescência" um cosmo próprio. Neste mundo particular de sua criação, ela consegue recuperar o fenômeno da mulher do tratamento frequentemente limitado que se lhe dá sob o peso do passado cultural. Além disso, com o seu ato criador, sofrido e apaixonado, Henriqueta Lisboa afirma o seu duplo papel de artista e pessoa. E alcança isto ao provar que pode compartilhar com o leitor, mediante o poder sutil de sua linguagem, o processo solitário do poeta de inquietação, amadurecimento e autodefinição, que conduz à realização pessoal e humana.

Carmelo Virgillo | *A imagem da mulher em "Frutescência" de Henriqueta Lisboa* (1984)

Considerando-se as origens simbolistas de sua poesia e a conceituação, na estética simbolista, de arte e poeta como tópicos transcendentais, impressiona a lucidez com que se abriu a inteligência crítica de Henriqueta Lisboa para o enfocamento de questões das mais variadas da criação poética. [...] A constância com que se dedica à interpretação e à explanação de motivos literários tem permitido que Henriqueta Lisboa exerça indiscutível influência em áreas culturais que estão bem próximas: a universitária belo-horizontina e a da literatura mineira de gerações atuais.

Darcy Damasceno | *Henriqueta e a crítica de poesia* (1968)

Henriqueta Lisboa foi uma pessoa especial. Não só por sua poesia, que é admirada mundo afora. Também por sua figura frágil que parecia ser feita de porcelana, e sua personalidade a um tempo forte e reclusa. [...] Não foi Henriqueta diretamente, mas sua poesia que teve um impacto fundamental em minha vida.

Edmar Lisboa Bacha | *Os Lisboa: fragmentos de memória* (2017)

Nenhuma poetisa brasileira terá conseguido libertar-se tamanhamente do lirismo frágil e reduzido a poesia a lances de tão extremada contenção.

Fábio Lucas | *Obras completas* (1985)

Henriqueta Lisboa é, de todos os poetas do modernismo brasileiro, o que mais alto cantou o sentimento da morte. E, coisa que surpreendeu em Cruz e Sousa, à medida que ia amadurecendo o tema e progredindo na técnica, passou a trabalhá-la por dentro, a quase participar da interioridade da morte.

Fábio Lucas | *Henriqueta Lisboa: o tema e a técnica* (1959)

Surgindo do decênio da Semana de Arte Moderna, Henriqueta marcou o seu lugar, em nossas letras, num tom que tanto se distanciou da objetividade realista quanto da musicalidade ultrassimbolista e das tropelias lúdicas do Modernismo. Vinha para descobrir pouco a pouco o seu próprio caminho. Só. Figura solitária. No seu recolhimento, mostrou-se logo uma artista laboriosa, determinada; nunca deixou de ser assim, ao longo de cinquenta anos, durante os quais não fez concessões a modas e paróquias.

Guilhermino César | *A experiência do recato* (1979)

Sua poesia confunde-se com o afã de tangenciar o indizível, de ultrapassar os limites léxico-semânticos da palavra e, afinal, como queria Rilke, de penetrar a essência da poesia.

Ivan Junqueira | *Obras completas* (1985)

À autenticidade do sentimento, junta Henriqueta uma inteligência aguda, altamente cultivada, capaz de formular uma filosofia própria do mundo e da vida.

Ivan Lins | *A poesia de Henriqueta Lisboa* (1974)

A poetisa sabe guiar a sua inspiração e a sua versificação e tem a noção exata do momento exato em que deva submeter a torrente poética a uma mudança de direção ou sentido.

Jamil Almansur Haddad | *Obras completas* (1985)

As palavras vêm para ela, como se não fossem símbolos ou arquétipos, valores ou sinais, mas as próprias coisas, os próprios sentimentos, as próprias sensações.

João Gaspar Simões | *Romantismo e verbalismo* (1951)

Aí está sua grandeza como poeta: o dom de jungir o evanescente e o preciso, mantendo-se fiel ao tom original, ao murmúrio da alma, sem procurar a retumbância e a eloquência. Por outro lado, Henriqueta é moderníssima quanto à qualidade da emoção, à fatura dos versos, à consonância com seu tempo.

Nogueira Moutinho | *Além da imagem* (1965)

Sua personalidade inconfundível, seu novíssimo mundo poético que encontra a expressão bela e segura numa versificação variadíssima e libérrima, seu apurado intelectualismo em que assoma um fino sentido do popular, dão à sua obra um valor destacado excepcional, não só entre os poetas brasileiros, mas entre a lírica universal contemporânea.

Joaquín de Entrambasaguas | *Obras completas* (1985)

Entre os poucos grandes poetas dos nossos dias, cuja obra corresponde a qualquer coisa que é preciso dizer através de uma expressão vigorosa, lúcida e por si mesma criadora, situa-se Henriqueta Lisboa.

Jorge Ramos | *Henriqueta Lisboa* (1974)

A fusão do tradicional – mítico lendário, ou apenas ritmicamente assimilado e transmitido pelo povo – com o pudor – que eu acho exato – de uma personalidade que se afirma no verso e não através dele, também isto é uma característica de sua poesia, e uma das que a tornam mais afim de uma visão, que é a minha, de uma poesia que não seja arte poética nem exibicionismo literário, senão na medida em que, para sermos poetas, devemos a nós mesmos um conhecimento seguro do mundo para que a poesia se forme.

Jorge de Sena | *Obras completas* (1985)

Hábil artesã da palavra, Henriqueta Lisboa sabe realmente – e com que perfeição! – trabalhar a matéria-prima que molda. O valor estético – magistral e primoroso – reveste adequadamente o fator temático, que impressiona e empolga pela profundidade.

José Afrânio Moreira Duarte | *Henriqueta Lisboa: poeta maior* (1974)

Éramos quatorze, originalmente. Depois, passamos a nove. Hoje, somos seis: três mulheres, reunidas em Belo Horizonte: Maria, Henriqueta, Alaíde; três homens, dispersos: São Paulo, Baependi, Rio de Janeiro. Os quatorze, nove ou seis fomos e somos os mesmos: atados por uma profunda solidariedade, irmanados verdadeiramente, com o sentido do amor e do respeito mútuos, herdados no leite, cultivados na doce convivência de casa. Nesta, em todo o tempo, as excelências desse amor e desse respeito gravitaram sempre em torno de Henriqueta. Não por ser a caçula, a mais frágil ou a mais dominadora. Apenas por ser quem era, e foi, e é: um ser de Poesia, diferente dos demais, na sua mansa firmeza, no seu poder criador, na vida ou nas artes – em todas as artes, letras, música, pintura. Ela era, para nosso orgulho e para nossa alegria, a singular figura marcada para a Eternidade, a Maga, a Mágica – sem qualquer ostentação: a Irmã perfeita, a Filha perfeita, a Amiga perfeita, era e é: o Poeta.

José Carlos Lisboa | *Henriqueta* (1984)

Henriqueta e Drummond, dentro de um mundo único e não uno, são dois modernos e morígeros mineiros; dentro de um mundo que se vai apequenando, mecanicamente, fechado em dimensões de casa nossa, com seu todo de ubiquidade e sincronia, desde as muitas terras e muitos mares de seus muitos espaços. Com tanta alteridade espacial, contra tão pouco tempo digestor, a poesia ficou muito difícil. Nossos dois poetas, entretanto, com simesmice de mineiro, aprenderam a modelar o cotidiano, lirizando o momento que passa. Humanos como estão, enxutos e sazonais, lembram-me a flor de um vinho caracense.

José Lourenço de Oliveira | *Poesia e Henriqueta* (1970)

Em cada objeto-poema seu, a imagem é texto e contexto, não se podendo contemplá-la isoladamente e esvaziada da consciência criadora em que a manipulação conceitual não elide a concepção mágica de uma estética aberta a todos os horizontes da realidade.

Laís Corrêa de Araújo | *Lúcida e límpida vigília* (1979)

O que distingue os grandes poemas, recentes ou antigos, da poetisa mineira, é a sua inconfundível marca diáfana, abstrata. Henriqueta extrai da sua contínua contemplação da natureza antevisões do informe que brotam do visto em sua forma concreta.

Leo Gilson Ribeiro | *Obras completas* (1985)

Com acuidade e sutileza, captou uma visão essencial da alma humana em nosso tempo. Talhou em matéria consistente seus poemas. Na solidão, na incomunicabilidade, no amor, no medo, na desesperança, na fé, no sentido oculto da morte. Ou seja: foi da condição humana, precária e contraditória, que tirou seus mais pungentes elementos de criação. E sempre com uma perspectiva de profundidade, penetrando camadas inexploradas, revelando aspectos inusitados. Daí sua singularidade dentro da poesia brasileira.

Luz e Silva | *Obras completas* (1985)

Já disseram da poesia de Henriqueta que ela se caracteriza por uma constante perfeição (como é de Cecília Meireles). Mas essa perfeição não é fruto de fácil virtuosidade: é perfeição de natureza ascética, adquirida à força de difíceis exercícios espirituais, de rigorosa economia vocabular.

Manuel Bandeira | *Dante e Henriqueta* (1959)

Esse lirismo que a excetua, uma carícia simples, dor recôndita em sorriso leve e a frase contida – coisas raras na poesia nacional.

Mário de Andrade | *Coração magoado* (1941)

Nenhuma concessão ao convencional, neste livro, nenhum sentimentalismo fácil. Um grande tato na busca da expressão, com belos achados técnicos, e a exumação da palavra trasflor. Sentimento, há muito, mas, junto com ele, o pudor do sentimento, que dá em resultado poemas densos e tensos como "Elegia", um poema definitivo.

Mário Quintana | *A face lívida* (1945)

Cada novo livro de Henriqueta Lisboa mostra a que grau de perfeição técnica vai atingindo a sua poesia, cuja economia de palavras e cuja condensação forte de emoção têm algo de êxtase contemplativo e de definitiva fixação cristalina.

Oscar Mendes | *Prisioneira da noite* (1941)

Sei – e apoio-me nessa autoridade – que Manuel Bandeira é da mesma opinião: Henriqueta Lisboa é dos maiores poetas em língua portuguesa.

Otto Maria Carpeaux | *Mais livros na mesa* (1959)

O Poeta se propôs um destino, traçou-se um caminho que ousou seguir, descobriu em si e renovou suas forças. Aspira à transcendência e a conquista na ciranda suspensa em seus espaços. Para definir Henriqueta Lisboa, escolhi esta sua metáfora: "água menina que se atreve".

Padre Lauro Palú | *Pousada do ser* (1982)

No prodigioso mundo moderno, tecnocrático, bombiatômico, astronáutico, está faltando alma para o tamanho do corpo que se adquiriu. Ela se vê, junto com filósofos, artistas, sacerdotes, educadores, mas principalmente com os poetas – seus irmãos – formando a "sofrida minoria", dos que lutam para restituir ao ser humano a capacidade de "cumprir seu destino de transcendência".

Paschoal Rangel | *Essa mineiríssima Henriqueta* (1987)

Realizando uma dialética funcionalmente lírica entre as coisas, a vida e o sentir dela, a tensão entre a vida e a morte, sendo-no-mundo, Henriqueta Lisboa instaura uma ideologia de Arte para o Homem, num equilíbrio emocional e expressional capaz de revelá-lo (o Homem) de uma maneira nova, em seu eterno e irreversível destino.

Pascoal Motta | *Poesia e humanismo: Miradouro e Caraça* (1977)

Seu último livro não vale apenas pelo que é, mas ainda pelo valor que empresta ao conjunto de uma criação artística admiravelmente coerente.

Sérgio Buarque de Holanda | *Flor da morte* (1950)

Henriqueta Lisboa é hoje um dos poetas mais puros do Brasil. A forma límpida, cristal sem jaça de sua poesia, a agudeza das imagens, a densidade das palavras, a segurança do ritmo, sua humildade, constituem sua força expressiva e comunicativa.

Sérgio Milliet | *Flor da morte e lembrança de Rilke* (1950)

A sua lírica se eleva e se avantaja, projetando-se agora, pelo conjunto, pela espiritualidade, pela alta hierarquia do pensamento, pelo equilíbrio entre o efêmero e o absoluto, como algo de sólido, concreto, impressionável e inolvidável dentro da moderna literatura brasileira.

Wilson Castelo Branco | *Em torno da lírica de Henriqueta Lisboa* (1960)

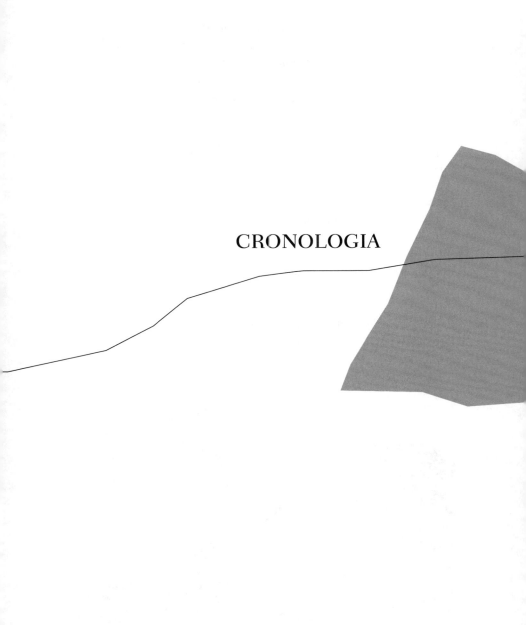
CRONOLOGIA

[1901]
Nasce em 15 de julho na cidade de Lambari, sul de Minas Gerais, filha de João de Almeida Lisboa e Maria Rita Vilhena Lisboa. Faz o curso primário no Grupo Escolar Dr. João Bráulio Júnior na cidade natal, e o curso normal no Colégio Sion de Campanha, onde estuda os clássicos de língua portuguesa e francesa.

[1924]
O pai é eleito deputado federal e a família muda-se para o Rio de Janeiro.

[1925]
Publica *Fogo-fátuo*, poemas.

[1929]
Publica *Enternecimento*, poemas.

[1931]
Recebe o prêmio Olavo Bilac (poesia) da Academia Brasileira de Letras pelo livro *Enternecimento*.

1

2

3 4

5

1 Casa onde Henrique Lisboa nasceu. Lambari, MG.

2 [1915] Henriqueta Lisboa (em pé) e as irmãs Alaíde e Abigail.

3 [1918] João Lisboa, Maria Rita Vilhena Lisboa, João de Almeida Lisboa, José Carlos Lisboa, Maria Lisboa, Waldir Lisboa, Henriqueta Lisboa, Pedro Lisboa, Oswaldo Lisboa, Abigail Lisboa e Alaíde Lisboa.

4 [1921] As irmãs Alaíde, Henriqueta, Abigail e Maria Lisboa.

5 [1929] Henriqueta Lisboa, Marina Magalhães, Abigail Lisboa Valladão, Alaíde Lisboa de Oliveira, Waldir Lisboa, João Lisboa e Graça Couto, em Lambari.

CRONOLOGIA 669

[1935]

Muda-se com a família para Belo Horizonte, sendo o pai, João Lisboa, membro da Constituinte mineira.

É nomeada inspetora federal de ensino secundário.

[1936]

Publica *Velário*, poemas.

Representa a mulher mineira no III Congresso Feminino Nacional, realizado no Rio de Janeiro.

[1937]

Recebe medalha e diploma de *O Malho* como uma das cinco intelectuais brasileiras laureadas no plebiscito "Levemos a mulher à Academia de Letras".

[1940]

Inicia correspondência com Mário de Andrade, de quem recebeu 42 cartas no período de 24 de fevereiro de 1940 a 20 de janeiro de 1945.

[1941]

Publica *Prisioneira da noite*, poemas.

[1943]

Publica *O menino poeta*, poemas.

A convite de Henriqueta Lisboa, com o apoio do prefeito Juscelino Kubitschek, Gabriela Mistral, ganhadora do prêmio Nobel de literatura de 1945, profere duas conferências: uma sobre o Chile e outra sobre *O menino poeta*, no Instituto de Educação de Belo Horizonte.

[1945]

Publica *A face lívida*, poemas, e o ensaio *Alphonsus de Guimaraens*.

Ingressa no ensino superior lecionando Literatura Hispano-Americana e Literatura Brasileira na Faculdade de Filosofia, Ciências e Letras Santa Maria, hoje Pontifícia Universidade Católica de Minas Gerais.

6 [1943] Bodas de Ouro de Maria Rita Vilhena Lisboa e João de Almeida Lisboa.

7 [1943] (Em pé) Pedro Lisboa, José Carlos Lisboa, Henriqueta Lisboa. (Sentados) João de Almeida Lisboa e Maria Rita Vilhena Lisboa.

8 [1953] Lúcia Machado de Almeida, Henriqueta Lisboa, Cecília Meireles e Heitor Grilo.

9 Mário de Andrade.
"À Henriqueta Lisboa / lembrança da sua visita/ à rua Lopes Chaves, / Gratamente, /Mário de Andrade/ S. Paulo/II/1945." Arquivo HL, AEM/ CEL/UFMG.

S. Paulo, 28-X-41

Minha ingrata e sempre lembrada Henriqueta.
Não haverá certa malvadez e muitas ofensas
discretas nesse silêncio de você, à espera que
eu lhe diga alguma coisa sobre os seus livros? E ainda não ta li, Prisioneira da
noite... Si você imaginasse o que vai de
tristeza e desgosto nesta sinceridade, você
havia logo de sorrir confortada.

Acabo de... acabar a primeira redação de
uma conferência sobre "Romantismo e Música" que devo pronunciar depois-da-manhã
de-tarde na Cultura Artística. Interrompo
tudo pra lhe escrever. A coisa saiu péssi-
ma e estou desesperado. A conferência faz
parte de uma série em que entro em confronto com os professores franceses da Universidade e vaidoso como sou, desejando fazer coisa pelo menos igual à deles, dei
tamanhos tratos à bola que tudo saiu
de um rebuscado precioso, em vez de
sutil e profundo. Aliás ando mesmo precioso e nada simples, muito preocupado comigo. Depois dos inícios paulistas caí numa
abatimento enorme e numa incapacidade

10

Graná 11-3-1942

Mário,

MA-C-CP, 4270

Isto aqui é vagaroso e bom como o país
do Irmão Grande. Natureza mansa, água sul-
furosa, sala de refeições, dormitórios. Nenhum
verso novo me passou pela cabeça. Trouxe comigo a sua carta recebida pouco antes de partir e
pouco depois de lhe haver escrito. Nunca outra
carta foi tão minha, nunca outra carta me fez
tão feliz. Quanto à lousação na qual você não
consente, talvez daqui a cem anos eu possa de
algum modo sibilar-lhe aos ouvidos: eu não
disse?... Mas aqui mesmo na Terra ainda dis-
cutiremos. Devo regressar à casa a 23 ou 24.
Como vai de saúde, Mário? Tenha cuidado,
eu lhe peço. Com muito carinho. Henriqueta

11

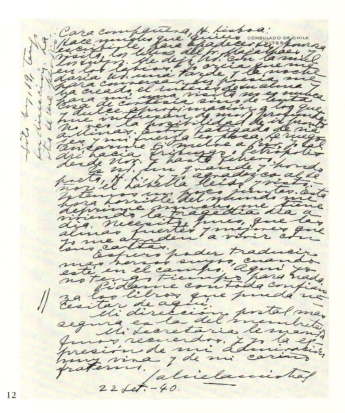

12

13

10 Carta de Mário de Andrade para Henriqueta Lisboa (28 maio 1941) (Arquivo HL, AEM/CEL/UFMG).

11 Cartão de Henriqueta Lisboa para Mário de Andrade (11 fev. 1942) (Arquivo HL, AEM/CEL/UFMG).

12 Carta de Gabriela Mistral para Henriqueta Lisboa (22 set. 1940) (Arquivo HL, AEM/CEL/UFMG).

13 Gabriela Mistral e Henriqueta Lisboa (de chapéu). Conferência de Gabriela Mistral em Belo Horizonte, 1943. (Arquivo HL, AEM/CEL/UFMG). A poeta chilena, ganhadora do prêmio Nobel de literatura de 1945, manteve correspondência com Henriqueta e a teve como amiga e tradutora.

Belo Horizonte, 11 de Junho de 1942

Cecília,

Estou com a alma e com os sentidos numa alta vibração poética, sinto-me inundada de beleza diante de "Vaga Música" o estranho livro-maravilhoso e puro - que você acaba de dar-nos.

Mas a sua dádiva é dessas que a gente não sabe como agradecer

Quisera abraçá-la neste momento, com toda a minha emoção.

Henriqueta Lisboa

Rio, 3 de Outubro de 1963

Querida Henriqueta: gostaria de poder abraçá-la e dizer-lhe de minha alegria e do meu agradecimento pelo delicioso livro que acabo de receber. Lera e profundo, êle me trouxe delicados momentos de felicidade, que espero sejam renovados com outros livros — tanto o coração (ou a criatura inteira) é ávido de beleza e sonho.

Vai, pois, o meu abraço nestas palavras, que desejo cheguem ao seu destino, um abraço também cheio de saudades e ternuras.

Cecília

14 Correspondência de Cecília Meireles e
Henriqueta Lisboa entre 1942 e 1963.

[1949]
Publica *Flor da morte*, poemas.

[1950]
Recebe o prêmio Othon Bezerra de Mello, da Academia Mineira
de Letras, pela obra *Flor da morte*.

[1951]
Começa a lecionar História da Literatura na Escola de Biblioteco-
nomia de Minas Gerais.
Publica *Poemas* (*Flor da morte* e *A face lívida*).

[1952]
Publica *Madrinha lua,* poemas.

Recebe o primeiro prêmio da Câmara Brasileira do Livro pela obra
Madrinha lua.

[1955]
Publica *Convívio poético,* ensaios.

Recebe a Medalha de Honra da Inconfidência de Minas Gerais.

[1956]
Publica *Azul profundo*, poemas.

[1958]
Publica *Lírica*, que reúne sua obra poética.

Reedita *Madrinha lua.*
Ingressa no Instituto Histórico e Geográfico de Minas Gerais.

[1959]
Publica *Montanha viva – Caraça*, poemas.

Recebe medalha da Academia Mineira de Letras.

CRONOLOGIA

Emblema

Ésse volátil arco-íris
que se desprende pelas asas
de multipássaro e enlaça
pela cintura terra e céus,

êsse versátil arco-íris
meio-anel, ligeiro laço
a desatar-se, a perder-se
de nostálgias a esmo,

delineia porventura
— rubescente emblema pálido —
aliança mais duradoura
de outra vida noutro espaço.

Henriqueta Lisboa

15

15 [s/d] Manuscrito de "Emblema", poema publicado em *Miradouro*.

16 [1963] Henriqueta Lisboa em evento no Rio de Janeiro.

17 [1965] Terezinha Pinto Lisboa, Henriqueta Lisboa, Ana Elisa
Gregori e José Carlos Lisboa.

16 17

[1960]
Recebe o diploma de Personalidade de Minas Gerais na área de literatura.

[1961]
Publica *Antologia poética para a infância e a juventude* pelo Instituto Nacional do Livro / Ministério da Educação e Cultura.

[1962]
Recebe medalha conferida pelo Ministério das Relações Exteriores da Itália.

[1963]
Publica *Além da imagem*, poemas.

É a primeira mulher eleita para a Academia Mineira de Letras.

[1965]
Publica o texto "Mário de Andrade, o poeta", no livro *Mário de Andrade*.

Publica "O meu Dante" no livro *O meu Dante:* contribuições e depoimentos.

[1966]
Publica o texto "O motivo infantil na obra de Guimarães Rosa" no livro *Guimarães Rosa*.

Rio, 27.II.58

À admirável mineira e
Amiga, ainda de longe,
   Henriqueta Lisboa
vivamente agradeço o "*Azul Profundo*",
a

   SUA POESIA :

"Vejo a estrêla — tão de súbito ! —
ao meu lado. Alma, a gôta de orvalho.
Haste delgada que o vento
joga para a imensidade,
dádze do entardecer.
São porcelanas
contornando um gato,
pelos ares, que elfo
com a ponta dos pés afaga.
Tudo é singular a seus olhos
(reminiscências de outra luz),
tanto a escuridão como a estrêla.
Tombam no abismo os fatigados
búzios,
e o repique de ouro dos sinos
no azul profundo
se inscreve.
Em pleno cristal reside o tesouro."

Seu, sincero,
   grato,
      Guimarães Rosa.

18

Rio, 29.V.58

Minha Amiga
Henriqueta Lisboa,

Por tudo, agradeço-lhe, muito. Entusiasma-me
saber que aquelas belas palavras sôbre o "Gr. S. : V."
foram assim ditas às Amigas da Cultura, e na Academia,
em sessão presidida pelo querido Mario Matos. É como
se eu estivesse lá, ouvindo, vendo, me comovendo. Outra vez, gratíssimo.

Quanto à minha ida a Belo Horizonte, tenho pena de que não possa ser agora, em junho. Nem sei quando, ainda. Mas, como tão cedo não deixarei o Brasil, pode crer que, um dia, apareço. Não para falar; perdôe-
me. (Para além de um raio de metro, estou um encolhido
da voz, desajeitado, muito mudo.) Sim, para sentir e ouvir, com sincera alegria.

Como de viva alegria já lhe é imensamente de-
vedor

o   seu
em tôda a admiração
e estima

Guimarães Rosa

18 e 19 Correspondência de 1958 de
Guimarães Rosa para Henriqueta Lisboa

20 e 21 [1972] Henriqueta Lisboa exibe o diploma de Cidadã Honorária de Belo Horizonte, MG.

[1967]
Recebe a Medalha de Mérito da municipalidade de Belo Horizonte.

[1968]
Aposenta-se como técnica de ensino, pelo MEC, e passa a dedicar--se exclusivamente a seus livros.

Publica *Vigília poética*, ensaios.

Publica *Literatura oral para a infância e a juventude*: lendas, contos & fábulas populares no Brasil.

[1969]
Publica *Cantos de Dante*: traduções do "Purgatório", pelo Instituto Cultural Ítalo-Brasileiro.

Publica *Poemas escolhidos de Gabriela Mistral*.

Recebe o título de Cidadã Honorária de Belo Horizonte.

Toma posse na Academia Mineira de Letras.

[1970]
Recebe o prêmio Presença d'Italia in Brasile.

Realiza uma viagem à Europa a convite do governo italiano e é recebida oficialmente em Portugal.

[1971]

Publica *Nova lírica*: poemas selecionados.

Recebe o prêmio Brasília de literatura pelo conjunto da obra, conferido pela Fundação Cultural do Distrito Federal.

[1972]

Publica *Belo Horizonte bem querer*, poemas.

[1973]

Publica *O alvo humano*, poemas.

[1974]

Publica as antologias estrangeiras *Chosen poems*, poemas traduzidos para o inglês por Hélcio Veiga Costa, e *Poèmes choisis*, poemas traduzidos para o francês por Vera Conradt.

[1975]

Recebe o diploma do Ano Internacional da Mulher, conferido pelo governo do Estado de Minas Gerais.

Reedita *O menino poeta*, edição especial ampliada.

[1976]

Publica *Reverberações*, poemas.

Publica *Miradouro e outros poemas*.

Recebe o prêmio Poesia 76, da Associação Paulista de Críticos de Arte.

[1977]

Publica *Celebração dos elementos: água, ar, fogo, terra*, poemas.
Publica *Montanha viva – Caraça / Mons vivus Mons Caracensis*.
Edição bilíngue: português/latim.

[1978]

Publica *A poesia de Jorge Guillén*, ensaio.
Publica *Selected poems*. Edição trilíngue: português/inglês/alemão.
Tradução de Blanca Lobo Filho.

Rio, 18 janeiro 1966.

Henriqueta:

Você nos proporcionou a todos uma nobre emoção, ao comentar e traduzir Dante da maneira como o fêz. Que arte segura, sensível às mais sutis criações do pensamento poético original, e engenhosa no achar--lhes peregrina correspondência vernácula ! E'de deixar a gente morrendo de inveja, uma feliz e santa inveja, que traduz o máximo de admiração . Mas provoca também um sentimento de queixa: pois quem se mostra capaz de transpor de forma tão digna a poesia de Dante não pode limitar-se à versão de algumas páginas do "Purgatório" e de um sonêto da "Vita Nuo - va". Fica-se com direito de reclamar de você o esfôrço pleno, para orgulho de nossas letras e resgate de uma dívida desta parte da latinidade. A íntegra da Divina Comédia" continua esperando um tradutor literário que seja um verdadeiro poeta. Eu tinha esperança de que o Dante Milano, por fôrça do nome, do sangue e do talento criador, fizesse êsse trabalho. Não fêz. Agora sinto que é você o poeta chamado para a imensa tarefa . Você, de ombros frágeis e delicados, mas tão forte !
      O abraço agradecido, muito afetuoso, do

                                          Carln

CARLOS DRUMMOND DE ANDRADE

Belo Horizonte de azul infindo
ainda criança
cabendo inteira
no azul do verso
de Henriqueta.

Belo Horizonte, beleza-fonte
de poesia infinda
que se concentra
nas primeiras casas
nas primeiras gentes,
numa violeta
ou no meigo verso
de Henriqueta.

À querida Henriqueta,
por mais uma dádiva de poesia que
me ofertou.
o agradecimento e o fiel abraço do
Carlos

Rio, 21. II. 73

22 e 23 A correspondência entre Carlos
Drummond de Andrade e Henriqueta Lisboa foi
publicada em *Remate de Males* (2003).

[1979]

Publica *Vivência poética*, ensaios.

Recebe o diploma de membro fundador da Academia Brasileira de Literatura Infantil e Juvenil.

Recebe o título de Personalidade do Ano Internacional da Criança, conferido pela União Brasileira de Escritores.

Recebe o diploma de Mérito Poético por decreto do governador do Estado de Minas Gerais, comemorativo dos cinquenta anos da publicação de *Enternecimento*.

[1980]

Publica *Casa de pedra*: poemas escolhidos.

Recebe a Grande Medalha da Inconfidência.

Reedita *Madrinha lua*.

[1982]

Publica *Pousada do ser*, sua última coletânea de poemas.

[1983]

Recebe a medalha Santos Dumont.

[1984]

Recebe o prêmio Pen Club do Brasil, pela obra *Pousada do ser,* e prêmio Machado de Assis, da Academia Brasileira de Letras, pelo conjunto da obra.

Reedita *O menino poeta*.

[1985]

Morre em 9 de outubro, em sua residência de Belo Horizonte.

Abigail de Oliveira Carvalho, sobrinha de Henriqueta, assume a curadoria da obra da poeta.

Publicação de *Obras completas – Poesia geral (1929-1983)* pela Editora Duas Cidades.

Rio, 28 setembro de 1961

24

24 Cartas como a de Manuel Bandeira (acima) e outras
centenas de documentos estão reunidos no Acervo de
Escritores Mineiros (AEM/FALE-UFMG).

[1987]

Criação do Prêmio Literário Henriqueta Lisboa, pela Secretaria de Cultura de Minas Gerais, no dia do segundo aniversário de sua morte.

[1989]

Doação, pela família de Henriqueta Lisboa, do acervo da escritora para o Centro de Estudos Literários da Faculdade de Letras da UFMG, que inaugurou o Acervo de Escritores Mineiros (AEM).

Realização da Semana Henriqueta Lisboa, 7 a 11 de agosto, com depoimentos e conferências sobre a sua obra, no Centro Cultural da UFMG.

[2001]

Centenário de Henriqueta Lisboa

No mês de julho, na Biblioteca Pública Luís de Bessa, em Belo Horizonte, realiza-se a exposição *Aquela paisagem ninguém a viu como eu*, organizada por Paulo Schmidt e Eneida Maria de Souza, que percorreu várias cidades do interior de Minas Gerais e do Brasil.

Publicação de *Henriqueta Lisboa*: poesia traduzida, organizado por Reinaldo Marques e Maria Eneida Victor Farias, pela Editora UFMG.

Publicação de *Henriqueta Lisboa*: melhores poemas, com organização de Fábio Lucas, pela Editora Global.

[2002]

Reedição de *Literatura oral para a infância e a juventude*: lendas, contos & fábulas populares no Brasil pela Editora Peirópolis.

HENRIQUETA LISBOA

Lambari, 1901 – Belo Horizonte, 1985. Forma-se normalista pelo Colégio Sion de Campanha. Em 1935 muda-se para Belo Horizonte, exercendo as atividades de poeta, tradutora, ensaísta, professora, inspetora de ensino, entre outras. Atua como professora de Literatura da Faculdade Santa Maria (hoje PUC-Minas) e da Escola de Biblioteconomia da UFMG. Em 1963 é eleita a primeira mulher para a Academia Mineira de Letras. Recebe o Prêmio Machado de Assis, da Academia Brasileira de Letras, pelo conjunto de sua obra, em 1984. Integram sua obra poética: *Enternecimento*, *Prisioneira da noite*, *O menino poeta*, *A face lívida*, *Flor da morte*, *Madrinha lua*, *Azul profundo*, *Montanha viva*, *Além da imagem*, *Pousada do ser*, entre outras. É autora dos livros de ensaios *Alphonsus de Guimaraens*, *Convívio poético*, *Vigília poética*, *Vivência poética*.

25

25 Acervo de Escritores Mineiros (AEM/UFMG) – Biblioteca Central da UFMG – Belo Horizonte, MG. No detalhe, retrato de Henriqueta Lisboa por Aurélia Rubião, 1939.

[2003]

Publicação da correspondência entre Henriqueta Lisboa e Carlos Drummond de Andrade em *Remate de Males* – Revista do Departamento de Teoria Literária do Instituto de Estudos da Linguagem da Unicamp, Campinas, n. 23. Organização de Constância Duarte.

[2004]

Reedição de *Flor da morte*, pela Editora UFMG.

[2005]

Publicação de *Antologia de poemas portugueses para a juventude*, com organização de Henriqueta Lisboa, pela Editora Peirópolis.

[2006]

Publicação de *Luz da lua*: antologia poética de Henriqueta Lisboa, com organização de Bartolomeu Campos de Queirós, pela Editora Moderna.

Inauguração da estátua de Henriqueta Lisboa, escultura de Leo Santana, pela Prefeitura de Belo Horizonte, no bairro da Savassi, onde Henriqueta morou.

Criação do Prêmio Henriqueta Lisboa – O Melhor de Literatura em Língua Portuguesa, pela Fundação Nacional do Livro Infantil e Juvenil (FNLIJ), inaugurado com a premiação da obra *Antologia de poemas portugueses para a juventude*

[2008]
Reedição de *O menino poeta*: obra completa, pela Editora Peirópolis.

[2009]
Medalha Reitor Mendes Pimentel da UFMG e prêmio Odylo Costa Filho, da Fundação Nacional do Livro Infantil e Juvenil, na categoria "O melhor livro de poesia", pela obra *O menino poeta*.

[2010]
Publicação da *Correspondência Mário de Andrade & Henriqueta Lisboa*, com organização, introdução e notas de Eneida Maria de Souza, em coedição pelas editoras Peirópolis e Edusp, prêmio Jabuti na categoria "Biografia".

[2011]
Publicação de *A divina comédia em quadrinhos*, com tradução de Henriqueta Lisboa para o "Purgatório", pela Editora Peirópolis.

[2019]
Nova edição de *O menino poeta*: obra completa, pela Editora Peirópolis.

[2020]
Publicação de *Henriqueta Lisboa – Obra completa*: poesia, poesia traduzida e prosa.

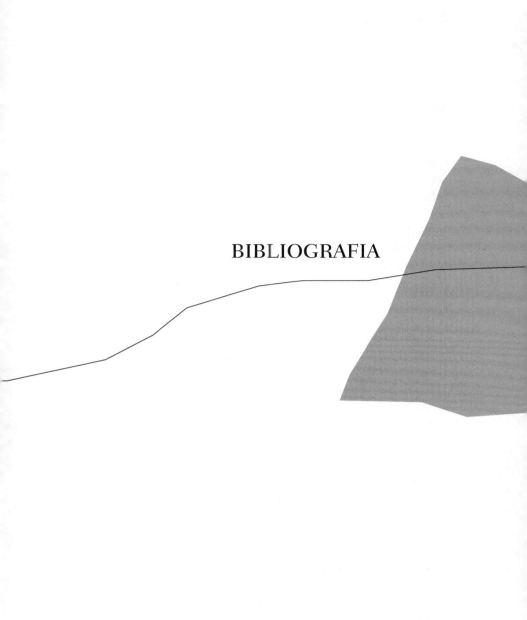

BIBLIOGRAFIA

OBRAS DE HENRIQUETA LISBOA

POESIA

Fogo-fátuo. Rio de Janeiro: [s. n], 1925.

Enternecimento. Rio de Janeiro: Pongetti, 1929.

Velário. Belo Horizonte: Imprensa Oficial, 1936.

Prisioneira da noite. Rio de Janeiro: Civilização Brasileira, 1941.

O menino poeta.

Rio de Janeiro: Bedeschi, 1943.

Edição especial ampliada. Belo Horizonte: Imprensa Oficial, 1975.

Reedição. Porto Alegre: Mercado Aberto, 1984.

São Paulo: Peirópolis, 2008.

2. ed. São Paulo: Peirópolis, 2019.

A face lívida. Belo Horizonte: Imprensa Oficial, 1945.

Flor da morte.

Belo Horizonte: João Calazans, 1949.

2. ed. Belo Horizonte: Editora UFMG, 2004.

Poemas (Flor da morte e A face lívida). Belo Horizonte: João Calazans, 1951.

Madrinha lua.

Rio de Janeiro: Hipocampo, 1952.

2. ed. Rio de Janeiro: Cadernos de Cultura, 1958.

3. ed. Belo Horizonte: Coordenadoria de Cultura de Minas Gerais, 1980.

Azul profundo.

Belo Horizonte: Ariel, 1956.

2ª ed. São Paulo: Xerox do Brasil, 1969.

Lírica (obra poética reunida). Rio de Janeiro: José Olympio, 1958.

Montanha viva – Caraça.

Belo Horizonte: Imprensa Oficial, 1959.

2. ed. *Montanha viva – Caraça / Mons vivus – Mons Caracensis*. Belo Horizonte: São Vicente, 1977 (edição bilíngue: português/latim).

Além da imagem. Rio de Janeiro: Livros de Portugal, 1963.

Nova lírica. Belo Horizonte: Imprensa Oficial, 1971.

Belo Horizonte bem querer. Belo Horizonte: Eddal, 1972.

O alvo humano. São Paulo: Editora do Escritor, 1973.
Chosen poems. Poemas traduzidos para o inglês por Hélcio Veiga
Costa. Belo Horizonte: Eddal, [s. d.].
Poèmes choisis. Poemas traduzidos para o francês por Vera Conradt.
Belo Horizonte: [s. n.], 1974.
Reverberações. Belo Horizonte: São Vicente, 1976.
Miradouro e outros poemas.
Rio de Janeiro: Nova Aguilar; Brasília: INL, 1976.
2. ed. Rio de Janeiro: Nova Fronteira, 1977.
Celebração dos elementos: água, ar, fogo, terra. Belo Horizonte:
[s. n.], 1977.
Selected poems. Edição trilíngue: português/inglês/alemão.
Tradução de Blanca Lobo Filho. Portland, Oregon, EUA:
Norwood Editions, 1978.
Casa de pedra: poemas escolhidos
São Paulo: Ática, 1979.
Reedição. Brasília: INL, 1980.
Pousada do ser. Rio de Janeiro: Nova Fronteira, 1982.
Obras completas. São Paulo: Duas Cidades, 1985. (Poesia geral –
1929-1983, v. 1)
Henriqueta Lisboa: melhores poemas. Seleção de Fábio Lucas. São
Paulo: Global, 2001.
Luz da lua: antologia poética de Henriqueta Lisboa. Seleção de
Bartolomeu Campos de Queirós. São Paulo: Moderna, 2006.
Reencontro com o menino poeta. (Coleção Magias Infantil)
São Paulo: Global, 2003.
2. ed. São Paulo: Global, 2009.

PROSA
Almas femininas da América do Sul. *Colúmbia,* Rio de Janeiro,
v. 1, n. 1, jul. 1928; v. 1, n. 6, jan. 1929, p. 10-12; n. 7, maio
1929, p. 76-78; n. 8, set. 1929, p. 55-57.
Alphonsus de Guimaraens. Rio de Janeiro: Agir, 1945. (Coleção
Nossos grandes mortos, 7).
Convívio poético. Belo Horizonte: Imprensa Oficial, 1955.
A poesia de Ungaretti. *Revista do Livro*, v. 3, n. 7, set. 1957. p. 197-202.

A poesia de "Grande sertão: veredas". *Revista do Livro,* v. 3, n. 12, dez. 1958. p. 141-146.

Reflexões sobre a história: discurso. *Revista do Instituto Histórico e Geográfico de Minas Gerais,* v. 6, 1959. p. 161-166.

Romance com notícias folclóricas. *Revista do Instituto Histórico e Geográfico de Minas Gerais,* v. 8, 1961. p. 103-107.

Discurso. *Revista do Instituto Histórico e Geográfico de Minas Gerais,* v. 9, 1962. p. 263-266.

Conceituação de poesia entre os franceses. *Revista Brasileira,* Rio de Janeiro, v. 10, n. 29, jun. 1964/ago. 1966. p. 98-112.

Mário de Andrade, o poeta. *Mário de Andrade.* Belo Horizonte: Imprensa Oficial, 1965. p. 53-58. (Edições Movimento- -Perspectiva)

O meu Dante. *O meu Dante*: contribuições e depoimentos. São Paulo: Instituto Cultural Ítalo-Brasileiro. Caderno 5, 1965. p. 9-20.

O motivo infantil na obra de Guimarães Rosa. *Guimarães Rosa.* Belo Horizonte: Centro de Estudos Mineiros, 1966. p. 19-30.

Vigília poética. Belo Horizonte: Imprensa Oficial, 1968.

Alphonsus e Severiano. *Colóquio/Letras,* Lisboa, n. 6, mar. 1972. p. 27-34.

A poesia de Jorge Guillén. *Separata de Ínsula.* Madrid, 1978. p. 327-330. Edição especial "Homenaje a Jorge Guillén".

Depoimento da tradutora. In: MISTRAL, Gabriela. *Poesias escolhidas.* Tradução de Henriqueta Lisboa. Rio de Janeiro: Delta, 1969. p. 47-55.

Folclore e literatura infantil. *Boletim Informativo FNLIJ,* v. 2, n. 7, fev. 1970. p. 8-17.

Introdução. In: REZENDE, José Severiano de. *Mistérios.* Belo Horizonte: Imprensa Universitária da UFMG, 1971. p. 5-26.

Vivência poética. Belo Horizonte: São Vicente, 1979.

Poesia, esta maravilhosa deidade a que votei toda uma existência. *Suplemento Literário do Minas Gerais,* Belo Horizonte, 22-29 dez. 1979. p. 12. Edição especial dedicada a Henriqueta Lisboa.

Infância e poesia. *Revista do Conselho Estadual de Cultura de Minas Gerais,* n. 8, 1979. p. 47-50.

Literatura oral e literatura infantil. *Literatura infantil.* Rio de Janeiro: PUC, 1980. p. 29-34. (Cadernos da PUC, 33)

Discurso de Henriqueta Lisboa na solenidade de premiação da Academia Brasileira de Letras. *Suplemento Literário do Minas Gerais,* Belo Horizonte, 21 jul. 1984. p. 12. Edição especial dedicada a Henriqueta Lisboa.

Cruz e Sousa: a dor superada. Florianópolis: Museu/Arquivo da Poesia Manuscrita, 2001. (Coleção Mapa)

Poesia: minha profissão de fé. Florianópolis: Museu/Arquivo da Poesia Manuscrita, 2001. (Coleção Mapa)

TRADUÇÕES

Poemas escolhidos de Gabriela Mistral. Lisboa, Rio de Janeiro: Delta, 1969.

Cantos de Dante: "Traduções do Purgatório". São Paulo: Instituto Cultural Ítalo-Brasileiro, 1969.

Henriqueta Lisboa: poesia traduzida. Organização, introdução e notas de Reinaldo Marques e Maria Eneida Victor Farias. Belo Horizonte: Editora UFMG, 2001.

A divina comédia em quadrinhos. Adaptado por Piero e Giuseppe Bagnariol. Tradução de Henriqueta Lisboa ("Purgatório"). São Paulo: Peirópolis, 2018.

ORGANIZAÇÃO DE COLETÂNEAS

Antologia poética para a infância e a juventude.
  Rio de Janeiro: Instituto Nacional do Livro, 1961.
  2. ed. Rio de Janeiro: Edições de Ouro, 1966.
  Edição parcial: *Antologia de poemas portugueses para a juventude.* São Paulo: Peirópolis, 2005.

Literatura oral para a infância e a juventude: lendas, contos & fábulas populares no Brasil. São Paulo: Cultrix, 1968. São Paulo: Peirópolis, 2002.

CORRESPONDÊNCIA

Correspondência Mário de Andrade & Henriqueta Lisboa. Organização, introdução e notas de Eneida Maria de Souza. São Paulo: Editora Peirópolis; Edusp, 2010. (Coleção Correspondência de Mário de Andrade, 3)

COLABORAÇÕES

Passarinho, Segredo, Boizinho velho, A ovelha, Canoa, Os quatro ventos, O tempo é um fio. In: IBÁÑEZ, Celia Ruiz (sel.). *Antologia de poesia brasileira para crianças*. Barueri (SP): Girassol, [s. d]. p. 18, 22, 23, 34, 54, 75, 108.

Convite, Canção. In: CIANCIO, Luce. *Alguns poetas, portugueses e brasileiros, traduzidos em italiano*. Rio de Janeiro: [s. n.], 1949. p. 36, 40.

A humilde oração, Oração suprema. In: HADDAD, Jamil Almansur. *As obras-primas da poesia religiosa brasileira*. São Paulo: Martins, 1954. p. 335-337.

Caboclo d'água. In: OLIVEIRA, Alaíde Lisboa de. *Meu coração*. São Paulo: Comp. Ed. Nacional, 1957. p. 102-103.

Fraude. In: MILLIET, Sérgio. *Obras-primas da poesia universal*. São Paulo: Martins, 1957. p. 408-409.

Pomar, Tempestade, Segredo, Várzea. In: NUNES, Cassiano; BRITO, Mário da Silva. *Poesia brasileira para a infância*. São Paulo: Saraiva, 1960. p. 260, 262, 269, 277.

Segredo. In: BACHA, Magdala Lisboa. *Que aconteceu?* Rio de Janeiro: Agir, 1962. p. 43.

Caixinha de música, Joãozinho e o papagaio. In: OLIVEIRA, Alaíde Lisboa de. *Meu coração*. São Paulo: Comp. Ed. Nacional, 1963. p. 16-18.

O motivo infantil na obra de *Guimarães Rosa*. In: LISBOA, Henriqueta; CARDOSO, Wilton; RAMOS, Maria Luiza; DIAS, Fernando Correia. *Guimarães Rosa*: ciclo de conferências. Belo Horizonte: Centro de Estudos Mineiros/UFMG, 1966. p. 17-30.

Visão dos profetas, A face lívida, O mundo perfeito. In: COUTINHO, Afrânio. *Antologia brasileira de literatura*. Rio de Janeiro: Distribuidora de Livros Escolares, 1966. v. 2, p. 213-215.

Segredo. In: RIBEIRO, Wagner. *Noções de cultura brasileira*. São Paulo: FTD, 1966. p. 105.

História de Chico Rei. In: OLIVEIRA, Alaíde Lisboa de. *Meu coração*. São Paulo: Comp. Ed. Nacional, 1966. p. 84-87.

Visão dos profetas, Musa, Atmosfera. In: ANDRADE, Carlos

Drummond de. *Brasil, terra & alma*. Rio de Janeiro: Editora do Autor, 1967. p. 126-128, 136-137.

Pérola, Constância, O cortejo, O véu, É estranho, O saltimbanco, Vem, doce morte, Maturidade, As coleções, A joia, Ofélia, Canção grave, A árvore, Maria, Mármore, Frutescência, A flama, Os limites, Vincent (Van Gogh). In: LOANDA, Fernando Ferreira de. *Antologia da moderna poesia brasileira*. Rio de Janeiro: Orfeu, 1967. p. 275-292.

Maturidade. In: CRESPO, Ángel. Poemas de Henriqueta Lisboa. *Revista de Cultura Brasileña*, Madrid, 1969.

Do acaso, A mais suave, Palmeira da praia. In: HORTAS, Maria de Lourdes (org.). *Palavra de mulher*: poesia feminina brasileira contemporânea. Rio de Janeiro: Fontana, 1979. p. 78-79, 90-91.

Humildad, Valor, Amargura, Expectativa, Arte, Amor. In: SAMPAIO, Adovaldo Fernandes. *Voces femeninas de la poesía brasileña*. Goiânia: Editorial Criente, 1979. p. 44-49.

Caixinha de música. In: OLIVEIRA, Alaíde Lisboa de; CARVALHO, Abigail de Oliveira. *Meu coração*. Rio de Janeiro: J. Olympio, 1984. liv. 2, p. 37-38.

Caboclo d'água. In: OLIVEIRA, Alaíde Lisboa de; CARVALHO, Abigail de Oliveira. *Meu coração*. Rio de Janeiro: J. Olympio, 1984. liv. 3, p. 119-120.

História de Chico Rei. In: OLIVEIRA, Alaíde Lisboa de; CARVALHO, Abigail de Oliveira. *Meu coração*. Rio de Janeiro: J. Olympio, 1984. liv. 4, p. 240-242.

Celebração dos elementos: água, ar, fogo, terra. In: *Humanidades* – Revista da Universidade de Brasília, Brasília, v. 2, n. 9, out./dez. 1984.

Pomar. In: BACHA, Magdala Lisboa; BACHA, Tamira Lisboa. *Começo de conversa*. São Paulo: Abril Educação, 1985. liv. 3, p. 61.

O anjo da paz. In: PAULINI, Lívia. *Pérolas de Minas*: coletânea de poetas mineiros. Tradução para o inglês e o húngaro de Lívia Paulini. Belo Horizonte: Academia Mineira de Letras, 1986. p. 2.

Mamãezinha, Pirilampos, Coraçãozinho, Pomar, O tempo é um fio, Fidelidade. In: LISBOA, Henriqueta; MEIRELES, Cecília; QUINTANA, Mário; MORAES, Vinícius de. *Para gostar de ler*: poesias. 8. ed. São Paulo: Ática, 1992. v. 6, p. 24, 29, 34, 42, 50, 56.

O silêncio. In: PAULINI, Lívia (trad.). *Pérolas do Brasil/Pearls of Brazil/Brazilia Gyöngyei*. Obra trilíngue: português/inglês/húngaro. Belo Horizonte: Academia Feminina Mineira de Letras, 1993 (Coletânea de poetas brasileiros). p. 67.

Poesia de Ouro Preto. In: CARDOSO FILHO, Jusberto (org.). *Antologia poética de Ouro Preto*. Ouro Preto: Editora do Autor, 1995. p. 69.

Belo Horizonte bem querer. In: MIRANDA, Wander Melo (org.). *Belo Horizonte*: a cidade escrita. Belo Horizonte: Editora UFMG; Assembleia Legislativa do Estado de Minas Gerais, 1996. p. 22, 262.

Vincent (Van Gogh), O excepcional, Modelagem/Mulher. In: BRASIL, Assis (org.). *A poesia mineira no século XX*: antologia. Rio de Janeiro: Imago, 1998. p. 60-63.

É estranho, Canção grave. In: GONÇALVES, Magaly Trindade; AQUINO, Zélia Thomaz de; SILVA, Zina Bellodi (org.). *Antologia escolar de literatura brasileira*: poesia e prosa. Prefácio de Antônio Carlos Secchin. São Paulo: Musa Editora, 1998. (Musa escola. Cultura de volta à educação: 1). p. 280-281.

Percurso/Parcours. In: PAULINI, Lívia (org.); RENNÓ, Elizabeth (trad.). *Pérolas reverberantes/Perles réverbérantes*. Belo Horizonte: Academia Feminina Mineira de Letras, 1998. (Coletânea de poetas brasileiros). p. 48-49.

Mamãezinha, Pirilampos, Coraçãozinho, Pomar, O tempo é um fio, Fidelidade. In: LISBOA, Henriqueta; PAES, José Paulo; QUINTANA, Mário; MORAES, Vinícius de. *Palavra de poeta*: poesia. São Paulo: Ática, 2001. (Coleção Literatura em minha casa, v. 1). p. 6, 10, 13, 18, 23, 26.

Do supérfluo. In: RODRIGUES, Claufe; MAIA, Alexandra (org.). *100 anos de poesia*: um panorama da poesia brasileira no século XX. Rio de Janeiro: O Verso Edições, 2001. v. I, p. 103.

Os lírios. In: NÊUMANNE PINTO, José (sel.). *Os cem melhores poetas brasileiros do século*. São Paulo: Geração Editorial, 2001. p. 88

Colégio, Palavras. In: LISBOA, Henriqueta; ANDRADE, Carlos Drummond de; BUARQUE, Chico; DIAS, Gonçalves; BILAC, Olavo. *Cinco estrelas*. Rio de Janeiro: Objetiva, 2001. (Literatura em minha casa, v. 1). p. 32, 34.

Louvação de Daniel. In: MORICONI, Italo (org.). *Os cem melhores poemas brasileiros do século*. Rio de Janeiro: Objetiva, 2001. p. 209.

O menino poeta. In: Vários autores. *Pé de poesia*. São Paulo: Global, 2002. (Coleção Literatura em minha casa, v. 1). p. 47. São Paulo: Global, 2006. (Antologia de poesias para crianças). p. 45.

A paisagem do morto. In: AGUIAR, Vera; ASSUMPÇÃO, Simone; JACOBY, Sissa. *Poesia fora da estante*. Porto Alegre: Editora Projeto, 2002. v. 2, p. 88.

Os lírios. In: LISBOA, Henriqueta et al. *Caminho da poesia*. São Paulo: Global, 2003. (Coleção Literatura em minha casa, v. 1. p. 15. São Paulo: Global, 2006. (Antologia de poesias para crianças). p. 15.

Cantiga de Vila-Bela. In: BACELLAR, Laura (org.). *Canções do Brasil*. São Paulo: Scipione, 2003. (Coleção Palavra da gente, v. 4). p. 36.

As palavras. In: BACELLAR, Laura (org.). *Ofício de poeta*. 1. ed. São Paulo: Scipione, 2003. (Coleção Literatura em minha casa, v. 1). p. 27.

Segredo, Pirilampos, Corrente de formiguinhas. In: LISBOA, Henriqueta et al. *Poesia fora da estante*: para crianças. Porto Alegre: L&PM, 2003. (Coleção Literatura em minha casa, v. 1). p. 16, 24, 27.

Pirilampos, Tempestade, Copo de leite, Os quatro ventos, As madrugadas, Pomar, Segredo, Caixinha de música, O menino poeta. In: LISBOA, Henriqueta; PAES, José Paulo; QUINTANA, Mário; PAIXÃO, Fernando. *Varal de poesia*. 1. ed. São Paulo: Ática, 2003. (Coleção Quero ler). p. 10, 17, 21, 23, 30, 36, 42, 47, 59.

A menina selvagem. In: LISBOA, Henriqueta et al. *Tempo de poesia*. 1. ed. São Paulo: Global, 2003. (Coleção Literatura em minha casa, v. 1). p. 7.

Vem, doce morte. In: FIGUEIREDO, Carlos (org.). *100 poemas essenciais da língua portuguesa*. Belo Horizonte: Editora Leitura, 2004. p. 190.

A menina selvagem. In: LISBOA, Henriqueta et al. *Pois é, poesia*. São Paulo: Global, 2004. (Coleção Antologia de poesias para jovens). p. 7.

Echo, Old little ox, The four winds, Time is a thread. In: *Machado de Assis Magazine* – Brazilian Literature in Translation. São Paulo, n. 6, 2015. p. 42-47.

Os lírios, Tuas palavras, Amor. In: Vários autores. *Sonata poética*. Belo Horizonte: Anome Livros, 2005. p. 90-91

É estranho, Vida, paixão e morte do Tiradentes, Canção grave. In: GONÇALVES, Magaly Trindade; AQUINO, Zélia Thomaz de; BELLODI, Zina C. (org.). *Antologia comentada de literatura brasileira*: poesia e prosa. Prefácio de Ivan Teixeira. Petrópolis, RJ: Vozes, 2006. p. 266-268

Tuas palavras, Amor. In: LISBOA, Henriqueta et al. *Traço de poeta*. 1. ed. São Paulo: Global, 2006. (Antologia de poesia para jovens). p. 25.

Vigília poética (capa e dedicatória). In: GOTLIB, Nádia Battella. *Clarice fotobiografia*. São Paulo: Editora da Universidade de São Paulo; Imprensa Oficial do Estado de São Paulo, 2008. p. 378.

Amargura, Prisioneira da noite, A mais suave, A face lívida, Dama de rosto velado, Comunhão, Pássaro de fogo, Visão dos profetas, Herança. In: LISBOA, Henriqueta et al. *Anos 30*. Seleção e prefácio de Ivan Junqueira; direção de Edla van Steen. São Paulo: Global, 2008. (Coleção Roteiro da poesia brasileira). p. 20-29.

Mamãezinha, Pirilampos, Coraçãozinho, Pomar, O tempo é um fio, Fidelidade. In: LISBOA, Henriqueta; PAES, José Paulo; QUINTANA, Mário; MORAES, Vinícius de. *Poesias*. 18 ed. São Paulo: Ática, 2012. (Coleção Para gostar de ler). p. 12, 18, 23, 30, 39, 46.

Idílio, Infância, Canoa, Vincent (Van Gogh). In: LISBOA, Henriqueta et al. Revista *Poesia sempre*, Minas Gerais, ano 18, n. 36. Rio de Janeiro: Fundação Biblioteca Nacional, 2012. p. 103-107.

Pomar. In: SEFFRIN, André (org.). *Rubem Braga*: a poesia é necessária. 1. ed. São Paulo: Global, 2015. p. 102.

Belo Horizonte bem querer. In: ARAÚJO, Ana Luiza von Döllinger de (org.). *Minha cidade é dentro de mim*. Belo Horizonte: Edição da Organizadora, 2015. p. 21, 25.

O motivo infantil na obra de Guimarães Rosa. In: ROSA, João Guimarães. *Manuelzão e Miguilim*. 1. ed. São Paulo: Global, 2019. p. 203-213.

BIBLIOGRAFIA SOBRE HENRIQUETA LISBOA

AGUIAR, Maria Arminda de Sousa. Poética da ausência. *Jornal do Brasil*, Rio de Janeiro, 16 jan. 1977.

AIDE, S. Um estudo de Henriqueta Lisboa sobre Mário de Sá-Carneiro. *Notícias da Beira*, Lisboa, 20 jul. 1969. Carta do Brasil.

ALMEIDA, Lúcia Machado de. Novo livro de Henriqueta. *Última Hora*, Belo Horizonte, 7 set. 1963. p. 5.

_____. Gente, livros e bichos. *Estado de Minas*, Belo Horizonte, 7 out. 1979.

_____. Ponto alto de uma carreira luminosa. *Estado de Minas*, Belo Horizonte, 3 fev. 1983.

ALPHONSUS, João. Velário. *Folha de Minas*, Belo Horizonte, 24 jan. 1936; republicado no *Suplemento Literário do Minas Gerais*, Belo Horizonte, 21 fev. 1970. p. 12. Edição especial dedicada a Henriqueta Lisboa.

ALVARENGA, Terezinha. Henriqueta Lisboa, a própria poesia. *Estado de Minas*, Belo Horizonte, 12 ago. 1982. p. 5.

_____. Henriqueta Lisboa, o ensaio e a poesia. *Estado de Minas*, Belo Horizonte, 19 ago. 1982. Autores e Livros.

_____. Sobre *Pousada do ser*. *Estado de Minas*, Belo Horizonte, 10 fev. 1983.

_____. Henriqueta Lisboa, poeta também para crianças. *Estado de Minas*, Belo Horizonte, 7 mar. 1985. p. 5.

ALVES, Betania Viana. A poesia infantil na obra de Henriqueta Lisboa (O menino poeta). Belo Horizonte, 2009. Dissertação (Mestrado em Literaturas de Língua Portuguesa) – Pontifícia Universidade Católica de Minas Gerais.

ALVES, Henrique L. Legado de Henriqueta Lisboa: a poesia mais pura do Brasil. *Diário Popular*, São Paulo, 8 nov. 1985.

ALVES, J. Guimarães. Flor da morte. *Estado de Minas*, Belo Horizonte, jan. 1950.

ALVES, Túlio César Vieira. Reverberações, o diálogo entre a poesia e o pensamento crítico de Henriqueta Lisboa: um olhar contemporâneo. Belo Horizonte, 2019. Tese (Doutorado em Teoria da Literatura e Literatura Comparada) – Faculdade de Letras, Universidade Federal de Minas Gerais.

AMADO, Milton. *Prisioneira da noite* de Henriqueta Lisboa. *Mensagem*, Belo Horizonte, 25 jul. 1941. Arte e Literatura, p. 8.

AMEAL, João. O menino poeta. *Diário da Manhã*, Lisboa, 12 fev. 1946. Rumos do Espírito.

ANDRADE, Carlos Drummond de. Henriqueta Lisboa: um poeta conta-nos da morte. In: _____. *Passeios na ilha*. Rio de Janeiro: Organização Simões, 1952.

_____. Henriqueta e o Caraça. *Correio da Manhã*, Rio de Janeiro, 7 jul. 1959.

_____. Caraça e o coração. *Estado de Minas*, Belo Horizonte, 4 jun. 1968.

_____. Um poeta conta-nos da morte. *Suplemento Literário do Minas Gerais*, Belo Horizonte, 21 fev. 1970. p.12. Edição especial dedicada a Henriqueta Lisboa.

_____. Se eu fosse consultado. *Jornal do Brasil*, Rio de Janeiro, 14 abr. 1977.

_____ Semana: entre o juro e a poesia. *Jornal do Brasil*, Rio de Janeiro, 29 set. 1979.

ANDRADE, Euclides Marques. Henriqueta – Minas. *Estado de Minas*, Belo Horizonte, 12 ago. 1987.

ANDRADE, João Pedro de. Velário. *O Diabo*, Lisboa, 5 ago. 1939.

ANDRADE, Maria Julieta Drummond de. A fluida e nobre poesia de Henriqueta Lisboa. *O Globo*, Rio de Janeiro, 16 nov. 1985. p. 12.

ANDRADE, Mário de. Coração magoado. In: _____. *O empalhador de passarinho*. 2. ed. São Paulo: Martins, 1955. Republicado no *Suplemento Literário do Minas Gerais*, Belo Horizonte, 21 fev. 1970. p. 2. Edição especial dedicada a Henriqueta Lisboa.

_____. Prisioneira da noite. *Mensagem*, Belo Horizonte, 25 nov. 1941. Arte e Literatura, p. 8.

_____. *Querida Henriqueta*: cartas de Mário de Andrade a Henriqueta Lisboa. Rio de Janeiro: José Olympio, 1990.

ANDRÉ, Oswaldo. Leitura obrigatória. *A Semana*, Divinópolis, 30 abr. 1983.

ARAÚJO, Ângelo Oswaldo. Querida Henriqueta, o abraço fiel de Mário. *Estado de Minas*, Belo Horizonte, 28 dez. 1990.

ARAÚJO, Elza Beatriz de. Na flor da morte. *Estado de Minas*, Belo Horizonte, 15 out. 1985.

ARAÚJO, Henry Corrêa de. O bem querer de uma poeta. *Estado de Minas*, Belo Horizonte, 20 jul. 1972.

ARAÚJO, Laís Corrêa de. Exato e sóbrio. *Estado de Minas*, Belo Horizonte, 22 ago. 1963. Roda Gigante.

_____. Henriqueta Lisboa, algo de sombra e orvalho. *Estado de Minas*, Belo Horizonte, 14 jul. 1963.

_____. Lúcida e límpida vigília. *Boletim Mensal da Sociedade Amigas da Cultura*, Belo Horizonte, v. 2, n. 12, maio 1979. p. 4. Republicado no *Suplemento Literário do Minas Gerais*, Belo Horizonte, 21 jul. 1984. p. 4. Edição especial dedicada a Henriqueta Lisboa.

ARAÚJO, Marcia de Mesquita. Henriqueta Lisboa: teoria e prática de poesia pura. Fortaleza, 2013. Dissertação (Mestrado em Letras) – Centro de Humanidades da Universidade Federal do Ceará.

_____. Concepções pós-modernas de intertexto na poesia de Henriqueta Lisboa: Ofélia, um diálogo com a loucura, a morte e a arte. Centro de Humanidades da Universidade Federal do Ceará. Fortaleza, 2013.

_____. A morte de Ofélia nas águas: reflexos e releitura da personagem de William Shakespeare na poesia de Henriqueta Lisboa. *Entrelaces* – Revista do Programa de Pós-Graduação em Letras da Universidade Federal do Ceará, Fortaleza, ano III, n. 1, 2013.

_____. Henriqueta Lisboa e Maurice Blanchot: o ato criativo e a estranha aproximação com a morte. Fortaleza, 2019. Tese (Doutorado em Letras) – Centro de Humanidades da Universidade Federal do Ceará.

ARAÚJO, Zilah Corrêa de. Henriqueta Lisboa no depoimento de sua sobrinha Abigail de Oliveira Carvalho. *Suplemento Literário do Minas Gerais*, Belo Horizonte, 11 fev. 1963. p. 6.

ATHAYDE, Agamenon de. Na guerra da Academia arma é a poesia. *Binômio*, Belo Horizonte, 24 jun. 1963.

ATHAYDE, Austregésilo de. Meio século glorioso. *Boletim Mensal da Sociedade Amigas da Cultura*, Belo Horizonte, v. 2, n. 12, maio 1979. p. 3. Edição especial dedicada a Henriqueta Lisboa. Republicado no *Estado de Minas*, Belo Horizonte, 7 jun. 1979.

ÁVILA, Affonso. Poesia em retrospecto. *Tentativa*, Belo Horizonte, mar. 1951.

_____. Convívio poético. *Diário de Minas*, Belo Horizonte, 8 mai. 1955. Tribuna das Letras, p. 3.

BACHA, Edmar Lisboa. *Os Lisboa*: fragmentos de memória. Conferência na Academia Mineira de Letras, 2017.

BAHIA, Maria Cristina. Mandamento primeiro e único (com alguns critérios) para conhecer Henriqueta Lisboa. *Estado de Minas*, Belo Horizonte, 30 out. 1977.

BAYRÃO, Reynaldo. Flor da morte. *A Manhã*, Rio de Janeiro, 4 nov. 1951. Letras e Artes, p. 2.

BAKAJ, Branca Borges Góes. Uma leitura da poesia de Henriqueta Lisboa. In: ──. *Quatro estudos literários*. Brasília: [s. n.], 1989. p. 47-72.

BANDEIRA, Manuel. Dante e Henriqueta. *Jornal do Brasil*, Rio de Janeiro, 22 abr. 1959. p. 3.

──────. Ritmos e ascese poética. In: ──. *Andorinha, andorinha*. Rio de Janeiro: José Olympio, 1966. p. 182-183.

BARBOSA, Marcos, Dom. Henriqueta Lisboa. *Jornal do Comércio*, Rio de Janeiro, 28 jul. 1984.

BARRETO, Lázaro. O ser e a ansiedade diante do mundo. *O Estado de S. Paulo*, São Paulo, 13 jan. 1983.

_____. Pousada do ser. *Suplemento Literário do Minas Gerais*. Belo Horizonte, 27 ago. 1983.

BASTIDE, Roger. Sobre a poesia. *Diário de São Paulo*, São Paulo, 2 jun. 1945.

_____. Poesia feminina e poesia masculina. *O Jornal*. Rio de Janeiro, 29 dez. 1945.

_____. A face lívida. *A Tribuna.* Santos, 30 mai. 1946.

_____. Brèsil. *Mercure de France*, Paris, 1er mai 1952.

BATISTA, José. Henriqueta. *Diário de Notícias*, Rio de Janeiro, 13 set. 1964.

_____. Os frágeis pássaros. *Leitura*, Rio de Janeiro, n. 98, set./ out. 1965.

_____. Sobre a poesia atual. *Diário Carioca*, Rio de Janeiro, 21 nov. 1965. p. 40-41.

_____. Henriqueta Lisboa: o poema e o vínculo entre o ser e o não-ser. *Correio da Manhã*, Rio de Janeiro, 9 jul. 1966. p. 2.

BERNIS, Yeda Prates. A grande dama. *Boletim Mensal da Sociedade Amigas da Cultura*, Belo Horizonte, v. 2, n. 12, maio 1979. p. 5. Edição especial dedicada a Henriqueta Lisboa.

BESSA, Luís de. Prisioneira da noite: o livro do dia. *Minas Gerais*, Belo Horizonte, 28 fev. 1970. Suplemento Literário. Edição especial dedicada a Henriqueta Lisboa.

BIBLIOGRAFIA de Henriqueta Lisboa/Bibliografia sobre Henriqueta Lisboa. *Minas Gerais*, Belo Horizonte, 28 fev. 1970. Suplemento Literário. Edição especial dedicada a Henriqueta Lisboa.

BOSI, Alfredo. *História concisa da literatura brasileira*. São Paulo: Cultrix, 1970. p. 311, 431, 433, 482, 488, 515, 539, 544.

BRASIL, Assis. Marca pessoal – Livros. Revista *Escrita*, São Paulo, 18 abr. 1977.

_____. Dois poetas. *Jornal de Letras,* Rio de Janeiro, ago. 1977. Literatura Brasileira Hoje.

_____. Henriqueta Lisboa. In: ——. *Dicionário prático de literatura brasileira*. Rio de Janeiro: Tecnoprint, 1979. p. 144-146.

BRAVO-VILLASANTE, C. Dos antologías. *Ínsula*, Madrid, n. 204, 1963.

BRITO, Mário da Silva. *Panorama da poesia brasileira*. Rio de Janeiro: Civilização Brasileira, 1959. v. 6.

BUENO, Antônio Sérgio. A antecâmara da perfeição: a celebração dos elementos de Henriqueta Lisboa. *Suplemento Literário do Minas Gerais*, Belo Horizonte, 28 jan. 1973. p. 3.

_____. Henriqueta Lisboa. Além da imagem. *Suplemento Literário do Minas Gerais*, Belo Horizonte, 29 maio 1976. p. 3.

————. A mineiridade em *Madrinha lua*. In: LISBOA, Henriqueta. *Madrinha lua*. Belo Horizonte: Coordenadoria de Cultura de Minas Gerais, 1980. p. 7-17.

————. Casa de pedra: a edificação de uma escrita. *Suplemento Literário do Minas Gerais*, Belo Horizonte, 21 jul. 1984. p. 9. Edição especial dedicada a Henriqueta Lisboa.

CAMPOMIZZI FILHO. O menino poeta. *Gazeta Comercial,* Juiz de Fora, 8 jul. 1977.

————. Miradouro. *Gazeta Comercial,* Juiz de Fora, 8 jul. 1977.

————. Casa de pedra. *Estado de Minas*, Belo Horizonte, 7 ago. 1979.

CAMPOS, Geir. Convívio poético. *Diário de Notícias*, Rio de Janeiro, 18 maio 1955. Quatro Cantos.

————. Madrinha lua. *Diário de Notícias*, Rio de Janeiro, 3 maio 1955. Quatro Cantos.

CANDIDO, Antonio. Notas de crítica literária – III. *Folha da Manhã*, São Paulo, 21 maio 1944.

————. O menino e o poeta. *Suplemento Literário do Minas Gerais*, Belo Horizonte, 28 fev. 1970. p. 3. Edição especial dedicada a Henriqueta Lisboa.

CARA, Salete de Almeida. Lirismo, metáforas: uma poesia sempre fiel às suas origens. *O Estado de S. Paulo*, São Paulo, 28 jan. 1983.

CARPEAUX, Otto Maria. Mais livros na mesa. *O Estado de S. Paulo*, São Paulo 7 mar. 1979.

CARVALHO, Abigail de Oliveira; MIRANDA, Wander Melo; SOUZA, Eneida Maria de (org.). *Presença de Henriqueta*. Rio de Janeiro: José Olympio, 1992.

CARVALHO, J. Montezuma de. ¿Para qué sirve el arte? *El Universo*, Guayaquil, 13 mar. 1966. p. 4.

————. Arte e liberdade. *Suplemento Literário do Minas Gerais*, Belo Horizonte, 28 fev. 1970. p. 10.

CARVALHO, Maristela. Henriqueta: a grande dama da poesia. *O Lutador*, Belo Horizonte, 13-19 abr. 1986. Poesia e Vida.

CARVALHO, Roberto Barros de. Olhos de pesquisar enigmas. *O Risco do Ofício*, Belo Horizonte, ago. 1989.

CASASSANTA, Mário. Discurso de apresentação do livro *Prisioneira da noite*, da poetisa Henriqueta Lisboa, na Academia Mineira de Letras. *Suplemento Literário do Minas Gerais*, Belo Horizonte, 21 jun. 1941.

CASTELO BRANCO, Wilson. Flor da morte. *Diário de Minas,* Belo Horizonte, 1950.

_____. Em torno da "Lírica" de Henriqueta Lisboa. *Folha de Minas*, Belo Horizonte, 29 out. 1960.

_____. Além da imagem. *Suplemento Literário do Minas Gerais*, Belo Horizonte, 24 set. 1966. p. 2.

CÉSAR, Guilhermino. Prisioneira da noite. *Folha de Minas*, Belo Horizonte, 29 jun. 1941.

_____. A experiência do recato. *Correio do Povo*, Porto Alegre, 20 out. 1979. Caderno de Sábado.

_____. A experiência do recato. *Suplemento Literário do Minas Gerais*, Belo Horizonte, 22-29 dez. 1979. p. 2. Edição especial dedicada a Henriqueta Lisboa.

_____. O livro que aconteceu. *Correio do Povo*, Porto Alegre, 10 dez. 1983. Caderno de Sábado.

_____. Pousada do ser. *Suplemento Literário do Minas Gerais*, Belo Horizonte, 21 jul. 1984. p. 9. Edição especial dedicada a Henriqueta Lisboa.

CHAVES, Ruth Maria. Rara harmonia, duro diamante. *Tribuna da Imprensa*, Rio de Janeiro, 9-10 fev. 1957.

CHRYSTUS, Miriam. A poesia, há 50 anos, na vida de Henriqueta. *Jornal de Casa*, Belo Horizonte, 6-12 maio 1979.

CLARK, Martin. Poetry, Villa-Lobos join Haydn, Mozart. *Portland Oregon*, Portland, Feb. 5, 1979.

COELHO, Nelly Novaes. *Dicionário crítico da literatura infantil/ juvenil*: 1882-1982. São Paulo: Quíron, 1983. p. 327-329.

COUTINHO, Afrânio. *A literatura no Brasil*. Rio de Janeiro: São José, 1959. v. 3, p. 485.

CRESPO, Ángel. Poemas de Henriqueta Lisboa. *Revista de Cultura Brasileña*, Madrid, n. 28, mar. 1969. p. 3-27.

_____. Poemas de Henriqueta Lisboa. *Suplemento Literário do Minas Gerais*, Belo Horizonte, 28 fev. 1970. p. 4. Edição especial dedicada a Henriqueta Lisboa.

CUNHA, Fausto. *Aproximações estéticas do onírico*: estudos sobre a expressão poética. Rio de Janeiro: Orfeu, 1967. p. 131, 132, 134, 138, 144, 150, 163, 164, 167.

DAMASCENO, Darcy. Além da imagem: a coisa por dentro. *Correio da Manhã*, Rio de Janeiro, 25 dez. 1964.

_____. Henriqueta e a crítica de poesia. *Correio da Manhã*, Rio de Janeiro, 1º set. 1968.

_____. Além da imagem das coisas. *Suplemento Literário do Minas Gerais*, Belo Horizonte, 28 fev. 1970. p. 7. Edição especial dedicada a Henriqueta Lisboa.

_____. Além da imagem. *Suplemento Literário do Minas Gerais*, Belo Horizonte, 22-29 dez. 1979. p. 4. Edição especial dedicada a Henriqueta Lisboa.

DAVID, Carlos. Henriqueta Lisboa: prisioneira da noite. *Correio da Manhã*, Rio de Janeiro, 13 jun. 1953. Falando de Poesia.

DESTAQUE para os 50 anos de publicação de *Enternecimento*. *Jornal do Brasil*, Rio de Janeiro, 29 dez. 1979. Caderno B.

DRUMMOND, Roberto; SANTIAGO, Evandro. Henriqueta Lisboa do fundo azul do mundo. *Estado de Minas*, Belo Horizonte, 4 maio 1969. p. 10.

DUARTE, José Afrânio Moreira. Henriqueta Lisboa, a grande dama da poesia brasileira. *Diário de Minas*, Belo Horizonte, 5 jul. 1970.

_____. Henriqueta Lisboa, poeta maior. *Jornal de Letras*, Rio de Janeiro, jun. 1974.

_____. Henriqueta Lisboa: poesia com destinatário não é do meu feitio. *Jornal de Letras*, Rio de Janeiro, fev./mar. 1971.

_____. Henriqueta traduzida. *Estado de Minas*, Belo Horizonte, 12 dez. 1974.

_____. *De conversa em conversa*: entrevistas. São Paulo: Editora do Escritor, 1976. p. 65-68.

_____. Presença da poesia de Henriqueta. *Estado de Minas*, Belo Horizonte, 3 jun. 1977.

_____. Henriqueta Lisboa: lucidez e sensibilidade. *Estado de Minas*, Belo Horizonte, 13 out. 1979.

_____. Considerações em torno de "Pousada do ser". *Estado de Minas*, Belo Horizonte, 19 jun. 1984.

_____. Querida Henriqueta: um livro essencial. *Suplemento*

Literário do Minas Gerais, Belo Horizonte, 29 dez. 1990. Cultura e Arte. p. 6.

_____. Henriqueta Lisboa: poesia plena. São Paulo: Editora do Escritor, 1996.

DURVAL, Carlos. *Poetas do modernismo*. Rio de Janeiro: Instituto Nacional do Livro, 1972. v. 5, p. 55-110. Estudo crítico.

DUTRA, W.; CUNHA, F. *Biografia crítica das letras mineiras*. Rio de Janeiro: Instituto Nacional do Livro, 1956. p. 89, 109, 110.

GUIMARÃES, Ednalva. A comunicação lírica de Henriqueta. *A Cigarra*, São Paulo, out. 1971. p. 96.

ENCICLOPÉDIA Delta-Larousse. Rio de Janeiro: Delta, 1960. v. 7, p. 3489.

ENCICLOPÉDIA Barsa. Rio de Janeiro: Encyclopaedia Britannica, 1965. v. 8, p. 341-342.

ENCICLOPÉDIA Delta Universal. Rio de Janeiro: Delta, 1985. v. 9, p. 4839.

ENCICLOPÉDIA Literatura Brasileira da Oficina Literária Afrânio Coutinho – OLAC. Rio de Janeiro: Ministério da Educação/Fundação de Assistência ao Estudante, 1990. v. 2.

ENTRAMBASAGUAS, Joaquín de. Literatura brasileira. *Revista Literaria*, Madrid, 1952.

FARIA, Michel Marques de. A quadrinização de "A divina comédia": uma análise semiótica do inferno de Dante. Universidade Federal Fluminense. 5ªs Jornadas Internacionais de Histórias em Quadrinhos, Escola de Comunicações e Artes da USP, São Paulo, 2018.

FARIA, Octávio de. Poesia de Henriqueta Lisboa. *Correio da Manhã*, Rio de Janeiro, 3 mar. 1964.

FELIPE, Carlos. Os 50 anos da poesia de Henriqueta. *Estado de Minas*, Belo Horizonte, 24 jun. 1979. Mulher.

FERRAZ, Geraldo Galvão. Cala-se a voz de Henriqueta Lisboa. *O Estado de S. Paulo*, São Paulo, 12 out. 1985. p. 16.

FERREIRA, Celina. Raízes inconscientes na lírica de Henriqueta Lisboa. *Suplemento Literário do Minas Gerais*, Belo Horizonte, 9 out. 1982. p. 3-4.

FERREIRA, Délson Gonçalves. Pousada do ser. *Suplemento Literário do Minas Gerais*, Belo Horizonte, 21 jun. 1984. p. 2-3.

Edição especial dedicada a Henriqueta Lisboa.

FIGUEIRA, Gastón. Henriqueta Lisboa: O menino poeta. *La Nueva Democracia*, fev. 1944. p. 22. Notas Bibliográficas.

_____. Henriqueta Lisboa: Prisioneira da noite. *Books Abroad*, Norman (Oklahoma), Apr. 1942.

_____. *Poesía brasileña contemporánea*. Montevideo: Instituto de Cultura Uruguayo-Brasileño, 1947. p. 82-83.

FIGUEIREDO, Guilherme. A poesia de Henriqueta Lisboa. *Correio do Povo*, Porto Alegre, 28 jan. 1979.

FIGUEIREDO, Wanda. O lado humano. *Estado de Minas*, Belo Horizonte, 9 fev. 1964.

FONSECA FILHO, Isnard Pereira da. *Belo Horizonte bem querer*: versos sinfônicos com ásperas dissonâncias. Belo Horizonte, 2011. Dissertação (Mestrado em Literatura Brasileira) – Faculdade de Letras, Universidade Federal de Minas Gerais.

FRANCE, Sylvain. Les lettres hispano-américaines. *Le Courrier des Arts et des Lettres*, Paris, 16 juil. 1948. p. 2.

FRANCESCHI, Antônio Fernando de. Louve-se esta poesia maior. *IstoÉ*, São Paulo, n. 316, jan. 1983. p. 10-12.

FRANCO, José. Henriqueta. *Diário de Notícias*, Rio de Janeiro, 13 set. 1964.

FREIRE, Natércia. Uma breve nota. *Diário de Notícias*, Lisboa, 3 set. 1970. Artes e Letras.

FREITAS, Lúcio de. Poesia concreta: arte ou mistificação? Falam os mineiros. *O Diário*, Belo Horizonte, 24 abr. 1957. p. 8.

FRIEIRO, Eduardo. *Letras mineiras*: coletânea de artigos de crítica literária. Belo Horizonte: Os Amigos do Livro, 1937. p. 245-251: Velário, poemas de Henriqueta Lisboa.

FROTA, Lélia Coelho. Azul profundo. *Paratodos*, Rio de Janeiro, 15 set. 1956. Crônica de Livros Novos.

_____. Convívio: como Henriqueta Lisboa vê a poesia e os poetas. *Tribuna da Imprensa*, Rio de Janeiro, 27-28 set. 1957. p. 3.

_____. Um destino de silêncio. *Jornal do Brasil*, Rio de Janeiro, 22 mar. 1975. p. 8.

GAZARIAN-GAUTIER, Marie-Lise. *Gabriela Mistral*: the teacher from the Valley of Elqui. Chicago: Franciscan Herald Press, 1975. p. 92-97.

GOMES, Antônio Osmar. Sob um velário. *O Diário*, Salvador, 7 ago. 1940.

GOMES, Danilo. Henriqueta Lisboa ensaísta. *Suplemento Literário do Minas Gerais*, Belo Horizonte, 12 fev. 1983. p. 5.

————. Henriqueta Lisboa ensaísta. *Estado de Minas Gerais*, Belo Horizonte, 10 mar. 1983. p. 5.

GIUSTI, Roberto F. Belo Horizonte y Ouro Preto. *Revista da Universidade de Minas Gerais*, n. 14, set. 1964. p. 192-197.

Gran diccionario de Autores Latinoamericanos de Literatura Infantil y Juvenil. Henriqueta Lisboa (verbete). In: PADRINO, Jayme Garcia (coord.). Madrid: Fundación SM, 2010. p. 534-535.

GUIMARAENS FILHO, Alphonsus de. Poesia infantil. *Folha da Manhã*, São Paulo, 26 out. 1944.

————. Através de uma poesia. *Revista do Livro*, Rio de Janeiro, v. 3, n. 4, dez. 1956. p. 249-253.

————. Através de uma poesia. *Suplemento Literário do Minas Gerais*, Belo Horizonte, 21 fev. 1970. p. 4. Edição especial dedicada a Henriqueta Lisboa, 2011.

————. Discurso de saudação a Henriqueta Lisboa na Academia Mineira de Letras. Belo Horizonte, 1969.

————. Henriqueta Lisboa. *Suplemento Literário do Minas Gerais*, Belo Horizonte, 21 jul. 1984. Edição especial dedicada a Henriqueta Lisboa, 2011.

GUIMARÃES, Carmem Schneider. A dama/o azul. *Estado de Minas*, Belo Horizonte, 27 jun. 1979. Henriqueta no seu jubileu de ouro da poesia. p. 8.

————. A formação do poeta segundo um de seus maiores. *Estado de Minas*, Belo Horizonte, 27 jun. 1979. Henriqueta Lisboa no seu jubileu de ouro da poesia. p. 8.

————. Uma poesia mineira e sua mensagem universal. *Estado de Minas*, Belo Horizonte, 8 maio 1984. p. 2.

GUIMARÃES, Torrieri. Bilhete a Henriqueta Lisboa. *Folha da Tarde*, São Paulo, 20 dez. 1976.

GULLAR, Ferreira. Dois universos. *Veja*, São Paulo, n. 436, mar. 1978. p. 96-97.

HADDAD, Jamil Almansur. Madrinha lua. *Folha da Manhã*, São Paulo, 14 dez. 1952.

_____. Madrinha lua. *Suplemento Literário do Minas Gerais*, Belo Horizonte, 28 fev. 1970. p. 5. Edição especial dedicada a Henriqueta Lisboa, 2011.

HENRIQUETA Lisboa. 50 anos dedicados à poesia. *Jornal de Letras*, Rio de Janeiro, jun. 1979.

HOLANDA, Sérgio Buarque de. Flor da morte. *Diário Carioca*, Rio de Janeiro, 10 set. 1950.

_____. Flor da morte. *Suplemento Literário do Minas Gerais*, Belo Horizonte, 28 fev. 1970. p. 1. Edição especial dedicada a Henriqueta Lisboa, 2011.

HORTA, Luiz Paulo. Visão profunda. *Jornal do Brasil*, Rio de Janeiro, 22 jan. 1983.

_____. *Jornal do Brasil*, Rio de Janeiro, 11 out. 1985.

JACINTA, Maria. Henriqueta Lisboa. *Espera*, Rio de Janeiro, 1936.

JANSEN, Letácio. Fogo-fátuo: Henriqueta Lisboa. *A Rua*, Rio de Janeiro, 20 jan. 1927. Crítica Literária.

JEAN, Yvonne. Henriqueta Lisboa. *Revista da Semana*, Rio de Janeiro, 6 dez. 1947. p. 49. Personalidade da Semana.

JOBIM, Renato. De poesia e seu mundo. *Diário Carioca*, Rio de Janeiro, 29 maio 1955.

JUNQUEIRA, Ivan. Henriqueta Lisboa: entre a música e o silêncio. *O Globo*, Rio de Janeiro, 19 ago. 1979. p. 7.

_____. Henriqueta Lisboa: entre a música e o silêncio. *Suplemento Literário do Minas Gerais*, Belo Horizonte, 22-29 dez. 1979. p. 3. Edição especial dedicada a Henriqueta Lisboa, 2011.

JUSTINA, Priscila; MARTINS, Roberta. Poesia traduzida em Minas: comentários. In: QUEIROZ, Sônia; MITALLE, Karina. *Editoras mineiras*: o lugar da tradução. Belo Horizonte: FALE/UFMG, 2015. p. 65.

KOPKE, Carlos Burlamaqui. Em louvor de Henriqueta Lisboa. *Correio Paulistano*, São Paulo, 10 out. 1943.

_____. *Faces descobertas*. São Paulo: Martins, 1944. p. 129-137: Arte de Henriqueta Lisboa.

_____. Arte de Henriqueta Lisboa. *Minas Gerais*, Belo Horizonte, 21 fev. 1970. Edição especial dedicada a Henriqueta Lisboa.

_____. Um inventário de peregrinações. *Poesia*, São Paulo, v. 1, n. 1, dez. 1977. p. 100-101.

KOVADLOFF, Santiago (sel.). *Poesía contemporánea del Brasil*. Buenos Aires: General Fabril, 1972.

LEÃO, Ângela Vaz. *História das palavras*. Belo Horizonte: Imprensa da Universidade de Minas Gerais, 1961. p. 75-91: Ao lusco-fusco.

_____. Evolução de um poeta. *Kriterion*, n. 16, Belo Horizonte, 1963.

_____. Evolução de um poeta (I). *Suplemento Literário do Minas Gerais*, Belo Horizonte, 8 out. 1966. p. 4.

_____. Evolução de um poeta (II). *Suplemento Literário do Minas Gerais*, Belo Horizonte, 15 out. 1966. p. 4.

LEÃO, Múcio. Registro literário *Jornal do Brasil*, Rio de Janeiro, 19 fev. 1937.

LEITE, José Roberto Teixeira. Lírica. *Cadernos Brasileiros*, Rio de Janeiro, n. 2, jul./set. 1959.

LEITE NETTO, Alcino; MACHADO, José. Entrevista com Henriqueta Lisboa. *Voz da Verdade*, Lambari, 9 maio 1976. p. 6.

LEONARDOS, Stella. Cantos de Dante. *O Diário*, Belo Horizonte, 22 jan. 1970.

_____. Poesia: vocação desde a infância. *Jornal de Letras*, Rio de Janeiro, jul. 1978. p. 3.

LEONI, G. D. Tre libri italo-brasiliani. *La Settimana*, San Paolo, 4-10 mar. 1970. p. 9. Asterischi.

LIMA, Alceu Amoroso. *Voz de Minas*. Rio de Janeiro: Agir, 1945.

LIMA, Edileide Patrícia Câmara. Linguagem de outrora na poesia de Henriqueta Lisboa. *RELACult* – Revista Latino-Americana de Estudos em Cultura e Sociedade, Foz do Iguaçu, v. 5, n. 2, abr./ago., 2019, artigo n° 1454.

LINHARES, Temístocles. Estudos sobre poesia. *Diário de Notícias*, Rio de Janeiro, 19 jun. 1955.

LINS, Ivan. Henriqueta e a Academia Brasileira de Letras. *Suplemento Literário do Minas Gerais*, Belo Horizonte, 28 fev. 1970. p. 9. Edição especial dedicada a Henriqueta Lisboa.

_____. Henriqueta Lisboa (Saudação na Academia Brasileira de Letras). *Jornal do Comércio*, Rio de Janeiro, 29 out. 1974.

_____. A poesia de Henriqueta Lisboa. *Suplemento Literário do*

Minas Gerais, Belo Horizonte, 30 nov. 1974. p. 10

LISBOA, José Carlos. Henriqueta. *Suplemento Literário do Minas Gerais*, Belo Horizonte, 21 jul. 1984. p. 8. Edição especial dedicada a Henriqueta Lisboa.

LOBO FILHO, Blanca. *Interpretação da lírica de Henriqueta Lisboa*. Belo Horizonte: Imprensa Oficial, 1965. (Edições Movimento-Perspectiva).

_____. *A poesia de Henriqueta Lisboa*. Trad. Oscar Mendes. Belo Horizonte: Imprensa Oficial, 1966.

_____. *A poesia de Emily Dickinson e de Henriqueta Lisboa*. Trad. Oscar Mendes. Belo Horizonte: Imprensa Oficial, 1973.

_____. Henriqueta Lisboa: o menino poeta. *Books Abroad*, Norman (Oklahoma), Apr. 1976.

_____. Henriqueta Lisboa: *Miradouro e outros poemas, World Literature Today*, Norman (Oklahoma), Summer 1977.

_____. *The poetry of Emily Dickinson and Henriqueta Lisboa*, Norwood (Pennsylvania): Norwood Editions, 1978.

_____. Henriqueta Lisboa: *Casa de pedra. World Literature Today*, Norman (Oklahoma), Spring 1980.

LOPES, Álvaro Augusto. À margem dos livros. *A Tribuna*, Santos, 8 mar. 1959.

LUCAS, Fábio. Henriqueta Lisboa: o tema e a técnica. *O Estado de S. Paulo*, São Paulo, 14 mar. 1959. Crônica de Belo Horizonte.

_____. *Temas literários e juízos críticos*. Belo Horizonte: Imprensa Oficial, 1966. p. 95-101: Henriqueta Lisboa: o tema e a técnica.

_____. Henriqueta Lisboa: o tema e a técnica. *Suplemento Literário do Minas Gerais*, Belo Horizonte, 21 fev. 1970. p. 10. Edição especial dedicada a Henriqueta Lisboa.

_____. *Horizontes da crítica*. Belo Horizonte: Imprensa Oficial, 1965. p. 174-175: Henriqueta Lisboa: uma nota.

_____. Henriqueta Lisboa. *O Estado de S. Paulo*, São Paulo, 14 nov. 1971.

_____. Henriqueta Lisboa. *Suplemento Literário do Minas Gerais*, Belo Horizonte, 15 jan. 1972. p. 5.

_____. Henriqueta Lisboa. In: *A face visível*. Rio de Janeiro: José Olympio, 1973. p. 70-73.

_____. O alvo humano. *Colóquio/Letras*, Lisboa, n. 20, jul. 1974. p. 92-93.

_____. O alvo humano. *Suplemento Literário do Minas Gerais*, Belo Horizonte, 23 nov. 1974. p. 2.

_____. Lira cinquentenária: Henriqueta Lisboa. *Colóquio/Letras*, Lisboa, n. 52, nov. 1979. p. 73.

_____. A poética de Henriqueta Lisboa. In: LISBOA, Henriqueta. *Casa de pedra*. São Paulo: Ática, 1980. p. 5-8.

_____. *Crítica sem dogma*. Belo Horizonte: Imprensa Oficial, 1983. p. 188-197: Visão de Henriqueta Lisboa.

_____. O ser da poesia. *Estado de Minas*, Belo Horizonte, 19 fev. 1986. p. 8.

_____. A poesia de Henriqueta Lisboa. *Suplemento Literário do Minas Gerais*, Belo Horizonte, 30 nov. 1985. p. 13.

_____. *Do barroco ao modernismo*: vozes da literatura brasileira. São Paulo: Ática, 1989. p. 191-198: A poesia de Henriqueta Lisboa.

LUCAS, Fábio; MIRANDA, Wander et al. *Uma correspondência em debate*. São Paulo: Memorial da América Latina, 1996.

LUZ E SILVA. O eterno dentro do efêmero. *Poesia*, São Paulo, jun. 1979. p. 36-39.

MACHADO, Adriana Rodrigues. *A lírica essencial de Henriqueta Lisboa*. Porto Alegre, 2009. Dissertação (Mestrado em Literatura Brasileira) – Faculdade de Letras, Pontifícia Universidade Católica do Rio Grande do Sul.

_____. *Rosa plena*: a sagração da poesia em Henriqueta Lisboa. Porto Alegre, 2013. Tese (Doutorado em Teoria da Literatura) – Faculdade de Letras, Pontifícia Universidade Católica do Rio Grande do Sul.

_____. Enternecimento: a carta não enviada. In: CABRAL, Cleber Araújo; SILVA, Marcelino Rodrigues da (org.). *Escavações e impressões*: escritos sobre acervos literários e memória cultural (edição impressa). 1. ed. Belo Horizonte: Edições Viva Voz, 2018. v. 1, p. 11-35.

MACHADO FILHO, Aires da Mata. *Críticas de estilos*. Rio de Janeiro: Agir, 1956.

_____. Além da imagem. *Estado de Minas*, Belo Horizonte, 15 set. 1964.

_____. A palavra e os silêncios na poesia de Henriqueta Lisboa. *O Estado de S. Paulo*, São Paulo, 3 abr. 1977.

_____. Um romance e vários poemas. *O Estado de S. Paulo*, São Paulo, 13 maio 1977.

MAGALDI, Fernando. Henriqueta, bodas de ouro com a poesia. *Folha de S. Paulo*, São Paulo, 26 dez. 1979. p. 15.

MALARD, Letícia. Partiram-se as cordas da viola d'amore. *Estado de Minas*, Belo Horizonte, 15 out. 1985. p. 1.

MALDONADO, João C. Nova lírica: uma cidade em prosa e verso. *Folha de São Borja*, São Borja, Rio Grande do Sul, 27 jan. 1979.

_____. Tribuna literária. *Tribuna de Petrópolis*, Petrópolis, Rio de Janeiro, 23 jan. 1983.

MARISE, Leila. Henriqueta Lisboa, prêmio de poesia 52. *Última Hora*, São Paulo, 30 jan. 1953.

MARQUES, Oswaldino. A dança ritual do véu. *Suplemento Literário do Minas Gerais*, Belo Horizonte, 21 jul. 1984. p. 3. Edição especial dedicada a Henriqueta Lisboa.

MARQUES, Reinaldo. Henriqueta Lisboa e o ofício da tradução. In: *Henriqueta Lisboa*: poesia traduzida. Organização, introdução e notas de Reinaldo Marques e Maria Eneida Victor Farias. Belo Horizonte: Editora UFMG, 2001. p. 18-35.

_____. Henriqueta Lisboa e a mediação cultural. *Suplemento Literário de Minas Gerais*, Belo Horizonte, n. 84, jun. 2002. p. 18-19,

_____. Henriqueta Lisboa: tradução e mediação cultural. *Scripta* – Revista do Programa de Pós-Graduação em Letras do Centro de Estudos Luso-Afro-Brasileiros da PUC Minas, v. 8, n. 15, 2º sem. 2004. p. 205-212.

MARTINS, Heitor. Lírica. *Diário de Minas*, Belo Horizonte, 13 mar. 1959.

MARTINS, Elvira. Henriqueta Lisboa, a menina poeta. *Municípios Mineiros*, Belo Horizonte, 9 abr. 1986. p. 9.

MARTINS, Wilson. Duas poetisas. *O Estado de S. Paulo*, São Paulo, 7 mar. 1959.

_____. A mulher no seu lugar. *Jornal do Brasil*, Rio de Janeiro, 19 jan. 1980. p. 11.

MATOS, Aníbal. Apresentação do livro *Prisioneira da noite*. *Suplemento Literário do Minas Gerais*, Belo Horizonte, 21 jan. 1941.

MELLO, Cristina de. Vivência poética. *Colóquio/Letras*, Lisboa, n. 60, mar. 1981. p. 98-99.

MENDES, Oscar. Prisioneira da noite. *O Diário*, Belo Horizonte, 29 jun. 1941.

_____. Azul profundo. *O Diário*, Belo Horizonte, 1956.

_____. A lírica de Henriqueta. *O Diário*, Belo Horizonte, 22 jan. 1959.

_____. Evolução de um poeta. *O Diário*, Belo Horizonte, 12 jan. 1966. No Fundo dos Livros.

_____. *Poetas de Minas*: Henriqueta Lisboa. Belo Horizonte: Imprensa Publicações, 1970. p. 95-117.

_____. Uma louvável reedição. *Estado de Minas*, Belo Horizonte, 22 out. 1975.

MENDONÇA, Íris Carvalho de. Henriqueta Lisboa – Poeta das alterosas. *Diário Mercantil*, Juiz de Fora, 13 mar. 1966.

MENEGALE, Heli. A poesia da sensibilidade. *Folha de Minas*, Belo Horizonte, 4 jul. 1937.

_____. Prisioneira que liberta. *O Diário,* Belo Horizonte, 6 fev. 1941.

MENEGALE, J. Guimarães. Alertada para as ricas sutilezas da língua. Revista *Leitura,* Rio de Janeiro, mar. 1959.

MENEZES, Carlos. Reunidos em Casa de pedra. *O Globo,* Rio de Janeiro, 3 ago. 1979.

MENEZES, Raimundo de. Henriqueta Lisboa. In: *Dicionário literário brasileiro*. 2. ed. Rio de Janeiro: Livros Técnicos e Científicos, 1978. p. 374.

MILLIET, Sérgio. Três poetas. *O Estado de S. Paulo*, São Paulo, 15 nov. 1945.

_____. *Diário crítico*. São Paulo: Martins, 1945. v. 3.

_____. Flor da morte e lembrança de Rilke. *O Estado de S. Paulo,* São Paulo, 25 fev. 1950.

_____. *Panorama da moderna poesia brasileira*. Rio de Janeiro: Ministério da Educação e Cultura, 1952.

_____. Sobre a face lívida. *Suplemento Literário do Minas Gerais*, Belo Horizonte, 21 fev. 1970. p. 9. Edição especial dedicada a Henriqueta Lisboa.

MIRANDA, Wander Melo (org.). *A trama do arquivo*. Belo Horizonte: Editora UFMG, 1995.

MISTRAL, Gabriela. A poesia infantil de Henriqueta Lisboa. *A Manhã*, Rio de Janeiro, 26 mar. 1944. Pensamento da América, p. 39 e 47.

_____. A poesia infantil de Henriqueta Lisboa. *Mensagem*, Belo Horizonte, 30 out. 1944. p. 13 e16.

_____. A poesia infantil de Henriqueta Lisboa. *Suplemento Literário do Minas Gerais*, Belo Horizonte, 28 fev. 1970. p. 2-3. Edição especial dedicada a Henriqueta Lisboa.

MITRE Y CERRITO, B. Henriqueta Lisboa. *Magisterio*, Buenos Aires, v. 3, n. 23, 30 abr. 1929. p. 5.

MORELATO, Adrienne Kátia Savazoni. *As vestes do corpo e da melancolia na poesia de autoria feminina*: Cecília Meireles, Gabriela Mistral e Henriqueta Lisboa. Araraquara, 2017. Tese (Doutorado em Estudos de Gênero) – Faculdade de Ciências e Letras, Universidade Estadual Paulista.

MOTA E SILVA, Gutemberg da. Henriqueta Lisboa: meio século de poesia. *Jornal do Brasil*, Rio de Janeiro, 14 abr. 1979.

MOTTA, Pascoal. Henriqueta Lisboa: constância e dignidade literária. *Suplemento Literário do Minas Gerais*, Belo Horizonte, 21 ago. 1976. p. 3.

_____. Poesia e humanismo: *Miradouro e Caraça*. *Suplemento Literário do Minas Gerais*, Belo Horizonte, 16 abr. 1977. p. 5.

MOURA, Francisco Miguel de. Uma presença que faz silêncio. *O Estado*, Teresina, 13-14 abr. 1975.

MOURA, Francisco Soares de. A poesia do Caraça. *O Sudoeste – Cidade de Passos*, 14 maio 1978.

MOURÃO, Rui. Apresentação. *Suplemento Literário do Minas Gerais*, Belo Horizonte, 21 fev. 1970. Edição especial dedicada a Henriqueta Lisboa.

_____. Henriqueta Lisboa. *Suplemento Literário do Minas Gerais*, Belo Horizonte, 21 fev. 1970. p. 1. Edição especial dedicada a Henriqueta Lisboa.

MOUTINHO, J. G. Nogueira. Além da imagem. *Folha de S. Paulo*, São Paulo, 30 maio 1965.

_____. Vigília poética. *Folha de S. Paulo*, São Paulo, 21 jul. 1968.

_____. Vigília poética. *Suplemento Literário do Minas Gerais*, Belo Horizonte, 28 fev. 1970. p. 6. Edição especial dedicada a Henriqueta Lisboa.

_____. Henriqueta Lisboa: "Nova lírica" – I. *Folha de S. Paulo*, São Paulo, 15 ago. 1971.

_____. Henriqueta Lisboa: "Nova lírica" – II. *Folha de S. Paulo*, São Paulo, 22 ago. 1971.

_____. O alvo humano de Henriqueta Lisboa. *Estado de Minas*, Belo Horizonte, 5 set. 1973.

_____. Dois poetas. *Folha de S. Paulo*, São Paulo, 6 set. 1973.

_____. A fonte e a forma. Rio de Janeiro: Imago, 1977. p. 40-41: *Além da imagem*; p. 70-71: *Vigília poética*; p. 130-131: Henriqueta Lisboa: *Nova lírica*.

_____. Um mestre de poesia lírica. *Folha de S. Paulo*, São Paulo, 26 jun. 1977.

_____. Evocação de Henriqueta Lisboa. *Folha de S. Paulo*, São Paulo, 30 set. 1979.

NASCIMENTO, Célia. Minha mãe era assim... *Estado de Minas*, Belo Horizonte, 10 maio 1970.

NEVES, Ana Lúcia Maria de Souza. "Um atalho, uma clareira, coisa assim, no caminho": reflexões sobre os lugares de Henriqueta Lisboa no contexto da literatura brasileira. João Pessoa, 2014. Tese (Doutorado em Letras) – Centro de Ciências Humanas, Letras e Artes (CCHLA) da Universidade Federal da Paraíba (UFPB).

_____. O diálogo de Henriqueta Lisboa com escritoras latino-americanas. *Scripta*, Belo Horizonte, v. 18, n. 35, 2014. p. 105-124.

NUNES, Cassiano. A poesia de Henriqueta Lisboa. *A Tribuna*, Santos, 26 mar. 1944.

_____. A face lívida. *A Tribuna*, Santos, 30 maio 1946.

_____. A poesia de Henriqueta Lisboa. *Suplemento Literário do Minas Gerais,* Belo Horizonte, 21 jul. 1984. p. 10. Edição especial dedicada a Henriqueta Lisboa.

OLIVEIRA, Alaíde Lisboa de. Aquela menina de vestido xadrez. *Estado de Minas,* Belo Horizonte, 15 out. 1985. p. 1.

_____. Literatura – poesia – infância e juventude. In: LISBOA, Henriqueta. *O menino poeta.* Belo Horizonte: Imprensa Oficial, 1975. p. 11-32.

OLIVEIRA, Cândido Martins de. *História da literatura mineira.* Belo Horizonte: Itatiaia, 1958. p. 216-217.

OLIVEIRA, José Lourenço de. Prisioneira da noite. *Mensagem,* Belo Horizonte, 20 abr. 1943.

_____. A face lívida. *Estado de Minas,* Belo Horizonte, 25 dez. 1945.

_____. Poesia e Henriqueta. *Suplemento Literário do Minas Gerais,* Belo Horizonte, 21 fev. 1970. p. 8-9. Edição especial dedicada a Henriqueta Lisboa.

_____. Poesia e Henriqueta. *O Estado de S. Paulo,* São Paulo, 4-11-18 jul. 1970.

_____. *Poesia e Henriqueta.* Belo Horizonte: Imprensa Oficial, 1984.

OLIVEIRA, Marly de. Intimidade com Henriqueta Lisboa, a autora de *Miradouro. José,* Brasília, mar. 1979.

OLIVEIRA, Rodrigo Santos de. *Cantos da morte em Henriqueta Lisboa e Hilda Hilst.* Belo Horizonte, 2010. Dissertação (Mestrado em Literatura Brasileira) – Faculdade de Letras, Universidade Federal de Minas Gerais.

PAES, José Paulo; MOISÉS, Massaud. *Pequeno dicionário de literatura brasileira.* São Paulo: Cultrix, 1967. p. 138.

PAIVA, Dídimo. O mundo poético de Henriqueta Lisboa. *Estado de Minas,* Belo Horizonte, 18 dez. 1974.

PAIVA, Kelen Benfenatti. *Histórias de vida e amizade:* as cartas de Mário, Drummond e Cecília para Henriqueta Lisboa. Belo Horizonte, 2006. Dissertação (Mestrado em Literatura Brasileira) – Faculdade de Letras, Universidade Federal de Minas Gerais.

_____. Histórias de vida e amizade: cartas para Henriqueta Lisboa. In: SAID, Roberto; NUNES, Sandra (org.). *Margens teóricas*: memórias & acervos literários. Belo Horizonte: Editora UFMG, 2010. p. 24-38.

_____. A poesia entre montanhas: Minas nos versos de Henriqueta Lisboa. In: DUARTE, Constância L.; DUARTE, E. A.; ALEXANDRE, M. (org.). *Falas do outro*: literatura, gênero e etnicidade. Belo Horizonte: Nandyala, 2010. p. 254-260.

_____. Henriqueta Lisboa: entre cartas e literatura. *Em Tese*, Belo Horizonte, v. 17, n. 2, 2011.

_____. Entre cartas de Henriqueta Lisboa e Cecília Meireles. In: GOMES, Carlos Magno; ZOLIN, Lucia Ozana (org.). *Deslocamentos da escritora brasileira*. Maringá: Editora UEM, 2011. p. 145-156.

_____. Henriqueta Lisboa: entre a dor recôndita e o sorriso leve. In: ARRUDA, Aline Alves; NEVES, Ana Caroline Barreto; DUARTE, Constância Lima; PAIVA, Kelen Benfenatti; PEREIRA, Maria do Rosário Alves (org.). *Escritas no feminino* – Aproximações. Florianópolis: Mulheres, 2011. p. 165-172.

_____. Minas em versos. *Diadorim* – Revista de Estudos Linguísticos e Literários do Programa de Pós-Graduação em Letras Vernáculas da Universidade Federal do Rio de Janeiro, v. 9, jul. 2011.

_____. *Nos bastidores do arquivo literário*: Henriqueta Lisboa entre versos e cartas. Belo Horizonte, 2012. Tese (Doutorado em Literatura Brasileira) – Faculdade de Letras, Universidade Federal de Minas Gerais.

PALÚ, C. M. Lauro, Pe. Montanha viva / Mons vivus. *Suplemento Literário do Minas Gerais*, 26 mar. 1977. p. 5.

_____. Celebração dos elementos de Henriqueta Lisboa. *Suplemento Literário do Minas Gerais*, Belo Horizonte, 26 nov. 1977. p. 6-7.

_____. Henriqueta Lisboa – Poeta do humano. *Suplemento Literário do Minas Gerais*, Belo Horizonte, 22-29 dez. 1979. p. 6-7.

_____. Pequena antologia didática sobre o homem em *Reverberações*. *Suplemento Literário do Minas Gerais*, Belo Horizonte, 22-29 dez. 1979. p. 8. Edição especial dedicada a Henriqueta Lisboa.

_____. Ser e celebração. *Suplemento Literário do Minas Gerais,* Belo Horizonte, 16 out. 1982. p. 2.

PAULINI, Lívia. *A pousada de Henriqueta Lisboa.* Belo Horizonte: Sociedade Amigas da Cultura, 1983.

_____. *Henriqueta Lisboa*: uma poetisa mineira e sua mensagem universal. Belo Horizonte: Imprensa Oficial, 1984.

_____. *Henriqueta Lisboa: presença e luz.* Ensaio trilíngue: português/inglês/húngaro. Belo Horizonte, 2001.

PEDROSA, Milton. Henriqueta Lisboa e o papel da mulher intelectual na sociedade. *Vamos ler!,* Rio de Janeiro, set. 1941.

PILÓ, Conceição. *Sob a égide de Henriqueta.* Belo Horizonte: Academia Municipalista de Letras de Minas Gerais, 1986.

PÓLVORA, Hélio. Nova lírica. *Jornal do Brasil,* Rio de Janeiro, 22 jan. 1974.

PONTES, Eloy. Velário. *O Globo,* Rio de Janeiro, 1936.

QUEIRÓS, Bartolomeu Campos de. Da poesia da infância. *Suplemento Literário do Minas Gerais,* Belo Horizonte, 21 jul. 1984. p. 11. Edição especial dedicada a Henriqueta Lisboa.

QUEIROZ, Maria José de. Além da imagem. *Suplemento Literário do Minas Gerais,* Belo Horizonte, 26 fev. 1970. p. 9. Edição especial dedicada a Henriqueta Lisboa.

_____. Henriqueta Lisboa: do real ao inefável. In: LISBOA, Henriqueta. *Miradouro e outros poemas.* 2. ed. Rio de Janeiro: Nova Fronteira, 1976. p. 9-15.

_____. A lírica de Henriqueta Lisboa e a tentação do silêncio. *Suplemento Literário do Minas Gerais,* Belo Horizonte, 11 mar. 1972. p. 2-3.

RAMOS, Jorge. Henriqueta Lisboa: poeta da morte. *Diário de Minas,* Belo Horizonte, 22 jan. 1958, e *Jornal de Notícias,* Lisboa, 16 fev. 1958.

_____. Henriqueta Lisboa. *Época,* Lisboa, 26 fev. 1974.

RAMOS, Maria Luiza. Fala aos leitores Henriqueta Lisboa. *Diário de Minas,* Belo Horizonte, 6 jan. 1952.

_____. Henriqueta Lisboa, poeta da morte. *Diário de Minas,* Belo Horizonte, 2 jun. 1959.

_____. *Aspectos do Romanceiro da Inconfidência.* Belo Horizonte: Imprensa Oficial, 1960. p. 50-63.

_____. O ritmo elegíaco. *Correio da Manhã*, Rio de Janeiro, 1º jun. 1963.

_____. O ritmo elegíaco. *Suplemento Literário do Minas Gerais*, Belo Horizonte, 28 fev. 1970. p. 6. Edição especial dedicada a Henriqueta Lisboa.

RAMOS, Péricles Eugênio da Silva. *Poesia moderna*: Henriqueta Lisboa. São Paulo: Melhoramentos, 1967.

RANGEL, Paschoal. *Essa mineiríssima Henriqueta*: ensaio de interpretação da obra poética de Henriqueta Lisboa. Belo Horizonte: O Lutador, 1987.

_____. O romanceiro de Henriqueta Lisboa em "Madrinha Lua". Belo Horizonte: O Lutador, 1996.

REIS, Carla Francine da Silva. Meninices de uma poetisa: um estudo de *O menino poeta*, de Henriqueta Lisboa. Assis (SP), 2014. Dissertação (Mestrado em Letras) – Faculdade de Ciências e Letras, Universidade Estadual Paulista (Unesp).

REIS, José Orsine. Que pintora teria sido Henriqueta, se a poesia não a "aprisionasse"? *O Estado*, Niterói, 19 ago. 1951.

RESENDE, Otto Lara. A carta enigmática do Vinicius. *O Globo*, Rio de Janeiro, 30 dez. 1990.

REZENDE, Márcia Eliza. *A lírica de Henriqueta Lisboa e a dialética do transcendente*. Brasília: Universidade de Brasília, 1984.

_____. Tendências metafísicas na lírica de Henriqueta Lisboa. *Suplemento Literário do Minas Gerais*, Belo Horizonte, 21 jul. 1984. p. 4. Edição especial dedicada a Henriqueta Lisboa.

RIBEIRO, Ana Elisa. "Terá valido a pena a persistência?..." Publicação e circulação de poesia na correspondência de Henriqueta Lisboa. Revista *Araticum*. Programa de Pós-Graduação em Letras/ Estudos Literários – Universidade Estadual de Montes Claros (Unimontes), 2016. v. 13, n. 1.

_____. Edição e legitimação literária: vestígios em cartas de escritoras mineiras do século XX. In: *Anais do XXXIX Congresso Brasileiro de Ciências da Comunicação*. São Paulo: Intercom, 2016. v. 1.

RIBEIRO, Leo Gilson. Inconfundível marca diáfana, abstrata. *O Estado de S. Paulo*, São Paulo, 18 fev. 1976. p. 17.

_____. Na singeleza dos versos, a revelação de uma poetisa inigualável. *O Estado de S. Paulo,* São Paulo, 8 set. 1979. p. 6.

_____. Rara poesia. *Veja,* São Paulo, n. 333, 22 jan. 1975. p. 73-74.

RODRIGUES, Geraldo Pinto. Fidelidade à poesia: *Casa de pedra. O Estado de S. Paulo,* São Paulo, 23 dez. 1979. Suplemento Cultural, p. 7.

RODRIGUES, José Mário. Conversando com Henriqueta Lisboa. *Jornal do Commercio,* Recife, 14 mar. 1976. p. 3.

ROMITI, Elena. *Las poetas fundacionales del Cono Sur:* aportes teóricos a la literatura latinoamericana. Montevideo: Biblioteca Nacional del Uruguay, 2013.

ROSSI, Edmundo. Poesia de Henriqueta Lisboa. *O Estado,* Niterói, 17 nov. 1945.

_____. Poesia de Henriqueta Lisboa. *Jornal de São Paulo,* 23 nov. 1945.

ROSSI, Giuseppe Carlo. Letteratura femminile nel Brasile d'oggi. *L´Osservatore Romano,* Roma, 21-22 febbr. 1977. p. 3.

_____. Lirica ibero-americana di ieri e di oggi. *L´Osservatore Romano,* Roma, 7 luglio. 1977. p. 3.

_____. Poesia brasiliana d'oggi. *L´Osservatore Romano,* Roma, 30 genn. 1980.

SALLES, Heráclio. Convívio poético. *Jornal do Brasil,* Rio de Janeiro, 2 nov. 1961.

SÁNCHEZ-SAEZ, Braulio. La poética de Henriqueta Lisboa. *La Calle,* Río Cuarto, 29 mar. 1964.

SANT'ANNA, Affonso Romano de. Minha amizade nada tem de confortável. *O Globo,* Rio de Janeiro, 19 dez. 1990.

SANTIAGO, Silviano. Tesouro mineiro. *Veja,* São Paulo, n. 578, 3 out. 1979. p. 77.

SCHETTINO, Lacyr. A aventura espiritual de Henriqueta Lisboa: discurso de posse na Academia Mineira de Letras, sucessão na Cadeira 26. *Revista da Academia Mineira de Letras,* Belo Horizonte, 1986. p. 9-35. Recepção à acadêmica, Lacyr Schettino.

_____. Dedicação e profundidade: Henriqueta no seu jubileu de ouro da poesia. *Estado de Minas,* Belo Horizonte, 27 jun. 1979. p. 8.

SCHMIDT, Paulo; SOUZA, Eneida Maria de. *Mário de Andrade* – Carta aos mineiros. Belo Horizonte: Editora UFMG, 1997.

SCHÜLER, Donaldo. As palavras como pousada do ser. *O Estado de S. Paulo*, São Paulo, 3 fev. 1983.

_____. As palavras como pousada do ser. *Suplemento Literário do Minas Gerais,* Belo Horizonte, 21 jul. 1984. p. 10. Edição especial dedicada a Henriqueta Lisboa.

SENNA, Homero. Além da imagem. *Correio da Manhã,* Rio de Janeiro, 15 fev. 1964. Livros da Semana.

SILVA, Belchior Cornélio da. Do irmão Lourenço a Henriqueta Lisboa. *O Diário*, Belo Horizonte, 7 jun. 1961.

SILVA, Domingos Carvalho da. O movimento modernista brasileiro está perfeitamente realizado. *Correio Paulistano*, São Paulo, 25 fev. 1945.

SILVEIRA, Alcântara. Poesia. *Folha da Manhã*, São Paulo, 20 jan. 1946.

SILVEIRA, Homero. Convívio poético. *Diário de São Paulo*, São Paulo, 25 jul. 1955.

SIMÕES, João Gaspar. Romantismo e verbalismo. *A Manhã*, Rio de Janeiro, 12 ago. 1951. Letras e Artes.

_____. Romantismo e verbalismo. *Suplemento Literário do Minas Gerais,* Belo Horizonte, 21 fev. 1970. p. 5. Edição especial dedicada a Henriqueta Lisboa.

SOARES, Dirceu. Ela é a primeira mulher imortal. *Alterosa*, Belo Horizonte, 10 nov. 1963. p. 3.

SOUZA, Eneida Maria de. Mário retorna a Minas. In: _____. *Traço crítico*. Belo Horizonte: Editora UFMG; Editora UFRJ, 1993.

_____. Vozes de Minas nos anos 40. In: RIBEIRO, Gilvan Procópio; NEVES, José Alberto (org.). *Murilo Mendes* – O visionário. Juiz de Fora: Editora da UFJF, 1997. p. 71-87.

_____. A dona ausente: Mário de Andrade e Henriqueta Lisboa. In: GALVÃO, Walnice; GOTLIB, Nádia (org.). *Prezado Senhor, prezada senhora*: estudo sobre cartas. São Paulo: Companhia das Letras, 2000.

_____. Correspondência Mário de Andrade e Henriqueta Lisboa. São Paulo: Peirópolis e Edusp, 2010.

SOUZA, Olney Borges Pinto de. O privilegiado *Miradouro*. *Diário de São José dos Campos*, São José dos Campos, 25 dez. 1976.

_____. Reverberações. *Diário de São José dos Campos*, São José dos Campos, 28 maio 1977.

STEEN, Edla van. Henriqueta, unida aos homens e a Deus. *O Estado de S. Paulo*, São Paulo, 5 maio 1984. Caderno de Programas e Leitura, p. 4.

_____. Henriqueta, unida aos homens e a Deus. *Suplemento Literário do Minas Gerais*, Belo Horizonte, 21 jul. 1984. p. 6-7. Edição especial dedicada a Henriqueta Lisboa.

SUTILO, Mercedes Lisboa. *Uma hora na trama inefável de Henriqueta Lisboa*. Santos: Academia Feminina de Ciências. Letras e Artes, 1987.

TEIXEIRA, Maria de Lourdes. Henriqueta Lisboa, mensageira de Minas Gerais. *Folha da Manhã*, São Paulo, 1º fev. 1953. Movimento Literário, p. 3.

UCHÔA, Ângela Maria. *Henriqueta Lisboa*: bibliografia. Belo Horizonte: Escola de Biblioteconomia da UFMG, 1968.

_____. Henriqueta Lisboa: bibliografia (1925-1991). Belo Horizonte: Editora Cedáblio, 1992.

VARGAS, Milton. A lírica de Henriqueta Lisboa. *Diálogos*, São Paulo, n. 12, fev. 1960. p. 79-81.

VEADO, Lúcia. Poetisa Henriqueta Lisboa. *Estado de Minas*, Belo Horizonte, 20 set. 1959. A Mulher de Nossos Dias, p. 10.

VIANNA, Solena Benavides. O panorama feminino no Brasil visto por Gabriela Mistral. *Pensamento da América*, Rio de Janeiro, 26 ago. 1945. p. 99.

VIEIRA, José Geraldo. Poesias antíscias. *Suplemento Literário do Minas Gerais*, Belo Horizonte, 28 fev. 1970. p. 4. Edição especial dedicada a Henriqueta Lisboa.

VIRGILLO, Carmelo. Henriqueta Lisboa – Poemas escolhidos. *Books Abroad*, Norman (Oklahoma), 49, n. 2, Spring 1975. p. 308.

_____. Sobre Henriqueta Lisboa, em FOSTER, David W.; REIS, Roberto (ed.). *A dictionary of contemporary brazilian authors*. Tempe (Arizona): Center for Latin-American Studies, 1981. p. 73.

_____. Sobre Henriqueta Lisboa. *Suplemento Literário do Minas Gerais*, Belo Horizonte, 29 maio 1982. p. 24.

_____. A criação poética como um reflexo no espelho. *Suplemento Literário do Minas Gerais*, Belo Horizonte, 17 ago. 1985. p. 8.

_____. A imagem de mulher em "Frutescência" de Henriqueta Lisboa. *Tradução e Comunicação*, São Paulo, n. 7, dez. 1985. p. 57-80.

_____. The image of woman in Henriqueta Lisboa´s "Frutescência". *Luso-Brazilian Review*, Madison (Wisconsin), v. 23, n. 1, 1986. p. 89-106.

_____. Sharing the unsharable: a close reading of Henriqueta Lisboa's "Do supérfluo". *Cadernos de Linguística e Teoria da Literatura* – Ensaios de Semiótica, Belo Horizonte, n. 18-20, 1987-1988. p. 237-259.

_____. Vida y obra de Gabriela Mistral. In: MARTING, Diane; ORDOÑEZ, Montserrat (ed.). *Escritoras hispanoamericanas*. Bogotá: Siglo XXI, 1990. p. 337.

_____. *Henriqueta Lisboa*: bibliografia analítico-descritiva – 1925-1990. Rio de Janeiro: José Olympio, 1992.

WALLIS, Marie Pope. *Modern women writers of Brazil*. Albuquerque (New Mexico): University of New Mexico, 1972. p. 33-37.

YUNES, Eliana. A poesia na literatura infantil. *Suplemento Literário do Minas Gerais*, Belo Horizonte, 27 jul. 1985.

ÍNDICE ONOMÁSTICO

Abdias 526

Abreu, Casimiro de 86, 569

Adorno, Theodor Ludwig Wiesengrund 591

Agostinho, Santo 483

Alain (Émile-Auguste Chartier) 483

Alarcón, Ruiz de 247

Aleijadinho (Antônio Francisco Lisboa) 475, 511, 522, 524, 525, 526

Alencar, José Martiniano de 153, 197, 212, 375, 463

Alexandre, imperador 405, 639

Alighieri, Dante 45, 249, 356, 357, 472. 475, 482, 489, 560, 595, 637, 642, 663, 677, 680

Almeida, Guilherme de 216, 217, 220, 222

Almeida, Manuel Antônio de 204

Almeida, Margarida Lopes de 482

Almeida, Renato 461

Almeida, Tácito de 217

Alonso, Amado 30, 41, 63, 119

Alonso, Dámaso 65, 119, 171

Alphonsus (de Guimaraens), João 99-102, 183, 184, 185, 186, 187, 221, 222, 411, 415, 416, 440

Alterman, Nathan 257

Alvarenga, Oneida Paoliello 592

Alvarenga Peixoto, Inácio José de 529

Álvares de Azevedo, Manoel Antônio 86, 89-91

Alvim, Francisca Guimarães 409

Amaral, Amadeu 461

Amaro, Carlos 235

Amiel, Henri-Frédéric 88

Amir, Aharon 258

Amorim, Antônio Brandão de 195, 461

Anderson, Marian 482

Andrade, João Pedro de 235, 236

Andrade, Jorge Carrera 293

Andrade, Mário (Raul) de (Morais) 15, 34, 47, 70, 91, 103-105, 119, 127, 128, 134-141, 142-145, 153, 157, 159, 165, 197, 205, 206, 211, 212, 214, 215, 216, 217, 220, 221, 222, 223, 224, 448, 460, 475, 484, 486, 509, 558, 561, 571, 572, 573, 574, 575, 576, 577, 578, 579, 580, 581, 582, 592, 593, 607, 642, 652, 663, 670, 671, 673, 677, 689

Andrade, Oswald de 211, 212, 214, 216, 217, 220, 222, 302

Andrade Muricy, José Cândido de 408

Anjos, Augusto dos 73, 423

Anjos, Ciro dos 439, 440

Antipoff, Helena 405

Apollinaire, Guillaume 167, 218, 289, 510

Apolo 529

Appignanesi, Lisa 493

Aragon, Louis 269, 270

Aranha, Luís 217

Araújo, Adolfo 410, 412

Araújo, José Osvaldo de 414, 415, 439, 481

Araújo, Laís Corrêa de 662

Araújo, Murilo 222, 504

Arinos (de Melo Franco), Afonso 325, 375, 435, 439

Arp, Hans 289

Assis Brasil, Joaquim Francisco de 657

Athayde, Austregésilo de 658

Attal, Jean-Pierre 168, 174

Ávila, Affonso 521

Bacha, Edmar Lisboa 659

Bachelard, Gaston 628, 629

Baldus, Herbert 461

Bally, Charles 65

Bandeira, Manuel 40, 178, 214, 216, 220, 221, 486, 526, 558, 579, 657, 663, 664, 685

Barbosa, Agenor 217

Barbosa (de Oliveira), Rui 189, 375, 559

Barbosa Rodrigues, José 461

Barrabás 197

Barroso, Gustavo 461

Barroso, Inácio 462

Barthes, Roland 493, 562, 631

Bastide, Roger 73, 79, 119

Baudelaire, Charles-Pierre 37, 41, 55, 56, 73, 79, 119, 166, 226, 265, 270, 318, 338, 404, 652

Bazin, Germain 526

Behne, Adolf 447

Bellessort, André 148

Bello, Andrés 287

Bencze, I. 613

Benedito, José (primo de Camilo Pessanha) 226, 227

Ben-Yehuda, Eliezer 253

Berdiaeff, Nikolai 330

Bergson, Henri 91, 119, 156, 165, 170, 187, 330

Bernardes, Manuel 375

Bialik, Haim Nachman 253, 254

Bilac, Olavo Brás Martins dos Guimarães 379, 414, 430, 441, 449, 483, 624, 668

Bizzarri, Edoardo 489

Blanchot, Maurice 636

Blest Gana, Alberto 287

Boehm, R. 644, 645

Boileau, Nicolas 262

Bopp, Raul 221, 223, 460

Bousoño, Carlos 25, 119, 173, 174

Bowen, Elizabeth 324

Bowra, Cecil Maurice 201, 270

Bracarena, Antônio 373

Braga, Joaquim Teófilo Fernandes 207

Brecheret, Victor 215, 217

Bremond, Henri 43, 55, 56, 120, 260, 265, 268, 270

Bretas, Randolfo 410

Breton, André 56, 167, 168, 269

Brito, Afonso de 410

Brito, Mário da Silva 212, 216, 224

Brull, Mariano 249

Bueno, Amador 529

Bueno, Antônio Sérgio 519, 657

Burke, Kenneth 347

Camões, Luis Vaz de 375, 467, 510

Campos, Álvaro de 52

Campos, Geir Nuffer 467

Canabrava, Euríalo 31

Candido, Antonio 486, 561, 562, 581, 657

Capanema, Gustavo 15, 402, 441

Carlos Magno, imperador 523

Carlyle, Thomas 190

Carpeaux, Otto Maria 486, 664

Carrato, José Ferreira 372, 373, 380

Carroll, Lewis (Charles Lutwidge Dodgson) 599

Carvalho, Abigail de Oliveira 541, 643, 684

Carvalho, Felisberto 420

Carvalho, Ronald de 87, 215, 216, 217, 220

Carvalho, Vicente de 175-182

Casais Monteiro, Adolfo 157, 165, 235, 236, 317

Casassanta, Mário 371-380

Cascudo, Luís da Câmara 323, 335, 461

Casella 357

Castelo, Augusto Viana do 410

Castelo Branco, Camilo 375

Castelo Branco, Wilson 665

Castilho, Antônio Feliciano de 624

Castro (e Almeida), Eugénio de 233, 602

Castro Alves, Antônio Frederico de 86, 213, 219, 408

Castro Menezes, Álvaro Sá de 409

Cavalcanti Proença, Ivan 154

Cavalcanti Proença, Manuel 192-197

Celan, Paul 637

Celso (de Assis Figueiredo Júnior), Afonso 213

Cendrars, Blaise 218

César, imperador 307, 317, 639

César, Guilhermino 391-394, 439, 440, 519, 523, 660

Chalom, Chin 256

Chénier, André 262

Chesterton, Gilbert Keith 60, 157, 159, 163, 165

Chico Rei 511, 526, 527

Chlonski, Avraham 258

Cidade, Hernani 85, 120

Cifuentes, Julio Vicuña 288

Cirlot, Juan Eduardo 167, 169, 174, 292

Claparède, Édouard 199

Claudel, Paul 406

Cocteau, Jean Maurice Eugène Clement 218, 246

Codax, Martín 136

Coelho Neto, Henrique Maximiano 218, 413

Coelho, Vulmar 439

Coleridge, Samuel Taylor 88, 311, 493

Comte, Auguste 175, 403

Conradt, Vera 681

Contreras, Francisco 288

Coppée, François 441

Corbin, Henry 645

Correia, Raimundo 274, 441, 480

Corsey, Mr. 410

Cortesão, Jaime 524

Costa, Cláudio Manuel da 374, 522

Costa, Félix da 373

Costa, Hélcio Veiga 681

Coutinho, Afrânio 223, 224

Couto (Rui Esteves) Ribeiro (de Almeida) 216, 220

Couto de Barros, Antônio Carlos 217

Couto de Magalhães, José Vieira 214, 461

Crespo, Ángel 501

Cresus, rei 405

Cristo 28, 191, 244, 330, 338, 342, 405, 418, 423, 580, 585

Croce, Benedetto 39, 42, 44, 53, 55, 63, 120, 128, 200, 203, 238, 260

Cruz e Sousa, João da 15, 72-84, 348, 406, 407, 409, 413, 439, 642, 660

Cunha, Euclides Rodrigues Pimenta da 152, 176, 375

Cunha, Fausto 177

Da Costa e Silva, Alberto 197, 414, 439

Damasceno, Darcy 563, 659

Daniel 525

Daniel-Rops 56, 120

Darío, Rubén (Félix Rubén García Sarmiento) 247, 287, 290, 293

Di Cavalcanti (Emiliano Augusto Cavalcanti de Albuquerque Melo) 217

Dias (Pais Leme), Fernão 511, 528

Dias, Fernando Correia 183, 184, 187

Díaz-Plaja, Guillermo 128, 290, 302

Diego, Gerardo 289

Díez-Canedo, Enrique 246, 251, 302

Dilthey, Wilhelm 125, 128, 158

Dionísio 529

Donne, John 173

Dostoiévski, Fiódor Mikháilovitch 186

Drummond de Andrade, Carlos 15, 38, 70, 91, 107, 215, 219, 221, 222, 224, 477, 484, 486, 510, 524, 525, 536, 558-562, 586, 642, 657, 658, 662, 688

Duarte, Constância Lima 558

Duarte, José Afrânio Moreira 474, 661

Dupréel, Eugene 139

Duque (Estrada), Luís Gonzaga 409

Eguren, José 248

Elia, Sílvio 133

Eliot, Thomas Stearns 39, 93, 120, 127, 128, 173, 174, 247

Emerson, Ralph Waldo 291, 483

Empédocles 30

Entrambasaguas, Joaquín de 661

Ercilla, Alonso de 286

Ésquilo 249

Ezequiel 526

Fagundes Varela, Luís Nicolau 69, 85-88, 274, 480

Faria, Anna Amélia 446

Febvre, Lucien 199

Fénelon, François 262

Ferreira, Ascenso 214, 221, 223

Figueiredo, Fidelino de 62, 77, 120

Flora, Francesco 239, 245

Fonseca, José Eduardo da 439, 440

Francisco, São 489, 492, 605

Frank, Waldo 147

Freitas Vale, José de 361, 411, 439

Freud, Sigmund 293, 459

Frieiro, Eduardo 191, 486

Galhoz, Maria Aliete 321

Gama, (José) Basílio da 68, 374

Gandhi, (Mohandas Karamchand) Mahatma 436

Gaos, José 644, 645

Garelli, Jacques 630

Gargiulo, Alfredo 241

Garrett, João Baptista da Silva Leitão de Almeida 463

Gaspar de Besse (Gaspard Jean Baptiste Bouis) 197

Gavita (Rosa Gonçalves) 72

Góes, Carlos 284, 519, 520, 527

Goethe, Johann Wolfgang von 32, 46, 403

Goldberg, Lea 255

Gomes Leite (de Carvalho Júnior), Alberto 435, 439

Gomes, Lindolfo 440

Gonçalves Dias, Antônio 69, 86, 177, 178, 179, 528

Góngora, Luis de 51, 166, 167, 251, 300

Gonzaga, Tomás Antônio 374

González, Arquímedes 271

González, Pedro 288

Graça Aranha, José Pereira da 216, 217, 219, 224

Green, Julien 628

Gregori, Ana Elisa, 676

Grinberg, Uri-Tzwi 258

Gris, Juan 289

Guerra Junqueiro, Abílio Manuel 177, 355

Guillén, Jorge 15, 116-118, 395-399, 482, 642, 681

Guimarães, Albino da Costa 409

Guimaraens, Alphonsus de 15, 16, 35, 340, 347-360, 361-370, 401, 402, 406, 407, 409-443, 471, 478, 481, 499, 540, 589, 597, 642, 658

Guimarães, Bernardo 325, 410

Guimarães, Ednalva 477

Guimarães, Horácio 409

Guimarães, João Joaquim da Silva 410

Guimarães Passos, Sebastião Cícero dos 624

Guimaraens Filho, Alphonsus de 558, 578, 656

Guimarães Rosa, João 16, 146-154, 155-165, 197, 202, 223, 323-335, 473, 642, 677, 679

Gullar, Ferreira 526

Habacuc 526

Haddad, Jamil Almansur 660

Halkin, Simon 252

Hamsun, Knut 100

Hegel, Georg Wilhelm Friedrich 58, 120

Heidegger, Martin 568, 594, 641, 644, 645, 646, 648, 649, 650

Heliodora (Guilhermina da Silveira), Bárbara 511, 528, 529

Hello, Ernest 62, 120

Herculano (de Carvalho e Araújo), Alexandre 375

Heródoto 201

Herrera Reissig, Julio, 290

Hess, Joseph 461

Hess, Moses 253

Hoffding, Harald 91

Hoffmann, Ernst Theodor Amadeus Wilhelm (E. T. A. Hoffmann) 426

Holanda, Sérgio Buarque de 31, 211, 212, 216, 218, 224, 372, 651, 665

Hölderlin, Friedrich 482, 624

Homero 29, 202, 209, 460

Horácio 157, 261

Hourticq, Louis 215

Hugo, Victor-Marie 179, 182, 263, 270, 404

Huidobro, Vicente 69, 286-302, 494, 628, 642

Huizinga, Johan 198, 203

Ícaro 127

Imbert, Enrique Anderson 246, 251, 292, 302

Jacó 125

Jakobson, Roman 589

Jerônimo, São 436

João da Cruz, são 62, 76, 171, 266, 418, 492

Joffroy, René 220

Jonas 525, 526

Joyce, James Augustine Aloysius 249

Juan de la Cruz, San (*ver também* João da Cruz, são) 398

Júlia (César da Silva Münster), Francisca 482

Jung, Carl Gustav 279, 281, 363, 459, 521

Junqueira Freire, Luís José 86

Junqueira, Ivan 607, 660

Kayser, Wolfgang 46, 49, 64, 120, 258, 366

Khlébnikov, Velimer 285

Kierkegaard, Soren 317

Klausner, Joseph Gedalias 254

Kubitschek (de Oliveira), Juscelino 489, 670

La Fontaine, Jean de 125, 460

Lacretelle, Jacques de 618

Laet, Carlos Maximiano Pimenta de 375

Lagerlöf, Selma Ottilia Lovisa 114

Lalo, Charles 139, 141, 317

Lanson, Gustave 262, 271, 406, 482

Lanuza, Eduardo González 53

Larbaud, Valery 249

Latorre, Mariano 114, 286, 289, 302

Leão, Ângela Vaz 484, 505, 657

Leão, Emanuel Carneiro 644

Leão XIII 412

Leonardos (da Silva Lima Cabassa), Stella 558

Leopardi, Giacomo 482

Lessa, Pedro 440

Lévi-Strauss, Claude 275

Lifar, Serge 482

Lima, Alceu Amoroso 58, 120, 128, 372, 374, 380, 522

Lima, Augusto de 483

Lima, Herman 324

Lima, Jorge de 172, 173, 221, 223, 573

Lima, Mário de 440

Lima, Noraldino 414

Lins, Ivan Monteiro de Barros 660

Lisboa, José Carlos 662, 669, 671, 676

Lobo, Estevão 413

Lobo Filho, Blanca 532, 541, 658, 681

Lopes, Bernardino da Costa 409

Lopez, Telê Ancona 573

Lourenço, padre 373, 513

Lucas, Fábio 446, 484, 541, 542, 551, 583, 588, 607, 608, 619, 659, 660, 686

Luz e Silva, Heitor Pinto da 663

Macedo, Joaquim Manuel de 204, 205, 206

Machado, Gilka da Costa de Melo 482

Machado de Assis, Joaquim Maria 73, 91, 157, 188, 190, 191, 324, 325, 334, 335, 371, 375, 376, 380, 449, 450, 537, 684

Machado Filho, Aires da Mata 532, 656

Maciel, Maximino 378

Maeterlinck, Maurice Polydore Marie 177

Magalhães, Basílio de 439, 461, 482

Magalhães, Celso 461

Magalhães, Marina 669

Magnin, Charles 260

Malfatti, Anita 215

Malherbe, François de 262

Mallarmé, Stéphane 55, 167, 238, 247, 266, 269, 355, 406, 597, 624, 625, 626

Malraux, André 289, 447

Mandrin, Louis 197

Mantovani, Fryda Schultz de 165

Maragall, Joan 600

Marcel, Gabriel Honoré 645

Maria 126, 338, 356, 419, 422

Marília 522

Marinetti, Filippo Tommaso 216, 218, 238

Maritain, Jacques 33, 36, 47, 58, 120, 270, 271

Marouzeau, Jules 65, 120

Marques, Reinaldo 686

Marrou, Henri-Irénée 199

Marta 126

Martial 194

Martins, Wilson 211, 224

Matos, Aníbal 440

Matos, Euricles de 414, 439

Matos, Mário Gonçalves 188-191, 413, 435, 439

Medeiros e Albuquerque, José Joaquim de Campos da Costa de 439

Meireles, Cecília Benevides de Carvalho 15, 108-109, 208, 222, 252, 254, 258, 473, 482, 498, 502, 504, 558, 584, 589, 608, 657, 663, 671, 675

Meireles, Saturnino Soares de 409

Mendes, Feliciano 373

Mendes, Murilo Monteiro 166-174, 221, 222, 302, 439, 642, 652

Mendes, Oscar 657, 664

Mendonça, Ana Amélia 482

Mendonça, Marcos 482

Menegale, Heli 439

Menéndez y Pelayo, Marcelino 200, 203, 287

Meumann, Ernst Friedrich Wilhelm 131, 133

Meyer, Augusto 213, 220, 223

Miguel, João (filho de Camilo Pessanha) 228

Milliet, Sérgio 211, 217, 220, 224, 302, 665

Minerva 338

Miranda, Wander Melo 541, 643

Mistral, Frederico 196

Mistral, Gabriela 15, 113-115, 288, 290, 472, 475, 489, 492, 598, 642, 670, 673, 680,

Mommsen, Christian Matthias Theodor 200

Mondaca, Carlos 288

Monnerot, Jules 40, 117, 120, 168, 174, 271

Montaigne, Michel Eyquem de 43, 261, 262

Montale, Eugenio 238

Monteiro Lobato, José Bento Renato 215, 427

Moraes, Vinicius de 483

Morais Filho, Alexandre José de Melo 206

Moréas, Jean 405

Moreira, Álvaro 216

Moreira, Helvina Xavier 480

Moreira, Vivaldi 446

Motta, Pascoal 664

Motta Filho, Cândido 211, 212, 216, 217

Moura, Emílio 221, 385-390, 440, 586, 592, 642

Müller, Fritz 73

Müller, Max 458

Murry, Middleton 120, 241

Musset, Alfred de 265

Nabuco, Joaquim 189, 375

Narciso 56, 70

Nava, Pedro da Silva 530

Navarro, Nicolau 420

Nemésio, Vitorino 119

Neruda, Pablo 41, 63, 116, 119, 288, 492

Nerval, Gérard de 168, 174, 233, 264, 266, 271

Nietzsche, Friedrich Wilhelm 293

Níobe 338

Nobre, António 233, 315, 355, 375, 414

Noé 105

Nogueira Moutinho, José Geraldo 636, 661

Novalis (Georg Philipp Friedrich von Hardenberg) 21, 311, 403, 513

Nunes, Cassiano 318

Oiticica, José 439

Olimpo 338

Oliveira, Alberto de 69, 441

Oliveira, José Lourenço de 132, 133, 598, 662

Oliveira, Manuel Botelho de 68

Oliveira Martins, Joaquim Pedro de 201

Oña, Pedro de 286

Ortega y Gasset, José 202

Osório, Ana de Castro 92, 235

Osório, João de Castro 228

Otávio (de Langgaard Meneses) Filho, Rodrigo 408

Ovalle, Alonso de 286

Ovídio 460

Pacheco, Félix 409

Palazzeschi, Aldo 216

Palú, Pe. Lauro 489, 541, 642, 664

Papini, Giovanni 216

Paulini, Lívia 541, 542, 611

Pavese, Cesare 475

Paz, Octavio 394, 491, 636

Pederneiras, Mário 408

Peixoto, Júlio Afrânio 90

Pereira, Antônio 373

Pereira, José Renato Santos 466

Perneta, Emiliano 408

Perrault, Charles 460

Pessanha, Camilo de Almeida 92-96, 225-236, 642

Pessoa, Fernando 34, 52, 92, 97-98, 144, 174, 233, 234, 235, 236, 303, 316, 317, 320

Pfeiffer, Johannes 28, 30, 33, 120

Picasso, Pablo Ruiz 289

Picchia, Menotti del 211, 212, 215, 216, 217, 220, 222

Píndaro 639

Pinheiro, João 372

Pirandello, Luigi 482

Pius, Servien 49, 50, 121

Platão 124, 128, 157, 330, 463

Plotino 284, 393

Poblete, C. 288

Poe, Edgar Allan 55, 56, 93, 166, 265, 424

Pompeia, Raul 73

Ponge, Francis Jean Gaston Alfred 630

Portinari, Candido 140

Pound, Ezra 241

Prado, Paulo da Silva 217

Proteu 193, 216, 259, 481

Proust, Marcel 148, 162

Prudhomme, Sully 441

Quadros, António 235

Queirós, Bartolomeu Campos de 531, 658, 688

Queiroz, José Maria de Eça de 62, 375

Queiroz, Maria José de 484, 594, 597, 608, 609, 623

Quintana, Mário 483, 663

Rabelais, François 249, 376

Ramos, Alberto 411

Ramos, Graciliano 157

Ramos, Jorge 532, 661

Ramos, Maria Luiza 511, 632

Ramos, Péricles Eugênio da Silva 181

Rangel, Paschoal 643, 664

Read, Herbert 463

Régio, José 95, 227, 235

Reis, Joaquim Silvério dos 511, 527

Renault, Abgar 381-384, 656

Renéville, André Roland de 174, 219

Reyes, Alfonso 47, 64, 120, 246-251

Rezende, José Severiano de 336-346, 348, 361-370, 410, 411, 413, 642

Ribeiro (de Andrade Fernandes), João (Batista) 375, 380

Ribeiro, Joaquim 462

Ribeiro, Júlio 378

Ribeiro, Leo Gilson 663

Ribot, Théodule-Armand 220

Ricardo (Leite), Cassiano 215, 220, 222, 302

Richards, Ivor Armstrong 351

Richter, Hans 194

Rilke, Rainer Maria 36, 119, 120, 256, 482, 609, 624, 653, 660, 665

Rimbaud, Jean-Nicolas Arthur 73, 167, 174, 226, 266, 269, 271 406, 608, 624

Rivas Sáinz, Arturo 44, 121

Rivero, Eliana 544

Robertis, Giuseppe de 238

Rocha Pombo, José Francisco da 374

Rodenbach, Georges 417

Rodó, José Enrique 247, 403, 481

Rodrigues, Wilson 462

Rokha, Pablo de (Carlos Díaz Loyola) 288

Rolland, Romain 599

Romero, Sílvio Vasconcelos da Silveira Ramos 214, 324, 461

Ronsard, Pierre de 261

Sá-Carneiro, Mário de 235, 303-322, 642

Saint-John Perse (Alexis Leger) 637

Salazar, Abel 42, 84, 121

Salgado, Plínio 217

Salomão 405

Sánchez, Luis Alberto 290

Sant'Anna, Affonso Romano de 498

Santa Rosa (Júnior), Tomás 482

Santos, Felipe dos 522

Santos, Angelo Oswaldo de Araújo 471

Santos, padre Manuel dos 373

Sartre, Jean-Paul 130, 133, 165, 629

Schiller, Johann Christoph Friedrich von 46, 64, 115, 121, 140, 157, 285, 403, 463, 483

Schmidt, Augusto Frederico 222, 483, 578

Schmidt, Paulo 686

Schopenhauer, Arthur 73

Schüler, Donaldo 568

Segall, Lasar 215

Seghers, Pierre 270

Segundo, Juan Luis 39, 121

Sena, Jorge de 320, 661

Shakespeare, William 78, 202

Silva, Vicente Ferreira da 330

Silva Alvarenga, Manuel Inácio da 374

Silveira, Álvaro da 413

Silveira, Tasso Azevedo da 222, 408

Silveira Neto, Manuel Azevedo da 408

Sima, Joseph 289

Simões, João Gaspar 92, 235, 236, 316, 541, 660

Soares Amora, Antônio 30, 49

Soares Maciel, coronel 411

Soffici, Ardengo 216

Souza, Eneida Maria de 541, 571, 643, 686, 689

Souza, Robert de 55

Spagnoletti, Giacinto 244, 245

Spielhagen, Friedrich 21

Spinelli, Vincenzo 49, 121

Spitzer, Leo 171, 174

Staël, Madame de (Anne-Louise Germaine de Staël-Holstein) 263

Stecchetti, Lorenzo 413, 428

Steen, Edla van 480

Steiner, George 625

Stendhal (Henri-Marie Beyle) 614

Storni, Alfonsina 110-112

Stradelli, Ermanno 461

Strich, Fritz 209

Szenes, Hannah 255

Tagore, Rabindranath 482, 599

Teresa de Jesus, Santa 585

Thibaudet, Albert 271

Thorel, Jean 403

Tiradentes (Joaquim José da Silva Xavier) 511, 516, 524

Tomás de Aquino, Santo 45

Torre, Guillermo de 484

Tour du Pin, Patrice de la 121

Troisfontaines, Roger 645

Tuffrau, Paul 271

Tzara, Tristan 167, 218, 289

Undurraga, Antonio de 288, 289, 290, 291

Ungaretti, Giuseppe 237-245, 475, 482, 642

Ureña, Max Henríquez 289, 302

Urenã, Pedro Henríquez 248, 251

Valéry, Paul 43, 55, 108, 121, 267, 268, 271, 290, 341, 530, 536, 597, 608, 625, 626

Vallejo, César 248

Van Gogh, Vincent 152, 595

Vargas, Ângela 482

Várzea, Virgílio 76, 409

Vasconcelos, Agripa Ulisses 409, 439, 440

Vasconcelos, Bernardo Pereira de 374

Velis, Carlos Pezoa 288

Veloso, Dario Persiano de Castro 409

Veríssimo, José 354, 439

Verlaine, Paul-Marie 92, 166, 167, 226, 271, 355, 404, 405, 406, 418, 419, 420, 428, 507

Vidigal, Bernardo 227, 228

Vieira, Antônio 375, 377, 481

Vigny, Alfred de 264

Vilela, Orlando 121

Villa-Lobos, Heitor 216, 217

Villon, François 510

Virgem Maria, 339, 348, 362

Virgílio 31, 37, 148, 209, 246, 460, 638

Virgillo, Carmelo 491, 498, 500, 541, 659

Visan, Tancrède de 403

Vítor (dos Santos), Nestor 75, 81, 408, 409, 439

Vossler, Karl 29, 62, 121

Waelhens, Alphonse de 644, 645

Wagner, Richard 341

Warren, Austin 27

Weinrich, Harald 297, 302

Wellek, René 27

Wells, Henry 240

Whitman, Walt 652

Wilde, Oscar Fingal O'Flahertie Wills 334

Wolfflin, Heinrich 65

Zola, Émile 212